Th

Theresa Révay est née à Paris. Après des études de lettres, elle s'oriente vers la traduction de romans anglo-saxons et allemands, et publie deux livres : *L'Ombre d'une femme*, La Table ronde (1988), et *L'Ouragane*, Tsuru éditions (1990).
Son premier roman historique, *Valentine ou le Temps des adieux*, paraît aux éditions Belfond en 2002, suivi en 2005 de *Livia Grandi ou le Souffle du destin*, pour lequel elle sera finaliste du prix des Deux-Magots 2006.
Publiée dans de nombreux pays, dont l'Allemagne, l'Italie et l'Espagne, Theresa Révay s'impose aujourd'hui comme l'une des romancières majeures de grandes fresques historiques.
Son dernier roman, *Tous les rêves du monde* s'inscrit dans le prolongement de *La Louve blanche*, et vient de paraître aux éditions Belfond.

LA LOUVE BLANCHE

Pour Sibylle,

de la part de Christophe et Jean-Marie, en regrettant que vous n'ayez pas pu être avec nous pour cette belle soirée de novembre à l'Auberge de la Treille.

Bien à vous,

Thérèse Révay.

St Martin le Beau, novembre 2012

DU MÊME AUTEUR
CHEZ POCKET

LA LOUVE BLANCHE
TOUS LES RÊVES DU MONDE

THERESA RÉVAY

LA LOUVE BLANCHE

BELFOND

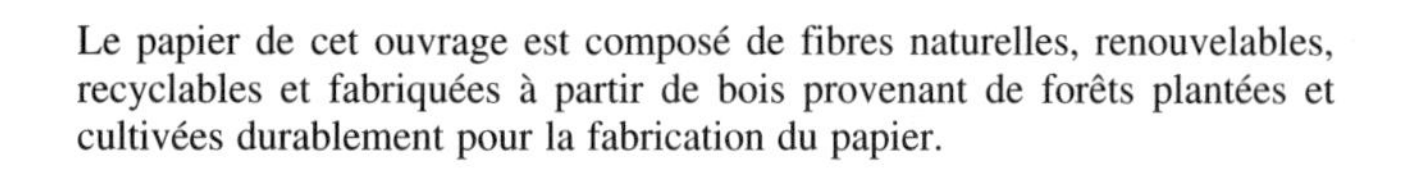

Le papier de cet ouvrage est composé de fibres naturelles, renouvelables, recyclables et fabriquées à partir de bois provenant de forêts plantées et cultivées durablement pour la fabrication du papier.

ISBN 978-2-266-18956-9

Au loup des lunes.
Mit Liebe.

PREMIÈRE PARTIE

Petrograd, février 1917

La chance n'aime pas les tièdes. Elle se provoque et se conquiert, en un mot elle se mérite, telle la croix de saint Georges sur le champ de bataille, et Xénia Féodorovna Ossoline ne s'imaginait pas autrement qu'en conquérante.

Alors que la guerre s'éternisait depuis près de trois ans et que les Russes mouraient par centaines de milliers de la Baltique au Danube, l'espoir de voir apparaître un certain jeune officier de la Garde impériale à son dîner d'anniversaire était mince, mais elle n'avait pas hésité à lui envoyer une invitation et à téléphoner chez lui quand elle n'avait pas obtenu de réponse, afin de s'assurer qu'il était bien en permission. Sa mère aurait été horrifiée de l'apprendre.

Le nez collé à la fenêtre, Xénia souffla sur la double vitre comme lorsqu'elle était enfant, puis y dessina un visage. La patience s'apprenait-elle en vieillissant ? Ce n'étaient tout de même pas les quelques manifestants qui s'agitaient autour de Notre-Dame-de-Kazan qui allaient lui gâcher sa fête.

La porte d'entrée claqua et la voix profonde de son père résonna dans le vestibule. Elle en connaissait chaque nuance et elle comprit aussitôt qu'il était contrarié, peut-être même en colère. Elle l'imagina se débarrassant de son épais manteau et s'ébrouant comme un ours, puis l'écouta traverser la pièce de son pas inégal pour se rendre à son cabinet de travail, sa botte droite raclant le parquet, souvenir d'une blessure de guerre.

Elle pivota sur ses talons et embrassa d'un coup d'œil le salon. Elle n'avait allumé aucune lampe et se tenait, dans l'obscurité de cette fin d'après-midi, droite et tranquille dans sa longue jupe en lainage gris et son chemisier blanc au col plissé, un châle autour des épaules. Elle respirait encore l'odeur piquante des antiseptiques de l'hôpital où elle se rendait pour aider à soigner les blessés. On ne lui confiait pas de tâches délicates, considérant qu'à quinze ans elle était encore trop jeune pour suivre une formation d'infirmière et affronter des plaies purulentes ou indiscrètes, mais on ne refusait pas son aide pour préparer les pansements, désinfecter les instruments des chirurgiens ou remonter le moral des soldats.

La pendule égrenait les minutes. Les contours réconfortants des divans et des fauteuils se laissaient deviner dans la pièce. La jeune fille ferma les yeux et dessina de mémoire l'emplacement des tapis persans et des miroirs, de la console à têtes de sphinx, des guéridons en bois de rose et d'amarante, des chaises aux décors ciselés. Aux murs, des toiles de maîtres, une collection réputée parmi la haute société de la ville. Fantôme fugace, elle aurait pu se glisser entre les meubles clairs en bouleau de Carélie, effleurer les cadres émaillés posés sur le piano à queue ou la collection de tabatières. Elle connaissait le grand salon par cœur, de même qu'aucune des pièces en enfilade de cette demeure à la fois chaleureuse et protocolaire n'avait de secret pour elle. Dans ce silence de velours, il lui sembla percevoir le pouls paisible de la maison qui se répandait dans ses veines et l'emplissait tout entière. Le cœur de sa demeure natale qui ouvrait sur un canal pris par les glaces, à mi-chemin entre deux cathédrales, battait à l'unisson avec le sien.

Des éclats de voix la tirèrent de sa rêverie. Désorientée, elle se demanda si l'agitation venait de l'extérieur, mais dès qu'elle ouvrit les yeux, elle comprit que son père tempêtait au téléphone. Elle tendit l'oreille. Ces derniers temps, c'était devenu une habitude. Quand elle se promenait en ville, elle recueillait des miettes d'information, des commérages ou des récriminations lancées à la volée. Depuis des mois, les queues se formaient devant les boulangeries dès trois heures du matin. Les femmes, engoncées dans leurs manteaux d'hiver, les joues gercées par le froid, se plaignaient en réclamant du pain et en dénonçant la hausse des prix. On accablait le gouvernement qu'on accusait de cacher la farine, d'être vendu aux Allemands et incapable d'organiser le ravitaillement de la ville où l'on manquait de tout, de charbon comme de viande, de bougies, de savon et de sucre. L'assassinat de Raspoutine aurait dû résoudre les problèmes, mais la situation ne s'améliorait pas, à croire que le *staretz* continuait à exercer son pouvoir maléfique au-delà de la tombe. À cause de la pénurie de bois de chauffage, dans certains quartiers, les pauvres mouraient de froid dans leurs logements non chauffés.

Un frisson lui parcourut l'échine. Les Ossoline, eux aussi, faisaient des économies. On ne chauffait plus la maison comme autrefois. Certaines pièces avaient été fermées jusqu'au printemps. Désormais, elle partageait sa chambre avec sa petite sœur Macha, de cinq ans sa cadette, qui ne se lassait pas le soir de réclamer la lecture de contes et de légendes, si bien que Xénia devait parfois sévir pour que l'enfant s'endorme sous sa montagne de couvertures.

— La mesure de pommes de terre est maintenant à cinq roubles alors qu'elle était à quinze kopecks avant la guerre ! Comment veux-tu que les gens mangent, Nina ? s'époumona son père.

Il avait dû laisser ouverte la porte de son cabinet de travail. Xénia discerna le murmure de la voix de sa mère qui essayait de l'apaiser. Avec son regard pâle et ses attaches délicates, Nina Petrovna Ossoline avait la douceur de ces femmes qui exercent sur leur mari au caractère volcanique une influence angélique. Combien de fois Xénia avait-elle vu son père ou certains de ses oncles, officiers émérites de la Garde, obéir à leurs épouses sans même qu'elles élèvent la voix ? Il y avait chez ces colosses une propension à la docilité qui ne manquait pas de surprendre. Elle ne s'étonnait pas d'entendre son père évoquer le prix des denrées alimentaires. C'était un homme intelligent qui aimait rappeler qu'une guerre se gagne au front et se perd à l'arrière. Or, depuis de longs mois déjà, à l'image des tramways en grève immobilisés sur leurs rails ou des séances houleuses des députés qui siégeaient au palais de Tauride, l'arrière de la sainte Russie renâclait tel un cheval indocile.

Xénia fronça les sourcils, songeant à sa robe bleu pâle de satin et de tulle brodée de perles de verre qui l'attendait dans sa chambre. Elle avait interdit à Macha d'y toucher, sous peine d'une punition exemplaire qu'il lui restait encore à inventer. Ses parents lui avaient promis un bel anniversaire, une récompense pour avoir été une élève studieuse au lycée Obolensky et une apprentie infirmière appliquée. Sa mère l'avait accompagnée rue Mokhovaïa chez Anna Grigorievna Gindus, qui incarnait pour la jeune fille l'élégance absolue, la couturière ayant fait son apprentissage chez Jeanne Paquin, à Paris. Elle avait l'impression de fêter son entrée dans le monde avec un an d'avance, ce qui lui convenait parfaitement puisqu'elle n'aimait pas ressembler aux autres. Lorsqu'elle avait parlé à ses amies du dîner qui suivrait la représentation d'une pièce de Lermontoff au théâtre Alexandrinski, elles avaient piqué des fards de jalousie. Bien que la guerre eût entraîné des libertés nouvelles pour toutes, leurs parents étaient plus respectueux des convenances.

Il était hors de question que la fébrilité qui régnait en ville vienne troubler des réjouissances auxquelles elle se préparait depuis plusieurs semaines. D'un pas décidé, elle quitta le salon et dévala l'escalier pour rejoindre son père. Elle avait soudain besoin de le voir, afin de s'assurer auprès de lui que tout irait bien.

Elle s'encadra dans la porte du cabinet de travail, observant le général qui, debout près du poêle, parcourait une dépêche. Les épaules voûtées, il se frottait la nuque d'une main lasse, mais ses petites lunettes cerclées d'or lui donnaient un air d'étudiant. Elle éprouvait pour son père un sentiment intense, presque dramatique. Il lui inspirait une confiance absolue, ronde et pleine tel un fruit d'été gorgé de sucre. Auprès de lui, il n'y avait aucune possibilité de doute, ni de flottement. De haute taille, doté de larges épaules et de mains puissantes, il dégageait une vitalité solaire. Lorsqu'elle regardait Macha se blottir dans ses bras, Xénia regrettait d'être désormais trop grande pour y trouver refuge et se contentait de baisers sonores qui claquaient sur sa joue, la généreuse moustache blonde lui chatouillant la peau.

Il marmonna un juron, se pencha pour jeter la dépêche dans l'ouverture du poêle carrelé, puis s'aperçut de la présence de sa fille. Aussitôt, son visage aux traits creusés s'éclaira. Il retira ses lunettes qui laissèrent une empreinte rouge sur l'arête de son nez.

— Petite colombe, tu es là, je ne t'avais pas entendue approcher. Comment se porte la reine de la fête ?

— Et toi, papa, comment vas-tu ?

Il se laissa tomber dans le fauteuil en cuir et posa les avant-bras sur les papiers en désordre qui s'amoncelaient sur le bureau. Ses lèvres esquissèrent une moue ironique qui ne lui seyait pas.

— Il paraît que nous allons voir *La Mascarade* au théâtre. Jolie ironie du sort... Moi qui ai l'impression d'en vivre une toute la journée.

— On dit que les décors sont somptueux, lança Xénia, un peu nerveuse. Tout le monde y sera, même des membres de la famille impériale. La représentation s'annonce superbe.

Elle s'étonna de son ton implorant. Accordait-elle autant d'importance à une malheureuse soirée au théâtre ? L'image de sa nouvelle robe, des souliers en satin assortis, des bandeaux qu'on allait glisser dans ses cheveux s'imposa à elle. Comment pouvait-elle s'imaginer adulte et tenir à ces futilités avec une rage d'enfant ?

— Depuis janvier, cette ville s'étourdit de fêtes, fit son père d'un ton agacé. Elle ne pense qu'à danser.

— Ce sont des galas de bienfaisance, papa, protesta Xénia. Il faut bien réunir de l'argent pour nos blessés.

— Au rythme où nous allons, il n'y en aura bientôt plus, ironisa-t-il. Depuis la déroute de Tannenberg, et surtout cette maudite retraite de Galicie, on ne compte plus les mutineries au front.

— Ces soldats-là sont des lâches ! Jamais des officiers comme toi ou l'oncle Sacha ne se comporteraient ainsi.

— Des lâches, on en débusque partout, mon enfant. C'est une race bien répandue, crois-moi ; mais peut-on traiter de lâches des hommes qui n'ont qu'une dizaine de cartouches pour tirer ? Qui se sont parfois battus en jetant des pierres ? Je te rappelle qu'en août 1914 les Russes se sont comportés en héros. Nous nous sommes sacrifiés pour les Français. C'est grâce à nous qu'ils ont pu remporter la bataille de la Marne, puisque les Allemands ont dû répliquer à nos attaques en Prusse-Orientale. Mais notre loyauté a eu un prix terrible : nous n'étions pas prêts pour l'affrontement et nous avons perdu l'élite de notre armée. Et puis, l'année suivante, il y a eu la Galicie…

Son regard s'égara quelques instants dans le vague et son visage se crispa comme sous l'effet de la douleur.

— Nous n'avions ni cartouches ni obus… Une artillerie décimée… Des régiments qui avaient perdu les trois quarts de leurs effectifs. J'ai vu de simples sergents mener les hommes au combat alors qu'ils n'avaient rien mangé depuis des jours. Ce n'était plus la guerre, mais un massacre, et cela, aucun officier digne de ce nom ne peut le cautionner. Le peuple n'est pas content. Il commence à protester, et de plus en plus ouvertement. Nous ferions bien de nous en préoccuper. Ne me dis pas que tu es comme tous ces sourds qui ne l'entendent pas ?

— Ça ne peut pas être aussi grave que cela, tout de même ! lança Xénia, exaspérée. On a l'habitude des grèves et des manifestations. En 1905, tout a fini par rentrer dans l'ordre, non ? Maintenant que le peuple a une Douma, que veut-il de plus ?

Le général la regarda d'un air sévère.

— La Douma ne représente pas correctement le paysannat ni le prolétariat. C'est une assemblée de notables. Or, il ne s'agit plus de cette foule mystique qui brandissait ses icônes devant son tsar avec une foi aveugle, mais d'hommes et de femmes réalistes. Le peuple veut manger. Il veut qu'on cesse d'envoyer ses fils se faire tirer comme des lapins. Il veut la paix alors qu'on est en pleine guerre. Il veut le partage des terres aussi, et Dieu sait quoi encore…

— Dans ce cas, il veut trop et il n'aura rien !

Féodor Sergueïevitch observa sa fille aînée plantée devant lui, les bras croisés et les joues enflammées, ses yeux gris peuplés de tempêtes, ses longs cheveux blonds en désordre, et il éprouva pour elle un tel élan d'amour qu'une main lui broya le cœur. Il la savait fière, parfois orgueilleuse, souvent intransigeante, mais en ces temps troublés, ces traits de caractère qui passaient pour néfastes constituaient un bouclier pour affronter des lendemains incertains. Elle n'avait pas la bienveillance de sa mère, ni la délicatesse de la petite

Macha dont il devinait qu'elle deviendrait l'une de ces charmantes créatures insouciantes qu'un homme aime seulement parce qu'il peut la protéger. Non, Xénia était farouche, tenace, épineuse. Elle serait de ces femmes qui tourmentent les hommes, dévorent leur sommeil, se cristallisent sous leur peau, se rappelant à eux de manière impitoyable lorsqu'ils s'y attendent le moins, aussi bien parmi une foule indocile qu'aux confins de la steppe, de ces femmes insaisissables qui inspirent la passion, de celles qui mènent au duel ou à la folie.

Alors qu'il admirait la distinction de la jeune fille, sa silhouette déliée aux poignets fragiles, prisonnière d'une colère passagère dont il croyait deviner la cause, il éprouva l'envie absurde de l'emmailloter, comme ces nouveau-nés qu'on emprisonne dans des langes pour les protéger d'un vide trop effrayant après le ventre de leur mère.

Depuis la veille, il écoutait s'intensifier le grondement de la révolte. Plusieurs magasins avaient été pillés. Les tramways ne circulaient plus, des receveuses et des conducteurs ayant été agressés. Des militaires avaient tiré sur des grévistes, faisant trois morts, et désormais les ponts étaient gardés. Songeant à la dépêche qui se consumait dans le poêle, Féodor Sergueïevitch sentit le sang se figer dans ses veines. En cet instant, il aurait tout donné pour protéger sa fille d'un destin qu'il redoutait difficile, des terreurs de la guerre comme de la trahison des hommes.

— Il est reparti pour le front ce matin, murmura-t-il.

Xénia s'empourpra.

— De qui parles-tu ?

— D'Igor.

— Comment le sais-tu ? Il te l'a dit ? Tu l'as vu ?

— Je l'ai croisé hier soir. Il avait assisté la veille à une grande manifestation sur la perspective Samsonievsky et il s'inquiétait de trouver les cosaques plutôt bienveillants envers la foule. C'est un jeune homme perspicace. Il m'a aussi chargé de te remercier pour ton invitation.

— Il aurait pu répondre, tout de même. C'est fou ce qu'il est mal élevé, ce garçon. On ne le regrettera pas.

Elle se détourna brusquement et s'approcha du poêle. Elle s'en voulait de ne pas réussir à dissimuler sa déception. Dans son dos, elle devinait que son père cherchait des paroles apaisantes. Pourvu qu'il reste silencieux ! D'un seul coup, elle se sentit si fragile qu'elle redouta de pleurer. Il lui faudrait quelques secondes pour éveiller la colère qui chasserait le chagrin.

C'était sa nuque qu'elle avait aimée, sans comprendre pourquoi, peut-être tout simplement parce qu'elle s'était offerte à sa vue lorsqu'il avait incliné la tête pour jouer du piano, et qu'elle lui avait semblé à la fois belle et vulnérable. En dépit de la coupe militaire, il avait d'épais cheveux châtains et un regard sombre, attentif, qui s'attardait sur vous. Il lui avait donné le sentiment d'être à la fois présent dans la pièce et parfaitement ailleurs, et elle lui avait envié cette faculté de dédoublement.

Igor Kounine était un ami de son oncle Sacha, le plus jeune frère de sa mère. Elle l'avait rencontré un an auparavant, lorsque Sacha était venu leur rendre visite lors d'une permission. Les deux hommes avaient environ le même âge, une petite vingtaine d'années, et elle s'était étonnée qu'on puisse se lier d'amitié alors qu'on était si dissemblables. L'oncle Sacha avait le verbe haut et l'éclat tapageur, n'hésitant pas à tirer le canard sauvage entre deux assauts sur le front de Galicie, à la consternation de ses supérieurs, tandis qu'Igor restait en retrait, répondant poliment aux questions de la maîtresse de maison et tenant sa tasse de thé en équilibre, comme s'il craignait de la briser.

Après avoir martyrisé le piano pendant quelques minutes en chantant à tue-tête, Sacha avait convaincu Igor de prendre sa place. « Lui, c'est un virtuose », avait-il lancé à la cantonade. Un peu gêné, Igor avait baissé la tête. On voyait bien qu'il aurait aimé se fondre dans le décor, mais Sacha avait été intraitable. « Allons, mon vieux, l'autre jour, tu te plaignais d'être privé de musique. » Avec un sourire d'excuse, Igor s'était assis sur le tabouret, il avait effleuré les touches blanches et noires comme s'il récitait une prière, puis il s'était mis à jouer.

Ce soir-là, Xénia avait été sa voisine de table. Ils avaient parlé à mi-voix, sans prêter attention aux autres. Elle avait été si intriguée par sa personnalité qu'elle en avait oublié d'être timide. Depuis, il ne cessait de hanter ses pensées. Ils s'écrivaient des lettres, courtes et empressées pour elle, plus mélancoliques pour lui. Quand elle avait su qu'il avait à nouveau une permission et que son séjour coïncidait avec sa fête d'anniversaire, son cœur s'était emballé. Il allait la découvrir en souveraine incontestable de la soirée. Elle l'avait imaginé intimidé, l'admirant de loin. Ce serait elle qui irait vers lui pour le choisir entre tous, sa robe longue bruissant sur le parquet en marqueterie, et il ne pourrait que lui en être reconnaissant. Mais voilà que tout s'effondrait. Sans la présence d'Igor, cette fête n'avait plus aucun sens et elle n'avait même plus envie d'y assister.

Décidément, cette guerre qui n'en finissait pas commençait à lui porter sur les nerfs. Elle en avait assez de trembler pour ses oncles ou ses cousins qui combattaient au front. Elle ne supportait plus les restrictions, les journaux aux titres angoissants, les icônes et les miroirs voilés de noir qui marquaient le deuil, les interminables offices des morts à l'église où l'encens lui donnait mal au cœur. Elle s'agaçait de devoir accompagner sa mère deux fois par semaine aux ouvroirs où ces dames tricotaient des bas, cousaient des chemises et des gilets pour les soldats, triaient des vêtements pour les réfugiés, et où elle endurait les regards suspicieux des vieilles femmes rancies qui la réprimandaient quand elle regardait par la fenêtre en rêvassant. C'était à croire qu'on avait manigancé tout cela pour l'ennuyer, elle, et l'empêcher de profiter de ce qui devait être les plus belles années de sa vie. C'était injuste et détestable !

Féodor Sergueïevitch vit sa fille serrer les poings. À ses épaules courbées comme si elle luttait contre le vent, il devinait sa colère. Elle se sentait déçue, donc trahie. Il avait compris son trouble de jeune fille pour le jeune Kounine et n'y voyait pas d'inconvénient. Le garçon était un musicien prometteur, un militaire de valeur qui portait un regard avisé sur la situation et en mesurait la gravité. La veille, l'un et l'autre avaient fait le même constat amer : l'armée était gangrenée par la propagande révolutionnaire. Au front, les hommes n'obéissaient qu'à contrecœur. « Chacun ne pense qu'à soi, avait murmuré le jeune officier d'une voix lasse. Leur âme simple ressemble à celle d'un enfant. Ils s'enivrent de belles paroles comme de vodka. Ils n'ont plus aucune confiance en nous, leurs chefs, car ils ont le sentiment que nous voulons les livrer à l'ennemi. Ils sont déprimés et découragés, et parfois, dans leur regard, je crois deviner de la haine. »

La haine… Le général la sentait, la respirait, cette odeur nauséabonde qui empuantissait les rues de la ville. Pire encore, il percevait ce même malaise lorsqu'il inspectait les bataillons de dépôt de la Garde. Les nouvelles recrues n'étaient plus des moujiks résignés et fatalistes, enlevés pour la première fois à leurs villages isolés, mais des ouvriers de Petrograd pétris d'idées socialistes. Chez eux, il ne trouvait plus d'esprit de sacrifice ni de camaraderie de corps, mais des mines rétives et des regards verrouillés.

Depuis quelques mois, Féodor Sergueïevitch se réveillait parfois en sursaut vers trois heures du matin. Le cœur battant, il écoutait le souffle régulier de sa femme allongée à son côté et cherchait un apaisement, mais le sommeil s'obstinait à le fuir. Alors, il se glissait hors du lit avec une grimace car le sang circulait difficilement dans sa mauvaise jambe. Sans faire de bruit, il enfilait son épaisse robe de chambre en soie et quittait la pièce. Combien de fois avait-il entrebâillé la porte de la chambre de ses filles ? Il contemplait les cheveux blonds de Xénia répandus sur l'oreiller, les édredons en désordre comme si elle avait passé la nuit à lutter avec un ennemi invisible, tandis que le corps de Macha restait blotti sous les couvertures. Douce Mère de Dieu, protégez-les ! priait-il en les bénissant d'un signe de croix, avant de rejoindre son cabinet de travail, d'allumer le poêle et d'attendre l'aube, seul avec ses tourments.

Le téléphone sonna.

— Il va falloir monter te préparer, mon petit soleil, dit-il avec un sourire. Je crois que le coiffeur vient d'arriver. Je ne doute pas que ce talentueux M. François saura dompter cette ruche qu'est ta chevelure. Ce sera une belle fête ce soir, tu verras.

La jeune fille se tourna vers lui. Visiblement, elle avait ravalé sa rancœur.

— Bien sûr, papa, et j'ai l'intention de profiter de chaque seconde.

Elle quitta la pièce la tête haute et sa résolution le fit sourire.

Il eut un regard méfiant pour l'appareil, décrocha à contrecœur et écouta l'officier supérieur lui apprendre qu'une compagnie du Pavlovski avait tiré sur deux autres unités. Après avoir été désarmés, les soldats rebelles avaient été mis aux arrêts. Si la Garde cède, c'est le commencement de la fin, songea-t-il avec amertume, tandis qu'il se levait pour dicter ses ordres.

La nuit était bleue. Le ciel enveloppait la ville rigoureuse, quadrillée par de larges artères glacées, avec ses quais de granit, ses flèches miraculeuses, ses colonnades, coupoles et autres palais majestueux. La voiture roulait lentement. Des ombres indistinctes fuyaient le long des immeubles, brièvement soulignées par les halos des réverbères. Assise à côté de sa mère, Xénia essayait en vain de les suivre des yeux. Son col de fourrure soyeux lui effleurait la joue et le manchon de chinchilla réchauffait ses mains froides.

La soirée au théâtre avait été brillante, le décor romantique haut en couleur, le jeu des acteurs inspiré. Pendant l'entracte, elle s'était fièrement promenée au bras de son père. On l'avait félicitée pour l'élégance de sa robe et l'éclat de son sourire, mais après les compliments d'usage, les conversations étaient revenues à des préoccupations plus graves. Les députés Chingareff et Skobeleff avaient réclamé la démission du gouvernement qui laissait la population mourir de faim. Les lèvres pincées, la vieille comtesse Tchikoff, agitant ses mains gantées de blanc, déclarait avoir vu des manifestants brandir un drapeau rouge. On marmonnait les noms des ministres Sturmer ou Protopopoff du bout des lèvres, comme s'ils laissaient un goût amer dans la bouche. Un peu agacée de n'être plus qu'un accessoire négligeable au bras du général de la Garde, Xénia avait froncé les sourcils, ne voulant pas entendre les reproches dont on accablait le Premier ministre, ni les inquiétudes concernant l'état d'esprit des forces armées. Cette soirée, elle en avait trop rêvé pour ne pas la vouloir insouciante, et chaque visage tendu ressemblait à un reproche.

Sa mère fut prise d'une quinte de toux qu'elle essaya d'étouffer en portant un mouchoir en dentelle à ses lèvres. Xénia lui trouvait mauvaise mine. Par égard pour sa santé fragile, la jeune fille avait renoncé à la joie de revenir en traîneau à la maison, alors qu'elle aimait par-dessus tout parcourir la ville la nuit pelotonnée sous des fourrures, la masse monolithique de leur cocher dressant un rempart contre le vent, tandis que les chevaux filaient au tintement des grelots.

— Tu ne te sens pas bien, *mamotchka* ? s'inquiéta-t-elle.

Nina Petrovna posa une main affectueuse sur le bras de sa fille.

— Ce n'est rien, ma chérie, une faiblesse passagère.

Les cernes bleutés sous ses yeux démentaient son sourire. Sa douceur se reflétait dans son regard clair d'une rare bonté, dans les petites rides d'expression qui encadraient sa bouche aux lèvres minces. Ciselée tel un camée, elle avait un front haut, un nez fin, des pommettes aiguisées. Ses cheveux blonds relevés en un chignon tressé de perles dégageaient son visage très pâle et soulignaient l'éclat des célèbres boucles d'oreilles Ossoline en émeraudes et diamants.

Xénia l'observa d'un air sévère. Depuis quelques jours, sa mère se levait tard et se retirait dans sa chambre l'après-midi pour se reposer. Or elle détestait la voir souffrante et en concevait une angoisse diffuse. Depuis son enfance, elle avait toujours marqué envers elle une sorte de retenue, comme si, trop brusque ou maladroite, elle pouvait la briser en mille morceaux.

Quand la voiture s'arrêta devant la maison, le portier vêtu d'un paletot galonné se précipita pour accueillir les deux femmes. La lumière qui jaillissait de la porte d'entrée éclairait le trottoir enneigé où le sable laissait des traînées safran. Plusieurs automobiles et des fiacres, avec leurs petits chevaux robustes et leurs cochers aux longues tenues ceinturées, s'alignaient dans la rue. Une quarantaine d'invités avait été conviée pour le dîner. Xénia leva les yeux. Les étoiles brillaient haut dans le ciel et son souffle resta suspendu dans l'air glacé. Elle respira à pleins poumons jusqu'à se faire mal, et le parfum piquant et salé, si particulier à sa ville, lui monta à la tête. On entendait des accords enlevés de musique. Quelqu'un jouait déjà un air de tango. Ce soir, rien ne viendrait gâcher la fête, et c'est le cœur léger que la jeune fille gravit les quelques marches derrière sa mère.

— Tu n'as pas peur, toi ?

— Quelle drôle d'idée ! rétorqua Xénia en ouvrant de grands yeux. De quoi voudrais-tu que j'aie peur ?

Son amie Sophia lissa sa jupe d'une main nerveuse. Elle avait une trace de chocolat au coin de ses lèvres.

— C'est tout de même sérieux, ce qui se passe. Depuis que les ouvriers de chez Poutiloff et Erikson se sont mis en grève, les manifestants sont devenus terriblement virulents. Désormais, ils ne demandent plus seulement l'abdication du tsar, mais la république. On a craint de ne pas pouvoir nous rendre à ton anniversaire à cause de toute cette agitation. Maman voudrait repartir pour Kiev jusqu'à ce que les choses se calment.

— Moi, je n'ai pas envie d'être exilée à la campagne alors que c'est ici que tout se passe, lança Xénia en empilant des macarons sur son assiette.

Sans être très copieux, le repas avait été digne des plus grandes occasions. La jeune fille se demandait où la cuisinière avait déniché ces merveilles, le caviar, les œufs de saumon, la magnifique oie rôtie, les terrines de poisson… Un festin couronné par une farandole de desserts livrée par la pâtisserie Ivanoff, alors que les œufs étaient devenus introuvables dans la capitale. Elle avait bu du champagne rosé dans des coupes de cristal et se sentait parfaitement heureuse.

Son père passa devant les deux jeunes filles avec l'ambassadeur de France. L'air grave, M. Paléologue avait croisé les mains dans le dos. La chaîne en or de sa montre de gousset barrait son gilet d'un trait de lumière. On devinait son inquiétude au pli amer de ses lèvres sous la moustache coupée ras. Il discutait à voix basse avec le maître de maison, qui devait pencher la tête pour l'entendre. Dans un coin de la pièce, entourée d'une petite cour de dames chargées de colliers de perles, la comtesse Tchikoff agitait son éventail en expliquant d'une voix aigrelette que la sainte Russie ne pouvait s'épanouir que sous le despotisme, et que ce malheureux Nicolas II possédait le même défaut que Louis XVI : une bonté excessive qui se retournait contre lui.

— On ne parle plus que de politique, lança Xénia d'un air exaspéré. Il y a pourtant des choses plus intéressantes à faire dans la vie que ressasser ce qui ne va pas dans notre pays.

— Mais c'est pourtant l'essentiel, non ? Il faut trouver des solutions, protesta Sophia, ses yeux noirs lâchant un éclair de mécontentement.

Fille d'un avocat célèbre et d'une poétesse appréciée de tous, Sophia Dimitrievna avait des yeux de braise, des joues rondes et des boucles noires insoumises qui auréolaient un visage poupin. C'était une jeune fille intelligente, vive et passionnée.

— Ma Sophia chérie, tu as toujours le nez plongé dans un livre. Tu discutes pendant des heures au téléphone des qualités et des défauts du parti social-démocrate ou social-révolutionnaire. Tous ces hommes politiques m'ennuient à périr.

— Je ne te comprendrai jamais ! Il faut réfléchir et agir, si nous voulons conserver tout ça, fit Sophia avec un geste de la main qui embrassait les portes lambrissées, les miroirs vénitiens et les valets aux cheveux blancs. Rien n'est jamais acquis dans une vie. On peut être riche un jour et pauvre le lendemain. La roue tourne pour chacun d'entre nous. Tu ne vois pas que la Russie se dirige tout droit vers un précipice ? Nous sommes embarqués sur un navire en pleine tempête avec un capitaine faible et indécis, soumis à une femme néfaste qui n'est pas russe mais allemande alors que les Allemands sont nos ennemis.

— Je te rappelle que Catherine II était une princesse allemande, elle aussi, répliqua Xénia. Mon Dieu, tu m'épuises, Sophia ! On dirait que je défends l'impératrice alors que je ne l'aime pas plus que toi. Heureusement que les grandes-duchesses sont plus sympathiques que leur mère.

— Je veux bien te croire, mais je réserve mon opinion en ce qui les concerne.

— C'est seulement parce que tu es jalouse de ne pas les connaître.

— Pas du tout ! s'emporta Sophia, mais Xénia savait qu'elle avait touché un point sensible chez son amie.

Comme elle se trouvait un jour à l'hôpital, Olga Nicolaïevna et sa sœur cadette Tatiana étaient venues travailler deux heures, vêtues de l'uniforme gris et du voile blanc des infirmières volontaires. Quoiqu'elles fussent ses aînées de quelques années, Xénia leur avait été présentée. Irritée de se sentir intimidée, elle avait fait une profonde révérence et répondu à leurs questions. Les deux sœurs avaient eu le regard franc et le sourire facile, bien que Tatiana semblât un peu hautaine. Elles avaient ri de quelques mésaventures vécues au chevet des soldats blessés. Lorsque Xénia avait raconté l'épisode à Sophia, la jeune fille, qui prônait l'idéal démocratique, avait exigé des détails précis sur le comportement des grandes-duchesses, leurs manières, leur caractère et leur tenue vestimentaire.

— Moi aussi, je lis le journal, continua Xénia, tout en remarquant l'arrivée d'un jeune homme dans l'uniforme du Corps des Pages. Je ne suis ni sourde ni aveugle, contrairement à ce que tu crois, mais je m'intéresse beaucoup plus à ce que va me raconter ce cher Sergueï qu'à toutes ces mauvaises nouvelles. Je t'en prie, ne gâche pas cette soirée par une humeur sombre. Ce soir, j'ai envie de m'amuser.

— Dans ce cas, je suis là pour vous servir, Xénia Féodorovna, dit le jeune homme en s'inclinant devant elle, le cou étranglé par son col rigide. Toutes mes félicitations. Vous êtes encore plus ravissante que la dernière fois que je vous ai vue, si cela est possible.

— Mais où est donc passé Igor ? lança Sophia d'un petit air perfide, comme pour faire payer à son amie d'avoir égratigné son amour-propre. Je croyais que tu m'avais dit qu'il serait parmi nous ce soir.

Xénia se leva et tendit son assiette de macarons à Sophia.

— Le pauvre a dû repartir pour le front ce matin. Il était franchement désolé de manquer la fête… Au fait, Sophia, tu as un peu de chocolat juste là, au coin de la bouche, ajouta-t-elle. Venez, Sergueï, c'est mon anniversaire et j'ai envie de danser.

Nina Petrovna regardait sa fille rire aux éclats en plaisantant avec le fils de l'une de ses meilleures amies. Le buste incliné vers elle, Sergueï ne la quittait pas des yeux et Xénia s'en donnait à cœur joie. Quoiqu'elle jugeât le comportement de la jeune fille quelque peu effronté, Nina n'avait pas le cœur de lui faire des remontrances.

En quelques mois, Xénia avait beaucoup grandi, ce qui l'avait fatiguée et rendue irritable, et elle se plaignait parfois de douleurs aux articulations. Fine et élancée, la jeune fille aux yeux gris translucides promettait de devenir une beauté, pour la plus grande fierté de son père. D'humeur capricieuse, elle s'emportait souvent, mais ses colères passaient tels des orages d'été, et elle n'hésitait pas à venir s'excuser si elle jugeait qu'elle avait été injuste. Elle était entière, franche et sincère, loyale en amitié et incapable de dissimuler ses sentiments, ce qui ne manquerait pas de lui causer à l'avenir quelques soucis avec les hommes, songea Nina.

— Votre fille devient une beauté, chère comtesse, mais elle ne pourra jamais rivaliser avec sa mère, murmura en français une voix à son oreille, tandis qu'une main se posait sur son épaule nue.

Nina ferma brièvement les yeux, savourant la chaleur de la paume de Féodor sur sa peau, et son corps tout entier résonna au contact de son mari. Depuis qu'elle l'avait épousé, à l'âge de dix-huit ans, il avait toujours eu cet effet sur elle. La jeune femme ne prenait pas ce bonheur à la légère, sachant qu'une fois les premiers émois passés la plupart des mariages devenaient des coquilles vides. Cette indifférence, née de l'usure du temps qui émoussait les sentiments, lui avait été épargnée. Il lui suffisait de voir apparaître Féodor pour éprouver un élan de bonheur qui la transperçait de la tête aux pieds. L'amour inconditionnel qu'il lui portait la berçait d'une sérénité dont elle tirait sa force. C'était cet amour qui lui avait permis de surmonter les épreuves que la vie lui avait infligées, non seulement le décès de deux de ses frères dans les sombres marécages de Tannenberg, mais aussi la naissance d'un enfant mort-né deux ans après celle de Xénia, puis une fausse couche délicate un an auparavant.

Elle avait redouté de ne pas pouvoir donner à Féodor la famille nombreuse qu'il espérait ; elle tenait tant à se montrer digne de lui et à ne pas le décevoir. Si les hommes autour d'elle menaient des vies de devoir dévouées au tsar et au maintien de la Russie éternelle, les épouses se devaient d'être l'armature d'une lignée, transmettant non seulement la vie, mais aussi l'âme d'une famille. Comme à son habitude, Féodor l'avait rassurée. Elle le comblait et tout était entre les mains de Dieu. Ne fallait-il pas avoir confiance en Lui ? Pourtant, au creux de la nuit, dans leur propriété de Crimée où elle avait passé plusieurs mois à se remettre, Nina avait deviné qu'il regrettait de ne pas avoir d'héritier, et elle en avait conçu du chagrin et de la honte.

Discrètement, elle porta la main à son ventre. Ce soir, après la fête, elle lui dirait enfin qu'elle attendait un autre enfant. Sans aucun doute, son visage s'éclairerait et il se pencherait pour lui baiser la main et le front, la suppliant de prendre soin d'elle et de ne pas se fatiguer. Il serait partagé entre la joie et l'appréhension, parce que pour ce militaire qui ne craignait pas de monter au front avec ses hommes la naissance d'un enfant était une épreuve plus redoutable que n'importe quel tir d'artillerie.

Féodor approcha un fauteuil et s'assit à côté d'elle. Il lui prit la main. Le geste émut Nina, car il prouvait une nouvelle fois qu'il n'avait pas peur de montrer aux autres les sentiments qui le liaient à sa femme. Elle entrelaça ses doigts avec les siens.

— Je voudrais tant qu'elle soit heureuse, murmura-t-elle.

— Pourquoi ne le serait-elle pas ? Il faudra seulement qu'elle apprenne à dompter son esprit frondeur. Notre chère Xénia a tout d'une petite révolutionnaire.

— Ne parle pas de malheur ! Je commence à craindre le pire.

— Je t'ai déjà proposé de ne pas attendre le printemps et de te rendre à Yalta avec les enfants dès à présent. Tu y serais plus tranquille.

— Je ne veux pas te quitter. Tu as besoin de moi.

Il lui caressa la main avec son pouce et esquissa un sourire attristé.

— J'aime t'avoir à mes côtés et je bénis le ciel chaque jour que Dieu m'accorde en ta présence, mais tu dois être raisonnable. Beaucoup sont déjà partis pour le Caucase ou la Crimée. Pourquoi t'obstines-tu à rester ?

— N'en parlons plus, reprit-elle, le cœur battant. Nous sommes en sécurité avec toi. Nous partirons dans quelques mois, comme d'habitude.

Elle n'avait pas menti en disant qu'elle tenait à rester à ses côtés, mais elle n'osait pas lui avouer que son médecin lui avait aussi fortement déconseillé le long voyage en train jusqu'à Yalta. Les soubresauts n'étaient pas indiqués pour quelqu'un qui avait déjà perdu plusieurs enfants. Il lui avait recommandé un calme absolu, de la patience et du repos jusqu'à l'accouchement. Nina était décidée à suivre ces consignes à la lettre. Elle voulait cet enfant avec une résolution inédite, comme si la mort de ses frères adorés et de tous ces soldats inconnus lui imposait le devoir de donner la vie.

— Quelle soirée magnifique, vous ne trouvez pas ? s'exclama Xénia en s'approchant de ses parents. Je vous remercie… C'est merveilleux !

Ses joues étaient roses, ses yeux brillaient. Elle irradiait de bonheur, parce qu'elle avait décidé que ce soir-là elle serait heureuse et que rien ni personne ne viendrait lui voler ces instants de grâce. Elle les embrassa l'un et l'autre, avant de s'élancer vers Sophia qu'elle prit par la main pour improviser une danse.

— Elle est ainsi, murmura Féodor. Un élan magistral qui vous prend au dépourvu, vous laisse déconcerté et irrémédiablement séduit.

— Mais certains pourraient en prendre ombrage, non ? s'inquiéta Nina à voix basse.

— Seulement les faibles, et il n'y aura pas de place pour les faibles dans l'avenir qui nous attend.

La gravité de sa voix effraya la jeune comtesse qui eut un frisson d'appréhension.

Une petite femme ronde aux cheveux blancs et au visage parcheminé apparut dans l'embrasure de la porte, vêtue d'une robe grise boutonnée jusqu'au cou, d'un tablier blanc, et de bottines noires cirées. Droite et digne, elle resta immobile. Sous la coiffe en dentelle, son regard perçant embrassa la pièce, s'attarda quelques instants sur Xénia, qui virevoltait avec Sergueï et Sophia si bien qu'on se serait cru à une fête de village, avant de se fixer sur Nina Petrovna qui redressa les épaules et lui sourit. D'un seul coup, Nina se sentit apaisée. Comment sa Nianiouchka avait-elle deviné qu'elle éprouvait une certaine lassitude ? Mais comment douter que cette femme qui l'avait élevée, ainsi que ses frères, qui n'était ni une nourrice ni une gouvernante mais tout simplement le cœur fidèle de la famille, fût douée d'un sixième sens en ce qui concernait ceux qu'elle protégeait ? Niania avait été la première à lui dire qu'elle était enceinte, en posant sur son ventre une main aux articulations noueuses comme pour le bénir.

— Tu ne m'en voudras pas si je me retire un peu tôt ce soir ? demanda Nina à son mari.

— Je vois que Niania veille, dit-il en souriant, mais je m'étonne qu'elle ait quitté Macha pour s'aventurer jusqu'au milieu de l'assemblée.

— C'est sûrement pour jeter un coup d'œil sur ta fille aînée, fit Nina d'un air qui se voulait insouciant. À tout à l'heure, mon âme. Tu sauras m'excuser auprès de nos amis. Pour rien au monde je ne voudrais gâcher la fête, mais je me sens un peu fatiguée.

Il porta sa main à ses lèvres.

— Tu me prives de quelques heures de ta présence, mon amour, et c'est là mon seul regret.

Elle lui sourit, effleura sa joue d'une main tendre. Il la regarda glisser vers la porte, son port de tête majestueux dévoilant sa nuque et le mouvement gracieux de ses épaules. Lorsqu'elle arriva auprès de Niania, la vieille femme s'effaça pour la laisser passer, avant de lui emboîter le pas, tel un ange gardien.

— Comment te sens-tu, barynia ? demanda Niania, alors qu'elle refermait la porte de la chambre. Tu n'as pas été très sage. Je t'avais dit que je viendrais te chercher si tu ne montais pas de toi-même quand tu serais fatiguée.

Le poêle crachotait dans un coin de la grande pièce. Nina s'assit sur la chaise placée devant la coiffeuse, appuya son poing dans le creux de son dos pour soulager les tiraillements. Elle devina que Niania avait renvoyé la femme de chambre. En ces semaines cruciales, elle ne permettait à personne de veiller sur celle qu'elle avait tenue dans ses bras trente-quatre ans auparavant et qu'elle aimait comme si elle était sa propre fille. Il y avait dans son autorité rassurante un parfum d'enfance, de berceuses et de journées ensoleillées.

— Xénia est heureuse, alors je le suis aussi.

— Je ne te parlais pas d'elle, mais de toi, précisa Niania, tandis que Nina retirait les boucles d'oreilles et les déposait avec précaution dans leur écrin de velours.

Depuis que Niania savait qu'elle était enceinte, elle s'occupait non seulement de Macha et gardait un œil sur Xénia, mais accordait aussi davantage de son temps à Nina qui lui en était reconnaissante. La vieille femme défit le collier, puis ôta les perles fixées dans la coiffure. Sans un mot, elle aida la comtesse à enlever sa robe, ses bas, sa combinaison de soie, puis à enfiler la chemise de nuit. Les sons étouffés de la musique traversaient le plancher. Elle se mit à brosser la longue chevelure avec des gestes réguliers et Nina se laissa bercer.

Quand Niania la borda dans le lit, la jeune femme sentit ses paupières se fermer.

— Je vais lui dire tout à l'heure, Nianiouchka. Il sera tellement content.

— Alors, tout est bien, barynia, murmura-t-elle en lui dessinant un signe de croix sur le front. Tes rêves seront doux. Que Dieu vous bénisse, toi et l'enfant que tu portes.

Xénia se réveilla en sursaut. Le cœur battant, elle ouvrit les yeux dans le noir. Un court instant, elle n'entendit qu'un silence pesant et elle resta parfaitement immobile, se demandant si elle avait fait un cauchemar. La lueur de la veilleuse sous l'icône de la Vierge brillait dans un coin de la chambre. Puis elle discerna les coups de bélier qui résonnaient de manière étouffée. Que se passait-il encore ?

Cette journée du dimanche avait été détestable. Comme le temps s'était radouci, elle avait voulu marcher jusque chez Sophia, mais son père le lui avait interdit. Les ponts avaient été fermés pour limiter les déplacements des manifestants, des patrouilles de police quadrillaient la ville, on entendait de temps à autre crépiter des mitrailleuses. Il y avait eu des batailles rangées à certains carrefours et la forteresse Pierre-et-Paul avait lâché quelques coups de canon. L'agitation révolutionnaire se propageait parmi les soldats de la garnison consignés dans leurs baraquements par leurs officiers supérieurs. C'étaient des hommes peu sûrs, habités par la seule obsession de ne pas être envoyés au front. La police tentait de maintenir l'ordre, mais elle se heurtait à l'opposition des cosaques qui fraternisaient avec les contestataires et refusaient de tirer sur la foule qui réclamait du pain et exigeait la déchéance du tsar.

Lorsqu'elle entendit un fracas de verre brisé, Xénia rejeta les couvertures et se leva d'un bond. Elle sortit sur le palier. L'étage était plongé dans l'obscurité, mais, au bout du couloir, le lustre du vestibule dessinait des ombres sur les murs. Des voix rauques vociféraient. Les émeutiers avaient dû essayer de défoncer la porte avant de briser une fenêtre pour entrer. Xénia avait la gorge sèche et ses jambes tremblaient. Irritée, elle se demanda comment son père pouvait tolérer pareille intrusion.

Une main ferme lui agrippa le bras.

— Retourne dans ta chambre tout de suite ! ordonna Niania, son petit visage rond tout plissé de courroux.

— Reste avec Macha, je dois aller voir ce qui se passe.

— Pas question. C'est beaucoup trop dangereux.

Partagée entre la colère et la peur, Xénia se débattit, essayant de s'arracher à la poigne étonnamment tenace de la vieille femme.

— Xénia, veux-tu obéir ! chuchota sa mère qui se dressa soudain devant elle, retenant d'une main les pans de sa robe de chambre qu'elle n'avait pas eu le temps de boutonner.

Nina Petrovna était affreusement pâle. Ramenée sur sa poitrine, la longue tresse de cheveux blonds luisait à la lueur vacillante des flammes. Soudain, Xénia respira une odeur de brûlé et comprit que les révolutionnaires avaient des torches. Seigneur, pourvu qu'ils ne mettent pas le feu à la maison ! songea-t-elle, effrayée.

— Où est papa ? demanda-t-elle. Je dois aller l'aider.

— Ne sois pas ridicule ! gronda sa mère en lui saisissant le poignet. Laisse ton père tranquille. Il saura leur parler.

Les cris se firent plus menaçants. Les insultes pleuvaient. On avait visiblement trouvé le général dans son cabinet de travail. Tandis que Niania continuait à babiller et que sa mère essayait de la ramener vers la chambre, Xénia discerna les mots de trahison, d'assassin et d'ennemi du peuple. Elle fut vaguement consciente de la présence de Macha dans l'embrasure de la porte, ouvrant de grands yeux effrayés, sa poupée dans les bras.

— Lâche-moi ! lança-t-elle en repoussant brutalement sa mère.

Des coups de feu éclatèrent. Nina poussa un cri en portant ses mains à sa tête. La vieille Nianiouchka saisit la main de la petite Macha et empoigna le bras de sa maîtresse. Sans ménagement, elle les entraîna toutes les deux vers l'escalier qui menait à l'étage supérieur. Xénia se précipita vers la balustrade qui donnait sur le vestibule.

Les torses bardés de cartouchières, affublés de casquettes et de bonnets de fourrure, une bande de soldats brandissait des armes et refluait vers la porte d'entrée, braillant qu'il fallait continuer et que la nuit ne faisait que commencer. L'un d'eux se rua vers l'escalier et se mit à tirer au hasard. Les balles ricochèrent sur les murs, des ampoules du lustre éclatèrent, les miroirs se répandirent en une pluie de verre. Terrorisée, Xénia se plaqua contre le mur, persuadée que ces vandales allaient monter à l'étage. Une rafale de mitrailleuse retentit au-dehors. Le soldat dévala l'escalier et rejoignit ses camarades qui s'éloignèrent en criant dans la rue.

Le silence reprit ses droits. Xénia tremblait de la tête aux pieds. Des points noirs dansaient devant ses yeux et son cœur battait si fort qu'elle le sentait cogner dans sa poitrine. Elle descendit lentement l'escalier, se retenant d'une main à la rampe, flairant l'odeur déplaisante de poudre et de fumée. L'air glacial de la nuit pénétrait par la porte ouverte et les vitres brisées. Dehors, elle discernait des flammes. Des soldats de l'infanterie avaient allumé des feux de bivouac à divers endroits de la capitale, mais comment savoir lesquels étaient restés fidèles ? C'était troublant de ne plus pouvoir faire confiance à ceux qui avaient toujours représenté l'ordre et la sécurité. Et où étaient passés les domestiques ? Pourquoi se retrouvait-elle toute seule ?

Elle repoussa la porte d'entrée de ses mains tremblantes, batailla avec les serrures, mais les verrous étaient cassés. Il faudrait les faire réparer au plus vite et clouer des planches de bois sur la fenêtre en attendant de changer les vitres. Ensuite, il resterait à balayer les débris, à remplacer les miroirs et à repeindre les murs. Elle leva les yeux. Malheureusement, un tableau était irrémédiablement détruit. Sans parler du lustre vénitien dont la plupart des pendeloques avaient été pulvérisées. Son esprit décortiquait ce qu'il y avait à faire comme s'il s'agissait d'une chose banale que de voir des émeutiers pénétrer chez soi au milieu de la nuit.

— Papa ? appela-t-elle, et sa voix résonna de manière étrange dans l'entrée dévastée.

Elle s'aperçut qu'elle claquait des dents. Les yeux baissés pour éviter les morceaux de verre et ne pas blesser ses pieds nus, elle traversa le vestibule. Un étau lui comprimait la poitrine. D'instinct, elle savait qu'il s'était passé quelque chose de grave ; elle avançait difficilement, avec l'impression d'être engluée dans une masse visqueuse.

Les doubles portes du cabinet de travail étaient grandes ouvertes. Ce fut l'odeur qui la frappa en premier. Des relents amers, métalliques. Elle eut un haut-le-cœur. Il y avait du sang partout, s'étalant en taches sombres sur les tapis et le bureau, éclaboussant les plans de la ville éparpillés sur le sol, l'abat-jour de la lampe, la chemise blanche de son père. Un rouge agressif. Insolent. Des bribes de pensées disjointes traversèrent son esprit. Son père serait furieux de tout ce désordre. Comment pouvait-on avoir autant de sang en un seul endroit ? Pourvu que sa mère ne descende pas ! Qui allait nettoyer tout ça ? Un tremblement persistant secouait son corps. D'une main nerveuse, et sans s'en apercevoir, elle écorchait la peau de son bras.

Le général était affalé de travers dans le fauteuil. La moitié de son visage avait été arrachée par les balles. Un œil avait disparu. Une partie de son crâne et de sa cervelle avait giclé sur le dos du fauteuil. C'était indécent, impudique. Xénia, pétrifiée, réalisa qu'elle regardait à l'intérieur même de son père, et quand elle baissa les yeux, elle vit le sang qui imprégnait ses pieds, imbibait sa chemise de nuit.

Horrifiée, les poings serrés, elle renversa la tête en arrière. Un hurlement jaillit de ses entrailles, un cri venu des ténèbres, qui lui déchira le ventre et les poumons, lui lacéra les cordes vocales – l'un de ces cris qui surgissent de ce temps immémorial d'avant la lumière du monde et toute naissance, qui ont le goût des cendres et du tombeau.

Tout se devinait dans les regards. Ils étaient devenus plus acérés, parfois teintés de mépris, toujours d'insolence. Le pouvoir avait changé de mains, l'arrogance aussi.

Lorsqu'elle quittait la maison, Xénia avait appris à détourner les yeux, redoutant qu'on n'y lise moins la peur que la colère. Or il ne faisait pas bon être irritable et aristocrate en ces journées de mars, sous le ciel bleu acier de Petrograd, alors qu'une couche de neige fraîche rehaussait l'éclat des drapeaux rouges qui avaient envahi la ville comme de mauvaises herbes. Il y en avait partout, sur les aigles de la grille du Palais d'Hiver, aux frontons des immeubles, sur les automobiles réquisitionnées et les monogrammes de l'empereur. Les portraits du tsar et de sa famille avaient disparu des vitrines. Nicolas II avait abdiqué en son nom et en celui de son fils, le malheureux petit tsarévitch Alexis. Son frère, le grand-duc Michel, avait renoncé au trône en faveur du peuple. Désormais, un gouvernement provisoire issu de la Douma se chargeait de rédiger une Constitution.

Un coup de coude dans les côtes fit avancer Xénia d'un pas. Elle fusilla du regard un vieil homme barbu, vêtu d'une touloupe peu ragoûtante, qui se tenait derrière elle et empestait l'alcool. Saisie par une brusque bouffée de colère, elle se retint pour ne pas le bousculer à son tour. Cela faisait une heure qu'elle attendait. Son estomac protestait. Elle avait chaud et mal aux pieds.

Des centaines de personnes s'entassaient dans la gare avec leurs baluchons et leurs valises. Elles avaient la mine défaite, les yeux enfoncés dans les orbites. Les enfants dormaient dans les bras de leurs mères, la bouche ouverte, le visage pâle. Trois matelots tapaient le carton en mâchant des graines de tournesol qu'ils recrachaient par terre. Des voyageurs se pressaient aux guichets, gesticulaient et criaient pour obtenir des billets. Lorsqu'un train entrait en gare, ils se ruaient vers les wagons, se poussaient et se hissaient tant bien que mal sur les plates-formes. Certains escaladaient les parois pour entrer par les fenêtres. Xénia avait vu une femme tomber et se faire piétiner, avant qu'une main secourable ne lui vienne en aide.

Son tour se présenta enfin et elle se pencha au guichet. Derrière le grillage, l'employé au col déboutonné fumait une cigarette.

— J'ai besoin de billets pour Yalta.

— Rien que ça, citoyenne, fit l'homme d'un air narquois.

— J'ai de quoi payer.

— Peut-être, mais moi je n'ai pas de billets à te vendre, alors ton argent ne te servira à rien.

— Mais ce n'est pas possible, voyons ! Je ne vous demande pas la lune. Il y a encore des trains qui roulent dans ce pays. Je veux quatre billets. Pour n'importe quel train, n'importe quel jour.

Elle commença à fouiller dans une poche intérieure de son manteau où elle avait rangé son argent. L'homme tira une dernière bouffée de sa cigarette et écrasa le mégot sur la table. Il avait des mains aux doigts épais, les ongles noirs de crasse.

— Écoute-moi, petite. Je n'aime pas ta façon de me parler et je n'ai pas de billets à vendre. Au cas où tu ne l'aurais pas remarqué, tu n'es pas la seule à vouloir quitter Petrograd. Alors, reviens un autre jour. Tu auras peut-être plus de chance. Ou pas. Moi, ce n'est pas mon problème.

Voulait-il de l'argent ? Elle avait entendu dire qu'il fallait donner trente roubles par billet au chef de gare pour espérer obtenir des places, mais elle ne savait pas comment s'y prendre. Ses gouvernantes française et allemande lui avaient appris à parler des langues étrangères, ses professeurs l'algèbre, l'histoire ou les sciences humaines, mais personne ne lui avait expliqué comment soudoyer un employé des chemins de fer.

L'homme se leva.

— On ferme ! cria-t-il en rabattant le clapet du judas d'un mouvement sec, provoquant une tempête de protestations chez ceux qui attendaient derrière Xénia.

La jeune fille serra les dents et se détourna. Sa seule consolation fut de voir le visage dépité du vieillard acariâtre qui rouspétait devant le guichet vide. Elle se fraya un passage jusqu'à la sortie. Elle avait insisté auprès de sa mère pour quitter la ville, sans comprendre pourquoi celle-ci semblait hésiter alors qu'un départ était la seule solution raisonnable. À quoi bon rester ? Depuis qu'ils avaient enterré son père, elle avait pris Petrograd en horreur. Dans la maison, la porte du cabinet de travail demeurait fermée à clé ; personne n'avait le cœur d'entrer dans la pièce maudite. Seule Niania avait tenu à y mettre un peu d'ordre. « C'est une question de respect pour le barine », avait-elle dit. Dans l'imaginaire de Xénia, leur maison de villégiature au bord de la mer Noire, avec ses colonnes blanches et ses parterres de fleurs, se parait de toutes les vertus. Elle avait une furieuse envie de printemps, d'arbres fruitiers et d'orchidées sauvages. D'une mer bleue, transparente et froide, lisse comme un miroir, où plonger jusqu'à s'y perdre.

L'armée était en pleine débandade. On racontait que rien ne pourrait enrayer une nouvelle offensive des Allemands et beaucoup redoutaient que l'anarchie ne permette la victoire de l'ennemi. Les rumeurs les plus folles circulaient. On parlait de complots et de coups de force. Les noms de certains généraux comme Alexéiev ou Korniloff suscitaient encore l'espoir fou d'un retour à l'ordre, mais rien ne semblait se concrétiser. Et puis, il y avait Macha et ses cauchemars qui la tourmentaient.

Allongeant le pas dans ses hautes bottes de feutre, Xénia se hâta de dépasser un poste de police dont il ne restait qu'une façade calcinée. Elle frémit, repensant aux cadavres dénudés des policiers exécrés qui avaient été jetés sur la chaussée dès le début de l'insurrection. La foule en délire avait lancé une véritable traque à l'homme, les exécutant sur place avec une férocité impitoyable. Aux premières heures de la révolte, le palais de justice avait été incendié et les flammes avaient déchiqueté le ciel sombre jusque tard dans la nuit.

Le bonnet enfoncé jusqu'aux sourcils, affublée d'un manteau de cocher que Niania avait déniché pour lui éviter de se faire remarquer dans sa pelisse doublée de vison, elle serrait son cabas sous le bras. Désormais, il n'y avait plus un seul fiacre en ville et les tramways ne circulaient toujours pas. Des papiers roussis et des tracts imprimés laissaient des traînées sales sur la neige. Avec une grimace de dégoût, elle contourna un tas d'ordures.

La cuisinière et les autres domestiques avaient disparu le lendemain de l'assassinat de son père, soi-disant parce qu'ils avaient trop peur de continuer à servir une famille montrée du doigt. Xénia ne s'était pas abaissée à les traiter de lâches. La première fois qu'elle était sortie faire des courses, on lui avait volé le pain pour lequel elle avait patienté deux heures dans le froid. Dès son retour, elle était montée dans sa chambre, elle s'était allongée sur son lit tout habillée, et elle avait fixé le plafond sans desserrer les dents. Elle avait appris la leçon. On ne l'y reprendrait plus.

Alors qu'elle s'apprêtait à traverser la rue, une voiture passa en trombe en frôlant le trottoir, un fanion rouge claquant au vent. Deux soldats se tenaient sur le garde-boue, des pistolets accrochés par des ficelles autour du cou. À l'arrière, par la vitre brisée, pointait le canon d'une mitrailleuse. Surprise, Xénia fit un bond de côté et dérapa sur une plaque de verglas. Depuis le début de la révolution, les rues n'étaient plus sablées. Ses maigres emplettes s'éparpillèrent sur le sol, et les œufs pourtant soigneusement enveloppés dans un numéro des *Izvestia*, le journal du parti des ouvriers, se brisèrent sous le choc. À genoux sur le trottoir, un sentiment de ridicule et d'humiliation lui fit monter les larmes aux yeux.

— De toute façon, pour ce que j'ai trouvé ! grommela-t-elle en les essuyant d'un geste rageur.

Jamais elle n'aurait pensé que deux malheureux choux, des pommes de terre et une miche de pain grisâtre puissent prendre une telle importance. Alors que Macha l'avait suppliée de lui rapporter des douceurs, elle avait écouté la vendeuse revêche lui déclarer qu'il n'y avait plus de beurre et exiger un prix exorbitant pour quelques grammes de sucre. Elle se redressa, épousseta son manteau et reprit son chemin. La plupart des boutiques étaient fermées. Quelques femmes en fichu se hâtaient de rentrer chez elles pour nourrir leur famille. Comme Xénia, elles rasaient les murs. La jeune fille avait appris à éviter les attroupements d'hommes qui lui semblaient suspects. Désormais, la rue était livrée aux matelots et aux soldats désœuvrés. Pire encore, des milliers de prisonniers de droit commun libérés erraient dans la ville en brandissant des armes volées à l'arsenal. Sur les ponts, des vendeurs à la sauvette proposaient des revolvers, des fusils ou des sabres.

Soulagée, elle tourna enfin le coin de sa rue. Elle avait hâte de rentrer à la maison et de se barricader derrière la porte qu'ils avaient réussi à faire réparer. Clouées à l'emplacement de la fenêtre, des planches solides donnaient au vestibule un air sinistre de grotte naufragée. Une protection qu'elle savait illusoire mais dont elle tirait néanmoins un certain réconfort. Quand elle aperçut la petite silhouette de Niania qui l'attendait sur le perron, emmitouflée dans son manteau de drap gris, elle prit peur.

— Quelque chose ne va pas ? demanda-t-elle en pressant le pas.

— C'est ta mère. Il faut que tu ailles chercher le docteur tout de suite.

— Qu'est-ce qu'elle a encore ? s'énerva Xénia. J'ai marché plus de deux heures et j'ai fait la queue toute la matinée.

— C'est à cause du bébé. Il faut absolument qu'elle voie le docteur, et le téléphone ne fonctionne pas.

Des coups de feu éclatèrent au loin, mais les deux femmes ne tournèrent même pas la tête. En quelques semaines, elles avaient pris la mesure d'une ville devenue fébrile et hostile.

— Le bébé ? De quoi parles-tu ? demanda Xénia d'une voix blanche, avec l'impression odieuse d'avoir basculé dans un monde irréel où plus rien n'avait de sens.

— Ta mère attend un enfant, c'est pourquoi elle est affaiblie. Cesse de discuter, petite, et va vite chercher le docteur, insista Niania en lui secouant le bras. Elle a perdu du sang et je suis inquiète.

Xénia en eut le souffle coupé. De quel droit sa mère le lui avait-elle caché ? Quelle faute avait-elle commise pour qu'on lui dissimule quelque chose d'aussi important et qu'elle en soit réduite à l'apprendre en pleine rue, telle une vulgaire étrangère de passage ? Son cœur se serra. Et son père, l'avait-il su avant de mourir ?

Elle ignorait ce qui était le plus bouleversant, cette nouvelle qui tombait du ciel et dont elle pressentait qu'elle allait peser sur leur avenir à tous, ou l'angoisse qui se reflétait dans le regard délavé de sa Niania, alors que cette solide paysanne russe n'avait peur de rien ni de personne, excepté de la toute-puissance de

Dieu. Sans plus réfléchir, Xénia lui fourra le cabas dans les mains, puis partit en courant.

Quelques heures plus tard, le médecin referma la porte de la chambre de Nina Petrovna.

— C'est ennuyeux, dit-il d'un air soucieux. Si nous ne vivions pas une époque aussi troublée, je serais moins inquiet, mais avec tous ces événements...

Xénia manqua de trébucher sur une marche en descendant l'escalier à côté de lui.

— Si elle veut avoir un espoir de garder cet enfant, votre mère doit rester allongée le plus possible. Il lui faut un repos absolu. Heureusement, elle est en bonne santé, rien n'est perdu. Je reviendrai la voir dans quelques jours.

— Mais nous devons partir, docteur, protesta la jeune fille. Nous ne pouvons pas rester ici. C'est trop dangereux. Nous voulons aller chez nous, en Crimée. Là-bas, maman pourra se reposer autant qu'elle le voudra. Elle ne manquera de rien, je vous assure.

— Ce serait fatal à l'enfant, dit-il d'un air las en boutonnant son manteau. Les voyages sont devenus très éprouvants ; les trains sont bondés, sans aucune garantie d'heure d'arrivée ou de départ. Qui soignerait votre mère si elle faisait une fausse couche pendant le trajet ? C'est impensable, comtesse, je suis désolé.

Il leva la tête vers le lustre endommagé. Sur le mur, une tache décolorée marquait l'emplacement d'un tableau détruit. Son long corps maigre sembla se tasser sur lui-même.

— Vraiment, je suis désolé, ajouta-t-il à voix basse.

Xénia devina que ce n'était pas seulement l'état de santé de la comtesse Ossoline qui l'accablait, ni le meurtre du général, mais le destin de toute la Russie. Quelque chose dans cette résignation l'irrita. En silence, elle déverrouilla la porte et le regarda monter dans sa voiture. En tant que médecin, il avait obtenu un permis de circulation. Il s'éloigna, dépassant un commerçant qui tirait un traîneau chargé de pots de lait.

La jeune fille avait le sentiment d'être prise au piège. On ne lui donnait pas le choix. Elle allait devoir rester là, dans cette ville devenue folle, avec une mère fragile et alitée, sa Niania dévouée mais vieillissante, et la petite Macha. Une fois la porte refermée, elle s'y adossa un instant, puis ses forces l'abandonnèrent et elle se laissa lentement glisser jusqu'au sol. La plupart de ses cousins avaient fui, et ses amis proches avaient suffisamment de problèmes à régler pour ne pas avoir le temps de s'occuper des siens. Sophia et ses parents s'étaient réfugiés à Kiev. Xénia avait écrit plusieurs lettres à son oncle Sacha, mais voilà des mois qu'il n'avait plus donné de nouvelles. Depuis le 1er mars, la discipline de l'armée russe avait volé en éclats. Le soviet des ouvriers et des soldats avait promulgué une loi, le « *Prikaz* n° 1 », qui abolissait les grades militaires, ainsi que l'obéissance et le respect. Désormais, les officiers devaient être élus par des comités de soldats qui contrôlaient aussi bien les armes que les véhicules. Un officier risquait moins de tomber sous les balles de l'ennemi que sous celles de ses propres hommes. Connaissant le tempérament entier de Sacha, ses manières parfois cassantes, Xénia doutait qu'il se plie de bonne grâce à ces nouvelles exigences, et elle craignait le pire. Seule dans l'entrée glacée, elle enlaça ses jambes et posa le front sur ses genoux. Par moments, elle oubliait de respirer et restait quelques instants suspendue, avec l'impression étrange de ne même plus sentir les contours de son propre corps.

— Xénia, tu ne te sens pas bien ? Qu'est-ce que tu fais par terre ?

Une petite main se posa sur son épaule.

Xénia n'avait pas entendu sa sœur approcher. Aussitôt, elle releva la tête et se força à sourire. Macha la dévisageait d'un air anxieux, tandis qu'elle mâchouillait le bout de sa natte, un tic nerveux qu'elle n'arrivait pas à dominer en dépit des remontrances. La petite fille s'était accroupie pour se mettre à la hauteur de sa grande sœur. Xénia ouvrit les bras et l'enfant s'y réfugia. Il n'y avait rien à dire. Les mots étaient devenus dérisoires. D'un geste tendre, elle retira la natte de Macha de sa bouche, la replaça dans son dos et se mit à la bercer. Il faisait sombre dans le vestibule ravagé des Ossoline, il y faisait froid aussi, et sur les murs, les impacts des balles étaient autant de cicatrices.

Le printemps avait été doux et cocardier. On avait tapissé les rues de planches pour préserver de la boue la foule enthousiaste qui appelait à la paix et à la fraternité des peuples en psalmodiant *La Marseillaise* sur un rythme monotone. Il avait cédé la place à un âpre été lumineux. Le tsar et sa famille avaient été exilés à Tobolsk, en Sibérie, pays des forçats et des proscrits. Dans chaque quartier de Petrograd, n'importe quel *tovaritch* s'improvisait orateur dans des salles de réunion enfumées et critiquait le gouvernement provisoire. En quelques mois, avec sa voix nasillarde et ses poses théâtrales, Kerensky avait dressé tout le monde contre lui. De coups d'État avortés en combats sporadiques qui abandonnaient des cadavres sur les places et les vastes avenues, Lénine s'était installé dans le palais de la Kchessinskaya, la célèbre ballerine qui avait été une intime du tsar alors qu'il n'était que grand-duc. Tous les jours, il apparaissait au balcon pour haranguer le peuple envoûté et exiger « la paix aux chaumières et la guerre aux palais ». Des boutons en brillants ornaient ses manchettes et l'on murmurait que sa femme s'habillait chez les couturiers de Paris ou de Berlin.

Désormais, la première neige de la saison tombait depuis des heures. Les flocons serrés et tenaces se déposaient sur les toits, les balustrades, les atlantes gigantesques qui ornaient les façades des palais et portaient le poids du monde. Xénia songea que c'était la première fois que ce voile immaculé, parure naturelle d'une ville qui rêvait ses hivers, lui rappelait un linceul.

D'une main lasse, elle laissa retomber l'épais rideau festonné. Dans la chambre régnait une chaleur étouffante. Une pile de linge propre était posée sur une table. On avait écarté les guéridons et les chaises encombrantes. Dans un coin, un modeste panier à linge attendait l'arrivée du nouveau-né. Par superstition, on évitait toujours de préparer un berceau avant la naissance. Sa mère était allongée dans le lit, son ventre recouvert par un drap de lin brodé au monogramme de la famille. Le visage en sueur, elle ouvrait de grands yeux et fixait le vide. Combien de temps encore ? se demanda la jeune fille. Combien de temps une femme pouvait-elle supporter ces vagues de contractions qui ne menaient à rien ? Voilà plus de douze heures que sa mère souffrait.

Elle trempa un linge dans de l'eau fraîche et lui tamponna le front.

— Tu es gentille, mon ange, murmura Nina Petrovna d'une voix rauque en essayant de lui saisir la main.

Nerveuse, Xénia esquiva son geste en feignant d'arranger les plis du drap.

— Mais non, maman, je fais ce qu'il faut, rien de plus. Tu vas bientôt mettre cet enfant au monde et tout ira bien. Ne t'inquiète pas.

Quand sa mère lui caressa la tête, Xénia ferma les yeux, se retenant de frémir. Elle ne supportait plus sa tendresse, ni son éternelle soumission aux sinistres tours du destin. Tandis que son corps martyrisé tremblait dans ce lit de malheur, Nina Petrovna n'avait poussé que quelques gémissements, presque en s'excusant. Xénia aurait préféré qu'elle se mette à hurler, à maudire Dieu et ses saints, à clamer que tout cela était injuste, l'assassinat de son mari et toutes ces souffrances. Mais alors qu'elle cherchait en vain une révolte chez sa mère, comme un écho d'elle-même, elle ne trouvait que le silence.

La porte s'ouvrit. Niania la poussa avec son pied et entra avec une bassine d'eau bouillante. Elle portait un tablier propre, ses cheveux étaient retenus par un bandeau qui lui étirait la peau. Xénia l'aida à déposer son fardeau près du poêle.

— Je pense que c'est pour bientôt, murmura la vieille femme avec un regard attentif pour sa maîtresse.

— Cela fait douze heures que tu répètes ça, marmonna Xénia.

— Je sais que tu as peur, mais le bébé se présente bien.

— Je n'ai pas peur ! souffla Xénia, les dents serrées. Je voudrais seulement que cet enfant vienne au monde et qu'on en finisse.

— Va retrouver Macha à la cuisine, tu veux bien ? Elle aimerait voir sa mère, mais tout cela risque de l'effrayer. La petite caille fait bien assez de cauchemars comme cela.

Xénia hocha la tête et quitta la pièce. Dans le couloir, l'humidité lui glaça l'échine après la chaleur irrespirable de la chambre. Elle descendit à la cuisine où elle trouva Macha assise à la grande table en bois, rêvassant devant un livre ouvert. Les casseroles en cuivre, qu'on n'astiquait plus depuis longtemps, pendaient tristement aux murs et les assiettes sales du déjeuner étaient encore empilées dans l'évier.

— Comment va maman ? demanda la petite fille, tandis que Xénia retournait le livre posé à l'envers.

— Je te mentirais si je te disais que tout va bien, mais maman est courageuse. Niania m'assure que nous aurons bientôt une petite sœur ou un petit frère.

— Je crois que *mamotchka* préférerait un fils. À cause de papa, tu comprends ? murmura Macha.

L'enfant avait du mal à parler de son père. Pourtant, elle n'avait pas vu le cadavre déchiqueté. La dernière image que Macha gardait de lui était celle où il venait l'embrasser avant qu'elle ne s'endorme. Xénia lui enviait cette liberté. Il lui était arrivé de sortir pieds nus dans la neige, essayant confusément d'en effacer le sang, comme si elle était condamnée à porter à jamais imprégnés dans sa chair les stigmates de l'horreur.

Le samovar sifflotait. Xénia leur remplit deux tasses de thé.

— Et toi, Macha, aimerais-tu un petit frère ?

La fillette haussa les épaules, trempa les lèvres dans la boisson amère et fit une grimace.

— Moi, je m'en fiche. Je veux que maman aille bien, c'est tout. Nianiouchka m'a dit de prier, mais je ne fais que ça, et il ne se passe rien. Peut-être que si tu priais avec moi les choses iraient plus vite. À deux, on nous entendra mieux, tu ne crois pas ? ajouta-t-elle d'un air plein d'espoir.

Xénia détourna le regard. Elle ne croyait plus à grand-chose depuis une certaine nuit de février, mais elle préférait garder ses réticences pour elle. Comme toutes les nianias russes, la leur avait la foi chevillée au corps. Dans sa petite chambre, une veilleuse brûlait toujours devant son icône de la Vierge de Kazan. Elle aurait été bouleversée d'apprendre que Xénia ne priait plus depuis des mois.

— Bien sûr, ma chérie, répondit-elle en prenant les petites mains froides dans les siennes. Fermons les yeux et prions pour que l'ange gardien de maman la protège.

— Et papa aussi.

— Papa aussi, cela va de soi.

Elles baissèrent la tête. Xénia jeta un coup d'œil furtif à Macha qui se concentrait de toutes ses forces.

Soudain, des coups violents à la porte d'entrée les firent sursauter. L'enfant blêmit et ses yeux bleus s'écarquillèrent de frayeur.

— Qu'est-ce que c'est ?

— Je ne sais pas, dit Xénia en se levant.

Elle ouvrit la porte d'un placard, tira la grosse corbeille en osier qui servait autrefois à la réserve de bois.

— Cache-toi là, derrière.

— Mais il y a des araignées, se plaignit Macha en tremblant de la tête aux pieds.

Les coups redoublèrent d'intensité. Xénia savait qu'elle n'avait pas le choix. Elle devait protéger sa petite sœur et ne pouvait pas la faire monter dans la chambre de leur mère qui était peut-être en train d'accoucher. Dieu seul savait ce qui pouvait se passer.

— Les araignées ne te feront pas de mal. Je vais te donner ta poupée. Allons, Macha, dépêche-toi !

Elle empoigna sa sœur par l'épaule et la poussa dans le réduit poussiéreux. Accroupie dans la pénombre, les lèvres frémissantes, Macha faisait peine à voir. Son petit visage ovale luisait telle une lune blafarde. Xénia lui fourra la poupée en chiffons dans les bras.

— Surtout, ne fais pas de bruit. Je vais voir ce qui se passe et je reviens tout de suite, ajouta-t-elle en remettant la corbeille à sa place et en tirant les portes du placard sans les fermer.

Elle se précipita dans le vestibule. Il ne servait à rien de ne pas ouvrir. Les gardes rouges et autres bolcheviks ne s'embarrassaient pas de précautions pour pénétrer dans les demeures afin de les piller ou de les incendier. Rien n'était sacré à leurs yeux. Ils commettaient un viol permanent de l'intime. Les exactions étaient devenues monnaie courante, mais depuis les premiers jours d'octobre la situation était encore plus tendue. De sinistres rumeurs parlaient d'en finir une fois pour toutes avec les bourgeois et les oppresseurs du peuple. Confronté à la détermination haineuse des bolcheviks, le gouvernement de Kerensky tanguait comme un bateau ivre.

La peur au ventre, Xénia vérifia que le revolver à crosse de nacre qui lui venait de sa grand-mère se trouvait au fond de sa poche, puis elle déverrouilla la porte. Ce n'était pas la première fois depuis la mort du général que les révolutionnaires faisaient irruption dans la maison. Lors des premières semaines de l'insurrection, ils étaient même revenus à plusieurs reprises dans la journée, cherchant des policiers qui s'y seraient réfugiés, des armes ou des officiers traîtres, sans omettre de piller la cave où avaient été entreposés les bourgognes de son grand-père. Et pourtant, chaque fois, elle éprouvait la même terreur glacée.

Elle prit soin d'ouvrir grande la porte et se redressa. Un homme se tenait devant elle, vêtu d'une veste en cuir noir bardée de cartouchières, un brassard rouge autour du bras. Sa casquette plaquée en arrière dégageait un visage large aux pommettes saillantes, des joues dévorées par une barbe naissante, des lèvres grasses. Il la fixa de son regard sombre où brilla, un bref instant, une lueur d'incertitude, comme s'il ne s'attendait pas à découvrir une jeune fille en bottes et pantalon, une veste d'homme ceinturée à la taille, qui le toisait d'un air impérieux.

— Oui ? fit-elle.

Il reprit ses esprits, esquissa une moue dédaigneuse.

— Nous venons perquisitionner.

— Vous perdez votre temps. Il n'y a plus rien à prendre ici. La cave est vide et nous n'avons pas d'armes. Dans cette maison, vous ne trouverez que des femmes.

— C'est vous qui le dites, lança un soldat dépenaillé aux cheveux blonds crasseux, qui était en retrait.

Ils étaient une petite dizaine, ce qui n'étonna pas Xénia car ils se déplaçaient toujours en bande. Sous leur bonnet de mouton, ils affichaient une mine narquoise, leurs yeux effilés à la manière des Asiatiques. Ils portaient des tenues négligées, hétéroclites, des vestes sales et de lourdes bottes difformes. Des armes diverses et variées étaient accrochées à leur cou ou autour de leur taille. Au fil des mois, Xénia avait compris le jeu de pouvoir qui régnait chez les maraudeurs. Comme dans toutes les meutes, il y avait toujours un mâle dominant, mais son emprise n'était jamais acquise. La création de soviets dans les situations les plus saugrenues entraînait une remise en question permanente de l'autorité. C'était devenu le règne de l'absurde. À l'hôpital, elle avait été confrontée au soviet des patients qui mettait les ordres des médecins au vote. Si les médicaments ne leur plaisaient pas, ils refusaient de les prendre. Ainsi, Xénia savait que la mainmise du chef sur la bande pouvait basculer en quelques instants. Il suffisait de comprendre le rôle que chacun s'était attribué et d'essayer de semer le doute en les montant l'un contre l'autre. Dans un groupe tel que celui-ci, seuls deux ou trois hommes étaient capables d'en imposer à leurs camarades qui se soumettaient comme des larves.

— Nous allons voir par nous-mêmes, lança le garde rouge en la poussant de côté.

Les révolutionnaires s'engouffrèrent dans le vestibule. C'était les seuls moments où Xénia se réjouissait de l'aspect pitoyable de la demeure des Ossoline. Avec l'aide de Niania et de Macha, elle avait rendu les pièces du rez-de-chaussée encore plus désolées, arrachant les tissus des fauteuils, décrochant certains tableaux, fracassant des assiettes en porcelaine. Xénia espérait ainsi décourager d'autres visiteurs indésirables, mais elle ne pouvait être sûre de rien. L'humeur de cette nouvelle race d'hommes était capricieuse. Alors que des éclats de rire pouvaient entraîner une rafale de mitrailleuse, sous certains airs rébarbatifs se cachaient parfois des âmes simples dont une émotion soudaine révélait une bonté enfantine.

Les hommes poussèrent quelques portes, mais sans grande ferveur. Ils parlaient fort, lançaient leurs slogans préférés, recrachaient des graines de tournesol. Xénia suivait le chef en veste de cuir sans le quitter des yeux. C'était lui la clé maîtresse.

— Qu'y a-t-il là-haut ? demanda-t-il en grimpant les marches de l'escalier deux par deux.

La gorge nouée, Xénia lui emboîta le pas.

— Ma mère et la sage-femme. Elle est en train d'accoucher. Vous ne pouvez pas entrer dans sa chambre.

— Pourquoi pas ? lança-t-il d'un ton ironique. Vous croyez que chez nous on fait des cérémonies pour accoucher ? On n'a pas le temps pour ça, camarade. Votre mère ne vaut pas mieux que les autres femmes russes. Pourquoi aurait-elle des privilèges ?

Il ouvrit une porte qui donnait dans une chambre inoccupée. Xénia le contourna et se planta devant la chambre de sa mère. Son cœur battait à tout rompre.

— Je vous interdis d'entrer !

Le soldat blond la poussa si brutalement de côté qu'elle faillit perdre l'équilibre. Il donna un grand coup de pied dans la porte qui claqua contre le mur. Horrifiée, Xénia vit sa mère allongée, les jambes écartées, Niania penchée entre ses cuisses. Une odeur douceâtre et écœurante la prit à la gorge. Nina Petrovna avait le visage congestionné, des mèches blondes plaquées sur le front. Aussitôt, la vieille femme se redressa et rabattit le drap sur le corps de sa maîtresse.

— Sortez d'ici, malheureux ! s'écria-t-elle en s'approchant des deux hommes qui s'étaient avancés dans la pièce. Comment osez-vous déranger cette femme qui donne la vie ? Ne craignez-vous pas la malédiction de Dieu ? Que dirait votre mère si elle voyait ses fils commettre un pareil outrage ? Espèces de petits vauriens, sortez d'ici tout de suite !

Alors qu'elle lui arrivait à l'épaule, elle se dressa devant le garde rouge et le martela de ses poings. Xénia eut la curieuse impression de voir s'affronter deux Russies issues du peuple, l'une qui remontait les siècles toute de dévotion et d'obéissance, souvent soumise et résignée, l'autre aveugle et brutale, défigurée par la haine, qui naissait parmi les soubresauts d'une révolution sanguinaire et dont on ne savait pas grand-chose, excepté qu'elle était impitoyable.

Soudain, Nina Petrovna rejeta la tête en arrière et se mit à hurler, poussant des cris atroces et étranglés. Les douleurs de l'enfantement devaient surpasser toutes celles que pouvaient envisager les deux rustres car ils reculèrent d'un pas, fascinés par la femme qui ne les voyait ni ne les entendait, tout entière consumée par l'enfant à qui elle donnait la vie au péril de la sienne.

Le garde avait blêmi. Il tourna les talons et quitta la chambre, son camarade lui emboîtant le pas. Niania leur claqua la porte au nez, mais les hurlements de l'accouchée continuèrent à percer les murs, tandis que les hommes dévalaient l'escalier.

— Il n'y a rien ici, on s'en va, lança le garde d'une voix gutturale.

Les bruits de bottes résonnèrent sur le parquet. Xénia les regarda partir en se demandant ce qu'ils avaient bien pu encore se mettre dans les poches. À chacune de leurs aimables visites, des objets disparaissaient – une montre, un bibelot, une cuillère en argent. Elle courut délivrer Macha qui s'accrocha à elle en pleurant. Elle fit de son mieux pour la consoler et lui prépara du lait chaud avec un peu de leur précieux miel. La petite fille eut du mal à boire car ses dents s'entrechoquaient. Puis, comme Macha refusait de rester seule dans la cuisine, elles montèrent toutes deux au premier.

Quand Xénia frappa à la porte, Niania vint lui ouvrir. La vieille femme avait retiré son bandeau. Elle avait l'air échevelé, mais son regard était serein. Dans les bras, elle tenait un bébé emmailloté dans des langes dont on n'apercevait qu'un petit visage rouge et fripé.

— Merci, mon Dieu, murmura la jeune fille en se signant, à la fois soulagée et impressionnée par la fragilité du nouveau-né. Comment va maman ? ajouta-t-elle, inquiète, car la chambre lui semblait étrangement paisible.

— La barynia se repose pour le moment, mais vous pourrez la voir tout à l'heure. Tenez, mes amours, voici votre petit frère. Votre mère désire qu'on le baptise Cyrille.

Ce fut le silence qui réveilla Xénia. La bouche pâteuse, le corps ankylosé, elle comprit qu'elle avait dû s'assoupir quelques minutes. Elle était assise dans la chaise à bascule de sa chambre, le bébé dans les bras. Pour une fois il ne pleurait pas, mais l'observait d'un air interrogateur. Un peu surprise de ce calme inattendu, elle vérifia qu'il n'avait rien et lui déposa un baiser sur le haut du crâne.

Cyrille les gardait éveillées, Niania et elle, une bonne partie de la nuit. Xénia tenait absolument à s'occuper de lui car elle voulait que la vieille femme se repose de temps à autre. Non seulement Niania prenait soin de lui, mais elle veillait aussi Nina Petrovna qui ne se remettait pas de l'accouchement. Elle avait perdu beaucoup de sang et une fatigue fiévreuse l'empêchait de reprendre des forces. Désormais, Xénia s'endormait à des moments inopinés de la journée, adossée à un mur d'une échoppe du Gostiny Dvor, à table avant un repas, sur une chaise en bois chez le médecin, dérobant ces précieux instants de sommeil telle une voleuse à l'étalage.

Un cri de joie retentit dans l'entrée et la fit sursauter. Quelques instants plus tard, les pas pressés de Macha résonnèrent dans l'escalier et la petite fille fit irruption dans la chambre. Deux taches rouges enflammaient ses pommettes, un sourire radieux lui dévorait le visage. Avec un pincement au cœur, Xénia réalisa que cela faisait des mois qu'elle n'avait pas vu cet enthousiasme naturel chez sa sœur, et cela lui fit presque peur.

— Tu ne devineras jamais qui est là ! s'exclama Macha.

Alors qu'elle n'avait pas pensé à lui depuis des mois, Igor Kounine se dressa dans son esprit, vêtu de son uniforme de tirailleur, avec son demi-caftan, ses pantalons bouffants, sa chemise russe framboise assortie au revers en cuir framboise de ses bottes cirées. Le visage aux traits réguliers l'observait d'un air grave. Son regard était tendre. On aurait dit qu'il surgissait d'un autre monde. Comment avait-elle pu oublier à ce point quelqu'un qui lui avait semblé indispensable pendant des mois ? Elle eut comme un vertige.

— Viens vite ! ajouta Macha en lui saisissant la main pour l'obliger à se lever. Je ne te dirai rien. Il faut que ça soit une surprise.

Xénia tendit le bébé à sa sœur qui ouvrait déjà les bras. La petite Macha concevait pour son frère un amour possessif et jaloux. Si on le lui avait permis, elle ne l'aurait pas quitté du jour ou de la nuit. À voir l'excitation de l'enfant, cela ne pouvait être qu'une bonne nouvelle, mais au fil de ces derniers mois, Xénia avait perdu le goût du bonheur, elle était devenue méfiante et cassante, et lorsqu'on parvenait à lui arracher un sourire, elle avait l'impression étrange que sa peau se fissurait. D'une main fébrile, elle voulut ramener un peu d'ordre dans sa chevelure.

Elle se rendit sans réfléchir à la cuisine qui était devenue leur pièce à vivre. Elles s'y réfugiaient parce qu'elle était plus facile à chauffer et que les salons avaient pris des allures de navires échoués. Accrochée à un portemanteau, une capote militaire aux pattes d'épaules arrachées perdait sa couche de givre sur le carrelage. Un homme était assis à la table, penché au-dessus d'un bol de soupe qu'il lapait à grand bruit. Ses cheveux poisseux effleuraient le col de son veston. Les bras croisés, Niania se tenait debout près du poêle, affichant un air à la fois soucieux et satisfait. Comme s'il avait deviné la présence de Xénia, l'homme se retourna et se leva lentement.

— Oncle Sacha, murmura-t-elle abasourdie.

Ses vêtements d'allure militaire aux taches suspectes, rapiécés par endroits, pendaient de ses épaules. Il avait les traits aiguisés en lame de couteau, une méchante estafilade qui lui barrait le front, des joues creuses.

— Xénia, te voilà…

Sa voix était éraillée et il se tenait voûté. Elle le scruta d'un air avide, cherchant chez cet homme accablé celui qui avait été le compagnon préféré de ses jeux d'enfant. De dix ans son aîné, Sacha avait rempli à merveille son rôle précieux d'idole. Désormais, elle se sentait presque intimidée devant cet inconnu, mais quand il esquissa un sourire, une lueur espiègle illumina un bref instant le regard éteint. Elle se jeta à son cou. Il dégageait une âcre odeur de transpiration et de laine humide, et elle l'étreignit d'autant plus fort, comme pour retenir dans ce corps efflanqué le souvenir de l'oncle vigoureux qu'elle avait aimé autrefois.

Il fit un geste pour la repousser.

— Pardonne-moi d'être aussi peu présentable, mais…

— Oncle Sacha, tu sais pour papa ?

Une tristesse infinie adoucit ses traits et il lui caressa la joue d'une main rêche.

— Nianiouchka m'a raconté. Je ne trouve pas les mots pour te dire comme je suis désolé. C'était un homme merveilleux et tu sais combien je l'aimais. Il y a eu tant de massacres… Le général Stackelberg a été assassiné sous les yeux de sa femme et son cadavre jeté dans la Néva. Ces monstres n'ont aucun respect de la vie, ni de la mort.

Un tremblement parcourut la jeune fille. Ses jambes vacillèrent. Elle eut peur que son oncle ne puisse pas la retenir si elle chancelait et préféra s'écarter.

— Il faut que tu manges, murmura-t-elle, essayant de reprendre ses esprits. Ensuite, je te soignerai. Ne crains rien, je sais faire. À l'hôpital, on me confie les blessures superficielles. Je m'y rends encore une fois par semaine, même si tout est devenu tellement compliqué ici. Tu ne peux pas savoir ! Il faut lutter pour tout – pour manger, pour se chauffer, pour soigner maman et le bébé. Nous avons un petit frère maintenant. Tout à l'heure, tu monteras le voir. Mais toi ? Qu'est-ce qui t'est arrivé ? Je t'ai écrit mais tu n'as pas répondu, alors j'ai imaginé le pire…

Au regard vitreux de son oncle, elle s'aperçut qu'elle parlait à tort et à travers, et elle se tut. Sacha sembla soulagé. Il se rassit, saisit la cuillère, et courba les épaules au-dessus de son bol. D'un seul coup, ce fut comme si plus rien n'existait autour de lui, ni sa nièce, ni sa Niania, ni la cuisine désordonnée mais chaleureuse avec le samovar au ventre rebondi, les cahiers d'école de Macha, les habits de bébé que Niania cousait dans les anciennes robes des filles parce qu'il n'y avait rien en ville pour le vêtir. Avec une voracité qui durcissait les traits de son visage, Sacha déchiquetait le pain avec ses dents, en trempait un morceau dans le bortsch, l'enfournait dans sa bouche, léchait ses doigts, buvait des rasades de vin rouge. Ses mains sales marquaient le verre en cristal. Quelques gouttes de soupe à la betterave luisaient sur son menton, qu'il essuya avec le revers de sa manche. Ainsi, c'est aussi cela la révolution, pensa Xénia, stupéfaite.

Niania ordonna qu'on sorte les vêtements de Sacha afin que le froid tue les poux qui infestaient les plis de sa tunique. La chemise de batiste et les chiffons qui lui tenaient lieu de chaussettes seraient brûlés le lendemain. Xénia monta chez son père pour dénicher de quoi le vêtir dignement. C'était la première fois qu'elle ouvrait les placards et le parfum d'eau de Cologne lui monta à la tête. Elle s'adossa à la porte de l'armoire et porta un chandail à son visage. Aussitôt, elle redevint la petite fille turbulente courant se jeter dans les bras de son père qui la faisait tournoyer en riant aux éclats. Que restait-il de tout cela ? Désormais, jour et nuit, elle vivait la peur au ventre.

En trois jours et sans combats spectaculaires, les bolcheviks s'étaient emparés du pouvoir. Le croiseur *Aurore* avait remonté la Néva, la forteresse Pierre-et-

Paul avait tiré quelques coups de canon contre le Palais d'Hiver, et le siège du gouvernement provisoire, quoique défendu par un courageux bataillon de femmes et des cadets héroïques, avait été pris d'assaut par les révolutionnaires dans la nuit du 25 octobre. Kerensky s'était enfui comme un voleur et Lénine avait été élu à la présidence d'un conseil des commissaires du peuple. En quelques heures, la situation avait basculé dans le chaos. Les émeutiers et les soldats avaient déferlé sur la ville pour boire et piller, parmi les cadavres démembrés d'élèves officiers qui jonchaient les rues. On ne comptait plus les vols ni les agressions. Depuis plusieurs semaines, Xénia ne trouvait de répit que lorsqu'elle se réfugiait, vaincue de fatigue, dans un sommeil de pierre.

L'eau qui chauffait pour le bain de Sacha emplissait la cuisine de buée. Les cheveux de la jeune fille frisaient autour de ses tempes. Elle versa le dernier seau dans un grand bac, puis déplaça un paravent pour lui donner un peu d'intimité et permettre à Nianiouchka de le dorloter. Sans qu'il ait besoin de le préciser, on comprenait qu'il lui fallait les gestes à la fois décidés et tendres de cette femme qui l'avait bercé à travers les hantises de l'enfance, venant en cachette dans sa chambre lui glisser dans la bouche une cuillerée de kacha au sarrasin quand elle pensait qu'il n'avait pas assez mangé. Cette nuit-là, il lui fallait l'amour inconditionnel de cette paysanne russe illettrée, entrée au service de sa famille alors qu'elle n'avait pas vingt ans, pour effacer les souillures de son corps à défaut de pouvoir apaiser les tourments de son âme.

Lorsqu'il fut enveloppé dans un peignoir en éponge, les cheveux humides soigneusement peignés, Niania déposa devant lui un verre et une bouteille de vodka avant de s'éclipser pour rejoindre sa maîtresse. Xénia se retrouva seule avec son oncle. Armée d'alcool et de coton, elle se mit à désinfecter sa plaie au visage.

— Je vais continuer à me battre, dit Sacha en faisant une grimace alors qu'elle lui tamponnait le front.

— Contre qui ? ironisa-t-elle. Les Allemands ou les bolcheviks ? On finit par s'y perdre. Moi, mes ennemis, je les croise tous les jours au coin de ma rue. Certains promènent la tête de leurs victimes au bout de leur baïonnette.

Il eut un sourire amer.

— Je te comprends. Au début, je n'étais pas opposé au gouvernement provisoire. Je ne supportais plus la clique malfaisante qui entourait le tsar, mais ces maudits politiciens nous ont trahis. Ils ont laissé des bourreaux et des traîtres s'emparer du pouvoir. Aïe ! Vas-y doucement, tu me fais mal ! Lénine et Trotsky sont redoutables. Ces salauds réclament à cor et à cri une paix séparée… C'est à vomir, ajouta-t-il, et il avala sa vodka cul sec.

Elle termina de nettoyer la plaie alors qu'il grommelait de mécontentement, puis elle posa un pansement propre. Il aurait sûrement une cicatrice, les femmes le trouveraient d'autant plus séduisant.

— Le général Alexéiev s'est retiré sur le Don, continua-t-il. Quelques centaines d'officiers seraient déjà allés le retrouver. Korniloff a appelé des volontaires pour former une armée antibolchevique. Je vais en être, évidemment.

Xénia pinça les lèvres.

— Une question d'honneur, sans doute, fit-elle, sans comprendre d'où lui venait ce mouvement d'humeur.

Brusquement, elle se sentit épuisée. Elle avait perdu l'habitude d'avoir un homme en face d'elle. Maintenant que Sacha avait repris figure humaine, elle retrouvait cette beauté virile qui avait tant séduit les jeunes filles de Saint-Pétersbourg avant la guerre. À l'époque, elle n'était qu'une enfant, insensible à ces détails. Désormais, elle savait reconnaître chez un homme, fût-il un membre de sa famille, ce magnétisme qui suscitait l'intérêt des femmes et qui, au-delà d'une disposition harmonieuse des traits, relevait du mystère. En dépit de sa fatigue, Sacha était beau, les lignes de son visage affûtées, son regard plus perçant depuis qu'il avait repris des forces. Et comme beaucoup d'hommes conscients de leur prestance, il occupait désormais tout l'espace.

Il voulait continuer à se battre et elle ne pouvait que l'en féliciter. Mais elle avait d'autres préoccupations : elle devait coûte que coûte sortir quatre personnes de cette ville livrée à des hordes sauvages. Curieusement, elle n'arrivait pas à faire confiance au jeune homme assis en face d'elle, qui se servait un verre de vodka en rêvant probablement à des combats glorieux et d'improbables victoires. À quinze ans, Xénia se sentait déjà vieille, convaincue que la réalité des hommes n'était pas celle des femmes.

Quand elle sortit un verre du placard, il prit un air amusé.

— Voyons, ce n'est pas de ton âge !

Irritée, une lueur sévère aiguisa son regard. Pour qui se prenait-il d'un seul coup ? Elle tira le revolver de sa poche et le posa sur la table.

— N'as-tu pas encore compris ? lança-t-elle sèchement. L'âge n'a plus guère d'importance dans le monde nouveau que nous promet le camarade Lénine. D'ailleurs, il n'y a jamais eu un âge pour mourir, n'est-ce pas ? Mais le pire, c'est que moi, je n'en ai pas le droit. Il y a ma mère, Macha, Cyrille, Nianiouchka… Et je dois les emmener loin d'ici, bien que les voyages soient devenus un enfer et que je ne sache pas ce qui nous attend en Crimée. Alors, sers-moi de cette vodka, je te prie, parce que je l'ai méritée et que j'en ai besoin !

D'un geste péremptoire, elle fit claquer le petit verre à facettes devant lui. Décontenancé, Sacha lui obéit.

— Bien sûr qu'il faut partir, dit-il d'un ton conciliant. Je ne comprends pas pourquoi vous êtes encore là. J'étais venu un peu par hasard, pensant trouver la maison vide.

— Maman ne pouvait pas voyager sans risquer de perdre son bébé. J'espérais m'en aller dès la naissance de Cyrille, mais elle est encore très faible. Pourtant, nous n'avons plus le choix. Ce n'est pas la même chose qu'en février. Les commissaires sont devenus dangereux. Maintenant que la propriété privée a été abolie, Dieu sait ce qui va arriver à la maison, dit-elle en regardant autour d'elle d'un air sombre. On peut nous la prendre et la donner à d'autres gens. Chez certains de nos amis, les demeures ont été mises à sac. Ici, les gardes rouges entrent et sortent comme bon leur semble. C'est fou de penser que tout cela ne nous appartient plus. Désormais, je dors habillée pour ne jamais être surprise.

Elle vida son verre d'un trait. L'alcool laissa dans sa gorge une traînée de feu agréable et l'étau qui lui enserrait le cou se relâcha.

— Tout est prêt, poursuivit-elle. J'ai sorti de la banque ce que j'ai pu comme argent, mais maintenant les comptes sont bloqués. Les bijoux sont cachés dans la poupée de Macha, les ourlets de Niania et les couches de Cyrille. J'ai démonté le collier d'émeraudes et cousu des vêtements d'homme pour moi. Je vais essayer de me faire passer pour une recrue. J'aurai plus de chances de les protéger. J'ai décidé de partir dans dix jours, quoi qu'il advienne. Maman ira mieux. Il le faut.

Quelque peu éberlué, Alexandre Petrovitch contemplait sa nièce assise en face de lui. Il n'arrivait pas à réconcilier l'image de la jeune fille résolue et hargneuse, affublée d'un chandail d'homme aux manches retroussées et d'un pantalon retenu à la taille par une lourde ceinture de cuir, avec le souvenir de l'enfant qui, hier encore, sautait sur ses genoux. Il songea qu'on avait dérobé à Xénia cette période de la jeunesse qui aurait dû être celle de l'insouciance, et se demanda si elle le pardonnerait un jour au destin, ou si elle passerait sa vie à chercher à se venger.

— Nous allons faire le voyage ensemble, dit-il. Jamais personne ne te prendra pour un soldat, c'est ridicule.

— Parce que tu crois que ça sera plus facile pour toi, avec ton allure d'aristocrate ? rétorqua Xénia, agacée par le ton sentencieux. Tu sais bien qu'ils font descendre les hommes à chaque arrêt et que des comités révolutionnaires regardent leurs mains pour déterminer s'il s'agit d'officiers ou de soldats du peuple. Dans le doute, ils les fusillent.

— Dans ce cas, ça devrait aller, non ? fit-il en lui montrant ses mains abîmées par la guerre. J'ai donné, tu ne trouves pas ?

Elle contempla les chairs mal cicatrisées, les entailles noirâtres, mais les doigts restaient fins, élégants, racés. Personne ne prendrait les mains de Sacha pour celles d'un homme du peuple, de même qu'il suffisait de regarder Nina Petrovna pour voir qu'elle était l'une de ces bourgeoises désormais vouées aux gémonies. C'était à désespérer que la distinction soit gravée dans les traits.

Xénia éclata de rire.

— Mon Dieu ! On est assis là à se demander comment faire pour ressembler à des paysans et à regretter de ne pas être vulgaires ni contrefaits. Si la situation n'était pas aussi désespérée, ce serait comique.

Il esquissa un sourire sans partager son amusement. Il savait que Xénia avait été confrontée à des drames terribles. À l'idée qu'elle avait découvert le corps de son père, il éprouvait un serrement de cœur, mais sa nièce ne mesurait pas la bestialité dans laquelle avait sombré la Russie. Les murs épais de la maison familiale, bien que criblés de balles, l'avaient préservée du pire.

Quand Sacha se remplit un autre verre, sa main trembla. La cruauté avec laquelle les révolutionnaires clouaient les pattes d'épaules des officiers à leurs corps martyrisés, dépeçaient leurs ennemis, les démembraient, leur arrachaient les yeux, mutilaient et désacralisaient les cadavres, continuait à le hanter. Ils n'hésitaient pas non plus à s'en prendre à des civils. Il y avait là comme un déni de l'âme. Pourtant, la Russie était un pays profondément pieux. Il repensa à sa prestation de serment. Il faisait beau ce jour-là, et les drapeaux claquaient au vent. Alignées selon leur religion, les jeunes recrues orthodoxes, catholiques, luthériennes, juives ou musulmanes avaient prêté serment en présence des représentants de leur culte. Il y avait eu aussi deux soldats qui avaient fait de même sur leurs idoles de bois posées sur une table. Que restait-il de ce respect qui, au-delà de la religion établie, touchait à l'essence de l'homme ?

Sacha se demandait si l'apathie qu'il relevait chez plusieurs de ses amis officiers ne venait pas d'une sorte de paralysie intime, née de la stupéfaction devant l'énergie qui animait leurs adversaires. Avaient-ils épuisé leurs forces en se battant avec courage, des armes misérables à la main, et en mourant par centaines de milliers sur les champs de bataille depuis la déclaration de guerre en 1914 ? Comment pouvait-on ne pas réagir contre le coup de force bolchevique ? Il ne s'agissait pas de rétablir la monarchie, qui s'était discréditée lors des dernières années du règne de Nicolas II, mais de permettre à un régime démocratique de voir le jour. La résignation de beaucoup faisait craindre le pire.

Il avait entendu dire que, si des milliers d'officiers se réfugiaient à Rostov et Novotcherkassk, seules quelques centaines étaient prêtes à poursuivre la lutte. Comment pouvait-on laisser la sainte Russie se déshonorer non seulement aux yeux de ses alliés, en proposant une paix infâme avec l'Allemagne détestée, mais au regard de ses propres enfants, en livrant le pays à la folie sanguinaire d'une poignée de révolutionnaires, juifs pour beaucoup, et venus de Lettonie, du Caucase, de Pologne ou d'Allemagne, en un mot de partout, mais si peu de Russie ? Il y avait là un manquement à l'honneur si profond qu'il en devenait un péché contre l'esprit.

— Deux mille verstes, murmura Xénia, le tirant de sa rêverie. Tu vas devoir voyager plus de deux mille verstes pour rejoindre le territoire du Don, et nous encore davantage jusqu'à Yalta. Par moments, il m'arrive de ne plus croire à l'impossible.

— Nous n'avons pas le choix, Xénia. Tu l'as dit toi-même. Il ne faut pas rester ici. C'est trop dangereux. Ces gens-là n'ont de respect pour personne. Aujourd'hui, la bête dévore ses ennemis. Demain, elle se retournera contre elle-même.

Mais Xénia ne l'écoutait plus. Elle était déjà loin, dans les gares ouvertes aux quatre vents, parmi les hordes de malheureux qu'elle avait vus se presser dans les compartiments, soumise aux regards méfiants, aux contrôles rigoureux mais irrationnels de commissaires et de soviets enivrés de pouvoir et assoiffés de vengeance. Elle devait quitter sa ville natale, cette maison tant aimée mais à jamais blessée par le sang de son père qui en avait éclaboussé les murs. Et désormais, elle redoutait ce départ ardemment souhaité quelques mois auparavant.

Elle partirait sans rien emporter, excepté une petite valise en cuir, un ou deux souvenirs de son père, de son enfance, de ses rêves de jeune fille. En quittant Petrograd, elle y laisserait une partie d'elle-même. Confusément, elle devinait qu'elle ne serait à nouveau entière que lorsqu'elle y reviendrait. Mais combien de temps cette séparation allait-elle durer : des semaines, des mois, des années, autant que cette guerre interminable ? Combien de temps Sacha et les siens mettraient-ils à vaincre les Rouges ?

Un peu plus tard dans la soirée, avant de se coucher, Xénia traversa le salon silencieux pour contempler par la fenêtre le canal qui commençait à être pris par les glaces. La lune baignait de lumière les façades des palais aux couleurs passées. La nuit était étrangement paisible, quelques étoiles piquetaient le ciel de velours sombre, et alors qu'elle regardait en direction du pont qu'ils emprunteraient pour se rendre à la gare, elle songea qu'il y aurait toujours chez elle, à Saint-Pétersbourg, un lion de pierre veillant sous sa crinière de neige.

Odessa, février 1920

Les Ossoline n'étaient jamais arrivés jusqu'à Yalta. La maison de famille, avec ses colonnes blanches et ses terrasses fleuries qui surplombaient la mer, était devenue une sorte de chimère, à tel point que Xénia s'était parfois demandé, lors de ses insomnies, si la demeure existait vraiment ou si elle en avait rêvé dans son enfance.

Muni de faux papiers et de vêtements civils, Sacha avait réussi à les accompagner jusqu'à Rostov. La jeune fille avait eu l'intention d'y rester quelques jours pour permettre à sa mère de reprendre des forces avant de poursuivre leur chemin, mais les semaines s'étaient transformées en mois, et les femmes et le bébé avaient été ballottés de ville en ville, au gré des offensives et des contre-offensives, pour atterrir enfin à Odessa, sur le quai de ce port où affluaient des milliers de réfugiés hagards, chassés par les coups de canon, les explosions des grenades, et le crépitement des mitrailleuses qui retentissait le long de la côte.

Xénia serrait si fortement la main de sa sœur qu'elle lui écrasait les doigts et la petite fille pleurnichait de douleur, la bise gelant les larmes sur ses joues blêmes. Elle s'assura que Niania se tenait derrière elle, Cyrille dans les bras. L'enfant était enveloppé d'une terne couverture grise qui reflétait le ciel d'acier. Dans le visage rigide de la vieille Russe, seuls ses petits yeux vifs étaient encore animés d'un souffle de vie. Engoncée dans deux manteaux, son fichu noué sous le menton, elle semblait transformée en statue de sel et sa détermination lui donnait le profil d'un oiseau de proie. Xénia savait qu'elle sacrifierait sa vie pour protéger le petit garçon et elle eut une bouffée de reconnaissance. C'était la seule personne sur laquelle elle pouvait compter, non pas pour prendre des décisions importantes, mais pour les exécuter sans jamais se plaindre. Depuis leur départ de Petrograd, ce n'était plus seulement de la tendresse qu'elle éprouvait pour la vieille paysanne, mais du respect.

Sa mère était assise sur une valise, adossée à la roue d'une charrette. Xénia avait essayé de la protéger du vent avec la bâche, mais la neige s'incrustait dans les plis de sa pèlerine. De temps à autre, une quinte de toux lui déchirait les poumons et ses yeux clairs brillaient de fièvre. On voyait qu'elle avait du mal à avaler, et la jeune fille regretta de ne pas avoir de sirop à lui donner pour la soulager. Elle était soucieuse. Bien qu'elle ait lutté pour garder leur misérable logement scrupuleusement propre, traquant les poux et les punaises afin d'éviter la propagation de maladies contagieuses, elle n'avait pas pu empêcher sa mère de prendre froid. Or cette malheureuse bronchite pouvait effrayer les marins et les inciter à refuser d'embarquer la malade.

Nina Petrovna ne s'était jamais vraiment remise de la naissance de Cyrille. Le voyage en train avait été un calvaire. Aux différents arrêts, Xénia avait acheté des œufs, du lait et de la viande que vendaient les paysannes, mais sa mère avait eu un appétit d'oiseau. La situation s'était améliorée à Rostov. Nina avait retrouvé le sourire, bien que sa beauté fragile fût devenue de plus en plus éthérée, sa peau translucide. Elle semblait friable comme du verre mais elle ne demandait rien, se montrait patiente avec Macha qui réclamait sans cesse de l'affection et endurait le caractère impétueux de sa fille aînée. Elle consacrait l'essentiel de son temps à son fils, le regardait pendant des heures, lui chantait des berceuses, s'enroulait autour de lui pour dormir, tout entière dévouée à cet enfant qu'elle avait mis au monde avec l'énergie du désespoir. À observer sa mère, son regard parfois absent, Xénia avait deviné qu'elle s'était épuisée à donner la vie à Cyrille et qu'il lui faudrait du temps pour redevenir elle-même.

Une violente canonnade retentit et le sol trembla une nouvelle fois sous leurs pieds. Un nuage de poussière s'éleva dans le ciel, tandis que la façade d'une maison s'écroulait en des craquements sinistres. Les bolcheviks étaient aux portes d'Odessa et leurs adversaires pris dans une souricière. Saisie de panique, la foule ondula, mais les uns et les autres étaient tellement serrés qu'ils ne pouvaient pas fuir bien loin. Dès son arrivée sur les quais, Xénia avait compris qu'il valait mieux ne pas se tenir trop proche de l'eau où flottaient des morceaux de glace, au risque d'être précipité entre l'embarcadère et la coque des navires.

Des femmes se mirent à se lamenter et un prêtre reprit une litanie de prières qu'il venait seulement d'interrompre. Des voix éraillées à force de hurler s'élevèrent pour exiger d'embarquer sans plus attendre sur les deux bâtiments anglais qui devaient les emmener en lieu sûr à Constantinople, première étape de l'exil. La peur affûtait les visages, rongeait les intestins, déclenchait des crises d'hystérie. Les troupes de l'Armée rouge n'hésitaient pas à massacrer des civils. Avec ses officiers de l'ex-armée impériale, encadrés par des commissaires politiques qui torturaient à la moindre suspicion d'action contre-révolutionnaire, ses proscrits et ses anciens forçats, le doigt sur la détente du revolver, ses soldats embrigadés de force qui rasaient les villages, mutilaient des otages avant de les jeter agonisants dans des fosses communes, l'hydre de cette armée nouvelle forgée par Trotsky n'avait qu'un but ultime : le triomphe de la dictature prolétarienne et l'élimination physique de tous les « ennemis de classe ». Dans sa ligne de mire, d'anciens officiers de la Garde impériale, des bourgeois, médecins ou intellectuels, des paysans libres propriétaires de quelques lopins de terre, des nobles, des cosaques séparatistes… Combien étaient-ils, massés sur le port, terrorisés, épuisés par la faim et le froid, qui n'attendaient de l'ennemi rien d'autre que la mort ?

Xénia jeta un regard autour d'elle. Les hurlements et les sanglots se répondaient en écho. Personne ne pouvait se faire entendre parmi les femmes dépenaillées, ficelées dans leurs derniers vêtements chauds, les enfants affolés, les vieillards ou les bébés couchés dans des paniers en osier. Les soldats de l'Armée blanche restaient prostrés, des pansements ensanglantés autour de la tête ou d'une jambe. Quelques voitures aux vitres brisées offraient d'improbables abris à des civières. Les baluchons s'empilaient les uns sur les autres. Dans les carrioles chargées de valises surnageait parfois un objet incongru, comme ce carton à chapeaux d'une modiste de Petrograd qui devait contenir bien autre chose qu'un accessoire vestimentaire.

Les marins anglais se tenaient au pied de passerelles en bois installées à la hâte et vérifiaient les identités. Un homme à genoux dans la neige suppliait qu'on les embarque, lui et sa femme. Quand elle le vit, Xénia détourna les yeux, le cœur serré. Elle ne s'abaisserait pas à cela. Jamais ! Mais pour eux, tu le ferais, songea-t-elle avec amertume. Pour maman, Cyrille et Macha, tu serais prête à tout. Voilà à quoi on nous a réduits : à mendier pour nos vies, parce que c'est la dernière chose qui nous reste. Comment Sacha arriverait-il à les retrouver parmi cette marée humaine ? Elle tapa du pied pour se réchauffer et sentit le poids réconfortant de son arme contre sa hanche. Puis elle palpa d'une main nerveuse la poche de sa redingote militaire où leurs précieux papiers étaient enroulés dans un morceau de toile cirée. C'était devenu une manie. La nuit, elle dormait avec les documents à même la peau. Elle avait dû se séparer de leurs derniers roubles pour obtenir les passeports après des heures d'attente dans trois agences gouvernementales russes, avant de patienter au consulat français pendant deux jours pour qu'on lui délivre des visas.

Dans des salles malodorantes aux relents de sueur et de vêtements humides, les queues lui avaient paru interminables, presque inhumaines, parce que chacun y défendait chèrement sa peau. Elle avait admiré le calme olympien du fonctionnaire français qui écoutait les Russes discuter, argumenter, vociférer, expliquer, questionner, exiger, implorer… La faim lui avait donné des vertiges pendant lesquels son corps s'élevait en une étrange apesanteur, son esprit s'embrouillait, et le flot intarissable de paroles de ses compatriotes résonnait dans son cerveau à lui donner la nausée.

Dressée sur la pointe des pieds, elle essaya en vain d'apercevoir son oncle. Où diable était-il passé ? Elle lui avait pourtant demandé de rester auprès d'eux. Plusieurs familles avaient été séparées, des épouses ayant égaré leur mari dans la foule. Sous ses yeux, un enfant de cinq ans avait été arraché aux jupes de sa gouvernante, qui était redescendue d'un bateau pour le sauver avant d'être oubliée à son tour sur le quai tandis que le navire appareillait.

— Xénia, appela une voix rauque derrière elle.

Elle se retourna sans lâcher la main de Macha.

— Enfin, te voilà ! Ne me fais plus une peur pareille, Oncle Sacha. Comment veux-tu qu'on s'y retrouve ? Regarde, la file avance. Ce sera bientôt à nous d'embarquer.

— Je ne pars plus.

Xénia eut un bourdonnement dans les oreilles et se demanda un court instant si elle avait perdu la raison. Les yeux écarquillés, elle dévisagea son oncle dans sa longue capote fourrée aux épaulettes cousues avec de vieux chiffons. Sur sa casquette rouge à visière noire, la bande blanche marquait son appartenance à l'armée des Volontaires.

— Qu'est-ce que tu racontes ? demanda-t-elle, et l'angoisse donna à sa voix un timbre perçant.

— Je ne peux pas partir. Je ne peux pas quitter notre terre. Comment veux-tu que j'abandonne la Russie ? C'est impossible, tu comprends ?

— Non, je ne comprends pas ! s'écria-t-elle, furieuse. Tu as risqué ta vie. Tu as suivi Korniloff comme tu l'avais souhaité. Tu as survécu à la campagne de glace. Ils t'ont même décoré, ajouta-t-elle en appuyant le doigt sur l'endroit de son torse où il épinglait l'insigne du glaive dans sa couronne d'épines. Tu as fait ton devoir. Tu ne peux pas faire davantage. Regarde autour de toi, bon Dieu ! Regarde-nous… Qu'est-ce que tu veux de plus ? On a perdu, tu m'entends ? On a perdu !

— Tais-toi, Xénia Féodorovna ! répliqua-t-il, le regard froid. Comment oses-tu dire une chose pareille ? Alors qu'on se bat encore en Crimée, au Caucase, au Kouban, dans le sud de l'Ukraine, en Sibérie… Nos chefs sont là, Dénikine, Wrangel, Koltchak. Avec leurs hommes. On a subi des revers, c'est vrai, mais tant qu'il y aura encore un souffle de vie dans nos poitrines, le combat ne sera pas perdu. C'est viscéral, tu comprends ? Tu ne pourras jamais retirer la Russie de mon âme, de même que tu ne pourras pas en retirer ma foi. Les deux sont liées, et c'est à travers elles que j'existe.

Il serrait les poings tel un enfant en colère. Sa barbe blonde lui mangeait les joues, dissimulant la maigreur de son visage où ses yeux lançaient des éclairs.

— Ton devoir, c'est de rester auprès de nous. Comment veux-tu que je me débrouille seule ? Tu ne peux pas nous laisser. C'est nous qui avons besoin de toi maintenant, pas la Russie !

Il secoua la tête, porta les mains à ses oreilles, comme si ses paroles lui étaient insupportables.

— Je suis désolé, Xénia. Mon devoir, c'est de combattre ici, sur notre sol, pour notre patrie. On ne peut pas laisser le pays aux mains de barbares sanguinaires. Ils ont massacré le tsar, l'impératrice, leurs enfants. Ils jettent des innocents vivants dans des fosses immondes. Si la Russie sombre, rien n'aura plus de sens. La vie ne vaudra plus la peine d'être vécue.

Xénia lâcha la main de Macha, empoigna son oncle par les revers de sa vareuse. Une terreur sourde l'emplissait à l'idée d'embarquer sur un bateau étranger avec sa famille alors qu'elle ignorait si le bâtiment parviendrait à franchir la mer Noire jusqu'à Constantinople sans exploser sur les mines qui truffaient encore les détroits. À cet instant précis, elle haïssait Sacha parce qu'il la forçait à regarder la peur en face et à admettre sa faiblesse.

— Cyrille est encore un bébé. Comment oses-tu dire en présence d'un enfant que la vie ne mérite pas d'être vécue ? Et moi, je veux vivre aussi, tu m'entends ? Je veux vivre ! Alors je dois prendre ce navire, et j'ai besoin de toi pour m'aider. Je ne peux pas le faire seule.

— Je suis désolé, je suis désolé…

Il pleurait, et elle eut l'impression qu'un poignard lui déchiquetait le cœur. Sacha était un héros. Il avait combattu avec courage depuis qu'ils avaient rejoint le territoire du Don deux ans auparavant. Sous l'étendard de la Grande Russie, il avait marché pendant plus de mille kilomètres avec ses compagnons dans leurs uniformes disparates, officiers redevenus simples soldats, la main crispée sur la crosse de leur fusil, le ventre creux, leurs dents noircies par les galettes de glands pilés, portés par une seule obsession : se battre pour leur terre et pour servir la cause d'un peuple qui ne devait pas subir le joug d'une populace, ainsi que le leur avait clamé le général Dénikine.

Xénia se dressa sur la pointe des pieds et approcha son visage de celui de son oncle. Les flocons de neige se déposèrent sur son front, sur ses cils, sur ses lèvres.

— Si tu nous abandonnes maintenant, Oncle Sacha, je ne te le pardonnerai jamais.

— Que Dieu nous vienne en aide, dit-il en la serrant contre lui. J'ai confiance en toi, Xénia. Tu es forte et courageuse. Je n'ai jamais croisé une femme comme toi. Si tu étais une autre, je serais obligé d'embarquer sur ce bateau ; mais tu es mon égale, tu n'as pas besoin de moi alors que je peux encore servir mes frères d'armes. Je dois rester et me battre jusqu'à mon dernier souffle. Si Notre Seigneur le veut, nous vaincrons. Et tu reviendras à la maison, et je t'implorerai à genoux de me pardonner.

Furieuse, elle tremblait de la tête aux pieds.

— Et si tu meurs ? Ça nous servira à quoi ?

— Je m'en remets à Dieu.

Elle comprit à son regard fixe qu'elle ne le convaincrait pas. Il était inconcevable pour Sacha de quitter sa terre natale en ces jours douloureux. Il aurait le sentiment d'être excommunié, de trahir tout ce qui donnait un sens à sa vie, de faillir à l'honneur et à la loyauté envers sa patrie. Ce serait le condamner à une lente agonie. Xénia avait envie de le marteler de ses poings, de hurler qu'elle le détestait pour son égoïsme, mais elle n'arrivait plus à parler. Elle avait la gorge nouée et les yeux secs.

— Tout se passera bien, tu verras, dit-il d'une voix douce. Je vais vous aider. Venez, c'est bientôt votre tour.

Elle voulut lui ordonner de partir tout de suite et de la laisser se débrouiller seule, puisque c'était le châtiment qu'il lui infligeait, mais il s'était penché vers sa sœur qu'il tentait de rassurer. Nina Petrovna leva vers lui son visage lisse qui se détachait de la foule avec une pureté angélique. Elle l'écoutait en hochant la tête et ses doigts s'entrelaçaient comme si elle priait.

— Je comprends, Sacha, dit-elle. Mais sois prudent, je t'en supplie. Il ne me reste déjà presque plus personne. Je ne supporterais pas de te perdre toi aussi, après Féodor, Micha, Kostia…

Sa voix se brisa. La jeune comtesse avait perdu son mari et deux de ses frères au début de la guerre, et voilà qu'elle était sur le point de quitter son pays. Mais elle se soumettait à la décision de son frère cadet. Il ne lui serait pas venu à l'esprit de protester ni d'essayer de le retenir. Xénia éprouva une pointe d'agacement. Peut-être auraient-elles eu une chance de le convaincre si elles s'y étaient mises à deux ?

— Laisse Sacha nous aider à embarquer, ma colombe, déclara Niania, comme si elle avait deviné ses pensées. Mets ta fierté de côté et prends la main de ta sœur pour ne pas la perdre. Il est l'heure, maintenant.

Sans un mot, Xénia se baissa pour ramasser le sac qu'elle mit en bandoulière. Elle prit sa petite valise, tendit la main à sa sœur et suivit la haute silhouette de son oncle qui donnait le bras à sa mère en se dirigeant vers l'officier britannique posté au pied de la passerelle.

Après deux jours de tempête pendant lesquels Xénia était restée enfermée dans une cabine sans hublot, clouée avec les siens sur les couchettes de bois, elle monta enfin sur le pont. Ses jambes avaient du mal à la soutenir. La tête cotonneuse, elle avait l'impression qu'on avait limé ses entrailles avec de la paille de fer. L'air glacial lui coupa le souffle, mais elle inspira profondément afin de chasser l'odeur fétide de l'intérieur du navire. Elle avait enjambé les corps des réfugiés allongés dans les coursives, détournant les yeux des visages hâves, essayant d'ignorer les toux rauques et les gémissements. Une jeune femme avait vainement essayé de faire taire les protestations incohérentes d'un vieillard qui devait être son père. Il n'y avait pas assez de place pour isoler les malades, et cette promiscuité encourageait la contagion. Le médecin militaire hantait les différents niveaux, constatait les morts, impuissant à soigner les cas de typhus dont les montées de fièvre brutales déshydrataient les victimes et les figeaient dans des états de stupeur.

Une bourrasque de neige cingla le corps et le visage de Xénia, qui peina pour trouver son équilibre. Le bateau naviguait dans un brouillard épais, monde fantasmagorique sans contours ni limites, où les crêtes des vagues dessinaient des traînées d'écume sur une mer grise. Se sentait-elle aussi fragile parce qu'elle n'avait rien mangé depuis plusieurs jours ou parce qu'aucune amarre ne la retenait plus nulle part ? Toutes les deux minutes retentissait un long sifflement strident. C'est le glas de l'agonie, songea-t-elle, le cœur serré par le son lugubre.

Elle s'accouda au bastingage, angoissée à l'idée d'avancer à l'aveugle en sachant que des transporteurs autour d'eux avaient coulé après avoir heurté des mines flottantes. Elle regrettait la terre ferme. Même pendant les canonnades, elle avait toujours eu l'impression de pouvoir agir pour se défendre. Désormais, elle était impuissante, à la merci d'un capitaine et d'un équipage inconnus. Elle enfonça la main dans la poche vide de son épaisse capote militaire. Dès l'embarquement, un marin avait exigé que les passagers lui remettent leurs armes, qui avaient été empilées au milieu du pont tel un butin de guerre. Dépouillée de son revolver, la jeune fille se sentait étrangement nue. Elle esquissa une moue ironique. Qui était-elle devenue pour chercher du réconfort dans le contact d'une arme à feu ?

Ces derniers temps, elle avait vécu sans se poser de questions, affrontant les problèmes les uns après les autres sans penser au lendemain. Désormais, elle était obligée de s'interroger sur l'avenir. Elle quittait la Russie pour Constantinople, une ville dont elle ne savait rien, qu'elle imaginait d'après ses lectures toute de mosaïques byzantines, de minarets et de coupoles dorées, splendeur hybride et tapageuse, avec ses parfums d'épices et ses senteurs entêtantes, enchâssée entre l'Orient et l'Occident. Mais la ville des califes était vaincue, occupée par les Anglais. L'Empire ottoman avait perdu la guerre, les Alliés contrôlaient le Bosphore et les Dardanelles. Et puis, ensuite ? Que se passerait-il ? L'argent manquait déjà cruellement et la situation ne pouvait qu'empirer dans un pays étranger. L'effroi la saisit, mouillant son corps glacé d'une fine couche de sueur. Elle ne savait rien faire, elle n'avait pas de talent particulier, ni de métier. On lui avait offert une éducation parfaite. Elle parlait couramment trois langues étrangères – l'anglais, le français et l'allemand ; elle connaissait l'histoire, la littérature et la poésie, jouait mal du piano mais était douée pour la broderie et savait diriger une maisonnée avec des dizaines de domestiques, comme toutes ces femmes du monde entassées sur ce bateau de misère. Mais à quoi cela lui servirait-il ? Comment allait-elle survivre ? Elle eut un haut-le-cœur et se pencha au-dessus du bastingage, mais elle n'avait rien dans le ventre, rien que sa bile et sa peur.

Les autorités ne donnèrent pas la permission de débarquer les malades à Constantinople. À cause de la saleté et du manque d'hygiène, en quelques jours, le typhus avait fait des ravages sur le navire. Certains des cosaques rescapés souffraient aussi de dysenterie. Chacun était pris à la gorge par les odeurs nauséabondes. Le capitaine avait ordonné qu'on nettoie les ponts et qu'on désinfecte les cabines et les soutes, mais la lutte était inégale. Le médecin militaire disposait de moyens dérisoires. Sans médicaments, il se démenait tout seul mais ne pouvait enrayer l'épidémie.

Xénia redoutait les miasmes et pensait que le froid était certes odieux, mais moins dangereux que la contagion. Elle aurait voulu installer la famille sur le pont, mais les forces de Nina Petrovna l'abandonnaient. Elle restait prostrée, grelottant de fièvre sous des couvertures que Xénia avait réussi à trouver. La jeune fille parvint à obtenir que le médecin vienne examiner sa mère. Il s'accroupit à côté d'elle, l'ausculta rapidement, notant les éruptions rouges sur son torse et ses bras. Au mouvement de ses épaules, à sa nuque courbée, Xénia eut un mauvais pressentiment. Il se releva avec la prudence d'un vieillard. On voyait à son visage creusé de fatigue qu'il était épuisé. Il prit la jeune fille par le bras, l'obligea à sortir dans le couloir.

— Je ne peux rien vous cacher, mademoiselle..., murmura-t-il.

Elle lui coupa la parole :

— Vous n'auriez pas quelque chose pour soigner sa bronchite, docteur ? Depuis la naissance de mon petit frère, ma mère nous fait souvent des frayeurs comme cela, mais elle est forte, vous savez, elle se remet toujours.

L'homme secoua la tête d'un air accablé, s'adossa au mur et ferma les yeux, comme s'il espérait grappiller quelques secondes de sommeil.

— Ce n'est pas une bronchite. C'est le typhus. Je ne peux rien pour elle, hélas. Ni pour elle ni pour tous ces autres malheureux. Je n'ai pas de médicaments, pas de moyens pour soigner les malades. Regardez autour de vous... C'est affreux. Et je suis complètement impuissant. C'est à devenir fou, ajouta-t-il à mi-voix.

— Mais on doit pouvoir faire quelque chose ! protesta Xénia. Et si je nous installais sur le pont, à l'air frais, peut-être que...

— Cela ne fera aucune différence, mademoiselle. Je suis désolé.

Un matelot s'approcha de lui. Déjà, on l'appelait ailleurs. Il eut un regard d'excuse pour Xénia, puis s'éloigna avec le pas lourd d'un condamné.

La jeune fille resta debout, les poings serrés. Elle refusait de l'admettre. Le destin ne pouvait pas s'acharner sur eux à ce point. Elle n'allait tout de même pas perdre sa mère en plein Bosphore, à quelques encablures de Constantinople, alors qu'on leur refusait la permission de descendre à terre, que les militaires parlaient de quarantaine, de bateaux sanitaires à l'isolement, de camps de réfugiés sur l'île de Lemnos ou la péninsule de Gallipoli.

Elle frotta sa nuque, essayant en vain de soulager l'étau qui lui comprimait le haut du dos. Il faudrait un miracle pour sortir de ce cauchemar sans fin et parvenir jusqu'à Paris, la destination finale pour laquelle elle avait tant lutté à Odessa, préférant la France à l'Angleterre pour une raison obscure, peut-être liée à l'enfance. Elle gardait en mémoire le souvenir de sa gouvernante française, avec son chignon élégant, ses manières accortes, son esprit pétillant. Brune et élancée, Mlle Verdière était d'une nature ardente. Nina Petrovna s'en était même inquiétée auprès de son mari, trouvant la demoiselle quelque peu impertinente, mais le général avait apprécié sa vivacité. Elle était restée deux ans auprès d'eux, avant de rentrer chez elle lorsque la guerre avait éclaté.

Xénia ignorait ce qu'elle était devenue. Peut-être lui écrirait-elle à leur arrivée à Paris ? Mais la capitale française prenait des allures de mirage, s'éloignant à mesure qu'elle s'en rapprochait. Non sans une certaine angoisse, elle se demanda si elle était condamnée à dériver sur ce navire maudit, banni des ports et interdit de séjour, jusqu'à ce que les passagers et l'équipage meurent les uns après les autres et que le bâtiment fantôme ne soit plus qu'un vaste cercueil flottant.

Nina Petrovna Ossoline n'eut pas droit à un cercueil. Son corps fut enroulé dans un drap blanc et déposé sur une planche de bois. Cinq marins étaient affectés aux cérémonies funèbres qui se succédaient dans la journée. L'un d'eux avait joué quelques notes de la sonnerie aux morts, les longues plaintes s'étirant sans merci, tandis que ses camarades demeuraient figés au garde-à-vous.

Il faisait beau. Le soleil brillait dans l'un de ces ciels d'hiver dont la luminosité impitoyable blesse les regards. Les bâches, le drapeau anglais et les fanions claquaient au vent. Le navire craquait de toutes parts dans l'air poli comme du cristal. Le prêtre récitait l'office des morts. Quelques passagers chantaient : *« Accueille-la, Seigneur, accueille la servante Nina auprès de tes saints... »*

Cyrille perché sur une hanche, Xénia donnait la main à Macha. Les épaules en arrière, elle se tenait très droite et fixait au loin la ligne de l'horizon. Sous ses bottes, elle sentait le roulis du bateau. Elle avait les mains et le cœur glacés. Des mèches de cheveux échappées de sa natte voletaient autour de son visage. Elle se sentait dépossédée, parce qu'elle n'enterrait pas sa mère dans le caveau familial des Ossoline à Petrograd, au côté de son père, entourée de ses proches et de ses amis, ce qui aurait été naturel et digne, mais qu'elle livrait son corps à la mer, aux monstres des profondeurs, que sa mère allait disparaître d'une manière définitive et absolue, et qu'il n'y aurait aucun lieu où venir se recueillir. Ce geste lui semblait tellement incongru, tellement insensé qu'elle n'arrivait même pas à prier dans ce monde devenu fou.

Niania se tenait de l'autre côté de Macha. Les larmes coulaient sur son visage, s'égaraient parmi ses rides, et elle ne cherchait pas à les retenir. La mort de Nina Petrovna avait brisé quelque chose chez la vieille servante. Le dos courbé, ses gestes étaient lents, presque apathiques.

Le marin fit retentir une dernière note plaintive, puis il y eut un moment de silence. Xénia gardait les yeux rivés sur sa mère dont elle discernait la tête, les épaules et les jambes. Une foule d'images heureuses reflua dans sa mémoire. Les bras ouverts de sa mère, son sourire, le rire cristallin, son infinie douceur, sa grâce, cette manière de tout comprendre et de tout pardonner, la certitude d'un amour entier et de toujours trouver un refuge auprès d'elle, quoi qu'il advienne. D'un seul coup, ce qui l'avait exaspérée ces derniers temps ne comptait plus. Sa mère était morte et, avec elle, c'était une partie d'elle-même que Xénia livrait à l'oubli.

Une mouette poussa un cri strident au-dessus de leurs têtes. La jeune fille retint son souffle. Deux marins inclinèrent la planche d'un mouvement brusque et le corps glissa vers la mer. Quand la jeune comtesse Ossoline heurta l'eau avec un son mat, Niania poussa un cri de douleur qui fit tressaillir l'entourage. Secouée de sanglots, Macha enfouit son visage dans le manteau de sa sœur. Xénia serra Cyrille un peu plus fort et entoura d'un bras les épaules de la petite fille. Sa mâchoire était tellement crispée qu'elle ne pouvait pas desserrer les dents.

La veille, alors que sa mère se mourait et que Niania récitait des prières, elle avait décousu les bijoux cachés dans les vêtements de l'agonisante. Les mains tremblantes, elle s'était coupée plusieurs fois avec les ciseaux. Ses ongles étaient rongés, ses doigts rêches. Un bleu marquait une de ses épaules, là où elle s'était cognée dans la cabine exiguë. Le corps courbatu comme si elle avait été rouée de coups, elle avait eu presque honte de s'affairer ainsi, alors que le temps était au recueillement, mais on l'avait privée de cela aussi, de ces derniers instants au chevet de sa mère. Déjà, il fallait penser aux lendemains, s'inquiéter de préserver ces pierres précieuses indispensables à leur survie.

Elle ne pleurait pas. Ce serait pour plus tard, dans quelques mois, quelques années. Peut-être jamais. L'émotion prenait trop de place. C'était un luxe qu'elle ne pouvait plus se permettre. Elle devait se raccrocher aux seules réalités tangibles, aux bijoux qui avaient souligné la beauté de Nina Petrovna lors des bals à la cour impériale – et qu'elle sentait désormais autour de sa taille –, mais aussi aux bras de Cyrille qui lui enserraient le cou, au souffle de son petit frère sur sa joue, et au corps de Macha plaqué contre le sien avec toute la violence de son chagrin, comme si l'enfant avait voulu s'y fondre et disparaître.

Le navire continuait à avancer. Le linceul blanc flotta quelques instants sur la mer griffée d'écume avant de s'éloigner au gré des vagues. Les yeux secs, Xénia Féodorovna se força à détourner la tête. Au loin s'élevaient les collines âpres et battues par le vent de l'île de Lemnos.

DEUXIÈME PARTIE

Berlin, avril 1924

Max von Passau était un homme heureux. Le printemps s'était manifesté d'un seul coup, reléguant l'hiver sinistre et ses journées blafardes, avec leurs relents d'inflation délirante, de misère et de désarroi, au cortège des mauvais souvenirs. Le fond de l'air était doux et prometteur, les feuilles vert tendre des arbres se détachaient contre le ciel bleu. Derrière des palissades placardées d'affiches publicitaires, un coup de vent souleva un nuage de poussière d'un chantier d'où montait un tintamarre de marteaux sur des poutres métalliques. Il quitta d'un bond le tramway dans l'avenue du Kurfürstendamm et manqua de se faire renverser par un autobus à impériale parce qu'il s'était aventuré sur la chaussée de manière distraite. Un automobiliste, irrité par son imprudence, le rappela à l'ordre en klaxonnant.

Dieu que la vie était belle ! En cette fin de journée, les bureaux et les magasins déversaient sur les trottoirs une foule de jolies employées qui dévoilaient de délicieuses chevilles sous des jupes légères. Des écharpes en mousseline ceignaient leurs cous libérés par leurs cheveux courts et leurs talons martelaient le bitume. Les poignées en cuivre des bars et des cabarets brillaient au soleil. Un jeune garçon balayait le pas de porte d'un restaurant aux vitres étincelantes et les enseignes lumineuses attendaient le crépuscule pour se mettre à clignoter. Comme toujours, la nuit serait longue et effrénée.

Berlin retrouvait le goût acidulé de l'espoir et le jeune Maximilian *Freiherr* von Passau celui de l'insouciance. Non seulement la spirale infernale de l'inflation avait été guillotinée par la réforme monétaire de Gustav Stresemann, mais on venait de lui verser une somme rondelette pour ses derniers portraits, en nouveaux Reichsmarks gagés sur l'or qui ne perdraient pas leur valeur avant même d'avoir été déposés à la banque. Il allait enfin pouvoir se payer quelques repas dignes de ce nom. Il commençait à se lasser des pommes de terre, conserves insipides et bouillons en cubes.

Il poussa la porte du Romanische Café, où il fut accueilli par un brouhaha de voix fortes, graves ou stridentes, que ponctuaient des éclats de rire. Des volutes de fumée montaient vers les hautes voûtes de style roman. L'effervescence y était presque palpable. Tous ceux qui comptaient parmi les cercles littéraires et artistiques de la ville venaient y échanger des idées et échafauder des théories. Il était inconcevable de ne pas s'y montrer. Les visages poudrés de blanc des danseuses soulignaient leurs lèvres rouge rubis, de jeunes actrices inconnues cherchaient à attirer l'attention d'agents artistiques, tandis que les journalistes des consortiums de presse Mosse ou Ullstein refaisaient le monde.

La plupart des petites tables rondes étaient occupées et les verres s'entrechoquaient sur les guéridons de marbre. Max nota d'un air amusé que la reine de l'endroit, la poétesse Else Lasker-Schüler, adepte des tenues masculines, était vêtue en femme ce jour-là. Une toque en astrakan perchée sur les cheveux, elle griffonnait dans un carnet, une tasse de café posée devant elle, jouant d'une main nerveuse avec les colliers qui ornaient sa chemise blanche à dentelle.

L'un des serveurs en long tablier blanc contourna Max avec une grâce d'équilibriste, balançant un plateau de bocks de bière sur l'épaule. Le jeune homme s'avança en cherchant des yeux une place libre. Les prétendants à la notoriété hantaient la première salle, qu'on avait surnommée le « petit bassin », tandis que, sur la gauche, les célébrités disposaient de leurs tables d'habitués dans la « piscine ». En dépit de la décoration impersonnelle aux allures de hall de gare, Max s'y sentait comme un poisson dans l'eau.

— Max, par ici ! appela une voix.

Trônant sur une banquette, une jeune femme brune au regard charbonneux agitait la main. Il accrocha son feutre mou à l'un des portemanteaux et se dirigea vers sa sœur Marietta qui l'observait d'un air taquin, ses yeux de chat effilés sous la ligne impeccable de ses sourcils. De longs pendants d'oreilles dépassaient la coupe à la garçonne dont les mèches soulignaient son visage pointu avec la netteté d'un rasoir. Elle était entourée de sa cour, deux ou trois hommes nonchalants séduits par son cynisme et qui aimaient recevoir des ordres, et quelques filles aussi déroutantes et dédaigneuses que leur égérie.

— Pousse-toi, Milo, et laisse mon petit frère s'asseoir, dit-elle à son voisin en lui donnant une bourrade. De quels bras délicieux viens-tu, mon cœur adoré ? Tes yeux brillent. On dirait le chat qui a dévoré le canari. Tu es particulièrement séduisant aujourd'hui. Cette espèce de tenue négligée te va à merveille. Le pantalon large, les cheveux un peu longs… Charmant. Il ne te manque qu'une barbe comme celle de ces poètes qui nous entourent. Quel dommage que nous ayons le même sang, nous aurions fait un beau couple, n'est-ce pas ? Mais raconte-nous, lapin. On veut tout savoir. J'ai l'impression que je ne t'ai pas vu depuis des siècles. Où en sont tes amours ? Milo cherchait justement à se rappeler la dernière fois qu'il avait connu une vierge. C'est probablement la denrée la plus exceptionnelle à Berlin de nos jours. Qu'en penses-tu ?

Marietta parlait beaucoup et en majuscules, d'une voix rauque et sensuelle. Ayant abandonné au vestiaire des vieux oripeaux les interdits et le formalisme de son éducation prussienne, la jeune femme irrévérencieuse disait ce qui lui passait par la tête sans trier ses pensées, ce qui donnait parfois lieu à des discours surprenants, et le plus souvent futiles, mais d'où s'échappait de temps à autre une intuition fulgurante.

Max accepta la place libérée par l'un des soupirants de sa sœur, un garçon au menton fuyant, souffre-douleur et amoureux transi de Marietta depuis qu'il lui avait autrefois tiré les cheveux au Tiergarten et qu'elle lui avait décoché un coup de poing qui lui avait brisé le nez. Quoique, à dix ans, elle n'ait pas encore pris des cours de boxe journaliers.

Aussitôt, Marietta se pelotonna contre lui. Le large manteau du soir aux revers de chinchilla glissa de son épaule, dévoilant une clavicule et la fine bretelle de sa robe lamée qui ruisselait sur sa silhouette androgyne. À vingt-six ans, elle était d'un an son aînée, mais elle alternait les attitudes enfantines avec des poses de femme fatale. Tout dépendait de son humeur et de la façon dont elle avait passé la nuit précédente. Il remarqua qu'elle n'avait pas de cernes et qu'elle semblait plutôt guillerette. D'un geste protecteur, il ajusta le manteau. Le plus souvent, Marietta était insensible au froid ou aux courants d'air.

— J'ai une faim de loup et je ne vais pas tarder à aller dîner, dit-il. Pour une fois, j'ai de quoi payer. C'est moi qui offre la tournée.

— On ne te le fera pas dire deux fois, lança Ferdinand Havel, levant la main pour appeler un serveur. Que fêtons-nous ? ajouta-t-il en repoussant du doigt ses petites lunettes rondes sur son nez.

Max s'étonnait de découvrir son meilleur ami parmi la clique de Marietta, car le jeune étudiant en droit portait un regard sévère sur cette jeunesse extravagante qui s'était habituée à une richesse facile l'année précédente, lorsque les plus malins spéculaient sur les cours des actions à la Bourse, buvaient du champagne comme de l'eau et s'affublaient de lavallières pour se donner des airs de poète maudit. Ferdinand n'avait pas le temps d'être un dilettante. Son père, un juriste éminent, s'était ruiné pendant les années d'inflation, ses économies ayant fondu comme neige au soleil. Désormais, il aidait ses parents de son mieux alors qu'il gagnait à peine de quoi se nourrir lui-même. Contrairement aux soupirants de Marietta qui arboraient déjà leur smoking et leur chemise blanche amidonnée en prévision de la soirée, il portait son unique complet gris aux manches lustrées et son col dur était d'une propreté douteuse. Sans doute avait-il été lui aussi harponné par Marietta à son arrivée.

— Je suis un photographe comblé, dit Max. J'ai vendu une série de portraits à un client exigeant, d'où mes largesses de ce soir, et j'ai aussi convaincu l'un des directeurs chez Ullstein que je leur étais indispensable.

— Ah, la presse et ses innombrables avatars dont nous ne pourrions plus nous passer ! fit Marietta en indiquant d'une main le maître d'hôtel préposé aux journaux qui passait devant eux les bras chargés de quotidiens. Que voulais-tu déjà, mon chou ? La publicité, le reportage ? Tu es tellement doué ! Tu manies tous ces appareils compliqués avec des doigts de fée. Et j'adore quand tu t'enfermes dans ton laboratoire parmi tes flacons et tes cuvettes. On dirait un magicien qui concocte des potions magiques.

— Mes chers amis, vous avez devant vous le nouveau collaborateur de *Die Dame* et du *Berliner Illustrierte.*

— Bravo ! s'écria-t-elle en lui saisissant le visage à deux mains et en lui déposant un baiser sonore sur les lèvres. Garçon, champagne pour tout le monde ! La soirée ne fait que commencer.

Avait-elle vraiment écouté ? se demanda Max, quelque peu agacé. Puisqu'il devait gagner sa vie, il ne pouvait pas se consacrer entièrement à sa recherche artistique, et comme la plupart de ses amis photographes, l'univers de la mode lui permettait de survivre. Si Paris se targuait d'être la capitale incontestée de la haute couture, Berlin était celle de la confection, qui constituait l'une des branches les plus rentables de l'économie allemande depuis plus d'un siècle. On y dénombrait près de six cents ateliers qui essaimaient autour de la Hausvogteiplatz. Après les restrictions dues à la guerre, la Berlinoise se voulait à nouveau aussi chic que la Parisienne. Les coiffures, le maquillage et les dernières tendances intéressaient même les philosophes et les écrivains. Des peintres renommés dessinaient des illustrations dans les magazines, des actrices jouaient les mannequins pour les photographes. Aux yeux des artistes qui affluaient en ville, la mode était au cœur du débat sur la modernité, et Berlin au cœur du monde. Mais comment expliquer tout cela à Marietta, qui n'écoutait que d'une oreille ? Parfois, sa désinvolture devenait pénible. Sa sœur ne possédait aucune échelle de valeurs. N'importe quelle émotion était bonne à prendre puis à jeter, qu'il s'agisse d'un chagrin ou d'une joie, tout comme un amant en valait un autre. Faisait-elle même la différence ?

— Tu ferais mieux de te débarbouiller, déclara Ferdinand en lui tendant un mouchoir. Elle t'a baptisé au rouge à lèvres. Félicitations, mon vieux. Je n'ai jamais douté de tes capacités.

— Vraiment ? ironisa Max. Je me rappelle pourtant que tu as été plutôt sceptique lorsque je vous ai déclaré que je partais pour Weimar.

— J'ai cru que papa allait avoir une crise d'apoplexie ! renchérit Marietta. Toi, le fils unique, destiné comme lui à une brillante carrière dans la diplomatie, tu osais t'égarer au Bauhaus, une école d'arts appliqués dont on ne savait pas grand-chose, excepté qu'elle prônait des théories d'avant-garde comme d'intégrer l'art à la vie. On y trouvait même des communistes. Quelle horreur, n'est-ce pas ? plaisanta-t-elle en levant les yeux au ciel. Je me souviens qu'il avait pris des renseignements sur Walter Gropius parce qu'il jugeait peu satisfaisantes ses recherches en architecture. Ah, voici enfin le champagne ! Il était temps. Je meurs de soif. Où allons-nous dîner ce soir ? Milo, passe-moi un verre. Dépêche-toi !

— À tes succès et à tes amours, mon cher Max ! déclama Milo en se levant et en claquant des talons.

— Il faut absolument que tu prennes des photos de moi. Bientôt, tu seras si célèbre que tu ne nous adresseras même plus la parole, supplia Asta, la meilleure amie de Marietta, une blonde au regard désinvolte et aux ongles laqués de vert.

Pour avoir la paix, Max lui promit qu'elle viendrait poser dans son atelier. Asta pouvait se montrer insistante. Mieux valait céder tout de suite à un caprice qu'elle risquait d'avoir oublié quelques heures plus tard. Leur brève liaison lui laissait un souvenir amer. Asta ne donnait pas son corps, elle le prêtait. Et plutôt de mauvaise grâce. Il avait rarement éprouvé une insatisfaction aussi grande après avoir fait l'amour avec une femme, bien qu'elle fût considérée comme l'une des plus jolies filles de Berlin. Mince et musclée, dépourvue de seins et de hanches, sa silhouette obéissait aux critères à la mode. Elle était suffisamment riche pour s'habiller dans les meilleures maisons, chez Friedländer ou Alfred-Marie, ce qui ne manquait pas de susciter une certaine jalousie chez Marietta qui ne pouvait pas rivaliser avec son porte-monnaie. Asta passait ses matinées à paresser au lit avant de se faire conduire par son chauffeur à son club de tennis, flânait dans les magasins l'après-midi, se changeait une première fois pour le thé dansant de cinq heures, puis pour aller jouer au bridge, et enfin pour se rendre au théâtre. Sa vie lui filait entre les doigts comme du sable, mais la jeune femme n'avait jamais une minute à elle. Quand elle passa un bras autour de ses épaules et lui mordilla l'oreille, Max inclina la tête et la regarda dans les yeux.

— Je vais t'avouer un secret, Asta. C'est fini entre nous.

— Tu es talentueux mais odieux, Maximilian, répliqua-t-elle avec une moue vexée en brandissant son fume-cigarette comme une épée. J'ai bien fait de rompre avec toi.

Max eut un moment de lassitude. Il s'était levé à l'aube pour vérifier les retouches sur les photos qu'il avait livrées à l'heure du déjeuner, il n'avait rien avalé depuis la veille, et les caprices de sa sœur et de ses amis commençaient à le fatiguer. Il vida d'un trait son verre de champagne qui lui monta à la tête.

— Bon, il est temps pour vous d'aller vous amuser, non ? fit-il d'un air enjoué. Vous avez sûrement une longue soirée qui vous attend. Laissez les pauvres travailleurs que nous sommes, Ferdinand et moi, manger un morceau avant de regagner nos lits.

— C'est effrayant ce que tu peux être rabat-joie, mon petit Max, protesta Marietta d'un air consterné. Parfois, tu me rappelles papa. J'insiste pour que tu viennes avec nous ce soir. La vie est tellement courte ! lança-t-elle. Pense à notre pauvre Erich et à tous ces malheureux morts. Pour eux, c'est fini. Terminé.

Un instant, ses yeux se voilèrent de larmes, ses lèvres frémirent, puis elle secoua la tête avec un rire fébrile.

— Laisse-moi te nourrir comme autrefois quand tu étais petit. Fais-moi ce plaisir, allons. Tu étais ma poupée préférée, chéri d'amour. Tu te souviens comme on jouait ensemble ? Et puis nous irons danser. Comment peut-on survivre à une nuit sans danser ?

Une ombre se dressa devant leur table et Max leva la tête. Aussitôt, le début de soirée qui avait été si prometteur prit un goût amer. La nuque raide, Ferdinand sembla soudain vivement intéressé par l'étiquette de la bouteille de champagne posée devant lui. Alors qu'il avait été sur le point de céder à sa sœur, Max espéra que Marietta et sa bande s'en iraient au plus vite car il n'était pas d'humeur à s'entretenir avec Kurt Eisenschacht.

— Bonsoir, dit le nouveau venu.

Il avait une voix grave et cadencée, un visage aux traits réguliers quoiqu'un peu lourds qui menaceraient, l'âge venant, de s'empâter, des sourcils en bataille, des lèvres épaisses. Son regard clair se posa sur chacun d'entre eux à tour de rôle, s'attardant quelques secondes, comme pour fixer dans sa mémoire le moindre détail de leurs visages. Il resta debout, ancré dans le sol, ses larges épaules soulignées par un costume de flanelle sur mesure. Sa cravate en soie était nouée avec recherche. Il occupait l'espace d'une manière particulière, différente de celle d'un Milo en perpétuel mouvement ou d'un Ferdinand aux joues creuses tassé sur sa chaise. Il avait cette sérénité implacable des séducteurs, l'assurance des hommes fortunés, lui qui avait profité des années d'inflation pour bâtir un empire de presse et d'immobilier. Personne ne savait exactement combien de journaux ni d'immeubles possédait Eisenschacht, mais chacun devinait qu'il connaissait jusqu'au dernier faux col de ses employés. L'homme dégageait ce calme trompeur des grands fonds marins où des requins paresseux glissent dans la pénombre.

Je le déteste, songea Max. Et il le sait.

— Kurt, dit Marietta. Comment allez-vous ?

— Marietta, je suis heureux de vous voir, répondit-il, son regard s'attardant sur elle comme si elle était seule au monde. Cela fait trop longtemps, n'est-ce pas ?

Elle s'était redressée, si bien que son dos n'effleurait plus la banquette. Son manteau avait glissé à nouveau et elle le retenait d'une main à la hauteur de la poitrine. Les yeux fixés sur Eisenschacht, elle restait immobile, vigilante et silencieuse. Presque fragile, songea Max. Oui, fragile, elle, Marietta von Passau, avec ses paupières ombrées, ses cils ourlés de mascara, ses lèvres humides légèrement entrouvertes. Et Max comprit soudain, avec un effarement qui lui glaça l'échine, que sa sœur avait trouvé son maître. Comment était-ce possible ? N'était-elle pas l'incarnation de la femme moderne, émancipée et incisive ? Elle déposait son bulletin de vote dans l'urne, conduisait sa voiture à toute allure, défiait la romancière Vicki Baum dans le Ring chez Sabri Mahir, le professeur de boxe turc le plus célèbre de la ville, derrière la Tauentzienstrasse. Sa vie amoureuse n'était un secret pour personne. Elle croquait les hommes à pleines dents, ne croyait ni à la virginité avant le mariage ni à la fidélité d'un engagement qui ne lui inspirait qu'une crainte diffuse. Or voilà qu'elle était déconcertée, prisonnière du magnétisme que dégageait l'homme qui se dressait devant elle. Sous le maquillage, la robe éclatante et les bas de soie, derrière les propos insolents et le défi quotidien qu'elle lançait à la vie, il ne restait qu'une jeune femme aux fines veines bleutées qui couraient sous la peau. Marietta se ressaisit et son visage reprit son expressivité habituelle. Une lueur moqueuse glissa dans son regard. Elle joua avec son manteau, pencha une épaule vers l'avant. Les paillettes accrochèrent la lumière. Le mouvement de son corps indiqua à Eisenschacht qu'elle était intéressée.

— Et où allez-vous comme cela, Kurt ?

— Mais dîner avec vous, bien sûr. Comment avez-vous pu en douter, Marietta ? Ma voiture attend dehors. Vous venez ?

Un frémissement parcourut les amis de la jeune femme. D'un seul coup, la soirée était bouleversée, les règles ébranlées. La liberté régnait en maître dans le Berlin de la république de Weimar et tout était permis, les changements d'humeur et de partenaire, les excentricités les plus débridées, les sursauts révolutionnaires qui éclataient comme des accès de fièvre. Mais Kurt Eisenschacht menaçait l'équilibre tacite de la petite bande d'amis de manière trop pernicieuse pour être honnête. En leur prenant Marietta sans même leur accorder un regard, comme s'ils ne méritaient que son dédain, il les privait de l'âme de leur groupe. D'une certaine manière, il les décapitait.

— Pourquoi pas, en effet ? répondit-elle avec un rire un peu forcé. Allons, petit frère, bouge tes fesses et laisse-moi passer. Ne m'en voulez pas si je vous abandonne, mes trésors, mais je vous retrouverai tout à l'heure, ou demain, qui sait ? Amusez-vous bien. Et encore bravo à toi, Max, je suis fière de toi.

Elle distribua des baisers à la ronde avant de se diriger vers la porte, se faufilant entre les tables avec la grâce d'une funambule. À son passage, les hommes levaient la tête, tandis que les femmes la décryptaient, les yeux plissés. Un sourire aux lèvres, Eisenschacht inclina la tête pour les saluer et lui emboîta le pas.

Tout cela n'était pas bien grave, songea Max en se rasseyant. Après tout, il ne s'agissait que d'un dîner. Ensuite, ils iraient probablement danser, puis faire l'amour dans la villa d'Eisenschacht à Grünewald. Il était célibataire, riche et séduisant. Marietta aimait s'amuser. Pourquoi s'en priverait-elle ? Et pourtant, en observant les visages soucieux de Milo ou d'Asta et les traits rigides de Ferdinand, Max eut un mauvais pressentiment.

À cause des lampes disposées autour du plateau, il faisait chaud dans l'atelier, et sa chemise blanche lui collait à la peau. Max enfila d'épais gants de cuir et ajusta ses lunettes de motocycliste pour se protéger les yeux, puis il grimpa sur l'escabeau afin de batailler avec le grand projecteur. Lorsqu'il l'eut incliné de manière satisfaisante, il s'approcha des objets qu'il avait posés dans le cercle de lumière.

Il était intrigué par le grillage qu'il avait trouvé dans la rue en rentrant chez lui. Éclairé de biais, l'objet projetait un entrelacs d'ombres intéressantes sur la toile blanche. Une chaise en paille tressée et un billot de bois ajoutaient une note rustique au décor. Les matières étaient âpres, rugueuses, et dégageaient une force primitive. Il regarda à travers l'objectif et fit la mise au point. Il n'avait pas d'idée précise en tête. Cet assemblage n'était qu'une première ébauche. Il travaillait ainsi, à l'instinct, écoutant monter en lui une exigence. Mais il manquait quelque chose. Une opposition. Des ombres arrondies pour souligner les éléments rectilignes. Les sourcils froncés, il regarda autour de lui.

Nichée sous le toit de l'immeuble, la vaste pièce aux fenêtres occultées par des stores était haute de plafond. Elle lui tenait lieu d'espace de travail mais aussi de salon, car c'était là qu'il recevait ses clients. Dans un coin, deux mannequins de cire aux silhouettes dénudées dansaient une étrange sarabande parmi les grosses chambres techniques en bois, les plaques de verre et les écrans de tête en soie de Chine. Des coussins s'empilaient au pied d'un réflecteur qui lui permettait d'améliorer le détail des drapés. Sur les étagères, des objets métalliques côtoyaient des boules de cristal, tandis que des housses de coton protégeaient des rouleaux de tulle ou de dentelle. Le désordre avait effrayé plus d'un assistant, mais Max s'y repérait.

À l'étage inférieur, une chambre et une salle d'eau lui servaient de logement. L'immeuble appartenait à l'un de ses oncles maternels, un célibataire esthète et généreux qui aimait bien son jeune neveu et lui louait l'ensemble à un prix ridicule, venant régulièrement observer les modèles masculins qui posaient parfois pour lui. Une faveur que Max lui accordait volontiers en échange de cette liberté, et il lui arrivait de louer ou de prêter l'installation coûteuse à des confrères moins chanceux.

« Un photographe ! s'était exclamé son père. Mais tu plaisantes, Maximilian ? On ne devient pas artiste, dans notre famille. De quoi vas-tu vivre ? Comment vas-tu tenir ton rang ? » Il avait eu un regard embarrassé, presque de commisération. « Quoi qu'il en soit, ce n'est pas moi qui vais te financer, sois-en assuré », avait-il ajouté, les lèvres pincées.

Dans leur villa du quartier opulent de Dahlem, avec son salon aux étoffes de velours rouge, ses chandeliers et sa collection de porcelaines de Meissen qui s'ennuyaient dans des vitrines, le jeune Max revenait ce jour-là d'un cours de dessin. Il avait les doigts tachés d'encre, une chemise froissée, des chaussures poussiéreuses. Son père avait toujours su lui donner le sentiment qu'il était à la fois très jeune et très stupide. Son regard s'était posé sur la photographie de son frère aîné en uniforme. Le cadre en argent était orné d'un ruban noir, en hommage à l'un des as de l'aviation de guerre, décoré de la plus prestigieuse distinction prussienne, la croix d'émail bleu de l'ordre « Pour le Mérite », et qui avait été abattu en plein vol lors d'un combat aérien. Max avait trouvé l'expression statique, le beau visage inerte. Rien ne dévoilait l'âme d'Erich von Passau. À voir ce portrait médiocre, on ne devinait pas que son frère avait été l'un de ces hommes rayonnants dont la mort soudaine vous ramène avec brutalité à votre propre insuffisance.

« Maintenant que ton frère est mort, tu as des responsabilités, Maximilian. Envers l'honneur de ta famille comme envers celui de la patrie. Je te demande de réfléchir sérieusement. Contrairement à ce que tu sembles penser, la vie n'est pas une partie de plaisir », avait conclu le Freiherr von Passau.

Le corps sec, les tempes blanches, c'était un homme élancé à la prestance de cavalier, qui modulait à la perfection les inflexions de sa voix de baryton pour convaincre son auditoire. Au XIVe siècle, sa famille avait régné sur un territoire de plaines et de lacs que balayait le vent de la Baltique. L'ancienneté et le prestige de son nom lui avaient donné de l'assurance, son éducation des manières exquises, son mariage avec une jeune fille fortunée de la haute bourgeoisie une aisance financière. Il était l'un de ces diplomates de la vieille école bismarckienne, toute de finesse et de séduction. Si l'ambition n'était pas une disposition qui l'intéressait pour lui-même, la personnalité de son fils aîné ne l'avait pas laissé indifférent.

Violoniste talentueux, amateur de jolies femmes, intelligent et bon vivant, Erich avait comblé toutes les espérances paternelles. Il avait été fauché en pleine jeunesse, auréolé de ses dix-sept victoires homologuées, et sa mort avait déchiré le voile, révélant le fils cadet qui avait grandi dans l'ombre de son aîné, silencieux et rêveur, avec ses cheveux bruns et son regard foncé, héritage d'une ancêtre piémontaise, tellement différents de la blondeur insolente d'Erich. Mais si les deux frères partageaient la même prestance physique, le profil assuré, les lignes vigoureuses, les lèvres gourmandes, personne ne remplacerait jamais Erich. Dans l'escadre du « baron rouge » Manfred Freiherr von Richthofen, il s'était distingué au combat, tout comme son camarade Hermann Göring qui lui avait rendu un vibrant hommage à l'annonce de sa mort. Ce jour-là, en voyant pour la première fois le corps de son père plier sous l'effet du chagrin, Max avait deviné qu'il serait désormais condamné à vivre pour deux et que le piège se refermait autour de lui.

Il conservait de son enfance rigoureuse un souvenir qu'il voulait délibérément imprécis. Bien qu'il ne l'eût avoué à personne, il n'avait pas été heureux. Des parents distants, une mère peu démonstrative qui avait succombé à la grippe espagnole après la guerre, des précepteurs compétents, un pensionnat aux horaires rigides avec des dortoirs de quarante lits et une nourriture insuffisante, l'absence de toute amitié harmonieuse pour éclairer des journées mornes. Plus tard, il comprendrait qu'il avait construit sa jeunesse par défaut. Son armature ne tenait qu'à ses lectures, à ses rêveries, à une énergie qu'il devinait en lui mais qui l'effrayait, car elle ne ressemblait pas à celle des autres enfants.

Contrairement à ses camarades, Max n'avait pas été fasciné par le conflit. Il ne comptabilisait pas les victoires allemandes, le nombre des morts et des prisonniers, les offensives et les contre-offensives, ne lisait pas le communiqué du front que le professeur affichait chaque matin au tableau noir. Pour beaucoup d'entre eux, ce déchaînement à l'échelle de la planète avait été un jeu de piste grandeur nature, à la fois exaltant et entêtant. Une forme d'ébriété, la première de leur vie et donc la plus marquante. Quant à lui, il avait vécu la guerre comme une autre punition, car elle l'avait privé du seul endroit où il s'était senti exister, leur propriété en Prusse-Orientale, avec ses ciels capricieux qui se reflétaient dans des lacs polis comme des miroirs, le cri des oies sauvages, le parfum salé de la mer Baltique, le murmure du vent dans les roseaux, et cette ivresse de la liberté qu'il gardait chevillée au corps.

Max avait tenu tête à son père, terminé sa scolarité tout en prenant des cours de dessin avant d'intégrer le Bauhaus. Parmi l'effervescence des étudiants, au contact de professeurs exilés d'une Hongrie trop autoritaire, tel Moholy-Nagy qui prônait une « nouvelle vision », le photomontage ou les prises de vues spectaculaires, il avait appris à se libérer de sa carapace, et c'était à chaque fois une victoire sur l'enfant solitaire. À sa grande surprise, son père ne lui avait pas tourné le dos. Était-ce là aussi par défaut ? Parce que Erich était mort et que le Freiherr von Passau n'avait pas le cœur de perdre son autre fils ? Ils continuaient à se voir, leurs relations étaient tendues, cérémonieuses, empreintes d'une parfaite politesse, ce qui ne manquait pas d'amuser Marietta lors des déjeuners en famille. En revanche, le baron avait tenu parole : il n'accordait pas un pfennig à son fils.

Soudain, Max regarda sa montre et bondit sur ses pieds. Il avait un rendez-vous important. *Die Dame* lui avait commandé des photos des créations d'une certaine Sara Lindner qui enthousiasmaient depuis quelques mois les jeunes Berlinoises. À force de rêvasser, il allait arriver en retard et sa carrière prometteuse prendrait fin avant même d'avoir débuté.

Une heure plus tard, Max descendait au pas de charge la Wilhelmstrasse, un carton à dessin sous le bras avec quelques-uns de ses tirages. Il songea que son père passait ses journées dans ce quartier d'immeubles officiels aux façades marron clair où se côtoyaient la chancellerie et les ministères des Finances et des Affaires étrangères. Non loin du Reichstag et de la porte de Brandebourg, sage et discrète sous ses réverbères, la rue du pouvoir était tranquille, presque provinciale. Il se sentait fébrile. Quel genre de personne était cette Sara Lindner ? Lui compliquerait-elle la tâche ? Depuis qu'elle avait lancé sa griffe sous la bannière du grand magasin de son père, elle connaissait un succès fulgurant. Il redoutait d'être confronté à une femme capricieuse, douée pour dessiner des robes, peut-être talentueuse avec une aiguille, mais qui ne connaîtrait rien à son métier et qui chercherait à l'influencer.

Secrètement, Max se méfiait des femmes. Alertes et insaisissables, pleines d'assurance, toujours pressées, elles ne tenaient pas en place. À côtoyer Marietta et ses amies, il avait parfois l'impression d'être à bout de souffle. Les femmes de la république de Weimar dansaient dans les cabarets, fumaient seules aux terrasses des cafés, ne dissimulaient pas leurs ménages à trois ou s'affichaient dans des clubs réservés aux dames. Étudiantes ou employées, artistes ou médecins, cinéastes, vendeuses, danseuses de revues, sténodactylos, téléphonistes, photographes, couturières, elles étaient l'âme de la métropole. Elles aimaient les voitures rapides, le shimmy et le fox-trot. Les amants efficaces. Avec leurs jambes érotiques et leurs lèvres incarnates, elles étaient à la fois redoutables et impérieuses. Et pourtant, en dépit de cette frénésie, elles n'étaient pas insouciantes, et c'était probablement ce qu'elles avaient de plus troublant. Cette fille sera bien avisée de me laisser travailler en paix, se dit-il, préoccupé.

Quelques rues plus loin, il déboucha devant l'imposante façade de la maison Lindner. Des portiers galonnés se tenaient devant les nombreuses portes à tambour et des passants s'arrêtaient pour admirer les vitrines. Les Lindner avaient été parmi les premiers à comprendre l'importance de la mise en scène de la marchandise. Chaque objet, du tube de rouge à lèvres au pardessus pour homme, était traité avec la même considération. On disait des Lindner qu'ils étaient des visionnaires qui avaient le sens des affaires dans le sang, ce qui suppose de l'audace, de la ténacité et de la chance. Leur dernière trouvaille : un restaurant au dernier étage où jouait l'un des meilleurs orchestres de jazz de la ville.

Max pénétra sous la nef de l'immeuble de six étages. Au centre, dans un puits de lumière qui tombait de la verrière, se dressait une étonnante pyramide de cristal. On y décelait des verres de Bohême incrustés d'émaux, des flûtes à champagne, des vases, des carafes à col d'argent pour le whisky ou le porto, des morceaux d'améthyste et de cristal de roche. La composition était subtile, merveilleusement éclairée, et il resta quelques instants à l'admirer. Une vendeuse, reconnaissable à sa stricte robe noire et à la broche en pâte de verre en forme de pivoine qui était l'emblème du magasin, lui proposa son aide. Quand il lui expliqua qu'il avait rendez-vous avec *Fräulein* Lindner, la jeune fille voulut l'accompagner au sixième dans la partie réservée aux bureaux. Il l'assura qu'il trouverait tout seul et emprunta l'un des escalators.

Une double porte solennelle aux panneaux incrustés de nacre séparait le domaine des Lindner de l'effervescence qui régnait dans le magasin. Quand il se fut annoncé, une secrétaire le guida au bout d'un corridor orné de boiseries. L'épaisse moquette beige étouffait le son des pas. Elle le fit entrer dans une grande pièce qu'agrémentaient un bouquet de fleurs, un canapé et quelques chaises, puis elle le quitta en laissant la porte ouverte. Au mur pendait une magnifique nature morte qui représentait une corbeille de fruits. Il crut reconnaître une œuvre de Cézanne. Il y avait comme un recueillement qui le surprit, car il s'était attendu à quelque chose de plus tapageur. Ne disait-on pas que les juifs étaient des gens exubérants qui n'hésitaient pas à étaler leur fortune ? À en juger par cette élégance discrète, les Lindner auraient pu être des bourgeois protestants bon teint. La vue sur les toits et les grandes artères de la ville était superbe. Au loin se devinait le tumulte de la Potsdamer Platz. Sur un guéridon reposaient des quotidiens. D'un œil distrait, il en parcourut les titres. On annonçait le verdict d'un procès qui s'était déroulé à Munich et qui condamnait à des peines de prison les responsables d'une tentative de coup d'État en Bavière – dont un certain Adolf Hitler, chef de file de l'un de ces innombrables petits partis politiques armés auquel s'était rallié Hermann Göring. En feuilletant l'article, Max nota que l'ancien camarade d'escadrille de son frère avait été grièvement blessé lors des affrontements et qu'il s'était réfugié en Autriche.

— Monsieur von Passau ? appela une voix mélodieuse.

Max avait toujours accordé de l'importance aux premières impressions. On dit qu'elles ne trompent pas, et comme il était quelqu'un d'instinctif, il aimait croire en cette ardeur du premier regard, lorsqu'il est dépouillé de tout artifice et de tout calcul, empreint de curiosité et parfois d'inquiétude, cet instant où le regard du timide ressemble à celui de l'aventurier et s'approprie la personne ou le paysage qui s'offre à lui.

Jamais il n'oublierait la première fois où il vit Sara Lindner.

Des yeux immenses, brillants, posèrent sur lui un regard intense, d'une vive intelligence. Elle portait une robe en crêpe de Chine gris pâle aux manches ajustées, dont la jupe plissée lui arrivait au-dessous du genou, révélant des jambes délicates. Un sautoir de perles fines soulignait l'élégance de son cou. Ses traits avaient du caractère parce que son visage n'était pas parfait.

Un nez marqué, une lèvre supérieure un peu trop fine, des joues plates. Et pourtant, la vivacité de son visage lui donna envie de saisir son appareil pour la fixer sur la pellicule. Elle était l'une de ces femmes inspirantes qui vous offrent d'un seul coup des perspectives inédites. Auprès d'elles, tout devient soudain possible, ce qui les rend irrésistibles.

— Monsieur von Passau ? À moins que je ne me trompe, ajouta-t-elle d'un air taquin en s'avançant vers lui.

Il s'aperçut qu'il était resté debout à la dévisager comme un malotru et que son cœur battait à cent à l'heure.

— Pardonnez-moi. Vous devez être Fräulein Lindner.

Elle lui tendit la main. En faisant passer son encombrant carton à dessin d'un bras à l'autre, Max le laissa tomber. Une pluie de photos s'éparpilla sur le sol. Gêné, il se pencha pour les ramasser.

— Je suis désolé…

Une fragrance le troubla, des notes fleuries mais discrètes sous lesquelles perçait quelque chose d'alerte. Sara Lindner s'était baissée pour l'aider. Ses cheveux foncés étaient sagement roulés dans sa nuque, pas une mèche ne s'en échappait et il eut l'envie subite d'y glisser les doigts. Elle avait des mains exquises, dénuées de bagues, des doigts fins aux ongles laqués d'un rose très pâle. Comme il n'osait pas la regarder, il contempla ses mains et respira son parfum.

— Montrez, dit-elle en disposant les photos autour d'elle en arc de cercle.

Elle les étudia de son air grave, en silence, passant de longues secondes sur chacune d'entre elles. Il n'osa pas l'interrompre et lui tendit une à une celles qu'il tenait à la main. Jamais il n'avait autant redouté le verdict de quelqu'un. Même l'opinion du directeur artistique de chez Ullstein lui avait été moins importante. Il scrutait son visage, essayant de déceler un indice dans la moue de ses lèvres ou le regard sombre ourlé de cils noirs. Il ne la connaissait pas mais il avait besoin de son approbation, presque de son adoubement, et il savait confusément que ce n'était pas seulement son travail qui était en jeu mais lui-même, sa personnalité, ses espoirs, ses rêves les plus insensés, ses peurs, ses fêlures secrètes, ses lendemains, tout dépendait d'elle, de cette jeune inconnue assise sur ses talons en toute simplicité, dans cette grande pièce ouverte sur le ciel de Berlin.

Enfin, elle leva la tête et il retint son souffle.

— J'aime, dit-elle, avec ce sourire calme qui éclairait ses yeux.

Il tressaillit. Pour une raison étrange, elle avait parlé en français, comme si le verbe aimer incarnait autre chose que son équivalent allemand, comme si seul le français lui permettait d'exprimer ce qu'elle ressentait. C'était tellement inattendu qu'il resta interdit, devinant que Sara Lindner était une femme d'émotion qui n'avait pas peur de chercher le mot juste, probablement avec la même rigueur dont elle faisait preuve lorsqu'elle dessinait. Or, par cette seule parole, elle lui avait fait le plus précieux des cadeaux. Elle avait compris, tout simplement.

Sara proposa de lui faire visiter la maison. Il fut sensible à l'esthétisme de cet univers aux départements organisés avec soin, comptoirs en verre et en métal pour présenter les cosmétiques, espace voûté où se dressait une étonnante fontaine à parfums, ambiance feutrée de boudoir dédié à la lingerie. L'étage réservé aux hommes reflétait l'atmosphère d'un club anglais, avec des fauteuils en cuir, des présentoirs pour des caves à cigares ou des rasoirs et des blaireaux importés de Londres. Le plus impressionnant était sans nul doute le raffinement et le choix vestimentaire qu'on proposait aux femmes. Avant la guerre, les clientes avaient été essentiellement des aristocrates russes, ainsi que les épouses de riches industriels et propriétaires terriens venus de Poméranie et de Prusse-Orientale. Désormais, bien que la clientèle se fût diversifiée, on respirait encore cette sérénité qui venait de l'air raréfié du luxe.

— Quand on pense que nous avons débuté en faisant le commerce de vieux vêtements, lança Sara d'un ton amusé, en voyant qu'il était impressionné.

Il comprit qu'elle tenait à lui montrer qu'elle n'avait pas la folie des grandeurs. Dès le Moyen Âge, en effet, lorsqu'ils avaient commencé à s'installer en Europe centrale, et en dépit de nombreuses interdictions, les juifs avaient eu le droit de vendre et d'acheter des vêtements usagés. Au XVIIe siècle, à la suite de la pénurie causée par la guerre de Trente Ans, l'électeur du Brandebourg avait accordé à cinquante familles juives sous sa protection la permission de vendre des tissus et des habits aux chrétiens, posant ainsi le premier jalon de ce qui deviendrait l'industrie florissante de la confection. Par la suite, Frédéric-Guillaume de Prusse avait exigé que ses soldats s'achètent chaque année un nouvel uniforme, tout en interdisant l'importation de textiles et toute fabrication étrangère. Certaines familles avaient fait fortune dès le XVIIIe siècle. Au fil du temps et de l'émancipation, elles avaient ouvert des magasins, proposé à la vente des objets de luxe, des vêtements fabriqués en série, redingotes pour les hommes ou pèlerines pour ces dames. Nathan Lindner et deux de ses frères avaient fondé la maison Lindner en 1839, l'année de l'essor de la confection berlinoise. Une décennie plus tard, la production s'était encore accrue avec le développement de la machine à coudre par l'entrepreneur Isaac Merrit Singer. Au début du siècle, Berlin exportait dans toute l'Europe et aux États-Unis, les classes moyennes et ouvrières ayant été conquises par la qualité et les prix abordables.

— Les Lindner ont bâti une formidable entreprise. Je suis admiratif.

— Moi aussi, dit Sara. Mes ancêtres étaient des gens créatifs et inspirés. Ils ont contribué à faire entrer ce pays dans les Temps modernes. Mais pour nous, rien n'est jamais gagné.

— Pourquoi dites-vous cela ?

Un voile de tristesse assombrit son regard.

— Pardonnez-moi, ce n'est pas le propos. Venez, ajouta-t-elle d'un ton plus enjoué, je vais vous montrer mon atelier et quelques-unes de mes créations.

Alors qu'ils étaient revenus à l'étage des bureaux, une jeune employée aux cheveux noirs bouclés s'approcha de Sara et lui montra une facture. Elle semblait soucieuse et deux taches rouges enflammaient ses pommettes. Elles échangèrent quelques mots à voix basse avant que Sara n'y apposât sa signature avec un soupir.

— Ce sont les réfugiés russes, expliqua-t-elle à Max. Nous leur faisons crédit, et certains finissent par payer leurs factures avec les boutons de leurs uniformes. Je n'ose le leur refuser parce que leur situation difficile me fend le cœur, mais je commence à avoir une collection assez impressionnante des différents régiments de l'ancienne Russie impériale, avoua-t-elle avec un sourire.

Ils descendirent quelques marches et pénétrèrent dans une grande pièce lumineuse où régnait l'effervescence d'une ruche. Des couturières en blouse blanche, un mètre autour du cou, étaient penchées sur des machines à coudre ou installées à de longues tables de travail. De temps à autre fusait un rire de collégienne. L'une ou l'autre se levait des épingles plein la bouche, pour ajuster sur des mannequins des ébauches de tenues auxquelles il manquait un col ou une manche. Sara répondit à quelques questions, vérifia le travail d'une brodeuse qu'elle complimenta, avant de réprimander une jeune fille sur la qualité de ses points et de lui ordonner de tout recommencer. Dès qu'il s'agissait de son travail, elle était concentrée, son regard implacable. On voyait qu'elle ne tolérait pas l'approximation, et ses employées semblaient à la fois intimidées et respectueuses.

Sara fit entrer Max dans son bureau. Des livres d'art et des dossiers cartonnés s'entassaient dans une bibliothèque. Sur la table en loupe d'érable se trouvaient une lampe en arc de cercle, des crayons de couleur, une grosse paire de ciseaux et plusieurs dessins. Un mannequin se dressait dans un coin, revêtu d'une robe incrustée de perles scintillantes dont l'ourlet frangé sembla à Max encore plus court que ce qu'il voyait sur Marietta ou Asta. Deux fauteuils en tubes de métal et cuir fauve étaient disposés de part et d'autre d'une table basse sur laquelle reposait une orchidée blanche.

— Puis-je vous offrir un café et une pâtisserie ? dit-elle.

— Croyez-vous que ce serait impoli de vous demander un whisky ?

Jetant la tête en arrière, elle éclata de rire, d'un rire vigoureux, jubilatoire qui contrastait avec son corps gracile.

— Au contraire. Je vais même me joindre à vous.

Elle décrocha son téléphone, demanda qu'on apporte des rafraîchissements, puis s'assit dans un fauteuil et croisa les jambes. Pour se donner une contenance, Max sortit un paquet de cigarettes et lui en offrit une. Quand elle frôla sa main en se penchant vers le briquet, il tressaillit, ce qui l'agaça. Il était là pour travailler avec Sara Lindner, non pas pour se laisser distraire.

— Je suis très flattée que *Die Dame* m'ait choisie pour figurer dans leur nouvelle rubrique. Je vous avoue que je préfère les photographies de mode aux illustrations. Il me semble qu'elles rendent mieux justice au vêtement. Est-ce que vous travaillez pour eux depuis longtemps ?

— Non. Il s'agit même de ma première commande.

— Vous m'en voyez ravie. D'après ce que vous m'avez montré, vous avez beaucoup de talent. J'aime votre approche sans fioritures. Pas de flou artistique, mais des lignes nettes et rigoureuses qui soulignent le vêtement et l'intensité du modèle.

— Si j'en crois ma sœur, c'est surtout vous qui êtes talentueuse. Depuis quelque temps, elle ne jure plus que par Sara Lindner. Elle ne regarde même plus les couturiers parisiens.

La jeune femme eut un sourire radieux.

— C'est probablement aussi dû au boycott qui a suivi l'occupation de la Ruhr. L'année dernière, l'Association de l'industrie de la mode allemande a décrété que nous n'irions plus aux collections parisiennes tant que nos concitoyens seraient persécutés. Au même moment, beaucoup de clientes ont décidé que les Berlinois pouvaient les habiller tout aussi bien. Votre sœur a dû en faire partie. Désormais, nous continuons à nous inspirer des Français, mais nous n'avons plus de complexes. La rivalité ne date pas d'hier, vous savez. À mon avis, Paris gardera toujours une supériorité indiscutable en ce qui concerne la haute couture. Regardez cette audace, fit-elle en lui montrant une photo dans un illustré sur laquelle Max reconnut une tenue en jersey de la célèbre Gabrielle Chanel. Cette femme a un talent fou, même si elle n'est pas encore reconnue chez nous.

On frappa. Un maître d'hôtel déposa sur un guéridon un carafon de whisky et des liqueurs, puis referma la porte derrière lui.

— La guerre nous a forcés à nous couper de Paris et à devenir pleinement indépendants. J'ai beaucoup de chance. Mes créations plaisent. Pourtant, mon père a été assez dubitatif quand je lui ai proposé de me lancer dans cette aventure. Il a probablement redouté que je ne sois pas à la hauteur.

— Les pères ont toujours peur que nous ne soyons pas à la hauteur, vous ne trouvez pas ?

Elle le regarda avec attention.

— Je note une pointe d'amertume dans vos propos. Ce qui n'est pas le cas pour moi. Mon père est un homme remarquable. Son seul défaut serait de chercher à me protéger au-delà du raisonnable. Même s'il a tenu à ce que je fasse des études et s'il m'a encouragée à travailler à ses côtés, il attend que je me marie et que je lui offre des petits-enfants. Mais les femmes émancipées d'aujourd'hui n'ont plus besoin de la protection d'un homme, elles ont appris à se débrouiller seules. Je crois qu'elles lui font un peu peur.

Max esquissa un sourire.

— Il n'est pas le seul, reconnut-il.

Et l'aveu presque timide qui dévoilait une fragilité insoupçonnée chez le séduisant jeune homme toucha Sara Lindner.

— Vous prenez votre whisky *straight* ou *on the rocks* ?

Il ne s'étonna pas qu'elle employât les termes d'un barman avisé, elle était de ces femmes qui ne cessent de vous surprendre.

— Avec des glaçons mais sans eau, merci bien.

— À nous, Max, dit-elle d'un air espiègle en lui tendant un verre. Vous permettez que je vous appelle Max ?

— Bien sûr.

— À notre collaboration. À notre réussite.

— À notre amitié, Sara. Plus que tout, à notre amitié.

Les manches retroussées, Max se battait avec les ombres. Pour éviter que ses cheveux ne lui retombent sur les yeux, il avait noué un bandeau autour de son front. Il travaillait seul, car son assistant lui avait fait faux bond à la dernière minute. La journée était maussade et donnait un grain particulier à la luminosité de l'atelier.

Après plusieurs tentatives infructueuses, il avait fini par opter pour un décor neutre et utilisait l'un des mannequins en papier mâché imaginés par le sculpteur Rudolph Belling et qui ornaient les vitrines des grands magasins. La figurine peinte en bronze doré possédait une étrange beauté onirique. L'absence de visage et l'abstraction raffinée du torse féminin aux bras effilés qui se terminaient en petites sphères créaient un contrepoint intéressant pour la cape dont il cherchait à maîtriser les jeux de lumière sur les sequins d'argent.

Max utilisait un vieil appareil avec des plaques à émulsion lente. Après avoir vérifié une dernière fois sa mise au point et le choix du diaphragme, il ferma l'obturateur, inséra la plaque, puis retira le couvercle du porte-plaque et patienta pour le temps de pose. Un quart d'heure plus tard, lorsqu'il fut satisfait de sa série de photos, il éteignit ses lampes et se tourna vers une robe de soirée accrochée à un portemanteau. Comment diable allait-il la mettre en valeur ? Il alluma une cigarette, s'assit à califourchon sur une chaise. Les gouttes de pluie rebondissaient sur la verrière en une sourde rumeur régulière. Le fourreau à perles était droit, sans manches, avec un profond décolleté dans le dos et un ourlet à longues franges. Sur son cintre en métal, la robe argentée semblait orpheline. Il étudia le travail remarquable des broderies qui ressemblaient à une cotte de mailles. Et si, en dépit de leur assurance souvent insolente, les femmes se protégeaient ? Il ne voulait pas d'une photo statique. Pas de néoclassicisme ennuyeux ni de surcharge décorative. Cette robe méritait d'être saisie en mouvement sur une piste de danse et non pas enfermée dans un atelier entre quatre murs. Bon sang, comme c'était pénible d'être limité par la technique ! Max se frotta le front d'un air agacé. Il faudrait une dynamique pour lui donner vie et souligner en même temps l'exubérance de la femme nouvelle, celle qui avait un visage énergique et qui dansait sur les volcans…

— Comme vous avez raison, Max ! Les Berlinois adorent danser sur les volcans.

Il sursauta, s'apercevant qu'il avait dû parler tout haut. C'était une mauvaise habitude qui lui venait de temps à autre quand il se concentrait.

Sara se tenait sur le seuil de l'atelier, un grand carton plat à la main. Elle portait un tailleur bordeaux et une blouse de soie blanche, des gants en daim aux poignets mousquetaire. Son étroit chapeau en feutre orné d'une broche lui cachait le front en soulignant son regard.

— J'ai frappé, mais vous n'avez peut-être pas entendu..., s'excusa-t-elle.

— En effet, dit-il en se levant. Quand je travaille, je deviens sourd. C'est terrible, n'est-ce pas ? Je n'entends même plus sonner le téléphone. Mais entrez, je vous en prie. C'est seulement que je ne vous attendais pas. Je vous aurais reçue un peu mieux.

— Pardonnez-moi, fit-elle en rougissant. Je ne voulais pas vous déranger, mais j'ai pensé que si je vous apportais les deux robes qui manquaient, je pourrais visiter votre studio. J'aurais dû vous prévenir. C'est mal élevé de débarquer à l'improviste. Je vous laisse le paquet et je m'en vais.

— Mais non, voyons ! Maintenant que vous êtes là... J'en suis ravi, vraiment. Attendez, je vais faire un peu de place.

Il commença à s'agiter pour ranger la partie de l'atelier qui tenait lieu de salon. Les deux fauteuils disparaissaient sous un amoncellement hétéroclite. Une pile de magazines menaçait de s'effondrer.

— Je ne comprends pas d'où vient tout ce désordre. Plus je range, plus il y en a, mais ce n'est pas toujours comme cela, précisa-t-il en essayant d'escamoter des verres sales et un cendrier rempli de mégots.

Sara le regarda en souriant. Il y avait chez Max von Passau quelque chose de sincère et de désarmant. Soudain, s'avisant qu'il portait un bandeau autour du front, il le retira d'un geste brusque et l'enfouit dans sa poche. Ses cheveux ébouriffés lui donnaient une allure juvénile, pourtant ses traits étaient plus marqués que la dernière fois. Peut-être les effets d'une nuit blanche ?

Elle s'étonna d'être aussi curieuse. La chemise déboutonnée dévoilait un triangle de peau claire. Il avait un corps de sportif bien découplé, des mains fines. Elle regardait toujours les mains des hommes qui lui plaisaient. Ne voulant pas paraître indiscrète, la jeune femme se détourna.

Des photos découpées dans des magazines étaient punaisées sur un panneau. Elle reconnut des œuvres du célèbre baron Adolf de Meyer, que d'aucuns considéraient comme le précurseur de la photographie de mode. Depuis 1913, il régnait à *Vogue*, ce magazine américain lancé par Condé Nast et devenu incontournable pour les élégantes. Maître du contre-jour, Meyer maîtrisait à merveille des effets de lumière chatoyants qui créaient une atmosphère vaporeuse. Saisies de profil, une main sur la hanche, les actrices ou les femmes du monde étaient auréolées d'une atmosphère poétique, mais la jeune styliste trouvait le romantisme de ces flous artistiques quelque peu irritant. D'autres photos attirèrent son attention. Les lignes étaient précises, le jeu des ombres audacieux, les modèles pleins d'assurance. L'ambiance se voulait singulière, presque dramatique. Intriguée, elle se pencha pour les examiner de plus près.

— Ce sont des photos d'Edward Steichen, expliqua Max. Je suis l'un de ses adeptes. Il a été engagé à New York comme responsable photo à *Vogue* et *Vanity Fair*.

— À la place de Meyer ? s'étonna-t-elle. Je ne m'en étais pas aperçue, mais j'avoue que j'ai été débordée ces derniers temps. J'ai moins prêté attention aux magazines.

— Même si Meyer est toujours un artiste de grand talent, j'ai le sentiment qu'il comprend moins bien la femme d'aujourd'hui. Ses œuvres n'arrivent pas à évoluer. Or tout s'accélère. La mode est le miroir d'un état esprit à un moment donné, et c'est ce que les photographes doivent capter. « Dis-moi comment tu t'habilles et je te dirai qui tu es... » Ce n'est pas à vous que je vais l'apprendre, n'est-ce pas, Sara ?

— Vous vous souvenez de ces caricatures françaises qui paraissaient pendant la guerre ? On y voyait une femme allemande énorme avec une poitrine gigantesque, habillée comme un as de pique alors que la Française était ravissante, toute menue et d'un chic absolu.

— Et souvent seins nus, ajouta-t-il d'un air amusé. Comme toute Marianne qui se respecte.

Ellc sourit.

— C'est bien la preuve qu'il ne faut jamais généraliser. Et surtout pas quand il s'agit de personnes. Je connais d'innombrables Berlinoises d'un chic inégalable qui n'ont rien à envier aux Françaises. Il suffit d'aller prendre un thé à l'hôtel Adlon pour s'en rendre compte. J'en viens, d'ailleurs, et j'ai passé un moment délicieux à les admirer.

— Portaient-elles la griffe Sara Lindner ?

— Quelques-unes... Heureusement ! fit-elle avec une moue malicieuse.

— Celles qui sont à la pointe de la mode.

— Je m'intéresse aussi aux femmes plus modestes, s'empressa-t-elle d'ajouter. Aujourd'hui, beaucoup de Berlinoises sont devenues des employées. Maintenant qu'elles ont acquis une certaine indépendance, elles sont encore plus coquettes et exigeantes. Elles regardent comment s'habillent leurs actrices préférées, se tiennent au courant des dernières tendances. Nous proposons des vêtements ou des accessoires à la portée de toutes les bourses.

— Pour éviter de n'avoir que des grandes-duchesses qui règlent en bijoux ou en boutons d'uniforme.

Elle éclata de rire.

— C'est toujours mieux que ces terribles brouettes de marks sans valeur que nous avons tous poussées il n'y a pas si longtemps !

Il tendit la main pour lui prendre le carton.

— Voyons ce que vous m'avez apporté de beau.

— Pourquoi les hommes n'arrivent-ils jamais à défaire un paquet ? s'amusa-t-elle en le regardant batailler avec les rubans. Laissez-moi vous aider, sinon vous allez vous énerver.

Elle retira ses gants tandis qu'il reprenait sa place à califourchon sur la chaise et croisait les bras sur le dossier. La tête légère, Max respira son parfum tout en observant ses gestes gracieux. Sara Lindner n'avait pas la fébrilité de Marietta ni d'Asta, ces jeunes femmes électriques aux mouvements vifs qui auraient sans aucun doute arraché le ruban et déchiré le papier. On décelait chez elle une tranquillité sérieuse, une intensité presque troublante, et pourtant elle demeurait gaie et souriante. Son regard sombre pétillait. Ces contrastes le fascinaient.

— L'emballage est tellement beau qu'on a presque peur de l'abîmer.

— Ah, c'est l'un des secrets de la réussite Lindner. Mon grand-père l'avait compris avant beaucoup d'autres. Il faut toujours que le client prenne plaisir à exhiber un paquet de chez nous, même si son achat a été modeste. Les vendeuses reçoivent de strictes consignes à ce sujet. Vous devriez voir nos emballages de Noël. Certaines personnes reviennent chaque année rien que pour cela.

Elle finit de défaire les rubans, souleva le couvercle, puis ôta des papiers de soie un fourreau bleu à buste plissé avec une écharpe-traîne.

— J'en ai apporté deux dans cet esprit. C'est la collection de l'hiver prochain. Pensez-vous que cela peut convenir ? Ou aimeriez-vous quelque chose de plus décontracté ?

Brusquement incertaine, elle se mordilla la lèvre et il eut envie de la prendre dans ses bras.

— C'est parfait, dit-il sans même regarder la robe. Mais je commence à en avoir assez de travailler. Je ne suis pas sorti depuis ce matin. Est-ce que vous seriez libre pour prendre un verre ? Ou pour dîner ?

Elle hésita.

— J'avais prévu de rentrer à la maison après vous avoir déposé le paquet. On m'attend.

— Votre mari, peut-être ?

Il s'aperçut qu'il était inquiet. Même si on lui donnait du « Mademoiselle » dans son métier, elle pouvait être mariée. Peut-être retirait-elle ses bagues pour travailler ? Mais pas l'alliance, tout de même ? Il ne voulait pas qu'il y ait un époux arpentant les coulisses tel un oiseau de mauvais augure. Et encore moins un fiancé. Avec les maris, il y a toujours l'espoir d'une lassitude. Les fiancés supposent un amour neuf qui se veut invulnérable.

— Non, pas un mari. Des parents, tout simplement, précisa-t-elle d'une voix douce.

— Vous pourriez leur dire que vous avez un rendez-vous inattendu dont dépend le succès de votre prochaine collection, proposa-t-il en se levant. On pourrait inventer un entretien avec un futur client. Quelqu'un de très important…

— Je n'aime pas mentir.

Max la contempla d'un air grave, le cœur battant.

— Dans ce cas, dites-leur la vérité. Dites-leur que j'ai besoin de passer du temps avec vous, et que depuis que vous êtes entrée dans ma vie, il y a deux jours, je ne cesse de penser à vous.

Elle sembla un peu surprise, recula d'un pas. Dans son regard, il décela de la méfiance, mais aussi une sorte de curiosité. Elle tenait la robe devant elle comme un bouclier.

— Pourquoi ?

— Faut-il une raison ? Qu'est-ce que vous voulez que j'invente pour vous convaincre ? Vous me plaisez, c'est tout.

— Alors, pourquoi êtes-vous en colère ?

— Ce n'est pas de la colère, mais de l'impatience, de l'envie. De la peur aussi. Vous m'impressionnez, alors je dis n'importe quoi, comme maintenant. Si j'étais un type intelligent, je ne vous l'aurais pas avoué. J'aurais fait semblant d'être sûr de moi. Un homme doit toujours paraître sûr de lui, non ? Mais vous me troublez. Je n'y peux rien.

Il haussa les épaules.

— Qu'attendez-vous de moi ? demanda-t-elle.

— Je ne sais pas encore.

Il la détaillait d'un regard sans concession et sa franchise ne la choquait pas. Élevée par des parents libéraux qui prônaient la tolérance et l'humanisme, Sara était une jeune femme de son époque. Elle avait déjà eu un amant. Leur liaison avait duré quelques mois, mais elle avait préféré rompre car elle avait fini par le trouver ennuyeux. À Berlin, le romantisme n'était plus de mise. Depuis la fin de la guerre et la révolution avortée, dans cette ville livrée au plaisir, seul le désir ne se maquillait plus.

Elle ne cilla pas, redressa les épaules. Une lueur plus sévère aiguisa son regard.

— Vous aussi, vous m'intéressez. Il y a chez vous quelque chose qui m'intrigue. Mais vous savez qui je suis et d'où je viens. Je m'appelle Sara, je porte un prénom emblématique. Je suis juive, baron.

Il ne s'étonna pas de sa réflexion. Derrière ces quelques mots, il entendait résonner la haine des foules qui conspuaient les juifs depuis des générations. Dernièrement, on les accusait de ne pas avoir combattu pendant la guerre, d'avoir ainsi jeté les ferments de la défaite et de l'inique traité de Versailles qui avait mis le pays à genoux. Certains reprochaient aux familles comme les Lindner, qui détenaient la haute main sur la couture, la confection et les grands magasins de la ville, de retirer le pain de la bouche des honnêtes commerçants allemands. Max savait tout cela, bien sûr. Comment l'ignorer ? Des journaux, des nationalistes antisémites, une grande partie de l'opinion publique colportaient ce genre d'opinions. Or, parmi les juifs qu'il côtoyait depuis plusieurs années, il comptait des professeurs inspirés, des artistes brillants, des amis fidèles.

Il s'approcha d'elle, lui prit une main qu'il porta à ses lèvres.

— Moi, je m'appelle Max, et je suis amoureux.

Ils étaient devenus amants tout naturellement, parce qu'il ne pouvait en être autrement. Libres et généreux, ils partageaient un même appétit de la vie. Ils étaient curieux de tout, du corps de l'autre, mais aussi de ses pensées, de ses envies, de ses attentes. Ils couraient les expositions de peinture, les concerts, les spectacles de revues.

Sara avait un corps souple, des gestes délicats, une peau enivrante. Elle se donnait à lui et il n'était jamais rassasié. C'était la première fois qu'une femme emplissait son cœur et son esprit, et, au-delà de Sara, il avait l'impression d'embrasser le monde entier. Ils s'aimaient dans la chambre de Max, la fenêtre ouverte sur le ciel. Comme souvent dans les pays du Nord, l'été se voulait une promesse et les belles soirées s'étiraient, paresseuses et sensuelles, d'autant plus précieuses qu'elles étaient vouées à disparaître après de trop courtes semaines. Ils dormaient peu, à peine quelques heures, trop impatients et avides, et pourtant jamais ils n'avaient été plus incisifs dans leur travail. Une fièvre avivait le sang dans leurs veines. D'un seul coup, tout leur semblait plus lumineux. Max ne tergiversait plus. Il disait à Sara qu'elle l'inspirait, mais elle savait que c'était surtout parce que l'amour lui donnait confiance en lui et qu'il ne redoutait plus de se tromper.

En fin de journée, la jeune femme surveillait la pendule posée sur son bureau, et dès que les aiguilles marquaient six heures, elle se levait d'un bond, décrochait son chapeau, saisissait ses gants et son sac. Elle n'avait pas la patience d'attendre l'ascenseur et dévalait l'escalier. Max l'attendait dehors, toujours adossé au même réverbère. Elle arrivait à bout de souffle, les joues roses. Ils se regardaient un instant en souriant, sans rien dire, comme s'ils n'arrivaient pas à croire que l'autre était bien là. Leurs doigts s'entremêlaient, et c'était chaque fois le même émerveillement.

— Je vais me marier, Max.

Il était allongé sur le dos sur l'une des rives du Wannsee, le visage offert au soleil, le corps lourd, savourant une douce langueur. Des balles rebondissaient sur un court de tennis. Au loin, des rames brassaient l'eau du lac. Le canot du marchand de glaces avec sa toile rayée venait d'accoster au ponton, pour la plus grande joie des enfants. On était dimanche, la journée était à eux, riche de tous les possibles. Il n'avait pas envie de répondre à sa sœur. Il pressentait que cette conversation allait être désagréable, et il lui en voulut de venir troubler ce moment de parfaite plénitude.

— Dois-je me réjouir ou m'inquiéter ?

— Te réjouir, évidemment, mon cœur ! Ce sera un moment formidable. Le plus beau jour de ma vie. Et Sara me dessinera une robe superbe, j'en suis sûre, n'est-ce pas, Sara ?

— Je ferai de mon mieux, Marietta, répondit-elle.

Max poussa un soupir et roula sur le côté. Il ne voyait pas le visage de sa sœur sous son grand chapeau de paille. Contrairement à la plupart de leurs amies, Marietta tenait encore à garder le teint pâle.

— Pourquoi cette précipitation ? Je doute que tu sois enceinte.

— Pourquoi se marie-t-on, à ton avis ? répliqua-t-elle sèchement. Je l'aime, c'est tout. N'est-ce pas la meilleure raison au monde ?

— Je n'en crois pas un mot. Tu ne peux pas aimer un type comme lui. Moi, il me donne froid dans le dos.

— Il est charmant, drôle, intelligent, et c'est un excellent amant.

— Il est surtout extrêmement riche.

Sara prit son bonnet de bain et se leva. On devinait que la conversation prenait une tournure qui la mettait mal à l'aise.

— Je vais me baigner, dit-elle, presque en s'excusant.

Max la regarda s'éloigner. Un enfant lui envoya son ballon dans les pieds, elle se pencha en riant pour le lui rendre et lui caressa les cheveux.

— Je crois que tu fais une erreur, Marietta, reprit-il. La liste des arguments serait assez longue à développer, mais Ferdinand s'en chargera mieux que moi... Alors, vieux, tu donnes ton avis ? ajouta-t-il avec une bourrade pour son ami qui avait le nez plongé dans un journal.

— Je préfère m'abstenir, si tu n'y vois aucun inconvénient, répondit Ferdinand en ajustant le canotier sur son crâne.

— Je ne suis pas au tribunal ! protesta Marietta. J'aime cet homme et il m'a demandée en mariage. Je ne vois pas pourquoi je refuserais.

— Bon, par où vais-je commencer ? fit Max en comptant sur ses doigts. On ne connaît rien de ses origines. Il a la réputation d'être brutal en affaires. C'est un profiteur de guerre qui a bâti sa fortune de manière douteuse. Il est contre la démocratie et veut la mort de la république. Et à en juger par les articles qui paraissent dans ses journaux, je doute qu'il permette à une jeune juive de dessiner la robe de mariage de sa fiancée, conclut-il. Ce sera votre première dispute.

— Tu es ridicule, Maximilian ! s'emporta Marietta. Tu ne le connais même pas. Tu ne viens jamais dîner avec nous quand on t'invite. C'est vrai qu'il est parti de rien. Son père était cordonnier. Et alors ? Il a été décoré pendant la guerre et il a fait fortune. Personne ne l'a aidé. Lui n'est pas né avec une cuillère en argent dans la bouche.

— Ce ne sont pas ses origines sociales qui me dérangent, mais ses opinions politiques. Il donne la parole à des extrémistes antirépublicains fanatiques. C'est un corps franc à lui tout seul.

— Je refuse de poursuivre cette conversation avec toi, s'exclama-t-elle. Tu pourrais au moins te réjouir de mon bonheur, au lieu de pontifier comme un petit morveux. Si tu continues, je ne t'inviterai même pas à la réception ! Je vais épouser Kurt Eisenschacht, que cela te plaise ou non.

Exaspérée, elle replia sa serviette qu'elle fourra dans un panier. Max se pencha en avant et lui saisit le poignet. D'un seul coup, il n'avait plus le cœur à plaisanter. Les grands yeux sombres de sa sœur lui mangeaient le visage. Des petites rides s'esquissaient au coin de ses lèvres et l'arête de son nez jaillissait dans son visage amaigri.

— Donne-moi une bonne raison, Marietta. Une seule.

Elle resta immobile, prisonnière de son étreinte. Il sentait son corps frissonner. Marietta demeurait une énigme pour lui. Elle avait tout pour plaire, un nom de famille prestigieux, une beauté reconnue, un esprit pétillant qu'elle dissimulait sous des coups d'éclat, mais elle semblait vivre dans une fuite perpétuelle.

— Je ne m'ennuie pas, avec lui, murmura-t-elle. Et pour moi, l'ennui, c'est la mort.

Elle lui arracha sa main, se releva et s'éloigna en direction des cabanons où l'on pouvait se changer. Sur la hauteur, on devinait le toit et les cheminées d'une des belles villas cossues situées au bord du lac. Allongé à plat ventre, Max inclina la tête sur le côté, forma un objectif avec ses doigts et emprisonna sa sœur dans le viseur imaginaire.

— Que dit votre père de tout cela ? demanda Ferdinand en repliant son journal.

— L'estimé Freiherr von Passau espérait beaucoup mieux pour sa fille, mais il est impuissant. Que veux-tu qu'il fasse ? Qu'il refuse de les recevoir ? Qu'il bannisse sa fille ou l'enferme à double tour dans sa chambre ? Elle a passé l'âge d'être traitée comme une enfant, et de toute façon Eisenschacht ne le tolérerait pas.

— Ce ne sera peut-être pas aussi terrible que tu le penses, se hasarda à dire Ferdinand, cherchant à tranquilliser son ami. Après tout, ce ne sont pas des opinions politiques qui font le bonheur d'un couple. Marietta a besoin d'un homme solide. Ces derniers temps, elle abuse un peu trop de la cocaïne. Il saura peut-être la rassurer, et même la rendre heureuse. Qui sait ? Ça ne sert à rien de se disputer avec elle. Vous êtes aussi butés l'un que l'autre. À mon avis, elle aura encore plus besoin de toi une fois qu'elle sera devenue Frau Eisenschacht. C'est Milo qui va en prendre un coup.

— Milo est stupide, mais j'aurais mille fois préféré l'avoir lui comme beau-frère.

Troublé, Max poussa un soupir et se dressa sur les coudes pour regarder Sara qui revenait vers la rive. Son corps filait droit. Ses longs bras clairs fendaient les flots en un mouvement de crawl régulier. Le vent bruissait dans les arbres qui dressaient une barrière d'un vert profond, le ponton dessinait une ligne qui semblait s'élancer vers le ciel dépourvu de nuages. La jeune femme se releva et sortit de l'eau. Son costume de bain en tricot de laine lui moulait le corps. Elle riait, pleine de vitalité. D'un geste, elle arracha son bonnet, secoua la tête, et ses cheveux foncés se déployèrent sur ses épaules. Il songea qu'elle était belle et qu'il avait envie de lui faire l'amour.

Paris, avril 1925

Xénia Féodorovna avait une bête noire qui lui empoisonnait l'existence à la fin de chaque trimestre. Sèche comme une trique, ses cheveux ficelés en un chignon démodé, la femme lui arrivait à peine à l'épaule. Vigilante et tenace, Mme Grandin était la concierge de l'immeuble miteux que la famille habitait dans une petite rue du XVe arrondissement, non loin d'un square où quelques marronniers se dressaient de mauvaise grâce.

En cette première journée d'avril, des nuages bas pesaient sur Paris. Sous le crachin, tout semblait gris à la jeune femme. D'un gris rébarbatif, terne et sans imagination, celui des âmes esseulées et des songes défaits. Elle revenait à pied de l'arrêt du tramway. À mi-chemin, elle s'était mise à boitiller. La semelle de sa bottine droite battait le macadam à contretemps et elle n'avait pas un sou pour aller chez le cordonnier. Quant à s'acheter une nouvelle paire de chaussures, autant rêver. D'ici là, elle aurait les cheveux blancs. Il lui faudrait encore implorer Ilia Antonovitch de lui faire crédit d'un morceau de cuir. Le cosaque tenait une échoppe de quincaillier que les Russes du quartier considéraient comme leur caverne d'Ali Baba. On y dénichait aussi bien des clous et des boutons pour les vêtements que des ouvre-boîtes ou des bouchons en liège. Dans ses nombreux tiroirs, il amassait ce que les grands-mères appelaient autrefois en riant « les bouts de ficelle qui ne servent à rien » et pour lesquels sa clientèle indigente trouvait toutes sortes d'utilisations ingénieuses. Dès qu'on lui réclamait quelque chose d'insolite, il s'amusait à claironner : « Impossible n'est pas français, ni russe. » C'était d'ailleurs l'une des seules phrases qu'il prononçait dans un français intelligible en grasseyant les « r ». La jeune femme jeta un coup d'œil à sa vitrine en passant devant la boutique. Ses dettes chez Ilia finissaient par prendre des airs d'emprunts russes. Quand diable aurait-elle les moyens de le rembourser ?

À son grand désarroi, la situation financière des Ossoline s'était encore détériorée. Désormais, il lui arrivait d'emprunter aux uns pour rembourser les autres, si bien qu'elle tenait ses comptes dans un petit carnet noir. Malheureusement, le soutien de la Croix-Rouge russe ou de l'association caritative du comité Zemgor, qui indiquaient aux réfugiés où se procurer une assistance juridique ou matérielle, géraient des crèches et des maisons de retraite, des lits d'hôpitaux et des bourses pour certains écoliers, ne nourrissait pas la famille.

Xénia avait pourtant espéré que tout s'arrangerait en arrivant à Paris. Cette ville, elle en avait rêvé avec intensité pendant les années d'errance, quand sa solitude devenait trop criante, que la bise s'infiltrait sous leur tente à Lemnos et que les couvertures rugueuses demeuraient désespérément humides. Plus tard encore, lors des nuits d'été, sous le ciel méditerranéen craquelé d'étoiles, lorsque sa chemise lui collait à la peau et que l'air pesait tel un poids mort sur ses cuisses et son ventre ; puis en plein vent, sur le pont du steamer grec qui les avait transportés jusqu'à Marseille par un mois de décembre impitoyable, avec les passagers transis qui n'avaient rien reçu de chaud à manger pendant les huit jours de la traversée. Elle en avait rêvé avec ferveur, gravité et désespérance. Il fallait bien croire à quelque chose, se rassurer à l'idée de lendemains meilleurs, se dire que bientôt elle pourrait enfin se reposer un peu, s'allonger et dormir. Tout simplement dormir.

La réalité l'avait frappée telle une gifle en plein visage. Dans la capitale, les loyers et la nourriture coûtaient cher. Dès leur arrivée, elle avait dû vendre les derniers bijoux de sa mère pour une somme dérisoire. Quand elle avait sorti de sa poche, soigneusement enveloppées dans un mouchoir, les boucles d'oreilles en émeraudes et diamants, un cadeau de Catherine la Grande à leur ancêtre qui avait aidé à la prise de la Crimée au XVIIIe siècle, Xénia n'avait pu empêcher ses doigts de trembler. Toute son enfance lui était revenue en mémoire, le souvenir de sa ville natale, du Cavalier de bronze et des lions de pierre hiératiques, cette ville où la démesure incitait à l'exaltation et à la folie, et il lui avait semblé entendre résonner le craquement sinistre des morceaux de glace lors de la débâcle sur la Néva. Elle avait posé les pendants d'oreilles avec révérence sur la feutrine devant le joaillier, pénétrée par le sentiment odieux de faillir au souvenir de son père. La parure avait été destinée à Cyrille, pour être transmise le jour venu à son fils aîné, et ainsi de suite, jusqu'à la fin des temps. Désormais, de toutes ces traditions, il ne restait que du vent.

Une petite loupe vissée en monocle, l'homme avait examiné les pendants avec soin. Il avait des doigts boudinés, saupoudrés de poils noirs, et une alliance qui lui entaillait la chair. « Je ne peux pas vous offrir grand-chose, mademoiselle. Le marché est saturé, vous savez », avait-il déclaré, la mine faussement attristée. On ne comptait plus, en effet, les diadèmes, colliers, bagues ou bracelets que les émigrés bradaient pour survivre. Au mont-de-piété, ils subissaient l'humiliation de voir qualifier leurs bijoux de « bas or ». Et c'était toujours la même rengaine : on ne voulait pas des cabochons de rubis ou d'émeraude, mais des diamants aux tailles en brillants – et encore, tout dépendait de la proportion des facettes. Le joaillier était seigneur et maître, Xénia Féodorovna n'avait qu'à s'incliner.

Lorsqu'elle s'était retrouvée sur la place Vendôme, si modeste et provinciale en comparaison avec celles où elle avait grandi, elle avait eu un sentiment de vertige. Perdre son pays et ses repères, c'est se retrouver debout en plein vent, les mains vides, dépossédé de sa vérité et de toutes ses certitudes. Chacun devait apprendre à se réinventer. Certains s'y essayaient avec courage, d'autres survivaient au quotidien, lassés d'une vie qui ressemblait à une punition divine. D'autres encore ne supportaient pas cette déchirure intime entre l'âme et le corps, et ne trouvaient d'autre issue que dans le suicide.

Les exilés russes s'étaient regroupés dans certains quartiers de la ville. Avec ses enseignes en cyrillique, son épicerie aux parfums de cornichons salés et de poisson fumé, ses passants aux pommettes aiguisées, ses éclats de voix qui jaillissaient d'une fenêtre entrouverte, la rue des Ossoline offrait une ambiance parfaitement russe. À la cantine, on venait réchauffer ses repas entre les services du midi et du soir. Dans les meublés misérables ou les hôtels de troisième ordre, on se partageait un lit, l'un partant travailler le jour, l'autre la nuit. Pour beaucoup, la Russie était devenue leur gagne-pain, du moins cette Russie que s'imaginaient les Français et les touristes. On ne comptait plus en ville les restaurants à thèmes, les orchestres tziganes, les cabarets, les spectacles équestres animés par les cavaliers cosaques. Xénia trouvait parfois humiliant de voir son pays réduit à un folklore coloré pour attirer le chaland. Ce qui la liait à sa patrie lui semblait tellement plus viscéral. Une question de cœur, un parfum d'âme.

Échoués sur les rives de la Seine, comme beaucoup de leurs compatriotes à Berlin, les exilés se croisaient sur les paliers et les trottoirs, dans les escaliers en colimaçon qui sentaient la pisse de chat, sur les chaînes de montage chez Renault ou Citroën. C'étaient souvent les femmes qui rapportaient les premiers deniers à la famille. La plupart d'entre elles brodaient, cousaient, tricotaient, dessinaient des peintures sur soie aux couleurs vives, se présentaient comme mannequins chez les couturiers. Elles ouvraient de petites maisons de couture faubourg Saint-Honoré, fabriquaient des chapeaux ou des *kokoshniks,* ces couvre-chefs décorés de pierreries qui avaient inspiré Jeanne Lanvin pour plusieurs collections. Les hommes hantaient les cafés pendant des heures, jouaient aux échecs, évoquaient les combats perdus, l'assassinat de l'amiral Koltchak en Sibérie, le départ des soldats de Wrangel, ces derniers combattants de l'Armée blanche à avoir quitté la Crimée et qui avaient été parqués dans des conditions inhumaines à Gallipoli. Tous revenaient inlassablement à la terre russe, noire et lourde, et au parfum des lilas, tandis que leurs vieilles valises patientaient dans les chambres dans l'attente d'un retour imminent.

La nouvelle vie s'organisait, précaire et anxieuse. Niania sortait peu de leur mansarde. Elle était soulagée de pouvoir faire ses courses sans quitter le pâté de maisons. Elle ne s'intéressait pas à Paris, ni à la France. Elle veillait sur ses petits, son unique point d'ancrage. Seule exception à la règle, le dimanche, lorsqu'elle enfilait son tailleur bleu marine avec sa longue jupe, nouait son fichu autour de la tête et se rendait à l'office. Elle traversait le square, cheminait le long des rues encore assoupies, et arrivait enfin à la paroisse orthodoxe, installée dans le local d'un ancien garage. Pour la Pâque russe, elle prenait le bras de Xénia, la main de Macha, et elle s'aventurait de l'autre côté de la Seine, jusqu'à la rue Daru et l'église Saint-Alexandre-Nevski.

En approchant de la maison, Xénia ralentit le pas. Afin de ne pas se faire repérer en passant devant la loge, elle espérait croiser un locataire qui crierait : « Cordon, s'il vous plaît », et lui permettrait ainsi d'entrer dans l'immeuble avec lui. À force de jouer au chat et à la souris avec la vieille Grandin, elle finissait par être à bout de mensonges.

Une silhouette d'homme tourna le coin de la rue, une casquette sur la tête. Quand il l'aperçut, Vassili Borissovitch s'arrêta devant la porte d'entrée. Les mains rougies, il tirait d'un air nerveux sur une cigarette. Manutentionnaire au grand magasin *La Samaritaine*, il avait terminé sa journée et profitait d'un court répit avant de se rendre à la gare de l'Est où il travaillait comme porteur de nuit. Ingénieur de formation, le Moscovite ne cachait pas à Xénia qu'il était amoureux d'elle et qu'il espérait l'épouser. Elle rétorquait qu'elle n'envisageait nullement de se marier, et encore moins avec lui. Après quelques grincements de dents, et une colère de la jeune femme un soir où il était devenu trop entreprenant, ils avaient conclu une trêve. Il l'invitait même de temps à autre au cinéma.

— Bonjour, l'élue de mon cœur, lança-t-il d'un air goguenard.

— Il faut que vous m'aidiez à éviter la Grandin.

— Vos désirs sont des ordres, fit-il en inclinant le buste d'un mouvement sec. Comment dois-je m'y prendre, chère comtesse ? En vous glissant dans la poche de mon pardessus ?

— Je ne suis pas bien grosse, Vassili. Je me faufilerai entre le mur et vous. Utilisez ça pour faire écran, dit-elle en lui tendant un épais paquet en papier brun.

— Qu'est-ce que c'est ?

— À votre avis ? répliqua-t-elle, agacée. Encore des blouses à broder qui vont m'abîmer les yeux toute la nuit. Allons, dépêchons-nous, j'ai froid !

Ils entrèrent dans l'immeuble. Vassili s'exécuta en essayant de bomber le torse et en tenant le volumineux paquet devant lui. Xénia rentra la tête dans les épaules, avança à pas feutrés. Elle avait atteint l'escalier et prenait les marches deux par deux quand une voix sévère l'interpella :

— Mademoiselle Ossoline !

Aussitôt, elle cambra le dos, comme si une balle l'avait atteinte entre les omoplates.

— Nous sommes le premier du mois, mademoiselle. Dois-je vous rappeler que vous devez votre terme aujourd'hui ? Et qu'il reste encore à régler les arriérés du trimestre précédent ? Votre propriétaire commence à perdre patience.

D'un pas de condamnée, Xénia revint vers elle.

— Justement, madame Grandin, je voulais vous demander…

— Le loyer, mademoiselle, exigea la concierge en tendant la main d'un geste péremptoire. Cette fois-ci, je ne vous laisserai pas repartir.

Humiliée que Vassili assiste à la scène, penché sur la rampe de l'escalier, Xénia fouilla dans son sac et en sortit une enveloppe. Le matin même, redoutant ce dénouement, elle avait préféré prendre les devants.

— Voilà, madame. J'ai déjà expliqué que je réglerais sans faute ma dette d'ici au mois prochain.

Mme Grandin enfouit l'enveloppe dans sa poche, lui épargnant au moins la vexation de vérifier devant elle l'exactitude du montant.

— Vous me répétez chaque fois les mêmes sornettes, mademoiselle. Il faut croire que vous avez une curieuse notion du temps. À partir d'aujourd'hui, vous avez quatre semaines pour régler vos arriérés. Cela fait un an que vous habitez cet immeuble et vous n'êtes jamais à jour. Il serait temps d'y remédier.

— Très bien, madame, je n'y manquerai pas.

La concierge lui claqua la porte au nez. Les joues en feu, Xénia serra les poings. Pour qui se prenait-elle, cette odieuse mégère ? De quel droit la traitait-elle comme une malpropre ? Xénia Féodorovna croyait à la puissance des malédictions. Si seulement la maudite Grandin pouvait mourir, là, tout de suite, foudroyée par un arrêt du cœur, et si possible dans d'atroces souffrances ! Elle s'accorda une joie mauvaise en imaginant sa victime saisie de convulsions mortifères, avant de tourner les talons.

— Je voudrais bien vous aider, murmura Vassili. J'ai reçu ma paye ce matin, je peux vous avancer…

— Je vous en prie, dit-elle d'une voix lasse en lui reprenant le paquet. C'est déjà assez pénible comme cela. Nous sommes tous logés à la même enseigne dans cette maison de malheur. Et encore, je ne devrais pas me plaindre. Pour l'instant, nous avons un toit au-dessus de nos têtes.

L'escalier était étroit, les marches en bois inégales. Une odeur de mauvaise graisse et d'humidité imprégnait les murs. Il lui arrivait de haïr cet endroit avec une virulence qui lui donnait la nausée.

— Merci tout de même, ajouta-t-elle avec un sourire crispé, lorsqu'il s'arrêta au troisième. Bonne soirée à vous et aux vôtres.

Alors qu'elle continuait à monter, Xénia sentait le regard intense de Vassili peser sur ses épaules. Son désir était si évident qu'il en devenait ridicule. Comment un homme pouvait-il avoir envie d'elle, avec sa peau rêche, ses traits tirés, sa tenue d'épouvantail ? Le jeune Russe affichait parfois des airs de chien battu qui espérait aussi bien une caresse qu'un coup de pied. Elle était lasse, si infiniment lasse que son corps tout entier lui faisait mal.

Arrivée au dernier palier, elle avança dans le corridor et poussa la porte. À cause des loyers impayés, on leur avait coupé l'électricité et des bougies éclairaient la table en bois, les lits sans matelas et les valises empilées dans un coin. Au plafond, des fils permettaient de faire sécher le linge et de tendre une pièce de tissu pour séparer la pièce en deux espaces pendant la nuit, créant ainsi l'illusion d'une intimité. Le dénuement se devinait à l'importance que revêtait le moindre objet, la poêle à frire, le fer à repasser, la paire de draps. Soigneusement posée sur un torchon propre, une pile de sacs du soir raffinés que Niania avait brodés pendant la journée accrochait la lumière. Pendu à un cintre, un fourreau en mousseline de soie semé de paillettes métalliques dessinait une silhouette incongrue dans la mansarde pitoyable.

Confrontés à une pénurie de beaux tissus après la guerre, les couturiers avaient compris le parti qu'on pouvait tirer de parures délicates pour agrémenter les toilettes. L'afflux de ces émigrantes russes qui savaient manier l'aiguille, la broderie ayant été un élément essentiel de leur éducation, avait été pour eux une aubaine. Ayant eu pour amant un cousin du tsar, le grand-duc Dimitri Pavlovitch, Gabrielle Chanel s'était même inspirée pour ses collections de la vareuse des soldats de l'infanterie russe et des longues blouses ceinturées des moujiks.

Macha était installée sur le grand lit qu'elle partageait avec Niania et Cyrille. Les jambes croisées et le nez plongé dans un livre, la jeune fille ne bougea pas à l'arrivée de sa sœur. Assise près du calorifère, un châle sur les épaules, Nianiouchka reposa la dentelle qu'elle travaillait et son visage s'éclaira d'un sourire.

— Entre vite, ma petite colombe, tu dois avoir froid, dit-elle, avant d'aider Xénia à retirer son manteau et son chapeau de feutre. Tu as des cernes sous les yeux, lui reprocha-t-elle en se dressant sur la pointe des pieds pour l'observer. Telle que je te connais, tu t'es encore privée de déjeuner. Tu as pourtant besoin de tes forces pour travailler. Ce n'est pas sérieux, cœur adoré.

Xénia sourit, apaisée par ces remontrances affectueuses. Il y avait quelque chose de merveilleusement doux dans le fait de savoir que la vieille femme serait là quand elle rentrerait, toujours aussi sereine, tendre et attentive. Nianiouchka posa la bouilloire en émail sur le poêle et commença à réchauffer le dîner. Une odeur de chou et d'oignon se répandit dans la pièce.

— Où est Cyrille ? demanda Xénia.

— Nous sommes jeudi, voyons. Il est encore à l'école, mais il ne devrait pas tarder à rentrer.

À sept ans, Cyrille suivait la scolarité française, mais recevait tous les jeudis un enseignement en russe organisé par la paroisse orthodoxe. Des bénévoles donnaient des cours d'histoire, de géographie et d'instruction religieuse, afin que les enfants de l'exil ne se sentent pas dépaysés à leur retour chez eux. Personne ne doutait une seconde que ce séjour à Paris n'était qu'une étape douloureuse, une parenthèse qui n'allait pas tarder à se refermer. Personne, excepté peut-être Xénia Féodorovna. Elle avait eu un sursaut d'espoir avec la mort de Lénine, en janvier 1924, mais depuis, aucun signe encourageant en provenance d'Union soviétique ne leur était encore parvenu.

Elle frissonna. L'humidité avait glacé le sang dans ses veines. Si seulement elle avait pu prendre un bain chaud ! Lui revint en mémoire la salle de bains carrelée de leur maison, avec sa vaste baignoire à pieds fourchus, les claquements de la vapeur qui montait dans les tuyaux, les épaisses serviettes que les femmes de chambre apportaient après les avoir réchauffées à la cuisine. Agacée, elle se détourna et prit les couverts posés sur une étagère. Elle détestait ces souvenirs sournois qui lui donnaient du vague à l'âme. Le bonheur du passé ressemblait à une gangrène. Si on le laissait s'emparer de vous, on était perdu.

Elle mit la table comme un automate. Dans la mansarde, chaque chose avait une place attribuée et Xénia ne tolérait aucun désordre. L'espace était si restreint qu'il suffisait de faire trois pas pour atteindre le moindre objet. Alors qu'elle disposait les assiettes et les cuillères, elle remarqua que sa sœur ne bougeait toujours pas. D'une main, Macha tenait une bougie pour y voir clair. Elle tourna une page de son livre sans lever les yeux. Visiblement, Mademoiselle était de mauvaise humeur. Si elle n'avait pas été aussi fatiguée, Xénia lui aurait dit de venir l'aider, même si elle pouvait très bien se débrouiller seule. C'était une question de principe. Elle avait élevé Macha de son mieux, mais elle était convaincue que sa sœur lui en voulait confusément de prendre la place de leur mère. Lors des premières années après le drame, Macha lui avait obéi parce qu'elle ne pouvait pas faire autrement et que tout était trop terrifiant pour se rebeller, mais désormais, à dix-huit ans, elle essayait de n'en faire qu'à sa tête.

Quand la porte s'ouvrit d'un seul coup, Xénia sursauta. Une écharpe rouge autour du cou, sa casquette en arrière qui dévoilait son front buté, ses yeux clairs et ses joues rebondies, Cyrille fondit sur elle, jeta ses bras autour de sa taille, et la serra à l'étouffer. Elle sourit. Cyrille était un don de Dieu, une grâce absolue, un enfant de lumière. Depuis le jour où, accroché à son cou, son petit frère avait regardé le corps de leur mère disparaître parmi les flots du Bosphore, personne n'avait jamais entendu cet enfant se plaindre. Il avait supporté le froid, la faim, les privations. Au fil de l'exode, il avait écouté les colères de sa sœur aînée, les sanglots de Macha, deviné l'angoisse de sa Nianiouchka et cherché à la réconforter. Et lors des moments de bonheur, aussi précieux qu'inattendus, Cyrille était le premier à rire aux éclats. C'était un petit garçon tendre qui aimait dessiner et réciter des poèmes, et qui pourtant n'avait rien d'un faible. Il se battait régulièrement dans la cour de récréation quand ses camarades le traitaient de « sale Russe » ou de « maudit étranger ». L'enfant renversa la tête en arrière pour la regarder dans les yeux et son visage se fit plus pointu.

— Xénia, c'est quoi, un apatride ? demanda-t-il d'une petite voix serrée. C'est vrai qu'on est des vagabonds comme les gitans ?

— Qu'est-ce que tu dis là ? Qui t'a raconté ces bêtises ?

— Les garçons à l'école. J'ai pas su quoi leur répondre.

Brusquement, il se détourna et retira son manteau. Il cherchait à dissimuler son émotion, n'aimant jamais montrer une quelconque faiblesse à sa sœur aînée. Mais Xénia lui saisit les mains et remarqua les éraflures qui marquaient ses phalanges. Elle poussa un soupir, sachant qu'elle serait bientôt convoquée par la directrice qui accuserait une nouvelle fois Cyrille d'être un enfant trop turbulent. Elle fit signe à son frère de s'asseoir à la table et se baissa pour prendre le carton placé au fond de l'armoire qui contenait leurs papiers. Avec soin, elle en sortit leurs passeports de dix-huit pages qui se déployaient en accordéon et portaient, imprimée sur la couverture orange, l'appellation « passeport Nansen ».

— Regarde, dit-elle d'une voix douce. Ces papiers sont l'œuvre d'un homme qui s'appelle Fridjof Nansen. C'est un Norvégien, le genre d'explorateur que tu aimes. Il a été le premier à atteindre une latitude extrême dans l'Arctique. Il y a quelques années, la Société des Nations l'a chargé d'élaborer un statut pour les Russes comme nous qui étions en effet devenus apatrides en 1921, quand le gouvernement bolchevique a privé de leur nationalité « certaines catégories de personnes résidant à l'étranger », comme ces canailles nous ont surnommés.

Elle se tut quelques instants, repensant à cette terrible impression de flottement qui s'était emparée d'elle à l'époque. Privés de statut légal, ces hommes, ces femmes et ces enfants n'avaient plus existé aux yeux de la loi, et aucune autorité n'avait plus protégé les réfugiés devenus des êtres transparents.

— Il a bien fallu remédier à cette situation intolérable, poursuivit Xénia. Nous étions des centaines de milliers à errer en Europe, surtout des sujets de l'ancien Empire russe, mais aussi d'autres nations. Ce passeport nous a redonné un statut. L'année dernière, plusieurs États, dont la France, l'ont officiellement reconnu. Ainsi, tu vois, nous sommes désormais des « personnes d'origine russe n'ayant acquis aucune nationalité », et la France nous protège puisque nous avons choisi de vivre ici.

Tassé sur sa chaise, ses poings couverts d'écorchures, Cyrille feuilletait avec précaution les passeports. Son regard trahissait une détresse qu'elle ne lui connaissait pas. D'un seul coup, son petit frère courageux lui parut terriblement fragile.

— Mais on est russes quand même, n'est-ce pas, Xénia ? Tu en es bien sûre, hein ?

Émue, Xénia s'agenouilla à côté de la chaise et enserra son visage entre ses mains.

— À jamais, Cyrille Féodorovitch. Nous sommes russes à jamais.

Rassuré, il esquissa un sourire et Xénia le serra de toutes ses forces dans ses bras.

— Bien, dit-elle d'un ton enjoué en se relevant. Raconte-nous maintenant ta journée. Est-ce que tu as appris des choses intéressantes ?

Tandis que Xénia écoutait distraitement Cyrille tout en rangeant les précieux documents, Niania apporta la casserole pour leur verser à chacun de la soupe.

— Viens dîner pendant que c'est chaud, Macha, dit la vieille femme.

— Je n'ai pas faim.

— Tu dois manger, mon soleil. Allons, dépêche-toi.

— Je te dis que je n'ai pas faim. Laisse-moi tranquille, espèce de vieille chouette !

Xénia releva la tête, l'air sombre.

— Qu'est-ce qui te prend, Macha ? Veux-tu t'excuser immédiatement ! Et viens t'asseoir, c'est l'heure de dîner.

Irritée, Macha referma son livre avec un claquement sec. Ses joues rebondies, sa moue boudeuse et ses gestes encore empotés trahissaient un reste d'enfance, mais la sévérité de son regard bleu n'avait rien à envier à celui de sa sœur aînée.

— Il n'est même pas six heures et demie. La journée est loin d'être finie. Tu trouves que c'est une heure décente pour dîner ?

— Tu sais bien que nous dînons tôt parce que nous avons besoin de la table pour travailler et qu'après il serait trop tard pour Cyrille, répliqua Xénia, agacée par ces enfantillages. Où te crois-tu pour exiger un emploi du temps plus conforme à tes désirs ?

— Je ne me crois nulle part, justement, et c'est bien le problème ! Je ne *suis* nulle part, insista Macha en ouvrant les bras avec un geste théâtral. Que puis-je espérer de cette chambre qui pue l'humidité ? Et de cette poignée de francs qu'on arrive à gagner en cousant toute la nuit ?

— Je n'ai pas remarqué que tu te tuais à la tâche. S'il ne tenait qu'à toi, nous serions déjà tous morts de faim.

Macha se leva d'un bond. Elle était élancée, aussi mince que sa sœur, mais avec des attaches moins fines, des traits moins réguliers. Ses yeux étaient trop rapprochés, sa bouche maussade. Elle portait une robe droite, drapée sur les hanches par un foulard framboise. Ses cours de couture et de peinture à l'École d'art russe affinaient son goût artistique, et elle avait un don pour s'habiller avec des bouts de chiffons. Hélas, si Macha dévorait les magazines comme *Femina*, ce n'était pas pour y puiser des idées qui pourraient les inspirer. Non, la jeune fille voulait trouver un mari fortuné et mener à nouveau la vie confortable dont on l'avait brutalement dépossédée alors qu'elle n'avait que dix ans. Son irritation vibrait dans l'espace et la pièce sembla rétrécir encore davantage.

— Tu passes ton temps à me faire des reproches, mais moi, je ne veux pas me résigner à être une malheureuse couturière à la journée. Toi, tu t'en contentes, comme toutes ces femmes de la société autour de nous. Tant mieux pour toi ! Tu n'aspires qu'à te lever le matin pour aller travailler chez Marie Pavlovna, qui te paye un salaire de misère pour broder des robes que Chanel revend une fortune. Et en plus, tu rapportes une montagne de travail à la maison pour Niania et moi.

— Je t'interdis de parler de la grande-duchesse sur ce ton. Elle m'a accueillie dans son atelier et je lui en serai toujours reconnaissante. Grâce à elle, tu as du pain dans ton assiette. Je te rappelle aussi que certaines de ces femmes que tu méprises sont beaucoup plus instruites que toi. Je connais des institutrices, des physiciennes et des concertistes de talent qui ne rechignent pas à gagner leur vie de manière modeste. Nous avons de la chance que la mode encense tout ce qui est russe. Ce travail nous permet de survivre.

— Le travail ! Le travail ! Tu n'as que ce mot à la bouche. On n'a jamais le droit de s'amuser, avec toi. Tu es autoritaire et égoïste. Jamais tu ne nous demandes notre opinion. On a aussi un cerveau, tu sais. Mais on doit tous se plier à tes ordres sans sourciller.

Niania et Cyrille fuyaient son regard, comme s'ils donnaient raison à Macha sans oser le dire. Bien qu'elle fût piquée au vif, Xénia fut obligée de reconnaître qu'elle n'arrivait plus à s'amuser. Elle avait oublié le goût de l'insouciance. Elle repensa à la jeune fille de quinze ans, espiègle et désinvolte, qui s'ennuyait au lycée et griffonnait les prénoms des garçons séduisants à l'encre violette en marge de ses cahiers. Cette Xénia-là était devenue une étrangère, semblable à ces amies d'autrefois que l'on retrouve sur de vieilles photos de classe jaunies et dont on a oublié jusqu'au prénom.

— Si tu crois que je vais passer le reste de mes jours à coudre des costumes traditionnels pour des poupées ridicules en m'esquintant les yeux, tu te trompes ! Cette vie ne mérite pas d'être vécue et elle ne mène nulle part. Il y a plein d'autres choses à faire dans l'existence.

Partagée entre l'exaspération et l'amusement, Xénia songea que tout l'étage devait profiter du dernier coup d'éclat de Macha. Si seulement sa jeune sœur savait qu'elle proclamait tout haut ce que Xénia pensait en silence, chaque nuit, quand elle s'allongeait sur son lit de camp.

— J'attends tes excuses, Macha, déclara-t-elle froidement, tandis que sa sœur la toisait, les bras croisés.

Ces disputes épuisaient Xénia. Tous les matins, en effet, elle se rendait au 7, rue Montaigne, non loin des Champs-Élysées, à la maison Kitmir fondée par la grande-duchesse Marie Pavlovna, une cousine du tsar Nicolas II. La princesse brune et distinguée, au regard mélancolique et à la mâchoire carrée qui accentuait son visage volontaire, l'avait engagée sans se faire prier. Elle employait une grande majorité de Russes et ne manquait pas de travail à leur donner. Le succès de l'influence russe datait du début du siècle, quand les ballets de Sergueï Diaghilev avaient bouleversé l'Europe occidentale par leur insolence et leurs couleurs aux alliances audacieuses. Heureusement, les années de guerre n'avaient pas étouffé ce goût pour la fantaisie et l'exotisme.

— Ce n'est pas grave, murmura Niania, en posant une main sur celle de Xénia pour essayer de l'apaiser. Oublions tout cela. Il faut manger maintenant.

— Pas question. Macha t'a manqué de respect alors qu'elle devrait te remercier à genoux pour tout ce que tu fais pour elle.

La vieille femme baissa les yeux d'un air gêné. Une rougeur de jeune fille empourpra ses joues sillonnées de rides. Les compliments la mettaient mal à l'aise. Et pourtant, comment se seraient-ils débrouillés sans elle ? se demanda Xénia. En choisissant de les suivre en exil, Nianiouchka avait renoncé à tout, elle qui ne parlait que sa langue natale et ne connaissait rien à l'Occident. Elle s'était sacrifiée par amour. Combien de fois cette femme âgée s'était-elle levée la nuit pour veiller sur les enfants Ossoline ? Combien de fois les avait-elle consolés ? Alors que Xénia prenait des cours pour apprendre à utiliser les machines à broder, Nianiouchka avait cousu jour et nuit afin de les nourrir. La veille, quand la jeune femme s'était piqué le doigt au-dessus d'une soie blanche, il avait fallu toute sa dextérité pour dissimuler la tache sur le précieux tissu.

— Bon, j'en ai assez entendu, Marie Féodorovna, reprit sèchement Xénia en s'adressant à sa sœur. Ton ingratitude commence à me fatiguer. Il serait temps que tu apprennes à maîtriser tes caprices de petite fille et que tu deviennes adulte. Va donc prendre l'air, et à ton retour, tu présenteras tes excuses. Nous garderons ton repas au chaud. Si tu refuses encore de manger, tant pis pour toi. Tu te débrouilleras pour te nourrir, puisque tu sais toujours tout mieux que nous autres.

Les poings sur les hanches, le visage bouffi de chagrin et d'amertume, Macha retenait ses larmes.

— Je peux très bien me débrouiller toute seule. Mais tu ne serais peut-être pas très heureuse d'apprendre comment.

— Ça suffit maintenant ! s'exclama Xénia en repoussant sa chaise. J'en ai assez de ta mauvaise humeur et de ce chantage ridicule. Tu mérites une bonne fessée. Dehors ! ordonna-t-elle en montrant la porte. Va donc rejoindre tes amis artistes à Montparnasse et danser nue dans les cabarets, si c'est ce que tu veux. Je sais que tu adores traîner là-bas. Moi, ça m'est complètement égal.

— Je te déteste, Xénia ! cria la jeune fille, avant d'éclater en sanglots.

Macha saisit son manteau et son chapeau, et sortit en trombe de la pièce. Les flammes des bougies vacillèrent dans le courant d'air, donnant à la mansarde des allures fantomatiques. Après quelques instants de silence, Cyrille glissa de sa chaise et referma la porte. Son visage crispé montrait combien il détestait les disputes entre ses sœurs.

Épuisée, Xénia passa une main tremblante sur son front.

— Je suis désolée, mais par moments elle me rend folle.

— Elle est jeune, murmura Niania. C'est dur pour elle.

— Et pour moi, ce n'est pas dur, peut-être ? répliqua sèchement Xénia.

— Toi, tu es forte.

Xénia se mordit la lèvre pour ne pas répondre. Cyrille la mangeait des yeux et elle ne voulait pas l'effrayer davantage en poursuivant la dispute. *Tu es forte*… Combien de fois avait-elle entendu cette phrase ravageuse qui se voulait un compliment ? Sa mère la lui avait murmurée, reconnaissante, fervente, dans une chambre pouilleuse d'un village sur le Don, où les cafards couraient le long des plinthes. *Tu es forte*… Avec ces mêmes mots, son oncle Sacha l'avait abandonnée sur un quai d'Odessa, en pleine tempête, préférant continuer à se battre pour sa patrie alors que sa famille s'embarquait vers l'inconnu et la mort. Ces maudites paroles la pourchassaient, mais Xénia ne voulait pas de cette admiration qui la prenait à la gorge. *Tu es forte*… « Tu sauras donc triompher des obstacles, on peut tout te demander, tout t'infliger… »

Elle reprit sa place à table, porta à sa bouche une cuillerée de soupe qui lui brûla les lèvres.

Macha avait disparu depuis deux jours. Nianiouchka n'en dormait plus. Les yeux rougis, elle marmonnait des prières avec de petits claquements de langue. Cyrille revenait de l'école en courant, dans l'espoir de trouver sa sœur à la maison, et son visage blêmissait quand il apprenait qu'elle n'avait toujours pas donné signe de vie. Quant à Xénia, elle était partagée entre la colère et l'abattement. Elle dormait mal, arrachant à la nuit quelques heures de sommeil sans parvenir à se reposer. Elle était tentée de se rendre au commissariat pour signaler la disparition de sa sœur mineure, mais craignait d'attirer l'attention des autorités. Un émigré redoute toujours la police, même s'il n'a rien à se reprocher.

Elle avait parcouru le quartier de long en large, interrogé les quelques amies confidentes de Macha, sans succès. À l'école, ses professeurs n'avaient eu aucune nouvelle. Même Ilia Antonovitch ne l'avait pas vue, alors que sa sœur aimait se réfugier dans son échoppe parce qu'il lui donnait toujours des caramels Moskva qui lui rappelaient son enfance. Le rouge aux joues, Xénia avait eu honte de demander de l'aide, comme si elle avait failli à sa tâche. Soit quelqu'un lui mentait pour une raison étrange, soit la jeune fille avait bel et bien décidé de disparaître pour lui infliger une leçon. Elle trouvait ce geste parfaitement égoïste. Pire encore, elle devait bien reconnaître qu'elle en était blessée. Même si elles se chamaillaient régulièrement, les deux sœurs avaient toujours éprouvé du respect l'une pour l'autre. L'attitude de Macha lui semblait aussi irresponsable qu'injuste.

Alors qu'elle venait de rentrer de sa journée de travail, Xénia finissait de dîner seule avec Cyrille. On leur avait remis l'électricité, ce qui donnait à la mansarde une atmosphère un peu plus gaie. Le petit garçon mangeait en silence, les yeux baissés sur son assiette. Assise sur le lit, Niania brodait de longues bandes de tissu au point de croix. Depuis la disparition de Macha, elle avait perdu l'appétit. Ses joues étaient creuses, ses iris sombres brillaient telles deux têtes d'épingles. Xénia avait fini par s'en effrayer et avait réprimandé la vieille servante pour qu'elle accepte au moins de boire son thé noir avec du sucre. Le silence devenait insupportable.

— Je vais aller la chercher à Montparnasse, dit soudain Xénia.

— Maintenant ? fit Niania en levant la tête d'un air effrayé. Mais la nuit va bientôt tomber. Tu ne peux pas sortir toute seule.

— Bien sûr que si. J'ai affronté des gens bien pires que quelques artistes éméchés. Elle traîne sûrement là-bas. C'est son quartier de prédilection. Je parie qu'elle a des amis dont elle ne nous a jamais parlé et qui doivent se faire une joie de l'héberger.

Le regard de Niania se voila de larmes et elle porta une main tremblante à ses lèvres.

— Je ne sais pas pourquoi, mais elle est tellement malheureuse depuis quelque temps. La nuit, je l'entends parfois pleurer. Et si elle… ?

— Certainement pas, voyons ! rétorqua Xénia, sachant que Niania avait été choquée par le suicide d'un voisin quelques semaines auparavant. Macha est incapable de se faire du mal. Elle s'aime trop. Bon, ne m'attendez pas pour vous coucher. Je risque de rentrer tard.

— Si seulement tu pouvais demander à Vassili Borissovitch de t'accompagner, se lamenta la vieille femme.

— Il travaille, Nianiouchka. Jour et nuit. Comme beaucoup d'entre nous. Je te parie que Macha, elle, est en train de s'amuser, et qu'elle sera furieuse de me voir débarquer et lui gâcher sa fête… Sois sage, petit ange, ajouta-t-elle en se penchant pour embrasser son frère sur le front. Je vais vous la ramener par la peau du cou, vous verrez.

Xénia les quitta avec un sourire qui s'évanouit dès qu'elle eut refermé la porte. Elle avait menti : comment ne pas redouter le pire lorsqu'on restait sans nouvelles de quelqu'un ? Sous ses airs de bravade, Macha était encore une enfant. Elle avait pu se laisser berner par un homme peu scrupuleux, se faire agresser ou violer. À moins qu'elle ne se fût jetée au cou d'un inconnu pour donner une leçon à sa sœur aînée et lui prouver qu'elle était une femme, elle qui reprochait sans cesse à Xénia de la traiter avec trop de sévérité. Ou craignait-elle tout simplement de rentrer à la maison parce qu'elle avait fait une bêtise ?

Dehors, le crépuscule se déposait doucement sur Paris en étirant les ombres. Les bourgeons éclataient sur les branches des marronniers et les géraniums avivaient les balcons des immeubles en brique rouge. Un croissant de lune s'esquissait au-dessus des toits hérissés de cheminées. La journée avait été lumineuse, l'air bleuté offrait cette qualité particulière au printemps parisien, une légèreté pleine de promesses, délicate et poudrée. Trompeuse aussi, songea Xénia en pressant le pas.

Comme toujours, La Rotonde était bondée. Dans le café du boulevard du Montparnasse, on criait, on gesticulait, on s'apostrophait avec une ferveur électrique et dans toutes les langues. Sur les murs, les toiles offertes au patron se chevauchaient comme autant de visions enfiévrées. Des peintres, des poètes inspirés, des sculpteurs, des artistes dénués de tout talent, des illuminés et des génies se côtoyaient dans un joyeux désordre. Certains discutaient avec intensité à voix basse, penchés au-dessus des petites tables serrées les unes contre les autres, parmi les ballons de rouge et les tasses de café.

Une femme au profil singulier, front bombé sous sa frange et nez busqué, vérifiait dans un poudrier l'éclat du rouge carmin qui soulignait sa bouche d'ogresse. Des plumes insolites oscillaient dans sa chevelure. Deux étudiants jouaient une partie de mah-jong. Dans un coin, la tête posée sur ses avant-bras, un homme dormait, et personne ne venait le déranger. Son veston était si usé au niveau des coudes qu'à travers la trame on devinait sa chemise. Visiblement, le vacarme ne le dérangeait pas. Max von Passau l'observait depuis un bon quart d'heure, fasciné par cette inertie.

Le jeune Berlinois avait choisi un hôtel dans ce quartier parisien qui symbolisait aux yeux de tous les artistes un rêve éveillé. Certains parlaient même de « Terre promise ». Envoyé par son journal pour couvrir l'inauguration de l'Exposition internationale des arts décoratifs, il était arrivé le matin même à la gare de l'Est. Lorsqu'il était descendu sur le quai, au bruit des jets de vapeur de la locomotive, le roulis du train de nuit lui avait fauché les jambes comme s'il débarquait d'un navire.

Son accréditation de journaliste en poche, il s'était promené toute la journée des Champs-Élysées à l'esplanade des Invalides, de la Concorde à l'Alma, autour du Grand Palais et le long des berges de la Seine, afin de s'imprégner de l'effervescence qui régnait dans la centaine de pavillons. On entendait résonner les coups de marteau des ouvriers qui avaient pris du retard. Certains des exposants vociféraient parce qu'ils ne seraient jamais prêts à temps. Dans ce qui se voulait une célébration de l'art moderne, la plupart des pays proposaient leur pavillon, hormis l'Allemagne, l'ancien vaincu, qui déclarait avoir reçu l'invitation trop tardivement, et les États-Unis, qui avaient jugé trop contraignante l'esthétique nouvelle exigée par la charte des organisateurs. Seul mot d'ordre : l'innovation. Interdiction de reproduire ou d'imiter les styles anciens. La décoration dressait son temple dans l'une des plus belles villes du monde, et, en ancien élève du Bauhaus, Max avait été enthousiasmé : tout était inspiré, coloré, provocateur, avec des angles incisifs et des lignes affûtées.

Le soir venu, il s'était rendu dans le célèbre café de Victor Libion pour se livrer à son occupation favorite, qui consistait à étudier les gens qui l'entouraient. C'était un lieu de « gueules ». Pas un visage qui n'eût fait un portrait saisissant. Il y avait là des faces orientales, des cheveux sombres et frisés, des peaux claires, rendues presque translucides par la misère ou le manque, des physionomies bien parisiennes, pointues, avec un nez fin et de petites lèvres étirées, comme soulignées à la règle, ou encore des figures aux joues épaissies de fatigue, des fronts fébriles, des cernes sensuels sous les paupières trop fardées d'une fille trop jeune.

Depuis qu'il s'était procuré l'un des premiers Leica, ce petit appareil miraculeux, inventé par un ingénieur allemand, qui fonctionnait avec des rouleaux de 35 mm et lui permettait de prendre de manière discrète trente-six poses sans recharger, sa vie avait changé. Il réservait désormais le formalisme du travail en studio aux portraits et aux études qui exigeaient du temps et de la réflexion. Mais la rue était à lui. Il commençait seulement à mesurer l'étendue des possibilités que lui offrait l'appareil, avec l'impression de toucher du doigt ce qui était l'essence même de la vie, un clochard endormi sur un banc, une passante chahutée par une bourrasque de vent, un dégradé d'ombres dans un jardin public. Cette nouvelle liberté technique attisait son goût pour la liberté tout court.

Il commanda au garçon un autre bock, mais sa voix fut étouffée par la musique d'un accordéoniste qui jouait sur le trottoir. Quelqu'un venait de pousser la porte du café. Une jeune femme s'immobilisa sur le seuil. Elle eut un mouvement de recul en découvrant la salle remplie de monde, fronça les sourcils, puis, d'un geste inconscient, redressa les épaules et se mit à détailler les clients, comme si elle cherchait quelqu'un. Sous le chapeau cloche en feutre vert, son visage présentait un profil très pur. Elle était élancée, mince et racée. Vêtue d'un modeste ensemble noir que rehaussaient l'émeraude de la blouse et des parements sur le col, elle portait des chaussures à barrette élimées et serrait sous son bras une pochette à rabat. Elle avança de quelques pas et entreprit de faire le tour de la pièce. Elle avait des hanches étroites, des mollets fins, des chevilles délicates.

Max ne la quittait pas des yeux, séduit par le curieux mélange d'assurance et de timidité avec lequel elle scrutait les personnes présentes. Certains hommes n'hésitaient pas à la dévisager d'un air intéressé. Elle esquiva le geste maladroit d'un client éméché qui cherchait à rejoindre sa table. Quand il s'excusa, la jeune femme esquissa un sourire, mais à la froideur de son maintien, on devinait qu'elle ne se laisserait pas importuner davantage. Qui cherchait-elle ? se demanda Max, intrigué. Des amis ? Un amant ? Il se faisait tard. La nuit commençait à prendre ses aises. Il avait été surpris de la voir entrer toute seule, car à cette heure-ci la plupart des femmes ne sortaient pas sans être accompagnées.

Alors qu'elle revenait lentement vers son point de départ, il s'étonna d'attendre avec une certaine fébrilité de croiser son regard. Dans cette salle enfumée, parmi le brouhaha des convives, les éclats de rire, les plaisanteries désinvoltes, les commandes que les garçons lançaient au barman et aux cuisines, l'inconnue était à la fois incontournable et intensément seule. Elle s'arrêta à deux pas de lui, devant l'homme endormi sur la banquette, inclina la tête sur le côté, visiblement aussi intriguée que Max.

— Je crois qu'il est mort mais que personne n'ose le dire, dit-il en français.

Aussitôt, elle pivota vers lui et il fut frappé par la structure harmonieuse de ses traits, maintenant qu'il la voyait de face pour la première fois. Le regard acéré le déconcerta au point qu'il retint son souffle. C'était un regard d'orages, un regard de vertiges. Des cernes trahissaient sa fatigue et ses yeux pâles lui mangeaient le visage. Elle était encore très jeune, mais sa gravité lui donnait une intensité d'un autre âge. Il éprouva l'envie inattendue, furieuse et exigeante de la toucher, de saisir ses mains qu'il devinait glacées et d'attirer à lui ce corps qui se dressait comme au garde-à-vous.

— Pardonnez-moi, mademoiselle, dit-il en se levant du tabouret de bar. Je ne voulais pas vous effrayer. Je vous ai vue entrer et j'ai eu l'impression que vous cherchiez quelqu'un. Comme je suis là depuis quelque temps, je peux peut-être vous aider ?

Elle le dévisagea sans bouger. Contrairement aux autres femmes, sa bouche n'était pas fardée et sa beauté naturelle était d'autant plus captivante. Visiblement, quelque chose n'allait pas. Son regard se troubla, ses joues blêmirent. Il tendit une main pour lui saisir le bras.

— Vous ne vous sentez pas bien ? s'inquiéta-t-il. Tenez, asseyez-vous une seconde.

— Merci, mais c'est inutile, dit-elle d'une voix rauque.

— J'insiste. Vous semblez épuisée. Voulez-vous boire quelque chose ? Un verre d'eau, peut-être ?

Une petite voix murmurait à Xénia qu'elle devait s'en aller, qu'elle ne connaissait pas cet homme, qu'elle ne pouvait pas parler à un inconnu dans un lieu public alors que la nuit était déjà bien entamée, qu'on ne parlait d'ailleurs jamais aux inconnus, ni le jour ni la nuit. Mais à quoi bon toutes ces leçons de bienséance censées protéger une jeune fille du mal, comme si derrière chaque étranger se cachait un monstre pervers ? À quoi bon toutes ces règles, cette éducation martelée depuis la petite enfance dans une nursery chaleureuse où les lumières des eaux dansantes d'un canal se reflétaient dans les miroirs ? À quoi bon tout cela, quand votre père a été assassiné, votre famille dispersée aux quatre coins de la Terre, qu'on survit dans une mansarde misérable, luttant pour gagner quelques sous afin de ne pas mourir de faim, qu'on cherche en vain sa petite sœur dans les cafés et les bars, battant le pavé parisien depuis des heures, le cœur serré, les jambes vacillantes de fatigue et d'angoisse ? À quoi bon ?

D'une main douce mais ferme, l'homme l'incita à s'asseoir sur le tabouret. Elle se laissa faire, trop épuisée pour réagir. Elle resterait assise quelques minutes, le temps de reprendre son souffle.

— Je me suis permis de vous commander une fine à l'eau. On dirait que vous avez besoin d'un remontant et ce n'est pas un alcool trop fort.

Touchée par cet empressement, elle eut un sourire las, elle qui buvait sans sourciller plusieurs vodkas cul sec.

— Vous n'êtes pas français, n'est-ce pas ?

— Encore trahi par mon accent ! plaisanta-t-il. Vous avez raison. Je viens de Berlin.

— Et qu'est-ce qui vous amène ici ?

— L'Exposition. Je suis photographe de mode et on m'a envoyé en reportage. Ce ne sont pas les sujets qui manquent. J'ai déjà visité la classe du vêtement au Grand Palais et le pavillon de l'Élégance. Un hymne à la beauté française. Et le couturier Paul Poiret a fait aménager trois péniches le long du quai d'Orsay. Saviez-vous qu'il les avait appelées « Amours », « Délices » et « Orgues » ? Je me demande bien pourquoi.

— C'est une règle de grammaire. Ces mots sont masculins au singulier et féminins au pluriel.

— Vraiment ? s'étonna-t-il. Il faut être français pour inventer une chose pareille. Il paraît qu'il a imaginé leur conception en hommage à la femme. Prometteur, n'est-ce pas ?

Le garçon leur apporta deux fines à l'eau dans des verres ballon. Le cognac présentait une belle couleur dorée.

— Vous vous sentirez mieux. C'est un remède efficace.

— Contre quoi ? fit-elle, amusée.

— Contre tout ce qui vous chagrine et dont j'aimerais vous libérer, si j'avais une baguette magique.

— Je ne crois pas aux baguettes magiques.

— Vous avez tort. Il faut toujours croire aux miracles.

Un peu irritée, Xénia se demanda si cet homme se moquait d'elle. Pourtant, quand il leva son verre pour trinquer avec un sourire complice, elle fut décontenancée par la sincérité de son regard. Un frisson lui parcourut l'échine et elle l'examina vraiment pour la première fois, détaillant les épais cheveux brun foncé dont une mèche rebelle lui retombait sur le front, les traits réguliers en dépit d'une mâchoire trop volontaire, la bouche aux lèvres pleines. Il était habillé sans prétention. Une veste en flanelle aux poches déformées, une chemise blanche au col mou, une cravate desserrée. Accoudé au comptoir avec nonchalance, il semblait en paix avec lui-même. À l'observer, elle en oubliait la fébrilité qui régnait autour d'eux, ainsi que le léger mal de tête qui pressait ses tempes. Elle s'aperçut aussi qu'elle prenait plaisir à être soumise à son regard. Il y avait bien des Russes comme Vassili qui la courtisaient, mais elle trouvait chez eux une forme de désespérance qui lui rappelait trop la sienne. Les exilés ne pouvaient pas envisager de vie en dehors de leur communauté. Par crainte de ne pas tenir leur rang, stigmatisés par leur dénuement et leur religion orthodoxe, ils se mariaient entre eux et élevaient leurs enfants dans l'amour de la Russie éternelle, persuadés de retourner bientôt à la maison. Or dans le secret de son cœur, et osant à peine se l'avouer, Xénia n'attendait rien de tout cela. Lorsqu'elle entendait parler d'avenir, elle s'étonnait du sentiment de vide qui s'emparait d'elle, et se sentait doublement exilée. Je ne suis qu'une terre brûlée, songea-t-elle, effrayée.

À contempler cet inconnu, Xénia Féodorovna eut alors l'étrange pressentiment qu'il allait compter dans sa vie. Qu'est-ce qui pouvait lui faire croire une absurdité pareille ? Était-ce cette subite envie de fuir, surgie de nulle part ? Son cœur se mit à battre comme un tambour. Elle avait eu tort de se laisser convaincre et de s'asseoir à côté de lui. Ainsi, les leçons de bienséance disaient vrai : les inconnus étaient dangereux, mais pas nécessairement de la manière que l'on pensait. Elle ferait mieux de partir tout de suite, sans donner son nom ni apprendre le sien, et pourtant elle restait immobile à le dévisager.

La vie vous abandonne de temps à autre au carrefour de tous les possibles. Xénia était une fataliste. Elle pensait que la Providence vous laissait libre de vos choix, tout en vous conduisant inéluctablement vers votre destinée. Ce soir-là, elle voulait croire qu'il était encore temps de tout empêcher, parce qu'elle était insoumise et qu'elle n'avait pas de place pour cet homme dans sa vie. Ayant été ballottée depuis des années sans pouvoir rien maîtriser, elle tenait au moins à choisir un amant en toute liberté, sans que le destin le lui impose. Et pourtant, elle comprit qu'il était déjà trop tard, que le sort l'avait amenée au cœur de Montparnasse par une douce nuit d'un printemps parisien, en quête d'une sœur indocile et à la rencontre de ce jeune Allemand qui la contemplait d'un air à la fois intense et soucieux. Plus tard, quand Nianiouchka lui demanderait, l'air indigné et les poings sur les hanches, comment elle avait pu se confier à un parfait inconnu, Xénia répliquerait que cela avait été pour elle une évidence.

De lui, elle ne savait presque rien, même pas son nom, seules des miettes d'une existence. Elle connaissait sa ville natale et son métier ; elle avait deviné son intelligence, ainsi qu'une générosité dépourvue de mièvrerie qui lui semblait précieuse parce que inespérée. La jeune femme n'en désirait pas davantage. Sa présence lui suffisait, les épaules larges, les longues jambes, une silhouette plus dense que celle des Français qui parfois semblaient malingres à l'étrangère habituée aux hommes du Nord. Peu à peu, elle baissa la garde, elle la combattante, mais on ne pardonne pas aux guerrières leurs moments de repos, la vie se charge de les leur faire payer. Or cela, Xénia Féodorovna ne pouvait pas le deviner, alors qu'elle se sentait si bien ce soir-là, perchée sur ce tabouret de bar, devant une fine à l'eau. Pendant un long moment, elle oublia sa peur des lendemains et le froid qui lui glaçait parfois l'échine. Il y avait une légèreté enivrante à parler avec cet inconnu sans chercher d'emblée à le cerner ni à tout savoir de lui, ce qui n'est après tout qu'une manière policée de s'approprier l'autre et de le faire prisonnier. Elle était consciente du moindre de ses gestes – sa manière de porter le verre à ses lèvres, de tirer une cigarette d'un paquet froissé abandonné sur le comptoir, de ne pas broncher quand un rire éclatait derrière eux tel un coup de cymbales. Il était à l'écoute. Il lui donnait envie de fermer les yeux et de se taire, rien que pour savourer pleinement sa présence à côté d'elle.

Comme le temps passait, elle finit par lui dire qu'elle devait continuer à chercher sa sœur qui avait disparu. Il proposa de l'accompagner en direction de Saint-Germain-des-Prés. Dehors, les réverbères trouaient l'obscurité de cercles de lumière, tandis que les phares des voitures balayaient la chaussée. Un chien errant filait le long des immeubles, le museau en avant. De temps à autre éclatait une voix forte, quelque propos d'ivrogne qui prenait le monde à témoin.

— Je suis à la fois son père et sa mère, dit Xénia, étonnée de sentir affleurer l'émotion et soulagée que la pénombre la dissimule. Macha se souvient très bien de l'époque où sa vie était sereine et son avenir tout tracé, et elle ne me le pardonne pas.

— Elle ne vous rend tout de même pas responsable de votre exil ? s'étonna-t-il.

— Non, mais elle se sent perdue, parce qu'elle était faite pour le bonheur et qu'on le lui a dérobé.

— Chacun d'entre nous est responsable de son propre bonheur. Ce n'est pas un droit acquis à la naissance. Selon moi, il se mérite à force de renoncements.

— Quelle vision austère vous avez là ! Faudrait-il alors se résigner à des sacrifices permanents ? Des personnes comme Macha ne l'envisagent pas de cette façon. Elles ne lutteront pas pour ce qu'elles considèrent comme un dû. Macha ne peut s'épanouir que dans un environnement qui la protège et la flatte. Ma sœur dépérit si quelqu'un ne l'aime pas. Notre mère était la bonté personnifiée et notre père sous le charme de sa fille cadette. Ils lui passaient tout. Moi, je suis violente, sévère, souvent intransigeante.

— Il me semble que vous forcez un peu le trait. Vous l'avez amenée jusqu'ici saine et sauve. Elle devrait plutôt vous en être reconnaissante.

Xénia haussa les épaules.

— Les Russes sont des sentimentaux, vous savez. Pour ma part, je n'ai aucune patience avec les états d'âme. Le chantage à l'affectif n'a aucune prise sur moi. C'est le grand drame de Macha. Elle n'est pas assurée de mon amour. Elle me croit indifférente.

— Alors que vous ne l'êtes pas. Je suis certain que vous aimez votre sœur.

Elle leva son visage vers lui avec une moue moqueuse.

— Je suis responsable de Macha, je risquerais ma vie pour la protéger, mais est-ce que je l'aime ? Je n'en sais rien. Je n'ai jamais eu le temps de me poser la question. De toute façon, ce n'est pas ce qu'on me demande, n'est-ce pas ?

Cette franchise surprit Max. Voilà plus d'une heure qu'ils discutaient et la jeune inconnue se montrait aussi farouche qu'insolite. Il n'avait jamais rencontré quelqu'un d'aussi déconcertant.

— N'y a-t-il aucun membre de votre famille qui puisse exercer sur elle une autorité masculine ? demanda-t-il, alors qu'ils atteignaient la petite place devant l'église Saint-Germain-des-Prés.

Xénia pensa aussitôt à Sacha, qui était revenu avec les derniers combattants des troupes décimées du général Wrangel, l'un des rares rescapés arrivés sains et saufs à Paris après un effroyable périple.

— Il y aurait bien notre oncle Sacha, mais je ne peux pas compter sur lui. Il vit dans le passé et n'attend qu'une seule chose : retourner se battre en Russie pour chasser les bolcheviks. Macha a besoin de quelqu'un qui se projette dans l'avenir, mais visiblement je ne lui suffis plus.

— J'ai une sœur, moi aussi, dit-il soudain.

— Vous vous entendez bien ?

Max pensa au caractère versatile de Marietta, à ses caprices parfois irritants, à cette manière qu'elle avait de sortir ses griffes comme si elle redoutait qu'on ne se serve d'elle. Il se demanda d'où lui venait ce sentiment d'insécurité qui la poussait constamment à se prouver des choses à elle-même.

— Marietta est adorable. Une fille pleine de vie qui a le cœur sur la main, mais elle est fragile aussi. Curieusement, depuis que je suis petit, j'ai toujours eu le sentiment qu'il fallait que je la protège. Mais comme je suis son cadet d'un an, elle refuse de m'écouter.

Il se rembrunit. En parlant de Marietta, il ne pouvait s'empêcher de penser à son beau-frère. Depuis le mariage célébré en grande pompe dans une débauche d'organza et de fleurs d'oranger, de champagne et de discours bien arrosés, il la voyait moins souvent. La villa des Eisenschacht était devenue un lieu incontournable pour les mondains. On y croisait les figures habituelles des salons berlinois, ces cercles privés plus ou moins restreints où se retrouvaient industriels nationalistes et antisémites, diplomates, financiers, membres de l'aristocratie conservatrice liée par parenté aux Passau, et quelques artistes flattés par l'intérêt de Kurt Eisenschacht pour leur œuvre. Les réceptions étaient fastueuses, mais le choix des convives peu à son goût.

Il était presque deux heures du matin, mais la rue était animée. Alors qu'à Berlin l'hiver semait encore la déroute chez les citadins par d'ultimes bourrasques de neige, Paris se grisait déjà d'une douceur printanière qui incitait les noctambules à flâner dans les rues. La jeune femme se tordit la cheville sur les pavés et Max tendit une main pour la rattraper. Quand elle bascula vers lui, il perçut le poids de son corps et s'étonna de la sentir aussi légère. Entre eux, l'attirance jaillit, viscérale, pleine et entière. Ils restèrent figés, leurs regards rivés l'un à l'autre, presque effarouchés. Lorsque deux corps se désirent, ils se reconnaissent d'emblée. Les peaux brûlent soudain de se connaître et tout ce qui les sépare devient insupportable. L'instant reste suspendu, incandescent, à la fois magnifique et terrible. De l'autre, on veut tout, immédiatement, une reddition absolue, d'où cette violence du baiser qui parfois devient morsure, parce qu'il faut à la fois posséder, étreindre, embrasser, à commencer par le visage et les lèvres bien sûr, la bouche en premier, toujours, pour goûter la peau de l'autre devenue irrésistible, découvrir sa saveur particulière et unique, le parfum de sa chair, et surgit au même moment comme une angoisse, un tourment désordonné, alors que l'exigence résonne au creux des veines.

Quand elle s'écarta d'un mouvement brusque, Max eut l'impression de partir à la dérive. Un taxi noir pila net devant eux. Sa lanterne allumée brillait comme un phare dans la nuit. L'habitacle réservé aux clients était vide.

— Xénia Féodorovna ! appela le chauffeur avec un fort accent russe.

C'est ainsi que Max apprit comment elle s'appelait, et le nom s'imprima dans son esprit. La jeune femme courut vers la portière. L'homme joufflu à la moustache triomphante se mit à lui parler en russe d'un air agité. Elle lui lança quelques questions auxquelles il répondit en hochant la tête. Puis elle se tourna vers Max.

— Ma sœur est revenue à la maison. On a envoyé Youri me prévenir. Il tourne depuis une heure entre ici et Montparnasse à ma recherche.

— Elle n'a rien ?

— Rien du tout. Elle a fait sa forte tête, comme d'habitude. Elle a dormi chez l'une de ses amies peintres. Quand elle a décidé qu'elle m'avait donné une bonne leçon, Mademoiselle est rentrée. Je vais lui passer un de ces savons !

Mais il voyait qu'elle était soulagée, car elle ne pouvait pas s'empêcher de sourire, ce qui la rajeunissait.

— Je vais rentrer, maintenant. Je dois me lever tôt demain matin pour aller travailler. Youri va me raccompagner… L'avantage de tous ces chauffeurs de taxi russes dans Paris, c'est que je profite souvent de courses gratuites, ajouta-t-elle en plaisantant.

Il s'amusa de cette impertinence qui adoucissait par une boutade les difficultés de l'exil. Max n'était pas un imbécile, ni un insouciant. Il mesurait combien l'exil est un drame de chaque instant. Soudain, elle redevint sérieuse et il s'émerveilla de la myriade d'émotions qui défilaient sur son visage expressif.

— Merci, dit-elle.

— Pour quoi ?

— Pour ce moment passé avec vous.

Le chauffeur était descendu de la voiture et lui tenait la portière. Il portait une casquette à visière de cuir, un épais cache-poussière qui lui battait les chevilles. Ce colosse à l'air sombre avait sûrement été un ancien gradé de l'armée impériale. Max était content que Xénia ne fût pas livrée seule à la nuit et qu'elle eût une résille de protecteurs autour d'elle, mais curieusement irrité que cet homme eût soudain dressé entre eux un obstacle. Elle grimpa à l'arrière de la voiture.

— Je ne peux pas vous quitter comme cela, dit-il, soudain affolé à l'idée qu'elle disparaisse à jamais. Attendez une seconde… Il faut que l'un d'entre nous puisse joindre l'autre. Vous comprenez, n'est-ce pas ?

Il fouilla dans sa poche, trouva son carnet de notes dont il arracha une page pour y griffonner son nom et celui de son hôtel.

— Tenez, tout dépend de vous désormais, lança-t-il en lui fourrant le papier dans la main. Je reste jusqu'à la fin du mois à Paris.

Le chauffeur referma la portière et reprit sa place derrière le volant. À travers la vitre, le visage de la jeune femme était pâle, son profil aiguisé, la mine distante, presque hautaine, mais Max ne put s'empêcher d'éprouver un aiguillon de satisfaction quand elle tourna la tête pour le suivre des yeux, alors que la voiture s'éloignait en direction de la Seine.

Xénia courait dans la rue Montaigne, retenant sa toque d'une main. Elle arriva tout essoufflée à la maison Kitmir, passa sous l'enseigne en lettres d'or qui donnait dans la cour intérieure de l'immeuble et s'engouffra dans l'escalier. Elle avait un quart d'heure de retard. La première d'atelier ne manquerait pas de lui faire des remontrances. À l'étage, deux livreurs se tenaient devant le bureau de la grande-duchesse Marie Pavlovna. Un nouvel arrivage de cartons s'empilait contre le mur : perles multicolores, sequins, copeaux de métal, pastilles de nacre, rondelles de miroir, dentelles, ganses et fils d'âme en cuivre ou aluminium… Tête basse, elle attrapa sa blouse blanche et la boutonna avec des doigts tremblants.

Personne ne semblait avoir remarqué son retard. Ses deux voisines étaient courbées sur leur ouvrage et ne levèrent même pas la tête quand elle se glissa à sa place. Habituée à cette indifférence, Xénia ne s'en offusqua pas. Depuis son arrivée à l'atelier, elle n'avait pas réussi à se faire des amies. La plupart des femmes étaient plus âgées, des mères de famille qui ne songeaient qu'à retourner en Russie. Elles avaient amèrement pleuré lors de la reconnaissance de l'Union soviétique par Édouard Herriot et le Cartel des gauches, meurtries par ce qu'elles considéraient comme une trahison de la France. Quant aux plus jeunes, elles ne pensaient qu'à se marier, et leur sentimentalisme irritait Xénia qui ne croyait plus depuis longtemps au prince charmant. Son cynisme exaspérait ses camarades.

Une effervescence inhabituelle régnait dans l'hôtel particulier. La cinquantaine de brodeuses travaillait sans relâche, d'autant que la grande-duchesse avait décidé de participer à l'Exposition des arts décoratifs. Sous la présidence de Jeanne Lanvin, seule femme à tenir ce rang au sein du commissariat général, la couture y occupait une place de choix. Marie Pavlovna avait tenu à se joindre aux autres maisons de couture quand elle avait appris que l'Union soviétique avait réservé un pavillon entier pour promouvoir l'art soviétique. C'était une question de fierté. La descendante des Romanoff voulait montrer au grand public le talent des réfugiés.

Xénia examina la robe en soie de crêpe georgette pendue sur le mannequin. Sur un fond de sequins gris et noir éclataient quelques taches de couleur qui rappelaient un feu d'artifice. Elle avait été chargée de terminer les franges perlées, très prisées par une clientèle adepte du charleston, et qui faisaient depuis peu la renommée de la maison.

— Mademoiselle Xénia, lança la première d'atelier, ses petites lunettes cerclées d'or perchées sur le nez, il me semble que vous avez pris du retard. La cliente doit être livrée en début d'après-midi. Elle a besoin de sa robe pour ce soir.

— Comme si elle n'en avait pas des dizaines d'autres, marmonna la jeune femme à mi-voix.

— Pardon ?

— Rien, madame. Ce sera fait.

— J'y compte bien, dit la brodeuse avec un regard sévère. Vous me semblez moins attentive depuis quelques jours, mademoiselle. Il serait temps de vous ressaisir.

Xénia serra les dents. Que pouvait-elle répondre ? Qu'elle avait à peine dormi ces derniers temps à cause d'une sœur désobéissante ? Qu'elle se sentait fatiguée et de mauvaise humeur, et qu'elle avait surtout envie qu'on la laisse en paix ? Les excuses ne servaient à rien. Aucune des employées n'avait une vie facile. On n'avait pas le temps de s'apitoyer les unes sur les autres. Elle courba docilement la tête. Il fallait broder brin par brin pour préserver la fluidité du tissu. De temps à autre, elle se piquait les doigts avec l'aiguille. Le mouvement répétitif ne manquerait pas de lui redonner bientôt mal à l'épaule. Une créatrice traversa la salle, des liasses de papier calque sous le bras. Dans une pièce voisine, le téléphone sonnait sans arrêt. En dépit d'une brouille avec Gabrielle Chanel, qui avait exigé un contrat d'exclusivité, Kitmir connaissait une situation florissante, exécutant des commandes pour des maisons aussi célèbres que Lanvin ou Patou, tandis que la renommée de leurs broderies de soie et d'or, de perles ou de paillettes, s'étendait jusqu'aux États-Unis. Concentrées, les femmes cousaient en silence, susurrant parfois des confidences dont Xénia était exclue.

Dehors, le printemps s'était installé. Chaque fois qu'elle se levait pour ajuster les franges sur la robe, la jeune femme regardait avec envie le ciel bleu. Prisonnière de ces quatre murs, elle avait l'impression d'étouffer et elle détestait les bouffées de nostalgie que lui inspirait l'atelier. Comment ne pas songer à la garde-robe de sa mère ? La comtesse Ossoline avait été cliente des plus grands couturiers parisiens, comme de l'unique styliste professionnelle de Russie, la célèbre Nadejda Lamanova, dont les tenues aux lignes épurées avaient enchanté la cour impériale. Désormais, sa fille aînée découvrait l'envers du décor. Combien de fois Xénia s'était-elle brûlé les mains avec un fer en appliquant un tissu imprimé sur une mousseline ? Elle fit jouer les articulations de ses doigts pour soulager ses crampes. Parfois, des traînées de feu remontaient le long de ses veines.

Quelques heures plus tard, une clochette retentit pour signaler l'heure du déjeuner. Aussitôt, un piaillement de voix s'éleva des différentes pièces. Les brodeuses s'empressèrent de prendre leur chapeau et s'engouffrèrent dans l'escalier, leurs talons martelant les marches en bois. Avec un soupir de soulagement, Xénia retira sa blouse qu'elle posa sur sa chaise.

— Alors, c'est terminé ? demanda la première d'atelier.

— Oui, madame.

— Laissez-moi regarder, dit-elle en examinant le travail. Ce n'est pas mal. Sauf ici, voyez-vous ? Il faudrait refaire ces deux franges. La symétrie n'est pas respectée. Dépêchez-vous d'aller manger. Je veux la robe pour deux heures précises.

Discrètement, Xénia leva les yeux au ciel. De toute façon, déjeuner ne prendrait pas longtemps. Nianiouchka lui avait préparé une tranche de jambon, quelques cornichons et des biscuits secs. Par beau temps, elle aimait s'asseoir sur un banc dans les jardins autour du Grand Palais, mais la préparation de l'exposition avait mis le quartier sens dessus dessous. En passant devant le bureau de la grande-duchesse, elle heurta un homme qui en sortait précipitamment.

— Pardonnez-moi, mademoiselle, fit-il, avant de se mettre à la dévisager de la tête aux pieds.

Elle respira une odeur piquante de vétiver et son regard insistant la troubla. De taille modeste, si bien qu'elle le dominait d'une tête, l'homme tentait de dissimuler un embonpoint généreux sous un complet parfaitement coupé, et portait un bleuet à la boutonnière. Un col amidonné servait de socle à son double menton. Ses cheveux teints ne parvenaient pas à cacher une calvitie naissante et une fine moustache frisait au-dessus de ses lèvres. Il tenait une canne au pommeau en ivoire dans une main. Elle s'excusa et le contourna, irritée qu'il lui barre le chemin car elle avait faim et peu de temps à perdre. Alors qu'elle continuait à avancer dans le couloir, l'inconnu poussa un cri.

— C'est elle, Votre Altesse ! Je crois que je l'ai enfin trouvée. Merci, mon Dieu ! C'est inespéré !

Xénia se retourna, se demandant si ce drôle de petit bonhomme avait toute sa tête. Marie Pavlovna apparut dans l'embrasure de la porte. Elle portait une robe gris foncé, d'une coupe élégante mais austère, égayée par un long sautoir de perles. Le regard sombre de la grande-duchesse, où perçait toujours une nostalgie indicible, se posa sur elle avec douceur.

— Bonjour, Xénia Féodorovna.

— Votre Altesse.

— Sans aucun doute, c'est elle qu'il me faut, reprit l'énergumène. Elle a les dimensions parfaites, j'en suis certain. Mademoiselle, j'ai besoin de vous, là, tout de suite ! Vous devez me suivre, c'est une question de vie ou de mort, n'est-ce pas, Votre Altesse ? Je n'exagère pas, vous le savez bien. Vous me la prêtez, vous me la donnez, et je serai votre serviteur éternel.

— Je ne suis pas un objet, monsieur, rétorqua Xénia, fâchée par cette excitation qu'elle jugeait aussi excessive que ridicule.

La grande-duchesse sourit.

— M. Rivière cherche un modèle très particulier pour le défilé de sa prochaine collection, expliqua-t-elle. Il est en train de devenir fou car il ne trouve pas celle qu'il lui faut. Après avoir écumé les petites annonces affichées rue Daru, il en a été réduit à venir chez moi, dans l'espoir d'y dénicher la perle rare.

— Vous savez bien que la haute couture parisienne a ouvert ses bras aux Russes, déclara l'homme en agitant ses mains couvertes de bagues. Que ferions-nous sans vous, mesdames ? Non seulement vous décorez des tissus comme personne avec vos doigts de fée, mais vous êtes parmi les plus belles femmes que nous ayons la chance de compter parmi nous. Maintenant que je vous connais, mademoiselle, je ne vous lâcherai plus. Est-ce que vous acceptez de venir travailler pour moi ?

— Comme modèle ? reprit Xénia, un peu étonnée. Mais je n'ai jamais rien fait de tel.

Elle passa une main nerveuse dans ses cheveux ébouriffés. Alors qu'elle aurait dû être flattée, elle se sentit mal à l'aise. Pourtant, de nombreuses aristocrates russes étaient devenues mannequins. Gracieuses et distinguées, avec des manières irréprochables qui leur permettaient de converser avec les clientes après les défilés, elles apportaient au métier ses premières lettres de noblesse. Jusqu'alors, seules les actrices de renom ou les femmes du monde mettaient en valeur les créations de leurs couturiers préférés. Mais elle, qu'est-ce que Rivière pouvait bien lui trouver ? Affublée de son vieux tailleur râpé dont la veste un peu trop longue retombait sur une jupe à godets, avec ses yeux cernés et ses ongles rongés, elle ne ressemblait en rien à la magnifique princesse Marie Eristova, la belle Gali Bajenova ou l'exquise comtesse Liza Grabbe qui ornaient les pages de *Femina* ou de *Vogue*.

— Je pense que tu devrais essayer, Xénia, ajouta la grande-duchesse d'une voix douce. Ce rôle de couturière te pèse. Tu essayes de le cacher et je t'admire pour ta détermination, mais tu n'es pas heureuse ici. C'est peut-être une chance pour toi de tenter autre chose. M. Rivière est un homme de grand talent, comme tu sais.

— Vous me faites trop d'honneur, Votre Altesse, assura-t-il en inclinant le buste de manière presque comique. Je vous remercie de cette confiance dont j'essayerai de me montrer digne… Venez avec moi, mademoiselle, je vous en conjure. Grâce à moi, je suis sûr que vous ferez une grande carrière.

La notoriété de Jacques Rivière n'était plus à faire. À l'instar d'un Paul Poiret ou d'un Lucien Lelong, il enchantait ses clientes par des coupes inspirées, une quête de la nouveauté, un modernisme dans le graphisme et le choix de ses tissus. Il avait la réputation d'être un beau parleur, mais pas un goujat. Jamais la grande-duchesse n'aurait conseillé à Xénia d'écouter sa proposition si elle avait douté de ses qualités d'être humain. D'aucuns considéraient le métier de mannequin comme peu recommandable. Cette mise en scène du corps heurtait certaines sensibilités, mais elle n'effrayait en rien la jeune femme. Brusquement, Xénia entrevit une porte de sortie de cette vie étriquée et elle éprouva une bouffée d'espoir. Mais elle ne voulait pas paraître ingrate envers Marie Pavlovna dont elle admirait le courage et l'indépendance d'esprit.

— Je ne peux pas partir maintenant. J'ai du travail à terminer.

— Ah, Seigneur ! s'exclama Rivière en fronçant les sourcils. Il fallait qu'elle fût consciencieuse ! Mais je comprends, bien sûr. Quand seriez-vous libre, mademoiselle ?

— Que diriez-vous de la fin de la semaine, mon cher Jacques ? proposa la grande-duchesse, visiblement amusée.

— Demain, Votre Altesse, je vous en prie, laissez-la venir dès demain, insista-t-il en joignant les mains. Je vais devoir lui apprendre à marcher. Ce n'est tout de même pas aussi simple.

— Mais je sais marcher, monsieur, s'offusqua Xénia.

— Détrompez-vous, très chère, lâcha-t-il froidement. Je vous ai vue avancer dans ce couloir avec une démarche digne d'un soldat de troupe, alors que moi il me faut une fée. Mais cela s'apprend en quelques heures, n'ayez crainte. Voici ma carte. Je vous attends à huit heures demain matin. Ce n'est pas loin d'ici, rue François Ier, ainsi vous ne serez pas dépaysée, n'est-ce pas ? Votre Altesse, vous me sauvez, mais je n'en doutais pas, fit-il en lui baisant la main. Mes commis vous apporteront demain les blouses à broder, comme promis. N'oubliez pas, il me faut une inspiration égyptienne. Songez aux dessins de ces bas-reliefs que je vous ai montrés. Je compte sur vous. À bientôt, mesdames.

En surprenant le regard aiguisé d'homme d'affaires qu'il lança à la grande-duchesse, Xénia comprit que Rivière jouait à merveille la comédie de l'artiste fantasque, alors qu'il était malin et déterminé. Après son départ, les deux femmes restèrent un instant abasourdies, puis la princesse éclata de rire.

— Il a quelque chose d'un enfant capricieux, s'amusa-t-elle. Ne t'inquiète pas, Xénia, tu ne risques rien chez lui. Il paye correctement ses mannequins, et même mieux que certains dont je ne citerai pas les noms. Je suis heureuse pour toi... Bon, va vite déjeuner, puis termine ton travail. Tu me donneras de tes nouvelles, n'est-ce pas ?

D'un geste maternel, la grande-duchesse lui effleura la joue. Cette tendresse inattendue prit Xénia par surprise. Elle eut presque un mouvement de recul, tout en ayant l'envie de se jeter dans ses bras. Brusquement, sa mère lui manqua de manière si féroce qu'elle en eut le souffle coupé.

Avait-elle eu raison d'accepter ? Il avait fallu se décider en quelques secondes, sans réfléchir. Et si Rivière se mettait à la détester ? Avec des hommes lunatiques, on pouvait s'attendre à tout. Il était sûrement capable de renvoyer quelqu'un sur un coup de tête. S'il la jugeait trop maladroite ou trop laide pour porter ses créations, la jetterait-il à la rue ?

— Est-ce que je pourrai continuer à broder pour vous, Votre Altesse ? demanda-t-elle, s'apercevant avec horreur qu'elle avait les larmes aux yeux. Mon salaire ne suffira sûrement pas à loger et à nourrir ma famille.

Marie Pavlovna l'attira tendrement à elle et lui déposa un baiser sur le front.

— Mais bien sûr, ma belle chérie. Je te donnerai du travail à faire à domicile. Tu as entendu ce qu'a dit Rivière, n'est-ce pas ? Il faut s'orienter vers l'esprit égyptien désormais. Peut-être des motifs de scarabée ou des fleurs de lotus ? Qu'en penses-tu ? J'aime beaucoup les lotus... Il va falloir que j'aille au Louvre étudier ce qu'on y trouve, ajouta-t-elle, l'air soucieux, tandis que son téléphone sonnait dans son bureau. File maintenant ! Et viens me voir en fin de journée afin qu'on te donne ta paye.

Xénia lui fit une profonde révérence, puis enfonça sa toque jusqu'aux sourcils. Dehors, elle se mit à marcher d'un pas vif en direction de la Seine. Le soleil rebondissait sur les chromes des voitures et donnait une légèreté à la démarche des passants. Un vent frais agitait les feuilles des marronniers et de petites tables rondes s'alignaient aux terrasses des cafés. Paris reprenait possession de ses trottoirs.

Une chance inespérée s'offrait à elle. En passant devant la porte vitrée d'un restaurant, elle s'y contempla un court instant, quelque peu perplexe. Elle était blonde, grande et mince – trop maigre, se plaignait Niania – alors que la mode privilégiait plutôt les brunes. On la disait belle, mais elle n'arrivait pas à le croire. Elle n'avait pas été élevée à penser de cette manière. Ses cousines en Russie lui avaient toujours semblé beaucoup plus élégantes et raffinées, et la beauté de sa mère avait été réputée à la cour impériale. Dans la famille, c'était Macha la coquette, qui aimait se regarder pendant des heures dans le miroir.

Deux brodeuses qui travaillaient chez Kitmir passèrent bras dessus bras dessous. Elles avaient une mine enjouée, des joues roses, un regard pétillant. Alors que Xénia aurait dû se sentir heureuse, elle éprouva soudain un sentiment d'abattement. Elle traversa lentement la place, s'accouda au parapet du pont de l'Alma et observa la tour Eiffel dentelée qui se dressait dans le ciel. Elle n'avait aucune amie à qui se confier pour partager cette appréhension mêlée d'excitation qui lui laissait un goût acide dans la bouche. Cela faisait si longtemps qu'elle prenait ses décisions seule. Le retour de son oncle Sacha n'y avait rien changé. Si elle comprenait son combat pour sa patrie, elle ne pouvait pas lui pardonner de l'avoir abandonnée ce jour-là à Odessa. Il avait brisé sa confiance et elle le traitait désormais avec une distance affectueuse. Ses amitiés d'autrefois lui manquaient et elle n'avait pas réussi à les remplacer. La vie l'avait rendue sauvage. Pour survivre, elle s'était créé une carapace qui semblait peu à peu se transformer en prison.

Bien sûr, il y avait Nianiouchka, mais la vieille servante dévouée était davantage une alliée qu'une confidente. Il fallait sans cesse la rassurer. Tout comme Cyrille. Quand elle leur annoncerait la nouvelle, ils la regarderaient d'un air soucieux, et elle serait obligée de leur sourire en leur assurant que tout irait bien. Macha serait probablement jalouse, et rappellerait d'un air pincé à Xénia qu'elle lui avait interdit d'aller travailler chez Jeanne Lanvin un an auparavant, soi-disant parce qu'elle était trop jeune. Xénia, en effet, l'avait jugée immature et elle avait insisté pour qu'elle s'inscrive à l'École d'art russe, car Macha était douée pour le dessin. Sa sœur ne lui avait pas adressé la parole pendant deux jours.

Depuis quelque temps, Xénia avait l'impression de faire fausse route avec la jeune fille. Elles passaient leur temps à se chamailler. Devait-elle changer d'attitude ? Macha devenait grande. Il fallait peut-être lui faire confiance et la laisser vivre sa vie, à ses risques et périls. On dit que les mères ont du mal à voir s'éloigner leurs enfants. Macha n'était pas sa fille, et pourtant Xénia gardait au fond du cœur la blessure secrète d'une petite main glacée serrée dans la sienne sur un quai dévasté de Crimée.

Un peu surprise, elle sentit quelque chose de mouillé sur ses joues et essuya rageusement les larmes traîtresses. Quelle idiote ! Pourquoi pleurait-elle au lieu de se réjouir ? Elle tira un mouchoir de sa poche. Allons, un peu de nerf ! Avec la première paye de M. Rivière, elle leur achèterait une bouteille de champagne. Pour une fois, Macha n'y verrait sûrement pas d'objection.

Le lendemain matin, à huit heures précises, Xénia se présenta chez Jacques Rivière. Elle avait enfilé sa robe-tunique du dimanche qu'égayait la dentelle au cou et aux poignets, et tenait ses gants à la main. Arrivée devant l'hôtel particulier, elle s'arrêta un instant pour reprendre son souffle. La gorge sèche, elle se sentait gauche et empruntée.

La veille, en fin d'après-midi, Marie Pavlovna était venue la trouver. « J'ai un cadeau d'adieu à te faire, lui avait-elle confié. Mlle Chanel m'a dit un jour qu'il fallait toujours veiller à porter une tenue appropriée pour obtenir un emploi, et en ce qui te concerne, ma petite, tes cheveux ont besoin d'un coup de ciseaux qui ne soit pas celui de ta Nianiouchka. »

La jeune femme s'était retrouvée dans un salon de coiffure, du savon plein les oreilles. Une manucure s'était emparée de ses mains, afin de redonner une forme décente à ses ongles maltraités. Quand on avait épilé ses sourcils pour n'en laisser qu'un arc délicat, elle n'avait eu de cesse d'éternuer. Puis, étourdie par le cliquetis des ciseaux qui lui ciselaient un casque de lumière, Xénia avait regardé ses mèches s'éparpiller sur le sol les unes après les autres. Muette, le corps raidi, elle s'était observée dans le miroir en silence. À chaque coup de ciseaux, son visage était apparu un peu plus dépouillé. Ce moment, elle l'avait inconsciemment retardé depuis son arrivée à Paris, mais voilà qu'elle s'y soumettait, et le courant d'air qui frôlait sa peau ne révélait pas seulement une nuque devenue vulnérable. Bientôt, le visage d'une femme nouvelle s'imposa à elle, avec des cheveux blonds, lisses et effilés, qui soulignaient le front haut, le nez fin, les pommettes tranchantes, la bouche charnue, et le mystère de son regard. « Vous ne vous reconnaîtrez pas, mademoiselle », avait soufflé le coiffeur enchanté. Il s'était trompé. Cette femme, Xénia Féodorovna la connaissait depuis longtemps, mais elle s'était évertuée à la dissimuler, trop préoccupée par une lutte de chaque instant, peut-être trop effarouchée pour accepter qu'elle avait grandi, elle aussi, tout comme son petit frère ou sa sœur.

Il faut une certaine témérité pour se reconnaître à chaque étape de sa vie, mettre un nom sur ses victoires et admettre ses échecs. La vie vous façonne à grands coups de glaive. La femme d'aujourd'hui portait en elle l'enfant gâtée et impérieuse de Saint-Pétersbourg, la jeune fille qui avait découvert le corps déchiqueté de son père, la combattante d'une armée en déroute qui avait dû abandonner sa mère aux profondeurs de la mer, l'exilée à qui il ne restait rien, rien que son corps fouetté par le vent les jours de tempête et les éclats de mémoire d'un monde terrassé.

De tous les courages que possédait Xénia, c'était peut-être celui qui lui faisait encore défaut. Le moment était venu pour elle de relever un nouveau défi, l'un des plus périlleux, celui de devenir femme, et c'est la tête haute que Xénia Féodorovna Ossoline franchit le seuil de la maison de couture de Jacques Rivière, sans deviner que les photographes allaient bientôt s'arracher ce visage exquis au teint pâle, à la fois captivant et impénétrable, ce corps aux attaches délicates et à l'allure inimitable, s'essayant l'un après l'autre, de Man Ray à George Hoyningen-Huene, d'Edward Steichen à Max von Passau, à saisir chez elle l'insaisissable.

Berlin, juillet 1925

Trois mois s'étaient écoulés, mais Max n'arrivait pas à l'oublier. La jeune inconnue croisée dans un café de Montparnasse s'était imposée à lui avec une force qui le réveillait parfois au milieu de la nuit.

Il avait quitté Paris sans qu'elle lui ait donné signe de vie. Depuis, porté par une sorte d'impatience qui le rendait irascible, il la cherchait partout à Berlin, au carrefour tumultueux de la Potsdamer Platz, sous les sages rangées de tilleuls de l'avenue Unter den Linden, parmi les rues agitées de Charlottenburg, le quartier de prédilection des Russes exilés où il hantait les cabarets, écoutait les joueurs de balalaïka, observait les actrices de cinéma aux visages pâles et aux paupières ombrées de chimères. Quand l'aube commençait à poindre, la tête engourdie de vodka, il dévorait des petits pâtés feuilletés qui lui brûlaient les doigts, avant de rentrer chez lui s'écrouler sur son lit. Une silhouette, un profil, une démarche, et il se retournait sur une parfaite étrangère. C'était absurde, presque humiliant, d'autant qu'il n'y avait aucune raison qu'elle se trouve à Berlin. Possédé par son souvenir, il revivait chaque instant de cette courte soirée passée ensemble, entendait les inflexions de sa voix, l'éclat flamboyant de son rire qu'elle avait laissé échapper une ou deux fois, comme par mégarde. Il revoyait son regard grave, la fluidité de ses gestes, percevait l'empreinte de son corps quand elle avait trébuché sur les pavés. Jamais il n'avait éprouvé une pareille exigence.

Il se sentait quelque peu fautif envers Sara, bien que leur liaison ait commencé à s'essouffler avant même son départ pour la France. Il discernait chez la jeune femme une retenue nouvelle qui répondait en écho au détachement qu'il n'osait pas encore s'avouer franchement. Peu de temps après leur rencontre, ils avaient songé à se marier, mais ils s'étaient contentés d'effleurer le sujet, comme s'ils cherchaient avant tout à se rendre une politesse. Depuis quelques mois, ils se voyaient moins souvent, et lorsqu'ils faisaient l'amour, leurs gestes avaient cette langueur nonchalante d'amants trop désinvoltes. Cependant, une tendresse sincère les liait encore, comme s'ils redoutaient de ne pouvoir s'éloigner sans se perdre.

— Qu'est-ce qui ne va pas, Max ?

Il s'aperçut qu'il avait l'esprit ailleurs. Sara lui parlait depuis de longues minutes, mais il aurait été incapable de lui répéter ce qu'elle avait dit.

— Pardonne-moi, fit-il en allumant une cigarette. Je suis préoccupé. Des soucis avec le travail.

Ils étaient installés dans le grand jardin des Lindner, près d'une table dressée à l'ombre d'un chêne. Une domestique venait de leur apporter un pichet de citronnade avec des glaçons. Sara se pencha pour leur remplir deux verres. Sa robe de tennis blanche soulignait sa peau hâlée par le soleil. Elle lui tendit une boisson, puis croisa ses longues jambes. Étendu à ses pieds, son épagneul King Charles soufflait fort, la langue pendante, anéanti par la chaleur de ce mois de juillet.

— Ne nous abaissons pas à ce petit jeu-là, je t'en prie, Max. Il n'est pas digne de nous.

— De quoi veux-tu parler ? s'agaça-t-il, en portant le verre à son front pour tenter de se rafraîchir.

— Ne commençons pas à nous mentir, ce serait dommage.

— Mais je ne mens pas !

— Si tu le dis, fit-elle en haussant délicatement les épaules. Alors explique-moi les soucis de Max von Passau, qui vient d'être encensé par la critique pour son exposition de portraits à la galerie Holländer où il a vendu toutes ses œuvres pour des sommes conséquentes. En six mois, tu es devenu l'une des coqueluches de Berlin, et comme chacun sait, conquérir Berlin revient à conquérir le monde, n'est-ce pas ? conclut-elle sur un ton moqueur.

S'il ne la connaissait pas mieux, il aurait cru deviner une pointe d'envie dans sa voix. En quelques mois, en effet, Max avait eu un succès foudroyant. Ses reportages de mode suscitaient l'admiration des directeurs artistiques par leur originalité, et le décadrage insolite des visages dans ses portraits incitait les personnalités les plus diverses à poser pour lui. Il avait dû engager un second assistant, ainsi qu'une secrétaire pour prendre les commandes. Cette soudaine notoriété le surprenait et le flattait à la fois.

La jeune femme croisa les mains derrière sa nuque et leva les yeux vers les frondaisons qu'aucune brise ne venait taquiner. Un demi-sourire jouait sur ses lèvres. Il fut soulagé de voir qu'elle ne semblait ni triste ni en colère.

— Tu ne dis rien ? poursuivit-elle. C'est drôle comme les hommes parlent si bien et si longtemps de choses futiles, mais si pauvrement des affaires de cœur. Notre belle histoire arrive à sa fin, n'est-ce pas, Max ? Nous le savions tous les deux depuis quelque temps, mais nous n'avions pas encore trouvé les mots pour le dire. Par paresse peut-être, par manque d'ardeur sûrement... Probablement par crainte aussi, ajouta-t-elle à mi-voix. Pourtant, j'aimerais qu'on se donne la peine de trouver ces mots. Je ne veux pas laisser notre histoire s'embourber. Elle doit rester légère, comme à ses débuts. Légère, belle et mémorable.

Un frisson parcourut l'échine du jeune homme qui eut du mal à réprimer un mouvement d'impatience. D'une certaine façon, il en voulait à Sara de le brusquer. Pourquoi tout bousculer alors qu'il n'y avait pas de raison valable ? Il lui sembla qu'il y avait là comme une impolitesse.

— Mais moi, je t'aime, Sara.

— Bien sûr ! lança-t-elle en se redressant pour le regarder dans les yeux. Et il y aura toujours une partie de toi qui m'aimera, de même que tu occuperas toujours une place particulière dans mon cœur. Mais notre amour a vécu son temps, tu comprends ? Il ne peut plus grandir ni s'épanouir. Désormais, il ne lui reste plus qu'à s'effriter peu à peu, et cela je ne le veux pas.

— Mais pourquoi ? s'écria-t-il, blessé. Qu'est-ce qui te fait dire ces choses-là aujourd'hui alors que tout est bien ?

Il fit un geste du bras qui embrassa le jardin, la façade de la belle villa et la terrasse où la femme de chambre mettait la table pour le déjeuner. Par les portes-fenêtres ouvertes résonnaient quelques notes d'une sonate de Beethoven que la mère de Sara jouait au piano.

— Parce que c'est la vérité, Max. Notre vérité. Tu ne comprends donc pas ? Nous devons nous rendre notre liberté, sinon nous allons commencer à inventer des mensonges plus ou moins mesquins, comme celui d'aujourd'hui, à égrener ces petites lâchetés de tous les jours, si banales, si médiocres. Soi-disant pour ne pas nous faire de la peine, fit-elle en secouant la tête d'un air las, et des mèches s'échappèrent de ses cheveux retenus par un ruban de satin blanc. Nous nous tromperons l'un l'autre, avant de nous trahir. Pourquoi ne pas avoir le courage de reconnaître que c'est fini entre nous, que notre histoire a été courte et intense, mais que nos chemins se séparent et que nous choisissons d'y mettre un terme aujourd'hui, alors qu'il fait beau, que tout est paisible autour de nous, et que nous nous sommes si bien aimés hier soir ?

Il y avait une telle douceur dans son visage que Max resta interdit. Il avait l'impression angoissante de s'éloigner peu à peu du rivage dans une barque sans amarres. Quand Sara se recoiffa, ses bras fins et musclés jouèrent dans la lumière et le soleil accrocha les maillons de son bracelet en or. Il vit ses seins se tendre sous la robe légère, et il se surprit à ne pas éprouver de désir mais une infinie tendresse pour cette jeune femme qui possédait un courage qui lui faisait défaut.

Non loin d'eux, un jardinier poussait une brouette remplie de fleurs sur le chemin de gravillon. Plus tard dans la journée, quand les ombres s'allongeraient, des arrosoirs automatiques viendraient chuchoter leur mélodie apaisante. Le père de Sara travaillait dur du matin jusqu'au soir, six jours sur sept, dans l'effervescence de la ville, et il tenait à préserver chez lui, à l'abri des hautes grilles de sa demeure, un havre de paix. Max se demanda si la jeune femme tirait son équilibre de cette harmonie qui se reflétait chez les Lindner aussi bien dans leurs manières discrètes que dans la décoration de leur maison, avec les boiseries élégantes, les portraits d'ancêtres, les meubles en marqueterie, les reliures en chagrin et en maroquin de la bibliothèque, le raffinement d'une argenterie et d'un service en porcelaine. À leur table, les vins étaient toujours exquis, la conversation spirituelle.

— D'où te vient cette sagesse, Sara ? Tu sembles toujours si imperturbable, si certaine de ce qu'il faut faire, alors que moi, j'hésite, je m'interroge, je me pose mille et une questions sans jamais être sûr de rien. À côté de toi, j'ai parfois l'impression d'être un enfant.

Elle eut ce sourire tranquille qui l'avait tellement frappé lors de leur première rencontre, et ses yeux sombres se posèrent sur lui avec un soupçon d'espièglerie.

— Tu n'as rien d'un enfant, je peux te l'assurer, s'amusa-t-elle, avant de redevenir sérieuse. Que veux-tu, je n'ai pas un tempérament passionné. Je suis le contraire d'une impulsive. Je fais des choix après avoir réfléchi. Mais je réfléchis vite, crois-moi. Quand quelque chose ne va pas, que ce soit un souci avec l'une de mes employées, le dessin d'une robe, la préparation d'un défilé, ou avec mes proches, j'en prends acte et j'agis. Je n'aime pas la passivité. J'aime encore moins le gâchis, et notre histoire me tient trop à cœur pour la transformer en une misérable liaison qui n'en finirait pas de mourir.

— Tu en parles pourtant encore au présent.

— J'ai appris que l'amour était une chose plus complexe que nous ne l'imaginons lorsqu'on est très jeune et très idéaliste. Je t'aime toujours, Max, et comme tu vois, je n'ai ni scrupules ni fausse pudeur à te l'avouer, mais je ne veux plus de toi comme amant.

— C'est peu compréhensible, en effet, protesta-t-il, un rien agacé.

— C'est pourtant assez clair. Nous avons le même âge mais nous n'attendons pas la même chose de la vie. Tu commences une carrière brillante, il te faut une liberté de mouvement et d'action. Moi, je veux à la fois poursuivre mon travail, mais je désire aussi ne plus attendre trop longtemps pour avoir des enfants. Ce serait vouer notre relation à une fin désastreuse si l'un d'entre nous renonçait à son propre destin à cause d'une fausse idée de l'amour qu'il porte à l'autre.

Elle marqua une pause et son visage se creusa légèrement. Deux rides s'esquissèrent de chaque côté de sa bouche. Il comprit que, derrière ces paroles raisonnables, la jeune femme souffrait.

— C'est aussi la seule manière que j'aie trouvée de nous séparer en gardant notre amitié intacte, ajouta-t-elle avec un sourire triste. Si nous persistons dans une impasse, au bout de quelque temps, il n'y aura plus que des remords entre nous. Et aucune amitié ne peut survivre à des remords.

Ils entendirent le crissement des pneus d'une voiture qui remontait l'allée pour se garer devant le perron. Sara se leva d'un bond et son chien redressa la tête en poussant un jappement surpris.

— Voilà mon père qui revient du bureau. L'heure du déjeuner approche. Je vais aller me changer avant de passer à table. Papa sera sûrement heureux de te parler, si jamais tu veux bien lui consacrer un peu de temps. Tu sais comme il t'apprécie.

Elle se dressa devant lui à contre-jour. À travers la transparence du vêtement, il décelait ses jambes fuselées, son bassin un peu large, sa taille étroite, un corps qu'il connaissait par cœur pour l'avoir amené à la jouissance et s'y être égaré maintes et maintes fois. Quand elle se pencha vers lui, il ferma les yeux, respira son parfum. Il se sentait à la fois triste et lâchement apaisé. La décision de Sara avait quelque chose de doux-amer, mais il admirait la clarté de son choix. Il sentit les lèvres de la jeune femme lui effleurer la joue, lui saisit la main et déposa un baiser ému sur sa peau qui avait, ce jour-là, des senteurs d'agrume. Elle appuya sa paume fraîche contre sa joue, avant de s'échapper et de remonter en courant vers la maison, son chien sur les talons.

Le père de Sara venait vers lui, un canotier incliné sur l'œil, une canne à la main. Sa démarche semblait malaisée. Sans savoir pourquoi, Max eut un pincement au cœur et se leva de sa chaise longue. Saul Lindner était l'un de ces patriarches qui commandent le respect car ils donnent le sentiment de porter en eux toute la sagesse du monde. Sa tenue vestimentaire était adaptée à son embonpoint. Sa chevelure blanche bouclait dans sa nuque et contrastait avec des sourcils noirs broussailleux. Dans le visage aux joues rondes, une belle moustache cachait des lèvres ourlées, le regard perçant détaillait sans pitié son interlocuteur. Depuis que Sara les avait présentés, ils avaient passé de longues soirées à discuter. Saul Lindner était de la même génération que le père de Max, mais le jeune homme trouvait auprès de lui une écoute plus attentive.

— Tiens, Max ! fit Lindner en l'apercevant. Quel plaisir… J'avais oublié que vous déjeuniez avec nous aujourd'hui. Que buvez-vous de rafraîchissant ? Il fait une de ces chaleurs, vous ne trouvez pas ?

— Bonjour, monsieur. C'est de la citronnade. En voulez-vous ?

— Ma femme y serait probablement opposée, puisque je dois faire attention au sucre, mais soyons fous ! plaisanta le vieil homme. Servez-m'en dans le verre de ma fille. Je présume que c'est Sara qui était là avec vous.

— Oui, monsieur. Elle est montée se changer pour le déjeuner.

Lindner s'assit dans la chaise longue et retira le canotier qu'il fit tenir en équilibre sur un genou. Il but une longue gorgée, avant de se tamponner les lèvres avec un mouchoir. Il avait les traits tirés, des cernes sous les yeux. Dans la villa, le piano s'était tu. On n'entendait que le bourdonnement de quelques abeilles et le cliquetis du sécateur du jardinier invisible.

— Vous semblez préoccupé, monsieur, remarqua Max. Les choses vont-elles mal ?

— Au contraire, elles vont trop bien.

Surpris, Max le dévisagea.

— Les affaires, vous voulez dire ?

— Les affaires, la vie quotidienne, les amours…, fit Lindner avec un geste négligent de la main. L'ère Stresemann est douce et ennuyeuse, et l'Allemand n'est pas quelqu'un qu'il faut laisser s'ennuyer. Il n'est pas fait pour vivre une existence paisible, car il lui manque l'imagination nécessaire pour la remplir.

— C'est pourtant merveilleux d'être tranquille, non ? Nous avons tellement souffert, ces dernières années, avec la guerre et cette inflation qui nous ont laissés sur le flanc ! Quand j'étais enfant, on était obsédé par les mouvements de troupes. Ensuite, on gaspillait son énergie à trouver des milliards pour acheter un bout de pain. Les gens n'étaient pas libres pour se consacrer aux choses importantes de la vie.

— Et quelles sont-elles pour vous, Max ? demanda Lindner d'un air si intéressé que le jeune photographe se troubla.

— Je ne sais pas… Pour l'instant, je dirais que c'est surtout mon travail. Le matin, quand je prends mon appareil, j'ai l'impression de partir à l'aventure. C'est sûrement prétentieux, mais je crois que je suis en quête de quelque chose, d'une forme de vérité peut-être… Et puis il y a l'amour, ajouta-t-il après une pause. Comment oublier l'amour ?

— Bien sûr, répondit Lindner d'un ton songeur. Vous êtes un jeune homme intelligent et curieux. Un artiste avec une vie intérieure. Un véritable individu, comme Sara ou moi, mais depuis quelque temps j'ai l'impression que nous appartenons à une sorte d'élite de l'esprit. Lorsque j'étudie mes compatriotes, il me semble que la plupart des Allemands ne se sentent exister qu'au sein d'une collectivité. Nous avons perdu plus d'un million cinq cent mille hommes pendant la guerre, sans oublier les quatre millions d'estropiés marqués à vie. Des familles ont été détruites, des existences brisées, mais la guerre leur fournissait des élans, des enthousiasmes. Désormais, beaucoup se sentent orphelins d'un idéal et ils s'ennuient. Ils ressassent des rancœurs que les signataires des traités ont été assez aveugles et avides pour entretenir. Et tôt ou tard, je redoute que quelqu'un ne vienne leur en proposer un autre.

Sans bien comprendre où Lindner voulait en venir, Max repensa cependant à sa sœur Marietta. « Avec lui, je ne m'ennuie pas... », lui avait-elle dit quand il lui avait demandé ce qu'elle trouvait à l'odieux arriviste qui était devenu son époux. Désormais, Marietta brillait dans les réceptions mondaines, recevait plusieurs fois par mois dans sa villa qui se trouvait non loin de celle des Lindner, dépensait sans compter. Aux yeux de tous, elle était l'épouse élégante et fantasque d'un homme puissant qui ne cachait pas ses opinions politiques nationalistes et antisémites.

— Qu'est-ce qui vous fait dire cela, monsieur ? insista Max.

— L'élection du maréchal Hindenburg à la présidence est un coup de semonce. Ce vieillard influençable représente les forces obscures de ce pays qui grouille de ressentiment. C'est un soldat et un monarchiste convaincu. Une menace sérieuse pour la république qu'il n'a jamais digérée. N'oubliez pas qu'il s'est refait une virginité en 1919 en prônant l'idée du « coup de poignard dans le dos ». Nous sommes hélas une république sans républicains. Les communistes veulent une république vidée de son sens, et les droites nationales le retour du Kaiser et la fin de la soi-disant « domination juive ». J'en ai discuté avec Stresemann l'autre soir à dîner. Notre ministre des Affaires étrangères a tout fait pour empêcher cette élection. En vain.

Il se tamponna le front en soupirant. Respectueux, Max le laissa poursuivre.

— Je viens aussi de lire un livre qu'il ne faudrait parcourir qu'avec des gants, tant il dégouline de haine et de fanatisme. Le parti national-socialiste avait été interdit, mais il est redevenu légal en février, et j'ai été glacé par les écrits de ce misérable agitateur qu'est Adolf Hitler. Il avait été condamné à cinq ans de prison, mais il a été relâché au bout de quelques mois. Les propos sont angoissants pour celui qui sait lire entre les lignes.

— Vous ne croyez tout de même pas que ce type pourrait avoir une influence quelconque ? Les Allemands n'accorderont pas de crédit à un personnage aussi grotesque. C'est un petit caporal autrichien qui s'agite comme un pantin.

Lindner renversa la tête en arrière. Entre les feuilles, le soleil jouait sur son visage.

— Il a décidé de combattre notre république avec ses propres armes, de manière légale, et non de prendre le pays par la force. Ni lui ni ses acolytes ne s'en cachent. L'un de mes amis l'a entendu parler à Munich il y a trois ans. C'est un démagogue et un redoutable orateur. Pensez aux Grecs. L'éloquence est à la fois un talent et une arme.

— Certes, mais les Grecs étaient des démocrates.

— Ce qu'on ne peut pas dire du petit caporal déguisé en culottes de peau bavaroises, dit Lindner en esquissant un sourire. J'aime profondément mon pays,

Max. Mon fils unique a été décoré de la croix de fer et il a donné sa vie pour sa nation, mais on peut aimer sa patrie et en connaître les faiblesses. J'espère me tromper. J'espère que l'Allemagne saura dépasser ses vieux démons et que notre jeune démocratie deviendra adulte. Mais les gens ne sont pas tous comme vous et moi, qui déposons notre bulletin de vote dans les urnes. Et ce qui s'est passé l'autre jour aux élections m'inquiète pour l'avenir.

— À table ! appela Sara de la terrasse, les mains en porte-voix. Venez vite, je meurs de faim !

— Le devoir nous appelle, mon cher Max, dit Lindner en essayant de s'extirper de sa chaise longue. Ne laissons pas gâcher une aussi belle journée par des pensées sinistres. Sara m'en voudrait, n'est-ce pas ?

Max se leva et lui tendit la main pour l'aider.

— Merci, mon petit. Il faut croire que je me fais vieux. Peut-être est-ce la raison de ces moments de désenchantement.

Alors qu'ils remontaient en silence vers la villa, Saul Lindner posa une main affectueuse sur l'épaule de son jeune compagnon.

Marietta Eisenschacht descendait l'avenue Unter den Linden à vive allure, au volant de sa Talbot décapotable, son chauffeur à son côté. Bien que son mari n'appréciât pas les femmes conductrices, trouvant par ailleurs que sa manière de piloter en ville était irresponsable, la jeune femme refusait de lui obéir, et elle avait fait promettre au chauffeur qu'il ne la trahirait pas. Les lèvres pincées, se retenant d'une main à la portière, celui-ci regardait fixement devant lui les colonnes doriques de la porte de Brandebourg, coiffées de la statue de la Victoire et des quatre chevaux de son char de course. Comme d'habitude, Marietta était en retard. Elle fit le tour de la Pariser Platz et pila net devant l'hôtel Adlon, si bien que son passager dut se retenir à une poignée pour ne pas heurter le pare-brise. Le voiturier se précipita pour ouvrir la portière et elle accorda à son jeune chauffeur la permission d'aller prendre un café pour se remettre de ses émotions.

Marietta adorait l'Adlon. Si elle l'avait pu, elle s'y serait installée à l'année, comme certains acteurs ou chanteurs lyriques. Fièrement dressé à l'emplacement de l'ancien palais Redern, l'établissement était réputé pour être l'hôtel le plus moderne et le plus luxueux de toute l'Europe depuis son ouverture en 1907. C'était un lieu incontournable où l'on se rendait pour voir et être vu, où affluaient les visiteurs de marque et la société influente de la ville. Le thé dansant y était devenu une institution.

Elle gravit d'un pas alerte les marches tapissées de rouge. Le chasseur manœuvra le tambour de la porte pour la laisser passer, avant de faire sonner joyeusement la cloche que l'on utilisait pour signaler l'arrivée des personnalités. Sous les fresques du plafond, le hall bruissait de fébrilité. Un groom poussait un chariot où s'empilaient de luxueuses valises de cuir. Deux hommes d'affaires aux visages basanés patientaient devant les cabines téléphoniques. Un client en tenue de soirée, un haut-de-forme à la main, gesticulait en parlant avec le concierge, tandis que son épouse, le cou étranglé par des sautoirs d'émeraudes, serrait un petit chien frissonnant sous le bras. Dans cet écrin de dorures et de marbre rose, où flottaient des effluves de parfums et de fleurs coupées, chacun adoptait ce regard de myope, à la fois distant et concentré, que l'on trouve chez ceux qui se donnent de l'importance. Certains clients en arrivaient même à quitter l'ascenseur au premier étage pour faire leur entrée en descendant le grand escalier. Marietta ne s'attarda pas. Elle était impatiente de retrouver Asta qui revenait de son voyage de noces en Italie. Son amie lui avait envoyé quelques cartes postales laconiques, criblées de points d'exclamation, mais Marietta était avide de nouvelles plus croustillantes.

Des couples glissaient sur la piste de danse au son d'un fox-trot, dont deux femmes enlacées qui évoluaient devant l'orchestre avec des mines hautaines. Marietta survola la pièce du regard, reconnaissant quelques actrices du cinéma muet qui revenaient sans doute d'une journée de tournage aux studios de Babelsberg, des danseurs mondains aux cheveux gominés et à l'air trop sérieux pour être honnêtes, et des personnages qu'elle recevait chez elle, à la demande de son mari, mais dont elle confondait les noms car elle les jugeait inintéressants. Elle avait trouvé une parade en les affublant de surnoms affectueux et interchangeables qui ne l'engageaient à rien et donnaient à ses hôtes l'impression d'être appréciés. Ainsi, elle charmait ses invités tout en rendant Kurt heureux.

Alanguie dans l'un des fauteuils, Asta ressemblait à un insecte exotique. Ses jambes et ses bras étaient si longilignes et filiformes qu'on se demandait toujours si elle arriverait à les plier sans les briser. Sa robe rouge présentait d'étonnantes broderies d'inspiration aztèque que Marietta lui envia d'emblée. Autour de son front brillait un mince bandeau. Elle parlait avec une jeune femme blonde au regard bleu pâle et à la silhouette agréable, mais qui ne pouvait pas rivaliser avec l'éclat d'Asta.

— Enfin, te voilà, ma chérie ! s'écria Asta en se levant pour serrer Marietta dans ses bras et lui effleurer les lèvres d'un baiser. J'ai l'impression que je ne t'ai pas vue depuis des siècles. Est-ce que tu te souviens encore de moi ?

— Tu n'es partie qu'un mois, Asta. Le temps m'a semblé long, mais encore à peu près supportable.

— J'ai tellement de choses à te raconter ! C'était si romantique. À ma mort, je veux que mes cendres soient dispersées à Venise, dans le Grand Canal… Justement, j'en parlais avec Magda, ajouta-t-elle en se tournant vers la jeune femme. Elle aussi a fait son voyages de noces en Italie, mais malheureusement il a été écourté parce que son mari est trop travailleur, le méchant. Vous ne vous connaissez pas ? Magda Quandt, Marietta Eisenschacht. Heureusement que mon cher époux n'est pas aussi sérieux que le vôtre, Magda, je ne supporterais pas une seconde de vivre avec un rabat-joie. La vie est tellement courte…

Tandis que Marietta écoutait d'une oreille la jeune mariée raconter des anecdotes sans grand intérêt, elle se demanda où Asta avait déniché cette Frau Quandt qui tirait sur son fume-cigarette sans toucher aux mignardises pourtant irrésistibles, et qui semblait bien réservée pour être admise dans leur clique. Elle avait préféré prendre un thé alors qu'Asta et Marietta avaient commandé des cocktails de liqueurs exotiques que le barman leur concoctait à chacun de leurs passages. Quelque temps plus tard, Frau Quandt s'excusa poliment, promettant à Asta de se rendre à l'une de ses réceptions avec son époux. Les paupières à demi closes, Marietta la regarda s'éloigner.

— Pourquoi t'intéresses-tu à elle ? demanda-t-elle, intriguée. Elle est jolie mais un peu fade, non ?

— Son mari est presque aussi riche que le tien, ajouta Asta à mi-voix. Un industriel de vingt ans son aîné. L'un de ces bons bourgeois protestants austères et travailleurs avec qui elle s'ennuie à périr. Ils ont un petit garçon… Tu crois qu'on va bientôt tomber enceintes, Marietta ? lança-t-elle, l'air avide, en se redressant soudain dans son fauteuil. Tu en as envie, toi ? Moi, ça me fait un peu peur. C'est tout de même à peine croyable qu'un bébé puisse tenir dans mon ventre. Tu penses qu'il faut combien de temps pour retrouver sa ligne après l'accouchement ?

Marietta s'était posé la question plusieurs fois depuis son mariage. Kurt voulait une famille nombreuse. Fils unique, il disait avoir souffert d'une enfance morne. Il désirait avoir beaucoup d'enfants, surtout des fils. « C'est aussi un devoir envers notre pays », précisait-il, et Marietta se demandait alors en quoi leur progéniture pouvait influer sur le destin de l'Allemagne. Elle était prête à lui offrir un ou deux enfants, de préférence des filles, mais fermement décidée à s'en tenir là pour ne pas finir avec un corps ravagé. Pour toute réponse, elle se contentait de sourire à son mari car elle le trouvait beau et qu'elle était séduite par ses manières décidées qui lui donnaient un sentiment de protection. Eisenschacht avait deux passions dans sa vie : son travail et son épouse ; et comme il se faisait pardonner son obsession professionnelle par des cadeaux inventifs, Marietta se montrait conciliante avec cette maîtresse qui ne lui portait pas ombrage.

— Marietta ? fit une voix hésitante.

Elle tressaillit car elle avait été perdue dans ses pensées.

— Mon cher Milo, comment vas-tu ? demanda-t-elle en découvrant le visage lunaire de l'un de ses soupirants les plus assidus.

Le jeune homme appartenait à l'une de ces innombrables familles princières allemandes, avec leurs blasons et leurs oriflammes, leurs châteaux aux tours crénelées et aux vastes salons ornés de tapisseries où flottaient des senteurs de cigare et de parchemin, leurs ancêtres morts sur des champs de bataille dont les noms s'égrenaient dans les livres d'histoire. Pourtant, à regarder Milo, c'était à se demander si la vigueur qui coulait dans le sang de ses ancêtres n'avait pas fini par se tarir au fil des siècles. Avec son menton fuyant, ses cheveux filasse et son regard plaintif, il possédait cette indolence des fins de race qui exaspérait Marietta et qui l'avait toujours empêchée de le traiter autrement qu'avec une sorte de mépris teinté d'agacement.

— Je vais bien. Extrêmement bien, même. Je suis amoureux, lança-t-il en redressant les épaules comme s'il lui annonçait une victoire.

— Non ! s'exclama-t-elle avec un petit sourire narquois.

Ce garçon, qui lui avait écrit une lettre enflammée quelques jours avant son mariage pour lui dire qu'elle lui brisait le cœur, aurait déjà trouvé une autre pour la remplacer ? Elle se sentit un peu déçue. Il était toujours flatteur d'imaginer un homme amoureux de vous à s'en rendre solitaire.

— Qui est-ce ? Nous la connaissons ?

— Elle s'appelle Sophia. Elle est russe.

— Russe ? Quelle drôle d'idée ! Où es-tu allé la pêcher ?

— C'est une amie de Ferdinand. Il l'a rencontrée à la faculté de droit où elle suit des cours du soir. Son père était avocat avant la révolution bolchevique. C'est une jeune femme brillante, conclut-il fièrement.

— Pas comme moi, n'est-ce pas ? s'amusa Marietta en relevant la pique. Où est-elle ? Tu vas nous la présenter ?

— Elle ne va pas tarder. La journée, elle travaille comme secrétaire chez Lindner. Il faut qu'elle gagne sa vie. Elle est tellement courageuse ! Tu sais bien, l'exil…

Et il y eut dans son regard une telle lumière, un tel abandon, que Marietta éprouva une pointe d'irritation.

— Grands dieux, ironisa-t-elle, mais c'est un parangon de vertu, cette jeune femme. Crois-tu que nous soyons dignes de la connaître ? Qu'en penses-tu, Asta ?

— Je pense que tu es méchante, Marietta, et que Milo mérite d'être heureux. Je veux que tout le monde soit heureux autour de moi en ce moment. Assieds-toi, mon petit, ajouta Asta en tapotant la chaise vide à côté d'elle. Et ne laisse pas Marietta te taquiner. Tu sais bien qu'elle peut être délicieusement perfide.

Milo obéit et commanda un cognac au maître d'hôtel.

— Comme c'est merveilleux de vous retrouver, les amis ! s'exclama Asta. Trinquons à l'amour ! À l'avenir !

Marietta but son cocktail d'un trait pour chasser l'aiguillon d'insatisfaction qui s'était mis à la tenailler, puis, d'un doigt, elle essaya d'attraper la cerise qui reposait au fond du verre. Elle ne connaissait que trop bien cette impatience qui enflammait parfois ses nerfs, lui infligeant le sentiment détestable de devenir transparente à elle-même. Dans ces moments-là, sa détresse la rendait agressive, lui donnait envie de mordre ou de griffer. Une onde de chaleur la parcourut de la tête aux pieds. La musique enjouée de l'orchestre lui tapa sur les nerfs. Alors qu'elle se disait qu'elle devait impérativement rentrer à la maison au plus vite, elle aperçut son mari qui se tenait sur le seuil de la pièce. Elle ne fut pas étonnée de le voir. Situé autour de la Leipzigerstrasse et de la Friedrichstrasse, le quartier des journaux et des maisons d'édition n'était pas très éloigné. Kurt savait qu'elle venait plusieurs fois par semaine boire des cocktails à l'Adlon. C'était comme s'il avait pressenti son malaise, et elle trouva presque miraculeux de le voir apparaître alors qu'elle se délitait, sans cause véritable. Avec ses épaules carrées et son visage impénétrable, son mari lui sembla si solide que l'étau qui lui comprimait les tempes se desserra légèrement.

— Je vous laisse, dit Marietta en se levant brusquement, manquant de renverser les verres sur la table. Déjeunons demain chez Horcher, Asta. Tu me raconteras tout. À bientôt, Milo. Amène-moi ta fiancée à la maison. Je serai ravie de faire sa connaissance.

Les yeux fixés sur Kurt, elle traversa la piste de danse pour le rejoindre, coupant les trajectoires des danseurs qui lui lancèrent des regards noirs.

Dans le hall de l'Adlon, Max demanda au concierge de l'annoncer à Fräulein Anita Berber. Une lueur d'appréhension glissa dans le regard de l'homme ascétique sanglé dans sa jaquette. Max savait très bien ce qui l'inquiétait. Il avait été présent dans la salle à manger de l'hôtel quand la célèbre danseuse de cabaret était entrée en manteau de fourrure et chaussures dorées à talons vertigineux. Il s'était étonné qu'elle ne portât pas de bas, jusqu'à ce qu'elle commande une bouteille de veuve-clicquot, puis laisse tomber son manteau sous lequel elle était entièrement nue. Il ignorait encore ce qu'il avait admiré le plus, la provocation de la Berber, ce symbole sexuel de la république de Weimar, danseuse et actrice réputée, cocaïnomane, morphinomane, dévoreuse d'hommes et de femmes, qui dansait nue dans les cabarets et posait en tenues élégantes pour les pages mode de *Die Dame*, ou l'impassibilité du maître d'hôtel qui s'était contenté d'ajuster la fourrure sur les épaules de sa cliente et de la raccompagner à la porte.

Cette femme, qui n'avait pas trente ans, ne craignait ni Dieu ni diable. Alors qu'Otto Dix envisageait de la peindre, elle avait appelé Max pour qu'il fasse quelques portraits car elle s'apprêtait à présenter une nouvelle chorégraphie. Il l'avait vue exprimer sur scène les affres de la maladie, de l'enfantement ou de la mort, mais depuis peu elle se tenait en équilibre au bord d'un abîme. Le Berlin de l'inflation délirante, de la sexualité débridée, sur lequel elle avait régné si jeune se transformait, revenant à plus de sagesse et de maintien, et la Berber n'y trouvait plus sa place. C'était justement ce moment précis de la vie de l'artiste qui intéressait Max. À lui de révéler, sous le masque fardé de blanc du visage de chat, la solitude et le désarroi que dissimulaient des paupières chargées de tempêtes.

— Fräulein Berber n'est pas encore arrivée, dit le concierge. Si M. le baron veut bien l'attendre ?

Max espéra qu'elle ne le ferait pas patienter trop longtemps, d'autant qu'il savait par les régisseurs qu'elle avait parfois des demi-journées de retard sur les plateaux de cinéma. Il acheta des quotidiens au kiosque à journaux, ainsi qu'un paquet de cigarettes, et s'installa dans l'un des fauteuils. L'eau désaltérait les éléphants en bronze de la fontaine. Quand il aperçut sa sœur et son beau-frère, il regretta de ne pas s'être réfugié dans un salon plus discret. Décidément, c'était impossible de passer inaperçu à l'Adlon. Il croisa le regard de Kurt Eisenschacht et se leva d'un air résigné.

Marietta lui semblait mal en point. Son visage livide faisait ressortir l'éclat de ses lèvres rouges. Il se demanda si elle avait de la fièvre. Comme à son habitude, sa sœur lui jeta les bras autour du cou. Cette fébrilité ne lui était pas étrangère. Il se rappela Marietta enfant, ses caprices qui se terminaient en crises de larmes que calmait leur gouvernante. Plus tard, c'était lui qui avait essayé d'apaiser ces mêmes foucades qui poussaient la jeune femme à boire, à fumer de l'opium ou à chercher dans la cocaïne une distraction passagère. La seule qualité que Max reconnaissait à Eisenschacht était de se montrer infiniment patient avec sa jeune épouse. Marietta semblait puiser chez lui un réconfort qu'elle n'avait jamais trouvé auparavant, ni chez ses parents ni chez les hommes qu'elle avait connus jusqu'alors.

— Kurt, le salua-t-il, avec une poignée de main volontaire.

— Bonjour, Max. Félicitations pour votre dernière exposition. J'ai lu des critiques enthousiastes dans mes quotidiens.

— J'espère que les articles étaient sincères.

Eisenschacht sourit.

— Rassurez-vous. Je n'avais donné aucune consigne concernant mon beau-frère. Vous savez bien que je ne tolère que la plus stricte vérité dans mes pages, qu'elles soient culturelles ou politiques. Et c'est pourquoi mes lecteurs me sont fidèles.

Max garda un visage impavide. Selon lui, les pages politiques qui portaient l'empreinte Eisenschacht laissaient à désirer. On y prônait la renaissance d'une Allemagne soi-disant authentique et le développement d'une communauté de peuple hiérarchisée. On y décriait l'Occident décadent, préférant célébrer les notions de sang et de sol. À la libération de l'agitateur Hitler, un portrait de lui à sa sortie de prison avait été imprimé pleine page. Eisenschacht utilisait ses maisons d'édition, et ses dizaines de quotidiens et d'illustrés, pour exercer une influence notoire. C'était un homme intelligent, qui croyait en la publicité et aux moyens de communication modernes, comme la radio ou la photographie. Or la guerre, les remous révolutionnaires et les crises politiques successives avaient politisé une grande partie de la population qui demeurait avide d'informations.

— Est-ce que tu savais que Kurt avait acheté quelques-unes de tes œuvres à ton exposition ? lança fièrement Marietta.

Un rien caustique, Max se demanda s'il devait s'en réjouir ou pas.

— Non, je l'ignorais.

— La discrétion a parfois du bon, murmura Eisenschacht d'un air faussement modeste.

— Je suppose que c'est flatteur pour moi. Je sais que vous possédez déjà une collection renommée.

— Que voulez-vous, mon cher, j'apprécie votre style. La géométrie des formes, la dramatisation du portrait… Il y a chez vous une certaine idée de force et d'ordre qui ne me déplaît pas. Vous possédez une vraie sensibilité. On sent que vous n'êtes pas devenu photographe par hasard, mais par vocation.

Malgré lui, Max fut touché par le compliment. Il détourna les yeux, un peu gêné. Au même moment, la cloche retentit à l'entrée et Marietta pivota sur ses talons.

— Tiens, c'est Anita Berber, dit-elle d'une voix enjouée. Elle prépare un nouveau spectacle. Il faudra absolument aller la voir. Elle est formidable !

— Nous verrons, dit froidement Eisenschacht. Je ne trouve pas que ces gesticulations vulgaires aient un quelconque intérêt. Elle a occupé le devant de la scène depuis assez longtemps. Il serait temps pour elle de disparaître et qu'on n'en parle plus... À bientôt, Max, ajouta-t-il en prenant le bras de sa femme qui envoya à son frère un baiser du bout des doigts.

Alors que Max observait l'artiste qui allait poser pour lui, un jeune chasseur s'approcha d'elle pour lui annoncer qu'il l'attendait. La jeune femme se tourna vers lui et sa courte cape en soie glissa de son épaule. D'emblée, Max fut charmé par son sourire espiègle.

Xénia posa le peignoir blanc sur la méridienne de la salle de bains et vérifia la température de l'eau. Une petite pancarte indiquait au client qu'il fallait prendre garde car la baignoire se remplissait en quelques minutes. Lorsqu'elle l'avait lue la première fois, elle s'en était amusée. Avec un soupir satisfait, elle entra dans l'eau parfumée, s'y glissa jusqu'au menton.

L'une des choses qui lui manquaient le plus à Paris, c'était le luxe de cette intimité. La salle d'eau rouillée à l'étage sentait l'humidité. Quant aux toilettes, la plupart du temps, le verrou de la porte était cassé et il fallait le retenir d'une main. Depuis qu'elle était arrivée à l'Adlon, elle prenait deux bains par jour et elle ne s'en lassait pas. Jacques Rivière avait réservé des chambres modestes pour la dizaine de modèles qu'il avait amenés de Paris pour son défilé, mais même cette petite chambre à l'Adlon, avec ses rideaux jaunes, ses meubles en acajou de Cuba et ses gravures de la ville de Berlin, rappelait à Xénia le souvenir d'un faste oublié.

Il ne lui avait pas fallu longtemps pour devenir l'un des mannequins les plus en vue de la maison Rivière, de celles qu'on surnommait les « volantes » parce qu'elles participaient à des voyages à l'étranger. On lui avait appris à marcher, à pivoter sur ses talons, à tournoyer. Bien que son air hautain lui fût naturel, elle l'utilisait surtout comme bouclier pour se protéger des regards admiratifs ou avides. Elle s'était souvenue des cours de maintien de son enfance, les livres en équilibre sur la tête, les profondes révérences qu'elle aurait été amenée à faire à la cour impériale si le destin l'avait voulu autrement. Pendant plusieurs années, elle s'était promenée non pas avec un éventail et des gants blancs boutonnés jusqu'au coude, mais avec un pistolet au fond de la poche. Elle avait porté des vareuses militaires, des pantalons rêches, des bottes épaisses. Pourtant, le goût des belles choses lui était revenu facilement. Trop facilement, se disait-elle parfois.

Les premiers jours, elle avait été humiliée quand on lui avait demandé de montrer ses jambes ou de cambrer les reins. Rivière avait fait quelques essayages directement sur elle, épinglant le tissu, lui effleurant une épaule, un sein, une cuisse. Elle avait appris à rester debout pendant des heures, tandis que les couturières voletaient autour d'elle avec des gestes vifs et précis. On l'avait critiquée, puis complimentée de façon curieusement désinvolte, et elle avait compris qu'à leurs yeux son corps n'était qu'un instrument. L'idée ne lui avait pas déplu. D'une certaine façon, tout devenait plus simple.

Elle entendit les doubles portes de la chambre s'ouvrir, puis une voix joyeuse l'interpella en russe.

— Ne me dis pas que tu prends encore un bain ! Tu vas finir par avoir la peau toute fripée.

— Fiche-moi la paix, Tania. Est-ce que je te fais des reproches quand tu t'empiffres de pâtisseries ? Si tu continues, tu ne pourras même plus enfiler les robes et tu seras renvoyée en disgrâce.

— Mon Dieu, tu crois vraiment ? s'affola sa jeune compagne de chambre en s'examinant de profil dans le miroir en pied.

— Je plaisantais, Tania, grommela Xénia. As-tu demandé à M. Rivière à quelle heure nous devions être prêtes ?

— Mais oui, mon général ! Il nous attend dans une heure. Il paraît qu'il n'y a plus une place de libre pour ce soir. Ça ne m'étonne pas. Depuis les défilés de Poiret avant la guerre, les Berlinois ne manquent jamais une occasion de venir voir la haute couture parisienne. Bon, je te laisse, sinon tu vas encore être d'une humeur de chien.

— Bonne idée, marmonna Xénia.

Quelques minutes plus tard, elle sortit du bain, s'enveloppa dans le peignoir et retourna pieds nus dans la chambre. Elle ouvrit la fenêtre pour regarder l'animation dans la Wilhelmstrasse. Le fond de l'air était un peu plus frais en cette fin de journée, piquant, presque poivré – un mélange d'essence, de charbon et de poussière qui montait des chantiers de construction.

Berlin lui plaisait. Elle aimait ce tumulte électrique, la Potsdamer Platz qui n'avait rien d'une place mais tout d'un carrefour halluciné, les charrettes bariolées des vendeuses de fleurs, les éclairages qui scintillaient dès la nuit tombée, l'Alexanderplatz d'où essaimaient des ruelles pittoresques aux façades lépreuses, le tintement des tramways et les klaxons des automobiles, le dense feuillage du Tiergarten, la Spree qui serpentait entre ses canaux, les colonnes Morris couvertes d'affiches indiquant des pièces de théâtre, des concerts, des opérettes, des films, des cabarets. Le plaisir y régnait, le crime aussi. C'était la ville de la révolution spartakiste avortée, des soulèvements qui se terminaient dans le sang. Tout y était plus âpre qu'ailleurs, la violence comme la quête du plaisir et de l'oubli. Ce n'était pas un endroit pour les timides, mais une ville qui vous jetait un gant au visage comme pour vous défier. Berlin était vorace, sa foule dense et impatiente, et son appétit de vivre montait de ses rues fiévreuses.

Xénia sentit son cœur battre un peu plus vite. Un frisson la parcourut. Je suis libre, songea-t-elle, presque émerveillée, et pour la première fois depuis des années, un poids sembla glisser de ses épaules. Nianiouchka, Macha, Cyrille, l'oncle Sacha... Ils étaient loin, hors de portée. Quoi qu'il leur arrive, elle ne pouvait rien pour eux. Pas ce soir, pas cette nuit. Tout était loin, la mansarde étriquée, la lutte pour obtenir les permis de travail ou de séjour, les queues à la préfecture, les loyers impayés, les dettes. Elle n'était plus qu'une jeune femme de vingt-trois ans, grisée par une ville aux visages déroutants, où s'étaient réfugiés plus de deux cent mille de ses compatriotes, une ville cosmopolite et talentueuse, insolite et insoumise où, dès qu'elle avait posé le pied sur le quai de gare, elle s'était sentie un peu chez elle.

Avec un sourire, elle envoya un baiser par la fenêtre, comme si une foule imaginaire l'acclamait, avant d'ouvrir grand le placard pour s'habiller. Après le défilé, Rivière avait promis de les emmener à L'Oiseau Bleu, l'un des cabarets russes les plus célèbres de la ville. Ce soir, la jeune femme n'allait pas raisonner, compter, analyser, composer avec les uns ou les autres… Ce soir, Xénia Féodorovna Ossoline allait se laisser vivre.

Dans le grand salon plongé dans une semi-pénombre, les mannequins qui évoluaient sur le podium ne discernaient des spectateurs que les plastrons blancs des hommes en smoking, les bouts rougeoyants des cigarettes, ou les éclats des bandeaux pailletés qui ceignaient le front des femmes. Des applaudissements éclataient à la manière sporadique de feux d'artifice.

Jacques Rivière avait composé son défilé autour du personnage de Xénia. Il s'agitait en coulisses, ses lunettes de travers sur le nez car elles s'étaient cassées quelques minutes avant la présentation, ce que ce superstitieux avait pris pour un mauvais présage. « Ce n'est que du verre blanc, monsieur, lui avait lancé Xénia. Au contraire, casser du verre est synonyme de bonheur. – Que Dieu vous entende, petite ! » avait-il répliqué, à peine rasséréné ; mais la Russe avait dit vrai : son défilé était un succès.

Installés dans un coin, les illustrateurs griffonnaient au crayon des croquis qui paraîtraient le lendemain dans les journaux. Les clientes américaines de passage avaient profité de ce moment exceptionnel pour venir admirer la dernière collection de Rivière. Les Berlinoises qui, ces derniers temps, avaient pourtant semblé préférer leurs maisons de couture de prédilection telles Gerson, Manheimer ou Lindner se laissaient séduire, elles aussi. Derrière leurs éventails, elles murmuraient qu'en dépit du talent des stylistes allemands le chic français restait inimitable.

Après plusieurs passages, Xénia s'avança pour la dernière fois. En quelques apparitions, elle avait su instaurer une rare connivence avec le public. Pour maîtriser sa peur, elle s'imaginait toujours dans la peau de personnages dignes des contes de Pouchkine. C'était elle qui clôturait le spectacle, parée d'une robe de mariée en lamé argent dont l'audace provoqua quelques exclamations. Les manches transparentes s'harmonisaient avec la finesse du voile en dentelle. Elle marcha jusqu'au bout du podium, s'immobilisa, le regard distant sous son bandeau en forme de heaume, puis elle pivota et revint lentement vers le rideau rouge où s'entrelaçaient les initiales du couturier. Sa démarche était si fluide qu'elle semblait flotter au-dessus du sol. Elle se retourna pour survoler l'assistance d'un dernier regard irrité, comme si elle était venue chercher quelqu'un mais qu'elle ne l'avait pas trouvé. L'assemblée retint son souffle, suspendue au cercle de lumière qui entourait Xénia de son halo. Il n'y avait pas un seul homme présent qui n'eût voulu combler l'apparente insatisfaction de cette femme sublime et Xénia percevait l'âpreté de leurs regards. Elle eut un sourire énigmatique, puis, d'un mouvement du poignet, elle lança son bouquet de mariée dans le public. Le projecteur s'éteignit d'un seul coup et la foule resta orpheline quelques secondes, avant que n'éclate un tonnerre d'applaudissements.

De l'autre côté du rideau, Xénia descendit les marches en bois avec précaution. Des points lumineux dansaient devant ses yeux car l'intensité des projecteurs avait été trop forte. Le souffle court, saisie par l'excitation de l'instant, le sang battait fort à ses tempes. L'effervescence crépitait dans les coulisses. On s'embrassait, on se félicitait, on revivait les moments les plus intenses, lorsque Tania s'était tordu la cheville avant de monter sur l'estrade, qu'un électricien avait réparé la panne de courant en éteignant provisoirement les lumières dans plusieurs salons de l'hôtel, sans oublier le bandeau traître qui avait glissé sur les yeux de Xénia... Toutes ces petites anicroches qui sont les secrets d'un spectacle, sa part de vérité, sa part de drame, et que le public ne devine pas.

— Bonsoir, Xénia Féodorovna, comme je vous retrouve.

Un peu surprise, elle tourna la tête et le reconnut aussitôt. Il était plus grand que dans son souvenir et portait un smoking à revers de soie. Le nœud papillon noir soulignait le col empesé qui lui raidissait le cou. Adossé au mur de façon nonchalante, un appareil photographique à la main, Max von Passau lui souriait d'un air taquin.

— J'ai pourtant changé depuis notre rencontre à Paris, dit-elle, à la fois étonnée et heureuse de le revoir.

— Doutiez-vous une seconde que vous étiez inoubliable ? Même déguisée en mariée, je vous ai reconnue tout de suite. Je suis très physionomiste, vous savez. C'est le métier qui veut ça, plaisanta-t-il, avant d'ajouter d'un air grave : Pourquoi ne m'avez-vous pas donné signe de vie après notre rencontre ? Je vous ai attendue, et regrettée.

— Je n'y ai plus pensé, avoua-t-elle, un peu gênée.

— Mais c'est affreux, ce que vous me dites là, s'indigna-t-il. Vous me blessez profondément.

Elle ne put s'empêcher de sourire.

— Je suis sûre que vous vous en remettrez, voyons.

— Jamais de la vie ! C'est un affront terrible. Il faut vous faire pardonner. Et je ne vois qu'une solution : vous devez dîner avec moi ce soir.

— C'est impossible. M. Rivière emmène toute la joyeuse petite bande. Et puis je ne vous connais pas.

— Pourtant, vous n'avez pas hésité à déambuler avec moi dans les rues de Paris en pleine nuit, dit-il, avant de se redresser comme pour se mettre au garde-à-vous. Sans me vanter, mademoiselle, sachez que ma famille est plutôt connue dans la région. Mon père est un diplomate que je trouve difficile à supporter. Ma sœur a épousé un rustre richissime. J'ai la chance de connaître un certain succès avec cet appareil que je tiens à la main, mais je tire encore le diable par la queue. Mon meilleur ami s'appelle Ferdinand et c'est un avocat prometteur. Je déteste les desserts au chocolat et le conformisme, mais j'adore le ski. Les jolies femmes m'intimident et j'ai le cœur qui bat en vous parlant. À l'école, on disait de moi que j'étais un garçon sérieux, mais trop solitaire, et qu'il me manquait un esprit de groupe. Voilà, lâcha-t-il à bout de souffle, en ouvrant les mains en un geste d'excuse. Maintenant que nous en avons terminé avec toutes ces informations sans importance, est-ce que nous pouvons passer aux choses sérieuses et aller dîner car je meurs de faim ?

Mon Dieu, ce qu'il est beau ! songea Xénia.

C'était une petite taverne typique avec deux salles en enfilade aux boiseries sombres, des poutres basses, des photographies d'artistes signées aux murs, une patronne à la poitrine insolente et aux cheveux décolorés. Sur une table s'empilaient les quotidiens du jour.

La bière pétillante était acidulée, adoucie par du sirop de framboise ou d'aspérule qui lui donnait une teinte rose ou verte. Certains clients prenaient des plats roboratifs, mais Xénia n'avait pas faim et Max semblait avoir perdu l'appétit en cours de route.

Ils étaient les seuls à porter des tenues de soirée, mais personne ne s'en offusquait. La patronne les avait installés à une table d'angle et les genoux de Max étaient pressés contre ceux de Xénia. Comme leurs voisins parlaient fort, il se penchait vers elle pour se faire entendre et elle ne se lassait pas de contempler son visage, l'arête de son nez, ses joues, sa mâchoire vigoureuse. Le regard foncé aux nuances d'ambre était lumineux et pénétrant. Lorsqu'ils étaient entrés dans la salle enfumée, elle avait compris qu'il se demandait si l'endroit n'était pas trop rustique pour lui plaire, et elle avait été touchée de sa délicatesse.

D'emblée, elle avait retrouvé cette résonance qu'elle avait éprouvée auprès de lui à Paris. Comment était-il possible de ressentir une telle plénitude avec un inconnu qui venait d'entrer dans votre vie par hasard ? Mais le hasard n'existe pas, se dit-elle, effleurant du regard la bouche de Max, n'osant pas s'y attarder trop longuement, par pudeur, par crainte aussi, parce qu'elle avait déjà compris, tout en ayant encore besoin d'un peu de temps pour accepter.

Seules existent les croisées de chemin, et le choix que chacun est amené à faire à certains moments de sa vie, celui d'accepter ou non le désir qui grandit en soi. Ainsi, Xénia restait silencieuse, écoutant monter en elle son désir pour cet homme, semblable à une force libre et rebelle, une exigence insoumise, souveraine, qui balayait toutes ses peurs et tous ses chagrins. Max parlait, mais elle ne l'entendait pas. Elle était loin, retraçant le douloureux chemin qui l'avait guidée jusqu'à cette table d'une taverne berlinoise. D'un doigt, elle suivit les éraflures dans le bois. Des coups de canif, de poignard ? Attentive, elle découvrait une autre facette d'elle-même, acceptait de reconnaître la femme qu'elle était devenue, une femme de chair et de sang, qui avait envie de caresser la joue de cet homme, de glisser les doigts dans l'épaisseur de ses cheveux, de goûter sa bouche, de sentir le grain de sa peau sous ses mains et ses lèvres.

Elle savait que Max la désirait. Elle le devinait à son regard tumultueux, à son hésitation, à cette retenue quand il avait posé une main dans le creux de son dos pour l'aider à monter en voiture, à sa manière de mordiller sa lèvre inférieure. Elle l'entendait à sa voix profonde, éraillée sur certaines phrases, aux paroles qui butaient parfois contre ses lèvres. Par moments, il retenait son souffle et dissimulait par une boutade son envie d'elle.

Elle appréciait d'être désirée, se sentait flattée, émue, fière aussi de ce sentiment de puissance alors que la vie n'avait fait que la malmener depuis trop longtemps. L'heure était venue. Elle n'avait plus envie de dissimuler. Elle voulait cet homme, elle le voulait dans ses bras, peau contre peau, elle voulait ses caresses, sa vigueur, sa tendresse, elle voulait devenir femme avec lui, s'abandonner et se découvrir. Soudain, elle saisit la main de Max et se pencha vers lui.

— Cessons de perdre du temps, vous voulez bien ? lui murmura-t-elle à l'oreille, respirant son parfum aux notes de cuir et de bois de santal qui lui monta à la tête. Nous savons tous les deux ce que nous voulons, alors pourquoi attendre ?

Max resta interdit, le cœur battant, saisi par l'intensité du regard de Xénia. Les femmes intrépides peuvent être terribles, se dit-il, alors qu'il était prisonnier d'une main fine posée sur la sienne et qui lui semblait étrangement brûlante. Elle n'était plus la jeune fille désemparée aux cheveux défaits et au tailleur rapiécé, qui cherchait sa sœur parmi les bars de Montparnasse, mais une beauté exigeante, et il se sentait décontenancé.

— Vous croyez ?

— Je ne crois pas, Max, je sais.

Elle semblait si joyeuse, si déterminée qu'il lui rendit son sourire, parce que rien n'est plus irrésistible qu'une femme qui a envie d'aimer et d'être aimée. D'une main fébrile, il sortit de sa poche une poignée de monnaie qu'il lâcha sur la table. Quelques pièces roulèrent sur le sol. Xénia se pencha pour les ramasser.

— Laissez, dit-il en lui saisissant la main, et leurs lèvres étaient si proches que chacun percevait le souffle de l'autre. Vous avez raison, Xénia. Vous avez tellement raison !

Ils sortirent de la taverne en riant, se retrouvèrent dans la rue. Max la prit par la taille, héla un taxi. Il donna son adresse au chauffeur, s'assit à côté d'elle sur la banquette. Les lumières des publicités et des enseignes éclairaient par intermittence le visage de la jeune femme, ses yeux immenses, ses lèvres luisantes, ses cheveux blonds plaqués sur son crâne. Les pendants d'oreilles oscillaient au gré des cahots. Ils ne se parlaient pas. Aucune parole n'était nécessaire. Pire, elle pouvait être dangereuse. Il ne fallait pas rompre ce fragile équilibre où ils se promenaient en funambules. Max songea qu'il ne la connaissait que de nuit, il songea aussi qu'elle était belle et qu'il avait terriblement envie d'elle. D'une main, il lui effleura la joue. Sa peau était douce. Elle lui souriait avec une telle confiance, un tel bonheur, qu'il devait se faire violence pour ne pas la dévorer de baisers, préférant savourer ces instants où tout restait encore à inventer.

Ils arrivèrent un peu essoufflés en haut de l'escalier qui menait chez lui. Il poussa la porte et la laissa passer. Le décolleté en pointe dans le dos dévoilait une nuque fragile, une peau aux lueurs opalines. Les fines bretelles de sa robe soulignaient la forme élégante de ses épaules. Il eut un moment d'inquiétude car l'endroit n'était pas digne d'elle. Un appartement minuscule, désordonné, des livres et des magazines éparpillés sur le sol, une chemise jetée sur le dossier d'une chaise. Un lieu qu'il ne s'était pas vraiment donné la peine d'arranger, davantage une tanière qu'autre chose, où il passait peu de temps mais qu'il aimait pour sa vue dégagée et la terrasse qui ouvrait sur le ciel.

Dans la chambre, il avait à peine tiré le tissu indien qui lui servait de couvre-lit. L'oreiller portait l'empreinte de sa tête depuis la veille. Il s'en voulut à la fois de ne pas être plus ordonné, de ne pas habiter un appartement spacieux, meublé au goût du jour, celui qu'il avait découvert dans les salles d'exposition à Paris, avec des tapis au point noué sur le parquet, des fauteuils confortables, des meubles en palissandre gainés de galuchat, plaqués d'ivoire ou d'écaille. Pris d'affolement, il réalisa qu'il se sentait maladroit et ridicule, et il eut comme un vertige.

Xénia posa ses gants et sa pochette sur la table. Max la contempla sans bouger, et ce fut elle qui vint vers lui, enserra son visage de ses mains. Il sentit son souffle sur sa bouche, leurs lèvres se frôlèrent, elle pressa son corps contre le sien, il l'entoura de ses bras, et l'angoisse aussi subite qu'humiliante se dissipa. Le monde autour de lui reprit sa place, et tout était bien, et tout était juste.

Ce fut si simple, si évident. Ce fut leur vérité, tout simplement. Le miracle des mains de Max qui effleuraient Xénia, les paumes rugueuses, les doigts fins, délicats, des mains de musicien sous lesquelles elle se sentait devenir belle. Grâce à lui, elle découvrait son corps comme elle ne l'avait jamais imaginé, ses épaules, ses seins, les mamelons qui se dressaient, son ventre presque concave, la courbe d'une hanche, les replis moites de ses lèvres, le déroulé d'une cuisse, le creux d'un genou, une cheville fragile. À chaque caresse, à chaque étreinte, son sang affleurait, sa peau se réveillait à la vie, telle une seconde naissance.

À son tour, elle s'émerveillait de sentir son amant tressaillir à son toucher alors qu'elle ne doutait pas que Max connaissait déjà tout des femmes. Pourtant, il semblait avoir du mal à contenir son émotion, et la jeune femme prenait confiance en elle, partait à la découverte d'un monde dont elle ignorait tout, aussi bien la douceur insoupçonnée que la force maîtrisée d'un corps tellement plus puissant que le sien.

Ils s'inventaient des respirations, alors que leurs souffles et leurs salives se mêlaient. Ils prenaient leur temps, alors que le temps n'existait plus. De leurs peaux humides et moirées s'élevaient des parfums inédits, puissants, musqués, des senteurs qui parlaient du désir de se fondre l'un dans l'autre, de pénétrer et de recevoir. Leur quête ne connaissait ni honte ni pudeur, leurs mouvements se révélaient souples et harmonieux tandis que montait une ferveur grandissante, un appétit rebelle, et venait la violence d'une morsure, des ongles qui griffaient une épaule, laissant sur l'épiderme des marbrures rouges, car il n'y a rien d'anodin à se donner ainsi l'un à l'autre. Au fur et à mesure que la fièvre s'emparait d'eux, que la sueur coulait sur leurs flancs, ils devinaient confusément qu'ils étaient en train de se marquer à jamais, que chaque geste, chaque baiser, chaque blessure les attachait l'un à l'autre de manière inéluctable, et comme il était trop tard pour reculer, ils se laissaient porter, et il y avait là du courage aussi, tandis que leur désir se transformait par une étrange alchimie de tendresse, d'écoute et d'ardeur.

Bien plus tard, dressée sur un coude, Xénia le regarda dormir. Dans le sommeil, le visage de Max se détendait, devenait innocent, vulnérable, et elle éprouva pour lui un élan de tendresse. Elle le contempla longuement, puis elle se leva, se drapa dans un linge et sortit sur la terrasse. Adossée au mur, elle sentit la pierre rugueuse marquer ses omoplates. À ses pieds, Berlin dormait. Sous le ciel de velours, la plupart des immeubles présentaient des façades sombres et sérieuses. Au loin, les enseignes lumineuses clignotaient, rappelant à ceux qui auraient osé en douter que la fête continuait.

Une file d'automobiles puissantes s'alignait devant le perron de la villa. Les nickels étincelaient à la lumière des torchères. Un majordome en livrée ouvrit la portière et tendit une main gantée à Xénia pour l'aider à descendre. Sous le ciel moucheté d'étoiles, un parfum d'herbe et de feuillages s'élevait des bois alentour. La lune dessinait des reflets argentés sur les eaux d'un lac.

Quelques invités patientaient devant les doubles portes grandes ouvertes d'où Xénia apercevait une partie du hall d'entrée, un lustre, et un immense bouquet de fleurs posé sur une console. On entendait jouer un orchestre. La jeune femme eut un frisson d'appréhension. Elle ne connaissait personne à cette soirée d'anniversaire donnée en l'honneur de la sœur de Max. Qu'est-ce qui l'avait poussée à accepter cette invitation ? D'un seul coup, sa chambre d'hôtel et les bavardages de Tania lui semblèrent éminemment désirables, et elle fut prise d'une subite envie de fuir.

Max lui prit doucement le coude et la chaleur de sa paume l'apaisa. Ils ne se connaissaient que depuis quelques jours, mais se comprenaient déjà sans avoir à se parler. Désormais, il leur suffisait d'un regard, d'un frôlement de leurs corps, et elle s'étonnait de cette complicité si naturelle qu'elle découvrait pour la première fois.

— Nous ne sommes pas obligés de rester longtemps, lui murmura-t-il à l'oreille. Je te remercie d'être venue avec moi, et je suis heureux que tu connaisses Marietta. Mais je ne veux surtout pas que tu te sentes mal à l'aise.

— J'ai perdu l'habitude des réceptions, avoua-t-elle. La dernière à laquelle j'ai assisté était celle de mon propre anniversaire. J'avais quinze ans. C'était la veille de la révolution. Nous sommes allés au théâtre, puis il y a eu un dîner à la maison. C'était un peu comme ce soir, avec les lumières et la musique, et cette fébrilité, mais nous étions en pleine guerre…

Le souffle lui manqua alors que les souvenirs déferlaient d'un seul coup. L'air cristallin de Petrograd en plein hiver, le crissement des pneus sur la neige, sa mère descendant de voiture, emmitouflée dans sa fourrure, son pâle profil de madone où se détachait l'éclat des boucles d'oreilles, les traces de chocolat sur la joue de Sophia, le regard tendre de son père qui portait un toast à sa santé, et le sang, le sang partout, aux relents écœurants, qui ne cessait jamais de couler, où qu'elle soit…

— Xénia, ça ne va pas ? s'inquiéta Max en la sentant vaciller.

Elle inspira profondément. Il n'était pas question de s'évanouir ni de s'enfuir comme une mauviette. Max avait semblé heureux qu'elle accepte de l'accompagner à cette fête. Elle savait qu'il aurait préféré éviter cette corvée, n'appréciant pas d'être l'hôte de son beau-frère, mais qu'il ne voulait pas faire de peine à Marietta.

Je vais entrer dans cette maison, féliciter la sœur de Max pour son anniversaire, et lever mon verre avec les invités, se dit Xénia d'un air résolu. Elle était persuadée que Rivière ne manquerait pas de l'interroger sur les détails de la soirée. Il avait été enchanté qu'elle fût conviée chez des personnes aussi éminentes, lui prêtant non seulement la robe en dentelle noire perlée de strass qui était le clou de la collection, et dont les manches flottantes et les franges délicates se prêtaient admirablement à la danse, mais aussi des pendants d'oreilles en rubis. Un peu nerveuse, elle se retint de rire. Il y avait quelque chose d'humiliant à parader ainsi dans des vêtements prêtés qu'il lui faudrait rendre dès le lendemain. « Et prenez garde à ne pas les abîmer, je vous prie, mademoiselle. » Elle n'était qu'une malheureuse Cendrillon qui avait le droit de participer à la fête à condition de retourner sagement dans sa mansarde à l'heure où les carrosses se transforment en citrouilles.

— Je suis désolée, dit-elle avec un sourire, car Max la regardait d'un air soucieux. Ce n'était rien. Un moment de fatigue, mais tout va bien maintenant.

Alors qu'il lui prenait le bras, Xénia redressa les épaules. Le monde chatoyant des élites ne l'impressionnait pas. Dans une autre vie, elle aussi avait connu cet univers radieux d'où étaient bannis les troubles et les hantises qu'entraîne la pauvreté. D'ailleurs, qu'avait-elle su de la réalité de l'existence lorsqu'elle jouait à l'abri de sa nursery douillette ou courait dans le parc de leur maison en Crimée ? Plus tard, il y avait eu les regards admiratifs des cadets en uniforme qui venaient parfois déjeuner chez son père. Toute son enfance, la vie s'était montrée sous ses plus beaux atours. De ces cercles raréfiés où se côtoyaient les grands noms de l'armée, de la noblesse, de la haute finance ou des arts, elle connaissait les usages et la magnificence, mais aussi les perfidies ou les petites misères. C'était un divertissement dont on n'oubliait pas les règles, et Xénia Féodorovna, un sourire ironique aux lèvres, se dit qu'elle était désormais prête à jouer.

— Je suis si heureuse de vous rencontrer ! s'exclama Marietta Eisenschacht en prenant Xénia par le bras pour l'entraîner sur la terrasse à l'écart des invités qui emplissaient les deux salons, la bibliothèque, et la tente dressée au fond du jardin. Je connais mon petit Max comme si je l'avais fait, et il avait une voix tout émue en me parlant de vous. Vous êtes exactement le genre de fille qu'il lui faut, lança-t-elle avec une moue, en la détaillant des pieds à la tête.

Xénia éprouva une pointe d'agacement à être ainsi soumise à l'inspection, et elle se demanda pourquoi les têtes de linotte plaisaient toujours autant aux hommes. Dans sa robe de style d'inspiration Jeanne Lanvin, avec son bustier serré et sa jupe bouffante ornée de sequins qui rappelait les crinolines d'antan, Marietta était jolie et enjouée, mais sa fragilité se devinait au clignement nerveux de ses paupières, à un rire parfois trop aigu, aux regards qu'elle lançait à son époux comme pour se rassurer. D'une certaine façon, elle lui rappelait Macha. Toutes deux étaient de ces femmes qui ont besoin de l'appui d'un homme, n'ayant ni la volonté ni l'imagination pour exister seules, et qui cherchent un mari qui soit un pilier ou un bouclier. Xénia, elle, ne comptait plus depuis longtemps sur les hommes pour la protéger, et aspirait à trouver un partenaire qui la révélerait à elle-même tout en la laissant libre et souveraine.

Le brouhaha des voix montait dans l'air tiède de la nuit. Des couples se trémoussaient sous la tente au son d'un charleston endiablé. Les franges des danseuses volaient autour de leurs cuisses fuselées, leurs longs bras minces tourbillonnaient, tandis que leurs cavaliers suivaient tant bien que mal le tempo avec force moulinets des bras et des jambes.

— Alors, que pensez-vous de Max ? insista Marietta, attrapant au vol un verre de champagne sur le plateau d'un maître d'hôtel.

— Je pense qu'il est charmant et talentueux.

— C'est tout ? s'étonna-t-elle.

— Je préfère ne pas être trop ambitieuse pour ne pas courir le risque d'être déçue.

— Vous habitez Paris, n'est-ce pas ? J'imagine que cela doit être terrible d'avoir dû fuir son pays dans des circonstances aussi affreuses. Nous avons aussi beaucoup de réfugiés russes, à Berlin. J'adore tout ce qui est russe. La musique, la danse, les films… Vos actrices sont de redoutables femmes fatales et vous avez un tel sens de la fête !

— Une fête des morts, vous voulez dire, répliqua sèchement Xénia.

Agitant son éventail d'une main paresseuse, Marietta arqua un sourcil et lui lança un regard surpris, mais Xénia ne cilla pas. Elle connaissait ce jeu de pouvoir très féminin qui consiste à essayer de s'imposer à l'autre par une condescendance subtile.

— Je crois déceler là une pointe d'amertume, dit une voix grave.

Xénia se retourna. Immobile, presque à l'affût, le maître de maison l'observait d'un air intense. Ses cheveux blonds peignés en arrière dégageaient un visage intelligent où perçaient des yeux clairs. Une parure de boutons en diamants luisait sur le plastron blanc de son habit. Elle savait qu'il était extrêmement riche, qu'il était parti de rien pour bâtir sa fortune ; or, depuis qu'elle avait tout perdu, elle n'éprouvait plus pour les nouveaux riches ce dédain de la haute société, mais une certaine estime.

— L'amertume est une émotion que tolèrent les médiocres. Je préfère la colère, et l'espoir que justice soit rendue un jour. Il est des crimes qui méritent châtiment.

Eisenschacht esquissa un sourire et une lueur intéressée filtra dans son regard.

— Comme vous avez raison ! Je me reconnais tout à fait dans ce que vous dites.

— Dans ce cas, je vous laisse, lança Marietta. Ne tournez pas la tête à mon mari, Xénia. C'est un amateur de jolies femmes et vous êtes bien pire. Vous êtes non seulement belle, mais aussi intelligente. C'est un alliage redoutable.

Elle caressa d'une main la joue de son mari, puis s'éloigna avec un souple mouvement de hanches.

— Le bolchevisme est un fléau contre lequel il faut lutter sans relâche, poursuivit Eisenschacht, comme si sa femme n'avait pas existé. Heureusement, après la guerre, nous avons réussi à étouffer les convoitises de nos propres juifs révolutionnaires. Mais le danger guette et il faut être vigilant. Seuls les plus forts résisteront à cette gangrène. Combien de temps restez-vous à Berlin ? J'aurais été heureux de vous présenter certains amis qui pensent comme nous.

— Je rentre demain soir à Paris.

— Déjà ! fit-il en haussant les sourcils. Comme c'est désolant. Ce pauvre Max sera désemparé. J'ai remarqué que mon beau-frère vous dévorait des yeux. C'est sans aucun doute un coup de foudre. Mais comment pourrait-il en être autrement ? Vous êtes l'une des plus belles femmes que j'aie jamais vues.

Xénia ne réagit pas au compliment qu'elle trouvait facile. Les séducteurs sans subtilité ne manquaient jamais de l'irriter. Un peu plus loin, debout près des portes-fenêtres qui donnaient dans le salon, Max parlait à un petit homme rondouillard, au visage jovial et au nez couperosé, qu'il dominait d'une tête.

— C'est Heinrich Hoffmann, précisa Eisenschacht en suivant son regard. Un bon vivant et un excellent photographe, lui aussi, qui a eu comme clients votre défunt tsar ainsi que la famille royale de Bavière. Certains des meilleurs artistes de notre époque ont posé pour lui. Il s'intéresse beaucoup au travail de Max.

Hoffmann partit d'un éclat de rire. Max souriait, mais lorsqu'il tourna la tête et croisa le regard de Xénia, il fronça les sourcils. Il écourta poliment sa conversation avec Hoffmann et vint vers eux.

— Quand on parle du loup, plaisanta Eisenschacht.

— Magnifique soirée, Kurt, dit Max. Je vous félicite. Tout le monde est là. Vous pouvez être fier de vous.

— Vous venez trop rarement à la maison, mon cher Max. Si j'étais susceptible, j'en viendrais à me demander si vous cherchez à nous éviter. Vous seriez étonné de voir que Marietta et moi comptons beaucoup d'amis. Et maintenant, si vous le permettez, je vais veiller à ce que tout se passe bien.

Il s'inclina devant Xénia. Max suivit des yeux son beau-frère qui s'éloignait, serrant si fortement son verre que celui-ci menaçait d'éclater.

— Tu semblais t'amuser il y a cinq minutes, s'étonna Xénia. Qu'est-ce qui ne va pas ?

— C'est Kurt. Je ne le supporte pas. C'est épidermique et je ne saurais même pas t'expliquer pourquoi. Tu as entendu cette façon qu'il a de s'approprier Marietta comme si elle n'était qu'un objet. Il sait parfaitement que j'adore ma sœur, que c'est lui qui m'indispose, sa fatuité comme ses opinions politiques.

— Il déteste le communisme. En cela, je ne peux pas lui donner tort.

— Le communisme, les juifs, la liberté de penser… Pardonne-moi, je sais bien que tu ne peux que honnir ceux qui ont massacré les tiens, mais il y a chez Eisenschacht une approche que je trouve dangereuse. Tiens, regarde autour de toi. La plupart des gens que tu vois ici soutiennent comme lui le parti national-socialiste. Cette femme là-bas est l'épouse du fabricant de pianos Bechstein. Elle m'a commandé son portrait l'autre jour. Elle tient l'un des salons les plus influents de la ville et c'est elle qui a introduit Adolf Hitler dans la société berlinoise. Quand il parle, elle l'écoute comme s'il s'agissait du Messie. Et là, ce vieil homme avec un monocle et des favoris démodés, c'est l'un des constructeurs automobiles les plus puissants du pays. Son fils aîné a épousé Asta, la meilleure amie de Marietta. Et puis Hoffmann, avec qui je discutais, est le photographe attitré d'Hitler, le premier qui a eu le droit de le prendre en photo, et le seul d'ailleurs. C'est un maître de la mise en scène… Bah, je ne vais pas faire le catalogue de tous ces gens que je n'apprécie guère. C'est trop déprimant.

— Je ne comprends pas pourquoi tu prends tout cela autant à cœur. En Allemagne, vous avez maintenant une république démocratique. La situation économique est bien meilleure. Pourquoi ces extrémistes arriveraient-ils au pouvoir ? Ce n'est tout de même pas comme chez nous avec les bolcheviks.

— Tu as probablement raison, fit-il avec un haussement d'épaules. Je dois me faire du souci pour rien. Bon, allons danser et pensons à autre chose, tu veux bien ? Tu es magnifique ce soir, Xénia. Il faut que tu poses pour moi avant de partir. Jacques Rivière m'a dit qu'il était content de mon travail avec toi et les autres modèles, mais je veux absolument quelques portraits de toi. Tu as promis que tu viendrais demain au studio. Tu n'as pas oublié, j'espère ?

Soudain, Xénia saisit l'avant-bras de Max.

— Mon Dieu, mais c'est Sophia Dimitrievna ! s'exclama-t-elle, bouleversée.

— Qui cela ?

— Cette jeune femme avec les cheveux noirs bouclés. C'est l'une de mes amies d'enfance. Je n'en reviens pas. Quelle chance ! On s'était perdues de vue dans l'émigration. Je n'avais aucune idée qu'elle se trouvait à Berlin.

— Elle est au bras de Milo von Aschänger. Allons les saluer, si tu veux.

Le cœur de Xénia battait à tout rompre. Jamais elle n'aurait imaginé retrouver Sophia dans cette luxueuse villa de Grünewald. Heureuse et inquiète, elle se sentait écartelée entre la jeune fille de quinze ans d'autrefois et la femme qu'elle était devenue. Quand elle aperçut Xénia, Sophia s'empourpra jusqu'à la racine de ses cheveux. Elle ouvrit grande la bouche, examina son amie comme pour s'assurer qu'elle ne rêvait pas, puis les deux jeunes femmes tombèrent dans les bras l'une de l'autre. Alors que Xénia lui tapotait le dos, Sophia éclata en larmes.

— Grands dieux ! s'exclama Milo. Je ne m'attendais pas à une scène aussi émouvante en venant chez les Eisenschacht. D'ordinaire, tout y est plutôt compassé.

— Une rigueur toute prussienne, n'est-ce pas ? plaisanta Max, tandis que Xénia babillait en russe, serrant les deux mains de son amie dans les siennes.

— Et tellement ennuyeuse, mon ami, renchérit Milo en souriant. Je vais t'avouer un secret : j'ai l'intention de demander Sophia en mariage, quitte à mécontenter mes parents. Ils ont toujours espéré que j'épouserais Marietta, mais ta sœur m'a préféré un autre. De ma mère et moi, je me demande lequel a eu le cœur le plus brisé, mais la Providence m'a permis de rencontrer Sophia et je ne veux pas laisser échapper cette chance d'être heureux.

— Tu m'en vois ravi pour toi, Milo, dit Max en lui donnant une claque amicale sur l'épaule, et il s'aperçut qu'il était sincère.

Milo regarda Xénia qui tamponnait avec un mouchoir les joues de Sophia. Les deux jeunes femmes riaient aux éclats et ne pouvaient s'empêcher de s'embrasser par moments avec effusion.

— Et toi, as-tu trouvé la femme de ta vie ? demanda Milo.

La question anodine, lancée sur ce ton gentiment moqueur que l'on affectionne dans les réceptions mondaines où seul compte l'éphémère, prit Max par surprise. Dans la vie, il arrive que les réponses surgissent avec une simplicité biblique. On n'a besoin ni de temps ni de réflexion pour réagir. Il suffit d'écouter son instinct, ce mélange de prescience et de cœur, mais il faut parfois une certaine témérité pour admettre la vérité, car elle peut bouleverser le cours d'une existence, et toute révolution est un ange à la fois exaltant et terrible.

Max ne se considérait ni romantique ni sentimental. C'était un homme de désir qui aimait la vie, les femmes, les gens d'esprit et de talent. Bien qu'il ait commencé sa formation militaire vers la fin de la guerre, il avait été trop jeune pour combattre, mais lui non plus n'en était pas sorti indemne. Avec le sentiment confus d'avoir échappé à un massacre, il avait embrassé l'essence jubilatoire des années 1920, rejetant le carcan d'une éducation rigide et d'un héritage qui lui avait semblé trop pesant après la mort de son frère aîné. Au risque de déplaire à son père, il avait choisi de suivre son propre chemin et, en dépit des difficultés, il ne l'avait jamais regretté. S'il croyait en Dieu, moins par conviction personnelle que par fidélité à ses ancêtres, il croyait surtout à la justice et à la tolérance. C'était probablement en lui que Max croyait le moins, car il aimait l'excellence et se jugeait insuffisant. Et pourtant, ce soir-là, pour la première fois de sa vie, il éprouvait une certitude inspirée, cette exaltation qui naît du bonheur, du risque et de l'ivresse, qui vous donne le sentiment que le monde vous appartient et que rien n'est impossible.

— Oui, je l'ai trouvée, murmura-t-il, les yeux rivés sur Xénia.

Mais Milo s'était déjà détourné, parce que Max avait été trop longtemps silencieux, et que ce genre de réunion ne se prête pas aux vérités essentielles. Ainsi, Max von Passau resta seul avec sa révélation, le cœur battant, à la fois intimidé et transporté.

Xénia leva la tête au même instant et l'observa d'un air soucieux, comme si elle s'inquiétait pour lui, puis un sourire ravageur lui déchira le visage et le frappa de plein fouet. Cette femme si jeune, à l'incomparable regard gris chargé de mystères et de ruptures, avait traversé son pays à feu et à sang, combattu pour sauver les siens, affronté l'exil. Désormais, ses lendemains avaient la précarité de ceux qui luttent à mains nues, sans bouclier ni rempart, mais rien chez elle ne suscitait la compassion ni la pitié. La comtesse Xénia Féodorovna Ossoline se dressait droite et fière. À quoi tenait sa distinction ? À une harmonie de traits, à un héritage qui remontait à des siècles, à une force de caractère, au courage qui incite celui qui a deux genoux à terre à se relever, encore et toujours ?

Elle était de ces combattantes éternelles, de ces guerrières farouches et magnifiques, et Max devinait qu'auprès d'elle l'amour serait un perpétuel défi. Sa vérité, Xénia la dévoilait au détour d'une phrase, masquant par élégance des douleurs trop secrètes. Son corps, en revanche, elle le lui avait offert avec une ardeur enivrante. Et pourtant, Xénia ne se donnerait jamais entièrement à un homme, elle ne serait jamais fidèle qu'à elle-même. Mais Max n'avait pas le choix, cette femme l'avait déjà marqué de son empreinte. Il portait en lui ses parfums, ses blessures, cette espérance qu'elle gardait chevillée au corps, et il savait désormais qu'il devait quitter Berlin pour Paris, parce que Xénia ne pouvait pas se déraciner une nouvelle fois, et que s'il la laissait s'échapper, ce serait comme renoncer à une partie de son âme.

Paris, mars 1926

— Mademoiselle Xénia, où êtes-vous ? On vous attend au salon. Dépêchez-vous, voyons, vous êtes toujours en retard !

La voix nasillarde de la vendeuse exaspéra Xénia qui fumait une cigarette, enveloppée dans une fourrure qu'elle avait négligemment jetée sur sa combinaison de soie. Elle s'était réfugiée sur le balcon qui donnait sur la cour intérieure de l'immeuble de la rue François Ier. Elle aspira une dernière bouffée salvatrice, avant de lancer le mégot d'une pichenette par-dessus la rambarde. M. Rivière interdisait qu'on fume dans sa maison de couture. Non seulement il redoutait qu'un de ses chefs-d'œuvre n'eût un accident malencontreux, mais il trouvait que l'haleine d'une femme se devait d'être toujours irréprochable. Il avait même renvoyé l'une de ses petites mains qui avait eu le malheur d'empester l'ail.

— Ah, vous voilà, fit Mme Jeanne, les lèvres pincées. Ma cliente n'a pas de temps à perdre. Veuillez vous habiller, je vous prie.

— J'arrive, bougonna Xénia.

Elle en avait assez. Un léger mal de tête enserrait ses tempes. Sa journée avait commencé à neuf heures. Elle avait passé la matinée debout, le plus immobile possible, pendant qu'une première d'atelier épinglait des étoffes, avant de lui faire essayer plusieurs patrons de toile. Comme toujours, Xénia s'était ennuyée à périr. Cette position statique, contre nature, l'irritait à tel point qu'elle avait l'impression que des fourmis cannibales remontaient le long de ses jambes. Elle avait laissé son imagination vagabonder, comptant et recomptant les rouleaux de tissu alignés dans les casiers. Par moments, ses paupières s'alourdissaient et elle manquait de s'assoupir. Depuis l'arrivée de Max à Paris, elle dormait peu. Il adorait faire la fête, s'était découvert un engouement pour le Jockey, la boîte de nuit de Montparnasse dont la façade était peinturlurée d'Indiens et de cow-boys. Le quartier où il avait élu domicile ressemblait à un village où tout le monde se connaissait. Peintres, sculpteurs, photographes, poètes, cinéastes, chanteuses, modèles, danseuses, tous hantaient les cafés, sortaient la nuit jusqu'à point d'heure, enthousiastes et fauchés. Xénia se retrouvait souvent en compagnie d'une dizaine de personnes, dont des Russes qui connaissaient Macha et passaient des heures à La Rotonde, attablés devant des cafés au lait à vingt centimes.

Ce jour-là, n'ayant pas le courage de sortir déjeuner, Xénia avait pris son repas à la cantine, trouvant la purée sans goût et la viande filandreuse, écoutant d'une oreille distraite les bavardages insipides des couturières et des mannequins. Contrairement à d'autres, les années d'exil ne lui avaient pas appris à se lier d'amitié. On continuait à la juger cynique et à trouver ses phrases trop cinglantes. À vrai dire, elle ne supportait pas la bêtise ni la crédulité. Elle n'avait pas non plus sa langue dans sa poche et son franc-parler lui jouait parfois de mauvais tours. Ainsi, elle n'avait pas hésité à donner son opinion à M. Rivière sur certaines toilettes lorsqu'il la lui avait demandée, et elle s'était agacée qu'il se mette en colère, comprenant trop tard qu'il n'attendait que des flatteries et non une opinion sincère. « Tu dois apprendre à être plus souple, Xénia, lui avait dit Tania. – À mentir, tu veux dire ? » avait-elle répliqué.

Tous les après-midi, maquillée et coiffée, Xénia devait s'exhiber à trois heures précises dans l'un des salons de présentation ornés de miroirs qui montaient jusqu'au plafond, où se reflétaient les lumières des lustres de cristal. Perchées sur de petites chaises capitonnées, les clientes admiraient la dernière collection sous l'œil de leur vendeuse attitrée. Anges gardiens de l'élégance, ces employées connaissaient par cœur les goûts et les appréhensions de leurs protégées, glissaient un mot d'encouragement pour les inciter à être audacieuses ou, au contraire, ramenaient à la raison une cliente conquise par un vêtement qui ne la flattait guère.

Xénia s'avançait, hiératique, en robe d'après-midi, tailleur, sweater en jersey, manteau ou tenue de soirée. Son regard effleurait sans les voir les visages poudrés. Elle pensait à tout autre chose, aux dernières leçons de Cyrille, à la mauvaise toux de Nianiouchka, aux impatiences de Macha, aux mains de Max sur son corps. Il était rare que les époux accompagnent leur femme lors de ces présentations. On y trouvait parfois quelques gigolos ou un amant richissime. L'homme ne frappa pas Xénia par son apparence physique, qui n'avait rien de particulier, ni par son esprit puisqu'il observait en silence le défilé, mais parce qu'il accompagnait Joséphine Baker, la danseuse noire que Xénia avait rencontrée quand Max l'avait emmenée voir *La Revue nègre*. Dès qu'elle aperçut Xénia, un sourire de petite fille malicieuse illumina le visage en tête d'épingle de l'Américaine. Elle agita une main aux ongles argentés, et ses nombreux bracelets s'entrechoquèrent à son poignet.

— *Hello*, Xénia ! souffla-t-elle en se penchant en avant. *You are so beautiful !*

Elle avait essayé de parler à voix basse, mais tout le monde entendit. Pour une fois, Xénia abandonna son masque impassible. La bonne humeur de cette artiste qui enflammait Paris par ses danses débridées était irrésistible. Une semaine auparavant, la jeune femme métisse, qui n'avait pas vingt ans, avait posé pour Max. Son visage expressif, ses lèvres charnues, son corps élastique se prêtaient admirablement à l'objectif. Il l'avait ensuite accompagnée au théâtre des Champs-Élysées où Xénia les avait rejoints. Le rideau gris perle s'était levé à dix heures et quart pour révéler un festival de couleurs, un décor de cargos dans un port improbable, des femmes coiffées de madras, et la perle noire, désarticulée et féline, qui frétillait, palpitait, se trémoussait au son des saxophones et des banjos. Toute nue, parée d'un mince collier de plumes rouges et bleues autour des reins et d'un autre autour du cou, il y avait dans ses mouvements frénétiques une telle libération, une telle joie explosive que le public était debout, tapant des mains et des pieds, sifflant, hurlant.

Toutes les barrières tombaient. Ne restaient dans la salle que ceux qui se laissaient envoûter par la musique syncopée et les danses exotiques. Les autres, les conformistes, les culs-serrés, ceux qui exécraient la jubilation des sens parce qu'ils en avaient peur, criaient au scandale en dénonçant la barbarie de cette animalité frénétique, tout comme ils avaient rejeté quelques années auparavant l'extravagance des Ballets russes. Max et Xénia avaient terminé la soirée en dînant dans un bistrot avec la danseuse et son entourage, se jurant une amitié éternelle en trinquant à la bière, la seule boisson que se permettait Joséphine, les rires à fleur de peau.

— Avance, Xénia ! souffla Tania entre ses dents.

Prise au dépourvu, Xénia s'aperçut qu'elle était restée plantée comme une sotte devant la danseuse, tandis que les autres mannequins poursuivaient leur majestueux rituel. Joséphine gonfla ses joues et roula des yeux avec une mimique si drôle que Xénia ne put s'empêcher d'éclater de rire. Mais en avisant le regard furibond de la vendeuse dressée derrière sa cliente, elle pivota sur ses talons afin d'aller se changer pour son deuxième passage.

— *I want this and this and this, Mr. Rivière,* clama la Baker une heure plus tard, choisissant ses tenues préférées.

Vêtue d'un peignoir en soie, Xénia entendait la voix enjouée en finissant de se démaquiller devant le miroir. Quelques instants plus tard, la danseuse entra comme un tourbillon dans la pièce et se jeta dans un fauteuil pour l'attendre, lui expliquant qu'elle avait faim et qu'elle devait absolument manger son plat préféré, des spaghettis au poivre rouge, avant de se rendre au théâtre. Les autres filles regardaient Xénia avec envie, fascinée par cette connivence inattendue avec l'artiste la plus en vue de la capitale, qui retira ses chaussures et replia ses jambes pour se mettre à l'aise. Pendant que Xénia s'habillait, les unes après les autres, elles demandèrent un autographe. Quelques retoucheuses en blouse blanche vinrent jeter un coup d'œil sur le phénomène, pouffant de rire quand Joséphine esquissait une grimace pour les amuser. Lorsque Xénia fut prête, Joséphine se leva d'un bond. Elle prit ses chaussures par leur bride en prétendant qu'elle avait mal aux pieds et que les Françaises portaient des talons trop hauts. Saisissant le bras de Xénia, elle l'entraîna vers le corridor. L'homme en complet gris patientait dans le salon désormais désert, un feutre à la main.

— Gabriel, j'ai faim ! Des spaghettis… Tout de suite ! s'écria Joséphine. *This is my friend* Xénia, ajouta-t-elle avec un geste du poignet. *Let's go !*

Sans attendre, elle se précipita dans l'escalier, bondissant d'une marche à l'autre.

— N'ayez crainte, nous n'allons pas la perdre. Il lui faudra au moins deux minutes pour remettre ses chaussures avant de sortir dans la rue, plaisanta l'inconnu avec un bon sourire. Permettez-moi de me présenter, mademoiselle. Gabriel Vaudoyer.

Il se tenait un peu voûté comme s'il était intimidé par sa taille. Avec ses cheveux châtains, sa bouche mobile, ses joues rondes et ses rides au coin des yeux, il avait le genre de visage qui inspire confiance. Il l'observait d'un air tranquille et son regard était empreint de curiosité.

— Je connais un petit restaurant italien non loin d'ici. Peut-être le patron acceptera-t-il de préparer un plat de pâtes tout spécialement pour Joséphine. Je doute que vous ayez envie de dîner à cinq heures de l'après-midi.

— C'est un peu tôt, en effet, dit Xénia en souriant, alors qu'ils empruntaient le grand escalier.

— En revanche, je suis sûr qu'un dessert vous ferait plaisir, et ne me dites pas que vous devez faire attention à votre ligne. La vie est trop courte pour se priver des bonnes choses, vous ne trouvez pas ?

Au fil de la conversation, Xénia apprit que Vaudoyer était un avocat reconnu à Paris. Conquis par le spectacle de la revue, il avait demandé au directeur du théâtre, qui était l'un de ses amis, de lui présenter l'artiste. Joséphine ayant quelques tracas administratifs, il n'avait pas hésité à l'aider et, depuis, elle aimait se servir de lui comme chevalier servant. Ils se quittèrent une heure plus tard. Vaudoyer raccompagna la danseuse au théâtre et Xénia s'engouffra dans le métro pour aller rejoindre Max.

Vêtu d'un pantalon de velours élimé, sa chemise blanche déboutonnée, Max lui ouvrit les bras en la voyant arriver dans son atelier. Sa joie de vivre rayonnait. Alors que Xénia commençait à se creuser de fatigue à cause de leurs longues nuits, Max avait même pris un peu d'embonpoint depuis son arrivée. Il se gorgeait de vie. L'exaltation faisait briller ses yeux et son inspiration ne connaissait aucune limite. Des directeurs de plusieurs revues prestigieuses le sollicitaient. On aimait la rigueur et la pureté des lignes de ses compositions, son talent pour rendre la magie de la matière, l'élégance d'une toilette ou la finesse d'un tissu. Le jeune homme accordait une grande importance au développement de ses tirages ; il lui arrivait d'entrer dans sa chambre noire à onze heures du soir pour n'en ressortir qu'à l'aube. Par ailleurs, le dépouillement de ses portraits donnait à ses sujets un supplément d'âme. Pour se faire connaître et décrocher des commandes, il devait mener une vie sociale, ce qui ne lui déplaisait pas, et Maximilian Freiherr von Passau n'avait aucun mal à être accueilli dans le monde. Des personnalités aussi excentriques que la marquise Casati défilaient dans son studio. L'aristocrate italienne aux grands yeux cernés de khôl s'était présentée chez lui, un serpent vivant en guise de sautoir, ce qui avait suscité un certain émoi dans le quartier.

Il serra Xénia contre lui, l'embrassa avec fougue, commença à lui caresser les hanches et le dos. Agacée, elle le repoussa.

— Qu'est-ce qui ne va pas ? demanda-t-il, un peu surpris.

— Je viens d'arriver et tu te jettes déjà sur moi. J'ai travaillé toute la journée. Je suis fatiguée. Je n'ai pas envie de faire l'amour maintenant. Ce n'est pourtant pas difficile à comprendre, non ?

— Mais je ne te demande rien ! protesta-t-il, ouvrant les mains comme si elle l'avait agressé. Je suis heureux de te retrouver, c'est tout. On ne s'est pas vus depuis trois jours. Tu m'as manqué.

Avec un soupir, elle retira son chapeau, déboutonna la veste de son tailleur et s'assit dans un fauteuil. La tête en arrière, elle ferma les yeux. Elle avait été heureuse quand Max lui avait fait la surprise de débarquer à Paris. Une fin d'après-midi, en sortant de la maison de couture, elle l'avait trouvé assis sur un banc, un bouquet de fleurs à la main, un peu intimidé comme s'il redoutait sa réaction. Elle s'était jetée dans ses bras. Elle avait passé la nuit dans la chambre d'hôtel de Max et n'était rentrée qu'à l'aube. Elle avait auparavant prévenu Niania qu'elle sortait dîner ; la vieille femme ne s'en était pas étonnée, car depuis le succès de leur voyage à Berlin, M. Rivière aimait que Xénia assiste à des soirées caritatives ou accepte des invitations chez ceux qui faisaient la pluie et le beau temps de la vie parisienne. Devenue son mannequin-vedette, elle avait âprement négocié une augmentation de salaire que Rivière avait concédée comme si elle lui arrachait une dent.

Les premiers mois, elle s'était laissé étourdir par cette effervescence. Auprès de Max, elle se sentait en confiance. Il se montrait spontané, sincère, amoureux. Quand il la regardait, elle avait l'impression d'être le centre du monde et lorsqu'elle se réveillait dans la mansarde, sur son étroit lit de camp, elle avait parfois le sourire aux lèvres. Je suis heureuse, se disait-elle, presque méfiante. Entre eux, tout était juste, sans aspérités ni troubles. Quand ils somnolaient enlacés après l'amour, elle posait la joue sur son torse et écoutait les battements sourds de son cœur. Depuis qu'elle avait tout perdu, c'était la première fois qu'elle éprouvait ce sentiment de plénitude, et Xénia le vivait comme une grâce. Pourtant, elle n'avait pas parlé de Max à sa famille. Elle n'avait pas suffisamment confiance en la vie pour croire que tout cela pouvait durer, et elle savourait jalousement des moments de bonheur qui lui semblaient éphémères. Max lui reprochait parfois d'être taciturne, de succomber à des pensées sombres qui obscurcissaient son front et voilaient son regard. Gênée, elle ne savait pas quoi lui répondre. Elle devinait que son mutisme l'attristait parce qu'il se sentait rejeté, mais elle demeurait silencieuse. Il est des douleurs indicibles, des jardins secrets où l'on ne s'aventure pas innocemment.

Elle avait posé pour Max une première fois pour rire. Elle avait voulu lui faire plaisir, parce qu'il avait tellement insisté et qu'à Berlin elle n'en avait pas eu le temps. À la lumière naturelle qui pénétrait à flots par la fenêtre, perdue dans une chemise trop grande qu'elle lui avait empruntée, ses cheveux humides plaqués sur le crâne, le visage dépouillé de tout artifice, elle riait aux éclats, dévoilant ses dents blanches, son cou, la naissance de sa gorge. Une vitalité solaire, pleine d'audace et d'insolence. Elle quittait les bras de son amant, elle était une femme comblée, et personne ne pouvait en douter.

Lorsque Max avait développé les photos dans la nuit, il avait retenu son souffle. Cette spontanéité, cet abandon, cet éclat… L'artiste avait décelé chez Xénia Ossoline quelque chose de miraculeux, Max lui appartenait déjà depuis le premier jour. Il lui avait demandé de poser nue et la jeune femme n'avait pas hésité. Il savait déjà jouer avec les ombres et il avait appris à dessiner le corps de Xénia à grands coups de lumière. Les contrastes naissaient de son désir. Contrairement à ceux de ses contemporains qui ne toléraient un corps nu qu'à condition qu'il fût inerte et monochrome, Max célébrait la beauté naturelle dans ce qu'elle avait de chair et d'exigence. Il refusait la pure plasticité, trop froide pour être humaine. S'il prêtait attention au cadrage et s'intéressait à la « fragmentation », privilégiant telle ou telle partie du corps, il évitait de tricher. Il recherchait la vérité simple, la peau qui se rebelle dans le froid, des gouttes d'eau qui glissent sur un sein, l'infinie douceur du pli de l'aine ou du creux d'un genou, un ventre qui offre la naissance du monde, une paume de main abandonnée, fragile, une chute de reins qui ressemble à un vertige.

Il sublimait Xénia et elle répondait à sa demande muette. Quand ils travaillaient, ils ne se parlaient pas. Leur échange n'avait pas besoin de mots. Ils se comprenaient instinctivement. En silence, avec des gestes gracieux, elle trouvait une position qui ressemblait à une offrande. Elle était d'une générosité sans égale qui le rendait humble, et pourtant il y avait toujours cette distance, mystérieuse, envoûtante. Son regard gris était absent, perdu dans le lointain, dissimulé par des paupières closes, ou au contraire incisif quand elle fusillait l'objectif. L'intensité de ces séances les épuisait l'un et l'autre. Alors, ils s'écroulaient sur le lit dans la loggia et s'endormaient, leurs membres enchevêtrés, leurs souffles mêlés.

Xénia ouvrit les yeux. Elle se sentait triste, prisonnière d'une résille de chagrin qui lui donnait l'impression que son corps pesait une tonne. D'où lui venait cette soudaine lassitude ? Max était perché sur un tabouret à l'observer, le menton dans les mains. Les cheveux ébouriffés, le front soucieux, il avait son regard des mauvais jours, quand il se montrait coupant dans ses répliques, désagréable et fuyant. Elle réalisa qu'ils avaient tous deux des caractères semblables. Ils ne pourraient jamais se contenter de l'à-peu-près ni du médiocre. Ils étaient portés par une même ardeur, mais que Max pouvait plus facilement exprimer par son métier, alors que pour Xénia tant de choses demeuraient nouées en elle, complexes et douloureuses.

Elle lui tendit une main, comme une réconciliation, une prière. Aussitôt, il se leva et s'agenouilla à côté du fauteuil pour se mettre à sa hauteur. Il lui prit le visage entre ses mains, approcha son front du sien, fouilla son regard.

— Je t'aime, Xénia.

Et ce fut comme une déchirure dans le cœur de la jeune femme, un sanglot étouffé, le frôlement d'une aile noire. L'amour d'un homme est quelque chose de magnifique et d'effroyable à la fois, parce qu'il porte en lui toute l'âpreté de l'espérance, les blessures de l'enfance, le fardeau d'un passé, les trahisons et les rêves inassouvis, et tous les mirages, les aubes des lendemains, les certitudes. Ce n'est plus le corps qui se dénude, mais l'âme qui se dépouille. C'est un acte de foi que de donner un amour, un geste de bravoure que de l'accepter, car il faut alors renoncer à une part de soi et consentir à baisser la garde afin de laisser venir à nous ce qui nous est étranger, même si l'on croit s'y reconnaître. Or, ce jour-là, alors qu'une pluie fine commençait à ruisseler sur les vitres de l'atelier, que la luminosité se voilait, estompant les contours des objets et brouillant les pistes, Xénia Féodorovna s'aperçut qu'elle manquait de courage. Elle resta silencieuse, la gorge nouée, tandis que les mains chaudes de son amant enserraient ses joues glacées. La jeune femme se sentait lâche et indigne de lui, elle se sentait mutilée, orpheline de cœur, elle se sentait perdue.

Quelques années plus tard, lors de l'enterrement de son père à Berlin, prisonnier d'un costume austère, Max repenserait de manière fortuite à cet après-midi moite et pluvieux où il avait dit son amour à Xénia, où il avait été prêt à tout, à l'épouser et à lui offrir des enfants, à se donner à elle corps et âme avec toute la ferveur et l'inconscience d'un homme passionné, et comment elle était restée figée dans son fauteuil, le regard verrouillé, sans dire un mot. Ce jour-là, il avait découvert qu'on pouvait aimer sans être aimé en retour, et il avait deviné que c'était une blessure dont on ne se remet pas.

À l'époque, ils s'étaient dévisagés avec effroi, comme s'ils pressentaient quelque chose de grave. Leurs doigts s'étaient entremêlés, puis Max avait serré Xénia contre lui. L'un et l'autre avaient compris qu'il ne fallait surtout pas laisser grandir entre eux cette fissure inconcevable qui venait du néant. Alors que la pluie crépitait sur les toits de Paris, qu'une odeur de soufre s'élevait des trottoirs, ils s'étaient aimés avec avidité, trop fiers, trop orgueilleux pour douter d'eux-mêmes. Ils avaient eu les certitudes de la jeunesse qui sont, avant tout, celles du corps, de ses parfums et de ses vertiges, de cette insolente griserie d'aimer. Xénia avait cherché à se faire pardonner de ne pas être digne de Max, de ne pas pouvoir répondre à cette déclaration dont elle mesurait la valeur, tandis que lui avait voulu la rassurer, refusant d'admettre qu'elle l'avait blessé. Confusément, il avait deviné qu'il l'aimait déjà au-delà de ses pudeurs, de ses silences, qu'il l'aimait pour elle et non pour lui, et la puissance de son amour pour Xénia lui avait fait presque peur, lui qui n'espérait que l'insouciance.

Un cabas dans chaque main, Xénia gravissait lentement les marches de l'escalier. Elle se sentait un peu coupable car elle avait fait des folies, en achetant du caviar d'aubergine, des pirojkis, des cornichons *malossols*, des pêches, des pâtes de fruits, et une bonne bouteille de vin pour fêter le retour de Cyrille en fin de journée après un mois de colonie de vacances passé dans l'Isère.

C'était à contrecœur qu'elle l'avait laissé partir seul pour la première fois, mais elle avait tenu à ce qu'il quitte Paris afin de pratiquer du sport et de jouer avec des enfants de son âge. À bientôt neuf ans, c'était un petit garçon turbulent, qui avait besoin d'espace pour grandir, et la minuscule soupente ne lui suffisait plus. Nianiouchka n'avait plus la force de l'amuser et il ne supportait plus de rester toute la journée enfermé avec elle. Or Xénia ne voulait surtout pas que son frère grandisse dans la rue, même si plusieurs enfants du voisinage s'étaient approprié les ruelles pavées du quartier, avec cette manière particulière des plus jeunes de réinventer les endroits les plus insolites.

L'avenir de Cyrille l'inquiétait. Elle tenait à ce qu'il reçoive une éducation rigoureuse, la plus proche possible de celle qu'il aurait eue s'ils avaient pu rester à Saint-Pétersbourg. C'était une question de respect envers leurs parents et leur famille. On commençait à ouvrir autour de Paris des pensionnats russes, où les enfants de l'exil étaient élevés dans l'esprit de leur héritage et la fidélité à la foi orthodoxe, tout en continuant à fréquenter des établissements scolaires français afin de pouvoir être sur un pied d'égalité avec les Français si un retour vers la Russie se révélait impossible. Cette solution lui semblait être la meilleure. Il fallait trouver un équilibre entre un attachement à des racines et une ouverture sur un avenir incertain.

Cyrille était l'héritier Ossoline, l'enfant du miracle. Nianiouchka le regardait parfois, les lèvres tremblantes, le regard voilé d'émotion, en marmonnant qu'il ressemblait comme deux gouttes d'eau à ses oncles. Cependant, quand Xénia racontait des anecdotes d'autrefois au petit garçon, elle prenait soin de prendre un ton détaché. Des ancêtres glorieux peuvent devenir un fardeau et le passé vous retenir en otage. La jeune femme n'était pas une nostalgique. Éprouvée par les rigueurs de la révolution, de la guerre et de l'exil, Xénia Féodorovna s'était endurcie, mais elle était devenue une femme libre. C'était là sa seule conquête. Elle refusait de se laisser prendre au piège d'un passé révolu dont on s'obstinait à ne conserver que les souvenirs heureux, et elle n'avait pas l'intention d'empoisonner son petit frère avec de vaines illusions. Pourtant, elle tenait à lui donner toutes les armes pour réussir sa vie.

Perdue dans ses pensées, elle faillit buter sur le corps d'un homme affalé sur les dernières marches qui menaient au couloir du cinquième étage. Il s'était visiblement assoupi, la tête contre le mur. Il bougonna en se redressant.

— Oncle Sacha, qu'est-ce que tu fais là ? s'exclama-t-elle en reconnaissant son visage émacié.

— Je t'attendais, grommela-t-il, frottant sa nuque endolorie.

— Pourquoi n'es-tu pas entré à la maison ?

— J'ai frappé, mais il n'y avait personne.

Xénia se souvint que Niania avait prévu de passer l'après-midi à la paroisse afin d'aider à quelques travaux de rangement. La vieille femme n'était probablement pas encore rentrée. Quant à Macha, il ne fallait pas espérer la voir de la journée. Les mois de vacances étaient ceux de tous les dangers pour Xénia car Macha, n'ayant pas de cours, s'échappait à la moindre occasion pour rejoindre des amis et traîner dans les cafés. Xénia ne protestait plus. Après tout, Macha était adulte. Elle exigeait seulement que les travaux de couture fussent terminés en temps et en heure. Bien que la défiance de sa sœur lui fût désagréable, Xénia ne se sentait plus la légitimité nécessaire pour lui faire des reproches. Depuis que Max habitait Paris, il lui arrivait à elle aussi de s'éclipser pour la soirée, prétextant une réception mondaine où Rivière lui aurait demandé de se rendre. Si Niania ne posait aucune question, Macha ne manquait pas d'esquisser un petit sourire ironique le lendemain matin.

— Viens, je vais te donner quelque chose à manger, dit-elle à son oncle d'une voix lasse. Tu as l'air épuisé.

Dans la mansarde, elle ouvrit la fenêtre pour chasser l'odeur pénible de renfermé. En dépit de ses efforts, la pièce sentait toujours mauvais en plein été. On aurait dit que tous les relents de graillon de l'immeuble prenaient un malin plaisir à monter chez eux. Les tuyaux de la salle d'eau attenante avaient aussi une fâcheuse tendance à fuir, créant des taches de moisi sur le mur. Pendus à un fil, les vêtements qu'elle avait lavés avant de partir au travail étaient secs. Elle empila sur le lit les paires de bas, la brassière, la jupe noire de Niania et deux chemises en coton.

Sacha retira sa casquette et se laissa tomber sur une chaise avec un soupir. Elle alluma le poêle à charbon pour lui préparer du thé, vérifia qu'il restait bien du jambon et du pain pour le dîner.

— J'ai besoin d'argent, Xénia.

Un frisson parcourut l'échine de la jeune femme. Sacha avait toujours besoin d'argent. À Saint-Pétersbourg, il avait eu la réputation d'être un flambeur. Amateur de jolies filles et de courses de chevaux, il ne regardait pas à la dépense. Issu d'une famille aisée, il n'avait jamais caché son intention d'épouser une héritière. À ses yeux, l'argent était un outil insignifiant bien que nécessaire, mais il était indigne pour un aristocrate de s'en préoccuper. Influencé par une bande d'amis beaucoup plus fortunés que lui, il avait été connu pour distribuer des pourboires d'une générosité dispendieuse. Désormais manœuvre chez Renault, il gagnait à peine de quoi se nourrir et régler le loyer du meublé qu'il partageait avec deux amis. Au moins, le lit est toujours chaud, plaisantait-il. Il se nourrissait mal et peu, préférant jouer une partie de son salaire à l'hippodrome. Xénia lui en avait souvent fait le reproche en vain, tempêtant jusqu'à en avoir la voix rauque, si bien qu'elle avait fini par renoncer à lutter.

Elle posa une assiette sur la table, servit le thé à son oncle. Il avait les joues creuses, les ongles noirs. Les manches de sa chemise dévoilaient des poignets graciles. Le regard bleu si plein de verve était devenu terne et on y décelait par moments une lueur acide de ressentiment. Sacha était un homme vaincu. Il avait abandonné son âme quelque part sur sa terre natale, et seule la coquille vide de son corps survivait en France. Non sans amertume, Xénia songea qu'il aurait mieux valu pour lui mourir les armes à la main plutôt que de subir cette lente descente aux enfers.

— Combien veux-tu, cette fois-ci ? demanda-t-elle.

— Mille francs.

— Mille francs ? Mais tu as perdu la tête ? Où crois-tu que je puisse trouver une somme pareille ?

Elle s'aperçut que ses mains tremblaient et se tourna vers l'évier pour se remplir un verre d'eau qu'elle avala d'un trait. Sacha allait la rendre folle, ils allaient tous la rendre folle.

— Ils m'ont viré, dit-il d'un air de provocation, en enfournant une bouchée de jambon et de pain.

Abasourdie, la jeune femme s'assit lentement en face de lui. Les lèvres blanches de Sacha s'étiraient en une ligne morose. Ses cheveux poisseux conservaient l'empreinte de sa casquette. Elle savait que le travail à l'usine était rude, qu'il fallait endurer la chaleur infernale des fours où l'on déversait les tonnes d'acier parmi le martèlement des marteaux-pilons et le sifflement des transmissions. Beaucoup de contrats se terminaient au bout d'un an et les Russes éreintés cherchaient un autre emploi. Mais Sacha avait refusé de suivre les cours de formation qui lui auraient permis d'accéder à un poste moins pénible de spécialiste. Il avait déclaré qu'un homme comme lui n'allait tout de même pas se plier telle une mauviette au système. Quitte à être ouvrier, autant demeurer au plus bas de la chaîne. Mais l'orgueil du pauvre peut être le dernier clou dans son cercueil, songea Xénia, et quand Sacha détourna les yeux, elle éprouva un élan de pitié et de colère.

— Pourquoi ? demanda-t-elle sèchement.

— Je suis arrivé en retard une fois de trop, fit-il en haussant les épaules. Mon contremaître n'a pas apprécié. Pourtant, ce n'était pas ma faute. Andreï ne m'avait pas réveillé à temps.

— Bien sûr que ce n'était pas ta faute ! ironisa-t-elle. Rien n'est jamais ta faute, n'est-ce pas ? Après tout, ce n'est pas à toi de te préoccuper de te lever le matin, d'être présentable et ponctuel à ton poste de travail pour gagner ta vie... Mais non ! C'est Andreï qui est censé te couver comme une *niania* et moi qui dois régler tes dettes de jeu. À moins que ce ne soit Dieu le responsable ? Après tout, Il pourrait avoir l'amabilité de te fournir un réveille-matin.

— Ne blasphème pas, Xénia Féodorovna ! grogna son oncle d'un ton sévère comme pour la rappeler à l'ordre.

Elle frappa si violemment du poing sur la table qu'il sursauta.

— Je ne blasphème pas, Oncle Sacha. Je dis la vérité, que tu veuilles l'entendre ou pas. J'en ai assez de tes jérémiades et de ton manque de sérieux. Même Cyrille est plus responsable que toi. Oui, tu as été un soldat courageux. Oui, tu as combattu pour la sainte Russie et tu as été blessé en défendant notre cause. Oui, la vie est injuste et elle nous a broyés en nous réduisant à ça, lança-t-elle avec un geste insolent du bras pour indiquer les casseroles cabossées, les torchons suspendus à un fil, l'icône et sa veilleuse, et la photo de Nicolas II punaisée au-dessus du lit de Cyrille. (Mais les vitres étaient propres, rien ne traînait, le sol avait été balayé.) Je ne supporte pas de t'entendre te plaindre en rejetant la faute sur ton compagnon de chambre, poursuivit-elle d'un ton cinglant. C'est intolérable d'être aussi inconsistant. Tu es un adulte, pas un enfant, alors ne te comporte pas comme tel.

Il mâchait, gardant son visage fermé des mauvais jours. Elle savait qu'elle n'en tirerait pas un mot. C'était probablement ce qu'elle trouvait le plus difficile à supporter, ce mutisme buté où il se réfugiait, n'ayant même pas le courage d'élever la voix avec elle.

— Et que vas-tu faire maintenant ? Est-ce que tu cherches un autre emploi ? Ce n'est pas ce qui manque. Heureusement que l'industrie française est en pleine expansion. On vous propose même des contrats sans vous connaître, puisqu'on considère que les Russes sont une main-d'œuvre cultivée et disciplinée. En ce qui te concerne, tu es certainement cultivé, mais je suis plus sceptique sur l'aspect discipline, lâcha-t-elle non sans mépris.

— Est-ce que tu aurais du sucre ?

Exaspérée, elle leva les yeux au ciel, avant de lui en apporter.

— Ton régiment devrait pourtant t'aider, non ? Les associations d'anciens combattants de l'armée impériale ne manquent pas. Vous passez votre temps à vous réunir. J'ai encore été l'autre jour à une soirée de gala destinée à récolter des fonds. Je sais qu'il y a un bureau de placement chez les Anciens de Gallipoli. Tu n'as qu'à te rendre rue de la Faisanderie. Ils te trouveront un emploi.

— Ils m'aident, en effet… À leur façon.

Il tournait avec application sa cuillère qui tintait dans la tasse, ce qui donna à Xénia l'envie de mordre. Puis il leva la tête et jeta un coup d'œil furtif autour de lui.

— Cyrille rentre quand ?

— Ce soir. Pourquoi ?

— Pour rien. Si jamais il avait été encore en vacances, je me disais que j'aurais pu dormir quelques nuits ici en attendant de trouver une chambre.

— Ne me dis pas qu'Andreï t'a flanqué à la porte, lui aussi ?

— Un mouvement d'humeur, rien de plus. Le brave homme s'en remettra. Je n'avais pas payé depuis trois mois.

— Encore des dettes de jeu, je présume ?

— Des peccadilles, je t'assure. Il me faut juste le temps de me ressaisir avant de reprendre un travail.

Il s'étira, fit craquer les jointures de ses doigts. Xénia se leva. Une grosse mouche luisante bourdonnait contre la vitre. L'atmosphère était pesante, poisseuse. On aurait dit qu'une pellicule de poussière jaunâtre recouvrait les toits. Quelques géraniums mouraient sans grâce dans leurs pots de terre cuite. Toute la journée, une chaleur étouffante avait pesé tel un couvercle sur la ville. La maison Rivière tournait au ralenti et, en attendant la rentrée, Xénia avait repris du service chez la grande-duchesse, qui ne chômait pas chez Kitmir, à préparer les collections d'hiver. Les beaux quartiers étaient orphelins, les persiennes fermées, les rues tranquilles, délaissées pour des demeures à la campagne, des villégiatures en Normandie ou sur la Côte d'Azur. Xénia enviait ces chanceux. Voilà trop longtemps qu'elle n'avait pas vu la mer. Elle imagina les stridulations des cigales, les vagues d'un bleu insolent frangé d'écume, les larges feuilles plates des palmiers, les pierres brûlantes d'une véranda sous ses pieds nus… Un vent tiède effleurait ses joues empourprées de colère. Une odeur de poussière et de détritus montait de la cour de l'immeuble, à laquelle il ne manquait que celle sucrée des lilas au printemps pour lui rappeler le sud de la Russie.

— Je vais trouver un autre travail, Xénia, dit Sacha d'une voix blanche. Je te le jure. Je n'étais pas heureux à l'usine. Ce n'était pas pour moi, tu le sais bien. Il y aura sûrement quelque chose quelque part, qui me conviendra mieux… Il me manque seulement un peu d'énergie. Toi, tu as de la chance, tu en as toujours à revendre, lança-t-il sur un ton de reproche. Tu ignores ce que c'est d'être allongé comme une masse sur son lit, sans être capable de mettre le pied par terre. Quelquefois, j'ai l'impression d'être emmuré vivant.

Il y avait une telle lassitude dans sa voix, un tel désarroi, que Xénia ferma les yeux et appuya son front contre la vitre. Elle cherchait des mots de réconfort et elle n'en trouvait pas. Elle ne pouvait pas porter l'échec de Sacha, ses humeurs dépressives, elle ne pouvait pas lui rendre ce qu'il avait perdu. Son oncle l'oppressait. Que savait-il de ses propres angoisses, des doutes qui la tenaillaient ? Bien sûr qu'elle avait de l'énergie. Comment faire autrement ? Elle ne se posait pas de questions. Elle avançait sans états d'âme, tandis que lui portait sa tristesse comme une décoration sur la poitrine. Elle songea qu'elle haïssait la mélancolie avec tout ce qu'elle entraîne de langueur, de veulerie et de soumission au destin, et elle ne pouvait pas s'empêcher de penser que Sacha s'y complaisait.

— Si cela peut te rendre service, je vais aller dormir chez une amie pendant quelques jours, dit-elle en pensant à Max avec qui elle n'avait jamais passé une nuit entière. Mais pas plus d'une semaine, tu m'entends ? Ensuite, tu devras te trouver un logement et un travail.

— Bien sûr ! s'écria-t-il d'un air enjoué. Je te remercie, Xénia. Tu me sauves, ma petite colombe ! Je vais aller chercher ma valise que j'ai laissée à la quincaillerie chez Ilia Antonovitch.

Comme par miracle, sa fatigue s'était envolée. Une vigueur nouvelle enflammait ses joues et faisait briller ses yeux. Il retrouvait l'illusion de cet éclat qui avait fait autrefois de lui l'un de ces hommes incontournables sur lesquels le regard s'attarde. Il la saisit aux épaules et lui déposa deux baisers sonores sur les joues. Alors qu'il ouvrait la porte et dévalait l'escalier, Xénia songea qu'elle s'était fait berner une nouvelle fois, mais qu'elle n'arrivait même pas à lui en vouloir.

Des épingles dans la bouche, l'œil plissé, Jacques Rivière observait d'un air attentif le tombé de la mousseline brochée. Il tourna lentement autour de Xénia, ajustant d'une main nerveuse le drapé. Des gouttes de sueur perlaient sur le front de la jeune femme. Les élastiques qui retenaient les plissés lui serraient la peau de manière désagréable. Elle trouvait pénible de devoir porter des vêtements d'hiver en plein été, de même qu'il lui arrivait de frissonner en décembre dans des tenues estivales. Elle avait envie d'une citronnade, d'une douche fraîche et de rejoindre Max qui avait loué une voiture pour l'emmener dîner sur les bords de la Marne. Heureusement, elle allait profiter de trois semaines de répit. M. Rivière partait le soir même en train de nuit pour la Riviera. Dommage qu'il ne nous invite pas dans sa villa, songea-t-elle. Elle l'avait vue dans un reportage. Une ravissante maison aux murs de crépi rose qui surplombait la Méditerranée, avec un grand jardin planté de pins et de mimosas, des terrasses qu'embaumait le jasmin, et des chambres claires aux sols pavés de mosaïques et aux lits auréolés de moustiquaires qui donnaient sur le large. À défaut de pouvoir bouger, Xénia se mit à rêver.

— Il faut que je voie ma sœur tout de suite !

La voix claqua, impérieuse et sonore, faisant sursauter la première d'atelier dont les lunettes glissèrent et se balancèrent au bout de leur chaînette dorée. Exaspéré, M. Rivière retira les épingles de sa bouche et se redressa d'un air furieux.

— Qu'est-ce que c'est encore ? s'exclama-t-il en froissant le dessin de la robe, qu'il jeta par terre comme un enfant capricieux. Comment voulez-vous que je me concentre si je suis constamment dérangé ?

Xénia avait reconnu la voix de Macha. Si elle n'avait pas été aussi surprise, elle se serait amusée du caprice de Rivière qu'elle devinait plutôt soulagé de cette interruption. Le couturier souffrait d'une panne d'inspiration depuis trois quarts d'heure. Macha apparut dans l'embrasure de la porte, vêtue de sa robe blanche qui lui donnait des allures de première communiante, son chapeau de paille orné d'un ruban rouge sur la tête. L'air pincé, la jeune fille regardait autour d'elle d'un œil à la fois soucieux et déterminé.

— C'est ma sœur, monsieur, dit Xénia. Si vous pouviez m'excuser quelques instants.

— C'est intolérable, mademoiselle, s'époumona Rivière, le torse bombé d'indignation. Si vous croyez qu'on crée une collection comme ça, en claquant des doigts. Bon, allez-y maintenant ! Dépêchez-vous ! Je vous donne dix minutes et je veux vous revoir à votre place. Mademoiselle Solange, apportez-moi un verre d'eau dans mon bureau.

Quand il eut quitté la pièce, Xénia releva la mousseline d'une main et s'approcha de sa sœur, le cœur battant.

— Qu'est-ce qui ne va pas, Macha ?

— C'est l'oncle Sacha.

Malgré elle, Xénia éprouva un bref soulagement. Elle s'était attendue au pire : un malaise de Nianiouchka, un accident de Cyrille... Et pourtant, Macha ne serait jamais venue la chercher s'il ne s'était pas passé quelque chose de grave.

— Qu'est-ce qui lui est arrivé ?

D'un seul coup, les yeux de Macha se remplirent de larmes et ses lèvres se mirent à trembler. Elle semblait complètement désemparée.

— Il faut que tu viennes tout de suite, Xénia. Je ne sais pas quoi faire. Il s'est battu dans la rue et il a été emmené par les gendarmes. Je ne sais même pas où il est. C'est affreux, j'ai tellement peur !

— Il a fait quoi ? demanda Xénia, abasourdie.

Les quelques jours de délai qu'elle avait accordés à son oncle pour trouver un autre logement s'étaient écoulés, mais Sacha était toujours installé à demeure.

Il prétendait avoir trouvé un emploi dans une imprimerie, mais qu'on ne l'embaucherait qu'à partir du 1er septembre. Elle n'avait pas voulu l'humilier en lui réclamant son contrat de travail. Elle avait préféré profiter de ces moments de liberté inattendus qui lui permettaient de passer les nuits chez Max, tandis que Tania avait gentiment accepté de lui servir d'alibi.

— Explique-moi, ordonna-t-elle à sa sœur en se dirigeant d'un pas décidé vers la pièce qui servait de vestiaire aux mannequins.

Elle fit glisser la mousseline d'un mouvement d'épaules et commença à se rhabiller. Macha tremblait de la tête aux pieds. Elle parlait d'une voix saccadée, comme si elle avait couru.

— Moi, je n'ai rien vu au début, puisque j'étais dans la chambre. C'est Vassili qui est venu me prévenir. Je suis descendue tout de suite. Il paraît que deux hommes ont agressé Oncle Sacha dans la rue. Qu'ils en sont venus aux mains. D'ailleurs, il avait du sang partout sur le visage, si tu avais vu ça… C'était affreux, je crois qu'ils lui ont cassé le nez. Il était défiguré. On m'a dit qu'Oncle Sacha avait tiré un coup de pistolet. Un homme était allongé par terre. Il avait du sang sur la poitrine et j'ai cru qu'il était mort.

— Mais qu'est-ce que tu racontes ? D'où aurait-il eu un pistolet ? C'est absurde, ton histoire !

— Quelqu'un a appelé un agent de police. L'autre type s'était enfui. Le blessé a été emmené à l'hôpital et ils ont embarqué Oncle Sacha. Oh, mon Dieu, Xénia, qu'est-ce qui va lui arriver ? s'écria Macha, un sanglot dans la voix.

— Reprends-toi, voyons. On va tirer cette histoire au clair. C'est sûrement un affreux malentendu…

Mademoiselle Solange, appela Xénia en passant la tête par l'entrebâillement de la porte. Veuillez m'excuser auprès de M. Rivière, mais il est arrivé un grave accident dans ma famille et je dois m'en occuper tout de suite.

— Mais, mademoiselle, vous ne pouvez pas... bégaya la première d'atelier, l'air ahuri.

— Tenez, voilà la robe, dit Xénia en lui fourrant la mousseline pleine d'épingles dans les mains. Dites-lui que je suis vraiment désolée, mais que c'est un cas de force majeure. Je lui souhaite de bonnes vacances.

Puis elle enfonça son chapeau sur la tête, saisit la main de sa sœur et s'élança dans le corridor.

La secrétaire de Gabriel Vaudoyer était une petite femme sèche au nez effilé, qui portait une blouse boutonnée jusqu'au cou, une jupe grise à mi-mollet et un collier de perles fines. Sa coquetterie tranchait avec son expression sévère. Quand Xénia avait sonné à la porte du cabinet, elle lui avait ouvert et l'avait priée d'un ton sec de patienter au salon. La jeune femme s'était demandé si elle lui en voulait de la retenir alors que sa journée de travail était certainement terminée.

L'austérité du parquet de châtaignier et des meubles de bois foncé était tempérée par les murs ivoire sur lesquels éclataient les couleurs joyeuses de gravures sportives plutôt insolites dans un lieu aussi formel. Deux lampadaires en bronze argenté et albâtre encadraient un canapé en cuir. L'atmosphère sereine apaisa quelque peu la jeune femme, qui s'assit sur le bord du canapé et lissa d'une main nerveuse les plis de sa robe. Toute froissée et hagarde, elle devait avoir l'air décomposé. Lorsqu'elle était partie de chez elle, rien ne l'avait préparée à cette journée odieuse. Elle n'avait pas cessé de courir depuis le début de la matinée et elle se sentait crasseuse, imprégnée par les relents d'encre, d'angoisse et de tabac froid des différents commissariats où elle avait atterri. N'y tenant plus, elle se releva et s'approcha de la fenêtre entrouverte. Bien qu'elle n'eût rien mangé, elle n'avait pas faim ni soif. Son corps ne réclamait rien, seul son cerveau se rebellait. Elle se demanda si elle parviendrait à être cohérente avec Gabriel Vaudoyer ou s'il allait la prendre pour une illuminée. Elle songea aussi, soudain horrifiée, que Max devait l'attendre et qu'elle n'avait pas eu le temps de le prévenir.

— Mademoiselle Ossoline, quel plaisir de vous revoir !

Vaudoyer s'avançait vers elle, les bras ouverts en geste de bienvenue. Il avait ce même sourire engageant qui lui avait plu lors de leur première rencontre. Son visage respirait la prévenance, son costume de flanelle gris clair et sa cravate à rayures lui donnaient une élégance toute britannique. Il semblait frais et reposé, comme s'il revenait d'un après-midi passé à la campagne. Il lui prit la main qu'il porta à ses lèvres, tout en l'observant d'un regard empreint de curiosité.

— Entrez dans mon bureau, je vous en prie, dit-il en la guidant vers une pièce attenante, avant de refermer la porte derrière eux.

Le lieu était baigné par la lumière oblique de la fin d'après-midi qui pénétrait par deux hautes fenêtres. Une imposante bibliothèque occupait un pan de mur, quelques dossiers étaient soigneusement empilés sur le bureau. Vaudoyer approcha un fauteuil et s'assit non loin d'elle.

— Comment allez-vous, mademoiselle ? Je suis vraiment enchanté de vous revoir, mais j'imagine que vous êtes venue pour une raison précise, et je ne voudrais pas vous faire patienter davantage. Je crois que vous avez dit à ma secrétaire que c'était urgent.

Il lui sembla si solide et rigoureux, si parfaitement maître de lui, que Xénia eut le sentiment que rien n'était perdu et que s'il devait y avoir un miracle, ce serait certainement grâce à Gabriel Vaudoyer. Son répit fut de courte durée. Elle buta d'emblée sur l'obstacle récurrent qui lui empoisonnait la vie.

— Pardonnez-moi, maître, mais je me demandais… Pour vos honoraires… Comment dire ? Je ne dispose pas de beaucoup de moyens et j'ignore si…

Agacée, elle entendit sa voix flancher. Comme à son habitude, lorsqu'elle devait affronter un moment humiliant, elle releva le menton et le regarda droit dans les yeux. Il se pencha, posa la main sur son bras, entre l'ourlet de la manche évasée et le revers de son gant en fil, ce qui la fit tressaillir.

— Mademoiselle, j'ai choisi de faire ce métier avant toute chose par amour de l'équité. Ne parlons pas d'argent, si vous le voulez bien. Nous aurons sûrement l'occasion de trouver des sujets de conversation plus intéressants. Dites-moi plutôt ce qui vous préoccupe.

Un court instant, Xénia ne sut pas quoi répondre. Elle n'avait pas l'habitude qu'on lui vienne en aide et les sauveurs étaient pour elle une race inconnue. Il y avait quelque chose de légèrement enivrant à se confier à un homme et à se laisser porter, et elle éprouva un élan de gratitude envers Gabriel Vaudoyer qui lui faisait découvrir ces horizons nouveaux. Mais quand elle songea à ce qui l'avait amenée chez lui, la gravité de la situation la frappa à nouveau de plein fouet. Elle se sentit blêmir. Elle avait dû attendre des heures à la police, sur de petites chaises inconfortables dans des couloirs ternes, souffrir d'être renvoyée de bureau en bureau où l'indifférence le disputait à la suspicion, jusqu'à ce qu'elle trouve quelqu'un de compétent qui avait bien voulu lui expliquer d'un ton cassant où l'on avait emmené son oncle et pour quels motifs on le retenait derrière les barreaux. Quand un fonctionnaire lui avait déclaré d'un air laconique qu'il fallait sans doute faire appeler l'avocat commis d'office, l'image de Gabriel Vaudoyer lui avait traversé l'esprit comme une évidence, et elle avait répliqué que ce n'était pas nécessaire, que celui de son oncle allait être prévenu. Il lui avait fallu ensuite dénicher un annuaire, éplucher les noms des innombrables Vaudoyer qui habitaient la capitale, avant de trouver enfin l'adresse recherchée. Dans le sous-sol du café, quelques jetons de téléphone posés devant elle au cas où l'opératrice couperait la communication, le cœur soulevé par les odeurs nauséabondes des urinoirs, elle avait tenu l'écouteur des deux mains, priant le ciel que Me Gabriel Vaudoyer ne fût pas un amateur des villégiatures d'été.

Xénia inspira profondément.

— J'ai besoin de votre aide, maître. Mon oncle Alexandre Petrovitch Serebroff est en prison. Il est accusé de meurtre et vous êtes le seul à pouvoir le sauver.

Des semaines qui suivirent, Xénia ne garderait qu'un souvenir diffus. Il y avait eu des orages d'été qui noyaient les trottoirs sous des flaques infranchissables, des gerbes d'eau sale que soulevaient les roues des automobiles, des ciels lavés de toute impureté, lumineux et blessants, le retour des Parisiennes des beaux quartiers, qui rapportaient dans leurs valises des regrets d'embruns et de cocktails exotiques, l'ardoise neuve de Cyrille, la rentrée des classes, les premières feuilles flétries, les marrons rutilants dans leurs enveloppes duveteuses, la robe noire ornée d'un ruban rouge de Gabriel Vaudoyer qui claquait au vent devant le Palais de Justice, le visage verrouillé de Sacha, son maintien irréprochable devant ses juges, son corps rigide et son regard fixe, redoutable d'absence.

Il y avait eu Max, bien sûr, comme une certitude, un refuge, et cette exigence du désir qui la ramenait inéluctablement vers lui, l'excitation nouée au creux du ventre, le corps fébrile, et le plaisir tranchant comme une lame lorsqu'il la faisait jouir. Ce n'était plus l'épanouissement des premiers temps, le bonheur de la révélation, cette sorte d'émerveillement, car Max la rendait à elle-même en lui rappelant qu'elle existait en dépit des autres. Désormais, il y avait chez Xénia une forme d'ardeur qui ressemblait à une colère sourde qui n'avait rien à voir avec lui, mais avec les épreuves que le destin lui infligeait sans relâche et contre lesquelles elle avait fini par se rebeller. Elle ne laissait plus venir le plaisir, timide, émerveillée et reconnaissante ; elle partait à sa conquête, pugnace, volontaire, elle arrachait à la vie ces instants d'allégresse où elle ne cherchait que l'oubli, et ses gestes d'amour étaient devenus des gestes de combat.

Max contemplait Xénia, allongée contre lui, la tête reposant dans le creux de son épaule, l'une de ses jambes prisonnière des siennes. Elle s'était assoupie, tout endolorie de chaleur, de sève et de chagrin. Depuis que son oncle avait été arrêté et que la justice démêlait les fils compliqués d'un rébus où se mêlaient dettes de jeu, usuriers sans scrupules, petits malfrats armés, payés pour les basses besognes, il avait eu un aperçu de la Xénia telle qu'elle s'était forgée à travers les difficultés. Sa ténacité forçait le respect, mais elle n'en devenait que plus distante, prisonnière d'une armature dont elle tirait sa force mais qui l'isolait.

Dès l'annonce de la mauvaise nouvelle, il lui avait proposé son aide pour l'accompagner dans ses démarches. En vain. Elle avait même éludé la plupart de ses questions. « Tu es là, c'est déjà inespéré », avait-elle dit, sévère, lui donnant le sentiment quelque peu humiliant qu'elle n'avait pas besoin de lui pour autre chose que le plaisir et le divertissement. Mais Max était encore trop peu aguerri pour saisir la complexité d'une femme aussi déroutante. N'osant pas s'imposer à elle et lui résister, il se laissait broyer par la résolution de la jeune Russe, tolérait d'être blessé par une réplique lapidaire, se soumettait à ses caprices et ses humeurs, se réjouissait comme un fou lorsqu'un sourire éclairait son visage et qu'elle semblait soudain heureuse, et comme il l'aimait trop, il l'aimait mal.

La lettre de Sara reposait sur la table près de la fenêtre. Il l'avait reçue la veille et il avait aussitôt réservé une couchette dans le train de nuit en partance pour Berlin. Il ne lui restait que quelques heures pour boucler sa valise. Il avait eu l'intention d'en parler à Xénia dès qu'elle était venue déjeuner, mais ce jour-là, sans raison apparente, elle avait été si joyeuse qu'il n'avait pas voulu courir le risque de l'attrister. Max était encore jeune, mais il était un homme. Ainsi, il préférait retarder les échéances pénibles, avec l'espoir inconscient qu'elles se dissiperaient comme par miracle. Ils avaient pris en vitesse des œufs sur le plat et une bouteille de chiroubles dans le bistrot à l'angle de sa rue, avant de remonter chez lui, main dans la main.

Brusquement, il fut saisi d'un mouvement d'impatience. Le poids de Xénia lui sembla insupportable, son souffle paisible presque un reproche. Pris par une bouffée d'angoisse, il essaya de se glisser hors du lit sans la déranger. Avec un soupir, Xénia roula sur elle-même, enfouit son visage dans l'oreiller en ramenant le drap au-dessus de sa tête, pour aussitôt le rabattre.

— Quelle heure est-il ?

— Deux heures passées.

— Déjà ! Il faut que j'y aille !

Elle bondit hors du lit, se dressa nue devant lui. Comme chaque fois, le cœur de Max se serra, et il perçut l'élan irrésistible de son corps vers elle. Ils étaient amants depuis des mois mais il n'était toujours pas rassasié. L'allure de Xénia, le parfum de sa peau, son caractère exaspérant, sa franchise, son orgueil insensé, son humour, son courage, sa tendresse qui éclatait soudain avec une fraîcheur bouleversante : elle était insaisissable, inspirante, et Max von Passau était irrémédiablement conquis. Et pourtant, comment nier qu'il y avait quelque chose d'intranquille dans son amour ? Une réticence, ténue mais douloureuse. Elle n'avait pas voulu qu'il rencontre les siens, ni sa vieille Nianiouchka, ni Macha ou Cyrille, et il en avait été secrètement heurté. « Je ne veux pas te partager », disait-elle d'un air si féroce qu'il se consolait en éprouvant presque une pointe de fierté.

Désormais, il pensait la connaître. Elle avait du mal à lui dissimuler ses impatiences ou ses chagrins. Il lui pardonnait beaucoup. Probablement trop, se disait-il parfois, sans savoir comment amender cette faiblesse. Ces derniers temps, le visage de la jeune femme trahissait une inquiétude qu'elle n'arrivait pas à lui cacher. L'arrestation de son oncle avait atteint quelque chose de très profond en elle, qui relevait de l'ordre de la fierté. « Il n'est tout de même pas un vulgaire criminel, nous valons mieux que ça », avait-elle murmuré, tête basse, et Max avait compris qu'elle avait honte et que ce sentiment lui était étranger. Il avait été ému de la voir batailler non seulement avec les institutions mais avec elle-même, refusant de se laisser abattre, portée par cette intelligence de la souffrance qui la rendait si attachante.

Ils étaient en train de préparer une série de photographies en vue d'une exposition, mais bien qu'il lui eût proposé d'interrompre leurs séances de pose, elle avait refusé, sachant combien ce travail était important pour lui. Cette nouvelle épreuve avait donné à son visage un grain plus dense, une gravité qui la rendait encore plus belle, et il avait conçu le décor autour d'elle en la laissant parfois dans l'ombre, afin d'accentuer l'ambiguïté de son personnage. Avec le sentiment pénible d'être tenu à distance par la femme qu'il aimait, Max avait choisi de s'en approcher d'une autre manière, de dévoiler son intimité à travers l'œil de l'objectif. Ainsi, sans qu'elle en soit pleinement consciente, il avait fait tomber les masques de Xénia, mis à nu ses émotions, et à travers elle, c'étaient toutes les femmes qu'il photographiait, rendant hommage à leur courage et leur ardeur, à leur fragilité aussi.

— Qu'est-ce que tu as ? demanda-t-elle d'un ton amusé en passant devant lui pour se rendre dans la petite salle de bains qui tenait aussi lieu de chambre noire.

Aux premiers temps de leur liaison, Xénia avait été délicieusement pudique, se voilant d'un drap, d'une chemise, de tout ce qui pouvait lui tomber sous la main, mais au fil des mois, elle avait apprivoisé son corps, sa nudité gracieuse et elle bougeait désormais avec naturel. L'eau chaude gargouillant dans les tuyaux empêcha Max de répondre. Un courant d'air le fit frissonner. Il se rhabilla, alluma une cigarette qu'il fuma avec de petites bouffées nerveuses. Puis il se versa un cognac qu'il avala d'un trait. Xénia commença à ramasser ses affaires éparpillées dans la pièce. Il songea que chacun de ses gestes était un ravissement. Elle fredonnait, radieuse. Voilà plusieurs jours qu'il ne l'avait pas vue aussi détendue, et il se sentit d'autant plus fautif.

— On se voit ce soir, comme prévu ? demanda-t-elle.

— Ne m'en veux pas, mais je ne peux pas ce soir.

— Ah bon, pourquoi ?

Il passa une main dans ses cheveux. Cette situation était parfaitement absurde. Il avait l'impression de la trahir, alors qu'il n'avait rien fait de mal, excepté attendre l'ultime seconde pour lui annoncer une nouvelle qui allait sans doute lui faire de la peine.

— Je dois rentrer à Berlin pour quelque temps.

Elle se figea, bouche bée.

— Pardon ?

— Je sais que je te l'annonce de façon un peu abrupte, mais j'ai reçu une lettre de Sara hier matin. Tu sais, cette amie dont je t'ai parlé. Son père a eu une attaque. Il est cloué au lit et elle se retrouve seule à la tête des magasins Lindner. Elle se sent un peu perdue. Elle a besoin d'un soutien.

Xénia regardait tour à tour le visage de Max et la lettre qu'il tenait à la main. Elle s'était imperceptiblement raidie et les traits de son visage avaient durci.

— Et c'est toi qui peux l'aider ?

— Pas au quotidien, bien sûr. Je n'y connais rien dans ce domaine-là, et puis Sara est une fille très capable. Mais je crois qu'elle serait heureuse que je sois auprès d'elle, pour l'encourager tout simplement, fit-il en haussant les épaules.

— Et comme ça, tu lâches toute ta vie ici pour aller la retrouver. Je croyais que tu préparais une exposition. On a beaucoup travaillé, ces derniers temps.

— Je sais. Tu as été merveilleuse alors que ce n'est pas un moment facile pour toi, et je t'en remercie. Mais pour l'instant, ce qui arrive à Sara me semble plus important. Saul Lindner est un homme remarquable. Les médecins sont réservés sur le pronostic. Dans la vie, il faut savoir être présent quand les gens ont besoin de vous. Je ne voudrais pas qu'elle se sente abandonnée.

— La malheureuse, fit Xénia en ajustant un bas, et le dédain dans sa voix irrita Max.

— C'est quelqu'un qui compte beaucoup pour moi. Je ne veux pas lui faire défaut.

Xénia boutonna sa robe en silence, essayant de maîtriser ses doigts fébriles. L'annonce de ce départ imprévu lui avait coupé le souffle. Elle s'en voulait d'être aussi vulnérable. Max était un homme libre, il avait le droit de rentrer chez lui. Sa famille n'était-elle pas à Berlin ? D'ailleurs, il pouvait aussi revenir. De toute façon, il ne parlait pas de rupture, et cette histoire n'avait rien à voir avec elle, tout cela était parfaitement raisonnable. Mais alors, d'où lui venait ce vertige ?

— Pourquoi es-tu sur la défensive, Max ? demanda-t-elle en enfilant son manteau. Je comprends très bien. Sara a de la chance d'avoir un ami comme toi. Quelqu'un qui est prêt à tout lâcher du jour au lendemain pour accourir.

— C'est ce qu'on appelle l'amitié.

— Probablement, fit-elle en haussant les épaules. Je n'en sais rien. Je n'ai pas d'amis.

Max ne lui connaissait pas ce sourire acide. Il trouvait ridicule d'être cloué au pilori, alors qu'il voulait seulement rendre service à une femme qu'il estimait et qu'il avait aimée autrefois ; mais il se sentait coupable de ne pas trouver les mots pour apaiser Xénia. Il repensa à toutes les fois où elle s'était refusée à lui, non pas physiquement bien sûr, car Xénia était une amante généreuse, mais elle n'avait pas son égale pour verrouiller son cœur. Brusquement, Max lui en voulut pour ces infimes griffures qu'elle n'avait cessé de lui infliger.

— Pourquoi le prends-tu sur ce ton ? s'énerva-t-il. Je reconnais que j'aurais pu t'avertir plus tôt, mais je viens seulement de recevoir cette lettre. D'ailleurs, je n'ai pas à me justifier. Je ferais exactement pareil pour toi.

— Ah, mais moi, je ne claque pas des doigts pour qu'un homme vole à mon secours au moindre pépin.

— Tant mieux pour toi ! Qu'est-ce que tu attends ? Des félicitations ? On sait que tu n'as besoin de personne. À force de toujours tout affronter toute seule, tu n'es même pas capable d'accepter le soutien des gens qui t'aiment. On dirait presque que tu méprises ceux qui veulent t'aider.

Il vit passer un éclair de tristesse dans le regard de Xénia, éprouva une joie mesquine à l'idée d'avoir franchi cette barrière qu'elle érigeait entre elle et les autres, mais au même instant, il fut tenté de la prendre dans ses bras, de lui dire qu'il l'aimait et de lui demander pardon.

— Alors il ne me reste qu'à te souhaiter bon voyage. Je suis sûre que tu seras d'un grand soutien à ta chère Sara.

C'est seulement alors qu'il comprit, et il s'en voulut de ne pas avoir su éviter cette dispute stupide qui avait surgi de nulle part.

— À moins que tu ne sois tout simplement jalouse, Xénia, lança-t-il avec un sourire taquin et cette condescendance des hommes toujours flattés à l'idée qu'une femme puisse prendre ombrage d'une autre à cause d'eux.

La jeune femme releva la tête d'un mouvement brusque.

— Pour être jalouse, Max, encore faut-il être amoureuse.

Un court instant, elle soutint son regard. Impitoyable. Inaccessible. Puis, sans rien ajouter, elle ouvrit la porte et sortit sur le palier. Il resta debout comme un imbécile, le cœur chaviré, alors que la porte battait dans le courant d'air et que les talons de Xénia claquaient sur l'escalier en bois. Bientôt il n'y eut plus que le silence, et un sentiment de solitude si féroce que Max vacilla.

Gabriel Vaudoyer était un homme patient. On prétend que la constance est une qualité, et il n'en avait jamais manqué. Enfant, les caprices lui avaient été inconnus. Jeune garçon, il était passé pour une curiosité auprès de ses camarades de lycée, des garçons plus indisciplinés aux engouements éphémères. Car la patience en appelle à la maîtrise de soi, et cette impassibilité peut être confondue avec le mépris. Au plus fort de la guerre, sa détermination, alliage de ténacité et de calcul, en avait fait un excellent officier. Quant à son métier d'avocat, on ne lui connaissait pas d'égal pour attirer l'adversaire dans ses filets.

Ce matin-là, une serviette nouée autour des reins, Gabriel sifflotait en s'examinant dans le miroir de sa salle de bains. Il termina de lisser ses cheveux avec un peigne. Son visage était rasé de près, les grains de la peau resserrés, le teint frais. À quarante-quatre ans, il attachait beaucoup d'importance à son apparence, considérant que c'était la moindre des choses que de présenter au monde une face aimable. Il avait terminé une heure de gymnastique avec un professeur qui venait à son domicile afin de l'aider à muscler un dos qui avait souffert d'une mauvaise chute de cheval quelques années auparavant. Son corps lui accordait une certaine prestance, une réputation de séducteur, alors qu'il cherchait avant tout à satisfaire un sens très personnel de l'esthétisme.

Du plus loin que remontaient ses souvenirs, la laideur l'avait toujours indisposé, ainsi que la médiocrité, l'étroitesse d'esprit ou les dimanches après-midi et leur insupportable torpeur. Mais il avait compris très tôt que personne, autour de lui, ne partageait ces agacements. Son père, fonctionnaire à l'Instruction publique, avait eu une haute idée de la république et de ses valeurs de laïcité, d'égalité et de mérite. Sa mère avait été une femme incolore, soucieuse de son intérieur, du bien-être de son mari et de l'éducation de son fils unique. De son enfance, Gabriel gardait le souvenir de cette odeur propre aux appartements modestes, mélange de cire, de repas pris en commun, d'une poussière pourtant traquée avec obstination. Chez les Vaudoyer, les vêtements étaient entretenus avec grand soin, les nappes toujours passées à l'eau bouillante. On avait en horreur le superflu et le gaspillage, la fantaisie et l'exubérance. Un soir, vers ses dix ans, levant le nez de son potage, écoutant le tic-tac de la pendule et le cliquetis des couverts, Gabriel avait eu l'impression que les murs de la pièce se rapprochaient pour l'étouffer. La sueur au front, il s'était juré d'échapper à cette lente suffocation.

Il avait fait des études de droit brillantes, choisi avec discernement ses camarades, noué des liens, fréquenté des cercles de pensée, gravissant les échelons du pouvoir avec une détermination sans faille, mais sans jamais parler de sa réussite à ses parents. Sans les aimer, il les respectait, et il n'aurait pas voulu les effrayer en leur dévoilant son penchant pour des univers aussi insolites que le jazz américain, l'amour des objets d'art ou l'argent. Au fil des années, sa mère lui avait fait comprendre qu'elle aurait aimé avoir des petits-enfants, or les deux seules jeunes femmes que Gabriel avait songé à épouser l'avaient déçu par ce qui pouvait passer pour des vétilles : l'une avait des pieds disgracieux, l'autre un rire de crécelle. Il avait préféré prendre des maîtresses et son mal en patience. Quand ses parents étaient morts, à quelques mois d'intervalle, il n'avait avoué à personne qu'il s'était senti plus soulagé qu'attristé.

Satisfait de sa bonne mine, il retourna s'habiller dans sa chambre. D'amples rideaux de soie beige encadraient les fenêtres. La lumière froide de février soulignait les murs dépouillés, les meubles en marqueterie de paille vernie, les bois clairs. Le jeté de lit en vigogne traînait sur le tapis, dévoilant les draps froissés et les oreillers de plume. Il ajusta le nœud ample de sa cravate en soie, tamponna son mouchoir d'une eau de toilette italienne que le parfumeur lui envoyait de Parme, puis vérifia l'heure à sa montre. Cinq minutes d'avance.

En traversant l'antichambre, puis le grand salon, il éprouva comme chaque fois l'intense satisfaction d'être propriétaire de ce bel appartement qui donnait sur le jardin du Luxembourg. Cette réussite, il ne la devait qu'à lui-même et il en était fier. Il pénétra dans la pièce qui lui tenait lieu de bibliothèque et de fumoir. Les relents de cigare de la veille lui furent désagréables. Le froid l'avait empêché d'aérer la pièce, et il avait passé du temps à étudier le dossier qui reposait encore sur le bureau en palissandre. D'ordinaire, une affaire criminelle comme celle d'Alexandre Serebroff n'était pas de son ressort, car il choisissait des sujets plus lucratifs, mais Gabriel n'était pas le genre d'homme à laisser passer les occasions. Le hasard avait bien fait les choses en lui permettant de revenir dans la vie de Xénia Ossoline sans avoir à la solliciter.

Dès qu'il avait posé les yeux sur la jeune Russe dans le salon d'apparat du couturier, qu'il avait vu son image se démultiplier à l'infini dans les miroirs, il avait compris que la somme de toutes ses patiences et de ses envies, de ses désirs éphémères pour d'autres femmes, de sa quête d'une forme de beauté qui seule l'apaisait, n'avait eu qu'un objectif : le mener auprès de cette femme unique qui se dressait devant lui la mine hautaine, une main sur la hanche. Il avait aussitôt reconnu la nature de son élan pour l'inconnue. Soucieux d'une forme de perfection, aussi bien dans l'agencement de son quotidien que dans celui de ses sentiments, Gabriel était un homme exigeant, non dénué de flair, et il avait compris qu'il ne trouverait le repos que lorsqu'elle serait devenue sienne.

Il prit l'épais dossier cartonné qu'il rangea dans une sacoche. La date de l'appel avait été fixée pour dans quelques mois, ce qui était plutôt encourageant au vu de la lenteur de l'appareil de la justice, et il avait l'intention d'envoyer un mot à Xénia Ossoline pour le lui annoncer, tout en l'invitant à dîner. Il ne doutait pas qu'elle accepterait. Il quitta la pièce en appelant son valet de chambre qu'il trouva dans le vestibule, armé d'un melon noir et du manteau aux revers de fourrure.

— Bonjour, Monsieur. Monsieur a-t-il bien dormi ?

— Parfaitement, Julien, je vous remercie. Je ne rentrerai pas dîner ce soir. Prévenez Madeleine, je vous prie.

— Très bien, Monsieur. Je souhaite une bonne journée à Monsieur.

Gabriel Vaudoyer dédaigna l'ascenseur et dévala l'escalier. Dehors, il s'arrêta sur le trottoir et leva le nez vers le ciel opalescent. C'était un jour à se méfier des plaques de verglas. Il sourit, se demandant si son excitation naissait de l'air piquant qui sentait la neige ou de la délicieuse certitude de revoir Xénia Ossoline. Il ajusta ses gants fourrés, puis s'éloigna d'un pas décidé en direction de la rue de Vaugirard.

Assise à la table dans la mansarde, un châle sur les épaules, les deux mains enserrant une tasse de thé sucré, Xénia avait ramené ses pieds sous elle dans l'espoir de les réchauffer, mais le froid qui lui glaçait les os n'avait rien à voir avec la température extérieure. Elle avait une tête d'épouvantail, le teint grisâtre, des cernes qui finissaient par ressembler à des bleus. Depuis plusieurs jours, le sommeil s'obstinait à la fuir. Elle se levait le matin les jambes lourdes, la tête cotonneuse. La moindre contrariété la mettait hors d'elle ou lui donnait envie d'éclater en larmes. Elle avait sévèrement rabroué Cyrille pour une broutille, s'était fâchée avec Tania qui lui avait rétorqué qu'elle était une peste. La première d'atelier avait déclaré qu'elle s'adresserait à M. Rivière si ces demoiselles continuaient à se chamailler comme des écolières.

Une toux grasse résonna dans le couloir. Les uns et les autres partaient au travail. Cyrille avait balancé son cartable sur l'épaule sans lui dire au revoir. Il ne lui pardonnait pas son injustice de la veille et elle ne pouvait pas lui en vouloir. Elle songea qu'il serait toujours temps de se réconcilier avec son frère en fin de journée. Ce matin, elle n'en avait pas eu la force.

Macha n'habitait plus avec eux depuis plusieurs semaines. Elle avait arraché de haute lutte à sa sœur la permission d'emménager avec deux amies peintres dans un minuscule appartement à Montparnasse. Depuis qu'elle avait terminé ses études de dessin, elle travaillait comme assistante décoratrice pour les Ballets russes. Elle gagnait sa vie, elle était devenue adulte, envers et contre tout. Xénia l'avait laissée partir, non sans la bénir d'un signe de croix, ce qui avait fait sourire Macha d'un air ironique alors que ses yeux se voilaient de larmes. Avec le départ de sa sœur, la mansarde était devenue un peu plus vivable.

Depuis son augmentation de salaire, Xénia aurait pu se permettre de louer un appartement plus spacieux, mais elle préférait mettre de l'argent de côté. Elle avait vécu trop d'années sans aucune réserve à la banque. Désormais, elle essayait d'anticiper les difficultés, plutôt que de les subir. L'avenir l'inquiétait : il fallait prévoir les études de Cyrille, l'évolution de la santé de Nianiouchka qui se détériorait. Une arthrite douloureuse empêchait la vieille femme de travailler, ce qui créait un manque à gagner. La vie avait appris à Xénia à se méfier. Mais pas assez, songea-t-elle, amère, en profitant de ces précieux instants de tranquillité.

— Combien de temps as-tu l'intention de garder cette nouvelle pour toi, Xénia ?

La jeune femme tressaillit. Nianiouchka était assise sur le lit, petite chose voûtée aux mains noueuses, à la peau parcheminée. La douceur de sa voix la perça telle une aiguille. Lentement, la jeune femme courba la tête et posa le front sur la table. Elle avait envie de se replier sur elle-même, de dissoudre ce corps encombrant qui prenait tellement de place et dont elle ne savait plus que faire, ce corps qu'elle allait devoir apprendre à partager.

— Tu l'avais deviné, bien sûr. Comment aurais-je pu en douter ? Tu l'avais probablement deviné avant moi.

Dans sa robe noire, la vieille l'examinait d'un air grave. Ses lèvres fines ne souriaient pas. Elle restait immobile, ses cheveux blancs clairsemés tressés en une natte filiforme. Et dans le regard sombre de sa Nianiouchka, où se disputaient la compassion et le chagrin, la déception aussi, Xénia vit défiler les jours bénis d'une enfance trop lointaine où le moindre cauchemar n'avait été qu'un prétexte pour se réfugier dans des bras apaisants. La honte l'envahit, empourpra ses joues. Elle se sentit soudain si vulnérable que les courants d'air qui pénétraient par la fenêtre mal isolée lui griffèrent la peau. Elle qui se voulait une femme libre, qui s'était donnée à son amant avec une ardeur joyeuse, un appétit féroce, qui s'était rêvée en conquérante insoumise, découvrait cette angoisse insondable, vertigineuse, de toute jeune femme qui attend un enfant non désiré.

Un frisson la parcourut. Elle enfonça ses ongles dans la paume de sa main, comme pour s'arrimer à la réalité. Il était temps de regarder la vérité en face. Pour l'instant, son ventre était à peine bombé, elle ne subissait que quelques rares nausées, seule sa poitrine commençait à la trahir. Ses seins étaient gonflés, douloureux. Le moindre frôlement d'un tissu les irritait. Mais ce répit miraculeux ne pouvait pas durer. Les couturières s'en apercevraient, Rivière aussi. Elle devinait déjà les regards en biais, croyait entendre ricaner dans les ateliers. On ne l'aimait pas et les médisances n'en seraient que plus juteuses.

— Est-ce que tu vas l'épouser ? demanda Niania.

Xénia se redressa et déplia ses jambes. Le thé brûlant la réconforta. Épouser Max ? C'eût été tellement simple, tellement évident. Il ne refuserait pas. Il l'aimait. Ne le lui avait-il pas prouvé par ses caresses, ses attentions, ses paroles ? Et d'un seul coup, elle eut l'impression qu'il se tenait devant elle, le regard intense, et elle respirait son odeur, percevait la douceur de sa peau, là, juste sous l'oreille, dessinait de mémoire les détails de son corps qui lui semblaient curieusement vulnérables, le grain de beauté sur son épaule, la ligne de sa nuque, la cicatrice sur son genou droit. Elle revoyait son sourire, cette façon de rejeter la tête en arrière quand ses cheveux lui glissaient sur le front, le mouvement de son torse en se penchant vers elle. Il l'emplissait tout entière, et pourtant son cœur restait de pierre, ce qui l'effrayait car elle se sentait inhumaine, et en dépit de ses yeux secs, les larmes coulaient, aussi corrosives qu'un acide, quelque part en elle.

— Non, dit-elle.

— Je vois, murmura la vieille Russe.

Nianiouchka se disait sûrement que son amant était marié. À moins qu'elle ne pensât que Xénia ignorait le nom du père de son enfant. Non, impossible d'être tombée aussi bas dans l'estime de sa Niania, qui ne lui ferait pas l'insulte de la prendre pour une traînée. Irritée, la jeune femme se leva. Que Nianiouchka pense ce qu'elle veut ! Elle n'allait pas se justifier. Jamais la pieuse paysanne ne pourrait comprendre pourquoi elle se sentait incapable de demander à l'homme qui l'aimait depuis plus d'un an de l'épouser. Xénia ne le comprenait pas elle-même. Il y avait là une crainte diffuse, mais de l'orgueil aussi. Elle n'avait qu'une seule certitude : elle refusait d'être redevable à quelqu'un d'une décision aussi grave. Il lui était impossible de demander de l'aide pour un acte dont elle était responsable. N'avait-elle pas choisi librement de devenir la maîtresse de Max ? Elle ne lui imposerait pas de subir les conséquences de son geste. Toute sa vie, elle se dirait qu'il l'avait épousée par pitié. Et puis, confusément, Xénia devait bien admettre qu'elle lui était trop attachée pour lui infliger un mariage de complaisance.

— As-tu réfléchi à ce qui va arriver à ton enfant ?

— Évidemment, je ne suis pas irresponsable, répliqua Xénia en commençant à s'habiller. Je vais le mettre au monde, le nourrir, le veiller, puis l'envoyer à l'école, comme tous les autres enfants autour de nous.

— Et il s'appellera comment, ce petit ? insista Niania d'un ton plus coupant. Portera-t-il le nom de son père ou de sa mère ? Sais-tu comment on traite les bâtards dans les cours d'école, et plus tard, durant leur vie ? Personne ne vous protégera, ni toi ni l'enfant. Il sera rejeté, humilié, et toi, on te regardera comme une moins que rien, tu ne pourras pas...

— Ça suffit ! cria Xénia. Je ne suis pas idiote. Ce n'est pas la peine de retourner le couteau dans la plaie. Je sais ce que je fais.

Niania secoua la tête d'un air buté.

— Je n'en suis pas si sûre. Je crois que tu ne mesures pas ce qui va se passer. As-tu pensé à ce qu'on dira de Macha et de Cyrille ? Comment feront-ils de bons mariages si leur sœur aînée est une fille-mère ? Le nom de la famille en sera irrémédiablement terni. Si le malheureux barine et la douce barynia étaient là…

— Justement, ils ne le sont pas ! Ils ne peuvent pas m'aider, ni moi ni les autres, puisqu'ils sont morts. Alors je me débrouillerai seule, comme je l'ai toujours fait. Tu ne vas pas t'en plaindre, non ? Et Macha et Cyrille ne devraient pas s'en plaindre non plus. À entendre ceux qui ont quitté le paradis des bolcheviks ces derniers temps, des millions de gens sont morts de faim. Ces salauds ont même dû demander l'aide d'œuvres caritatives étrangères… Mais si vous n'êtes pas contents de la vie ici, vous pouvez toujours retourner à la maison, conclut-elle avec un geste dépité de la main.

Elle savait qu'elle racontait n'importe quoi, mais il lui était trop douloureux d'entendre Niania mettre le doigt sur les angoisses qui la taraudaient.

— Vous me dites toujours que je suis forte, non ? ironisa-t-elle en se penchant pour lacer ses bottines. Eh bien, je le serai assez pour élever mon enfant toute seule, que cela te plaise ou non.

— Ton enfant a besoin d'un père, Xénia Féodorovna, reprit la vieille femme en se signant. Je le sens dans mes os, dans mon cœur, dans mon âme. Il est innocent, lui. Tu ne peux pas lui infliger une blessure pareille avant même qu'il ne voie la lumière du jour. Et tout cela parce que tu es trop orgueilleuse pour entendre raison. Ce serait lâche, tu m'entends ? Tu as des responsabilités envers lui.

— Tais-toi ! Comment oses-tu dire ça, alors que je n'ai pas cessé de me sacrifier pour tout le monde ? J'ai toujours pensé aux autres, depuis le jour où papa a été assassiné. Est-ce qu'une seule fois je me suis demandé ce qui serait bien pour moi ? Ce qui me ferait plaisir ?

La vieille femme lui jeta un regard noir.

— Au moins une fois : le temps de faire cet enfant !

Xénia resta bouche bée à regarder sa Niania qui s'était levée du lit et se tenait debout, le corps tremblant, le visage blême. Elle lui en voulait de sa franchise, mais elle ne pouvait pas s'empêcher de l'admirer pour ce courage. Nianiouchka s'était rarement exprimée avec autant de force, et Xénia comprit que la vieille femme défendait déjà l'enfant qu'elle portait dans le ventre. Elles étaient ainsi, les *nianias*, elles ne reconnaissaient comme princes que les enfants innocents. Pour eux, elles étaient prêtes à tout sacrifier, leur liberté comme leur vie. La colère de Xénia tomba d'un seul coup. Elle s'approcha de la vieille femme qui la défiait d'un air buté, lui prit les mains, caressa les articulations déformées, les paumes rêches qui avaient bercé tant de petits, qui l'avaient réconfortée lors de ses fièvres enfantines et au fil de ces années douloureuses, et elle les porta à ses lèvres pour les embrasser.

— Que Dieu te bénisse, Xénia Féodorovna, murmura la vieille femme. Qu'Il te guide et te protège. Qu'Il te montre le chemin de la Vérité.

Sans un mot, Xénia enfila son manteau, entortilla son écharpe autour du cou et prit sa toque de fourrure. En quittant la mansarde ce matin-là, elle ignorait qu'il s'agissait des dernières paroles de sa vieille Nianiouchka. À son retour, en fin de journée, elle la trouverait étendue sur le lit, la tête tournée vers la fenêtre, les yeux ouverts. « C'est le cœur qui a lâché, lui dirait le médecin venu constater le décès. C'était une vieille femme. Connaissiez-vous son âge ? » Et Xénia lui répondrait qu'elle l'ignorait, que les *nianias* étaient intemporelles, aussi anciennes que l'âme de la sainte Russie, authentiques et fidèles. Irremplaçables. Et pour la première fois, la jeune femme placerait une main protectrice sur son ventre, avec une pensée pour son enfant à naître qui grandirait dans un autre monde, un monde sans Nianiouchka pour le protéger des ténèbres.

Elle portait une robe noire en crêpe de Chine, un long sautoir de perles qui lui arrivait à la taille, des perles baroques aux oreilles. La lumière luisait sur ses cheveux blonds sévèrement plaqués sur son crâne. Ses bras étaient nus, son visage grave, le regard lointain. Gabriel Vaudoyer songea qu'il n'y avait pas plus exquise beauté qu'une beauté endeuillée. Il songea aussi qu'il avait envie de la faire de nouveau sourire.

Il n'avait pas réussi à inviter Xénia le soir où il l'avait souhaité. Elle lui avait appris que sa Niania venait de mourir. Devinant à sa voix blanche qu'au lieu d'être un soulagement la disparition de cette très vieille femme la marquait profondément, Gabriel avait été un peu surpris. Il n'imaginait pas qu'une domestique, même fidèle, puisse prendre une telle importance dans une existence. Alors qu'il avait pensé connaître la jeune femme pour l'avoir approchée à plusieurs reprises au cours du procès de son oncle, il avait réalisé que la comtesse Xénia Féodorovna Ossoline venait d'un autre monde que le sien, que ses élans du cœur, ses colères, ses exaspérations, ses chagrins aussi, naissaient d'autres sources. Elle semblait si distante dans ce restaurant feutré parisien, ne prêtait attention ni au ballet des maîtres d'hôtel ni au feu dans la cheminée. Gabriel désirait faire partie de sa vie mais il devinait qu'il y pénétrait en intrus et, à sa grande surprise, il se sentait quelque peu intimidé.

— Je ne veux pas en parler, dit-elle, alors qu'il lui avait posé quelques questions. Ni de Nianiouchka ni de ma vie d'autrefois, tout cela appartient au passé désormais. Ce qui m'importe, c'est l'avenir.

Gabriel lui trouvait les traits tirés, une lueur fiévreuse dans le regard. Elle triturait la nappe avec des doigts fébriles.

— Et comment envisagez-vous votre avenir ?

Xénia eut un petit sourire amer. Comment répondre à cette question aussi anodine qu'épineuse ? L'avenir était devenu un abîme. Elle n'y pensait pas, n'y croyait guère. Le monde prenait fin chaque nuit, renaissait tous les matins. Elle repensa à sa visite à la prison dans l'après-midi, au corps maigre de Sacha affublé de la tenue informe des détenus. Chaque fois, elle avait l'impression d'abandonner des lambeaux de son âme derrière ces murs ternes qui suintaient le désespoir. Elle avait tenu à lui annoncer de vive voix la mort de Nianiouchka. C'était une question de respect envers la vieille femme qui avait toujours tout pardonné à son petit Sacha. Xénia était persuadée que le drame de le savoir emprisonné l'avait précipitée dans sa tombe, mais Nianiouchka n'avait jamais blâmé Sacha. En apprenant la nouvelle, son oncle avait été parcouru par une onde de chagrin. Son corps s'était affaissé sur la chaise, il avait renversé la tête en arrière, comme pour ravaler des larmes, puis son visage avait repris ce masque impassible qu'il affichait depuis qu'il se trouvait derrière les barreaux. Xénia s'était sentie si lasse qu'elle se serait volontiers étendue sur le sol en ciment pour mourir.

Elle eut un étourdissement. Les verres en cristal, les bougies dans leurs candélabres en argent, le canard au sang qu'elle avait à peine touché se brouillèrent devant ses yeux. Elle porta une main tremblante à son front. Où était-elle ? Dans le parloir glacé d'une prison aux relents de misère, sur le canapé capitonné d'un restaurant où un orchestre jouait en sourdine ? Sous ses doigts, la robe haute couture avait la texture rêche d'une tenue de condamnée. Et Cyrille, qui dormait seul dans la mansarde devenue soudain trop vaste ; et Nianiouchka, enterrée si loin de la Russie ; et cet enfant, qui s'agitait parfois en elle et dont elle ne voulait rien savoir. Xénia leva les yeux sur l'homme qui l'observait d'un air plein de sollicitude, sans rien dire. Elle devina qu'il n'osait plus la presser de questions, craignant de l'indisposer, et elle lui sut gré de cette délicatesse.

— Je crois que vous n'avez plus faim, murmura-t-il en indiquant la viande qui avait refroidi et les légumes figés dans leur sauce.

— Je suis désolée, dit-elle, en repliant les mains sur ses genoux.

Gabriel fit signe au maître d'hôtel de débarrasser leurs assiettes.

— Voulez-vous un peu de fromage, un dessert ?

Elle secoua la tête. La gorge nouée, elle avait envie de quitter ce restaurant au plus vite et de marcher dans la rue, comme si le froid de la nuit pouvait l'aider à y voir clair.

— Quelque chose vous trouble et j'aimerais beaucoup vous aider, dit-il d'une voix chaude. Je crois qu'il y a des moments dans la vie où l'on ne peut pas se débrouiller seul, et qu'il faut parfois accepter de s'abandonner un peu. Je vous sens tellement tendue ce soir. Nous nous connaissons depuis plusieurs mois maintenant. Vous avez traversé des moments difficiles, et pourtant, je ne vous avais jamais trouvée aussi... aussi...

Il esquissa un geste vague de la main.

— Un avocat qui ne trouve pas ses mots, c'est plutôt rare, non ? fit-elle d'un air rieur.

— Lorsque je pense à vous, les mots me semblent dérisoires, répliqua-t-il avec des accents de sincérité. Parlez-moi, Xénia, je vous en prie. Faites-moi cet honneur. Vous êtes si farouche. Si inaccessible. Jamais je n'avais éprouvé cela avec une autre femme. Je me sens tellement démuni face à vous !

— Que voulez-vous que je vous dise ? lança-t-elle, irritée. Ma vie n'a rien d'intéressant.

— Comment pouvez-vous dire cela ? Tous les magazines vous réclament. J'ai vu votre portrait dans plusieurs expositions de photographies. Même ce soir, des personnes vous ont reconnue. Xénia Ossoline est devenue une personnalité parisienne. Votre nom paraît dans les colonnes des festivités mondaines. Vous devriez en être fière. Vous m'avez raconté que vous aviez adoré poser pour Man Ray. Bon, je vous accorde que vous n'êtes pas très reconnaissable sur certaines de ses œuvres, précisa-t-il avec un sourire en faisant allusion au travail parfois déroutant de l'artiste.

— Et alors ? C'est un moyen de gagner ma vie. Je n'y trouve rien de très exaltant, et de toute façon, tout cela va s'interrompre pendant plusieurs mois. Je suis enceinte, voyez-vous. Je vais donc sombrer dans l'anonymat le temps de mettre mon enfant au monde. M. Rivière ne voudra même plus que je mette le pied dans sa maison de couture de peur que je ne contamine les autres filles. Il considère les femmes enceintes comme des dangers publics. Ensuite, il décidera si je suis passée de mode ou pas. Au cas où vous n'auriez pas remarqué, le succès est une maîtresse infidèle.

— Et le père ?

— Il est loin, et c'est très bien ainsi.

À la seule pensée de Max, Xénia eut mal. Guérirait-elle jamais de lui ?

— Vous avez besoin d'un mari et vous le savez, affirma Gabriel soudain d'un ton plus pressant. C'est pourquoi vous êtes si nerveuse. Mais le mariage peut être une protection indispensable. Une entente cordiale entre deux personnes qui ont besoin l'une de l'autre. Il n'y a pas que la passion dans la vie. Il y a aussi le respect et l'affection. Une forme de complicité.

Xénia s'étonna de trouver affligeante cette description du mariage, mais elle avait été gâtée par l'amour que s'étaient porté ses parents. Ayant été le témoin de leurs regards, de leurs gestes tendres, de cette attention de chaque instant, comment pourrait-elle se contenter de quelque chose d'aussi insipide ? Autant demander à un oiseau de se couper les ailes. Et pourtant, aimer comme Nina Petrovna avait aimé son mari, c'était se jeter dans le vide du haut de la falaise avec une confiance absolue en l'autre, s'abandonner à une sorte d'ivresse, de folie pure. Or Xénia s'était aguerrie au point de rester insensible à l'homme qui disait l'aimer. Elle se demanda si elle souffrait d'une forme de maladie insidieuse. Une gangrène du cœur.

— Vous êtes toujours de bon conseil, Gabriel, fit-elle en essayant d'égayer l'atmosphère qu'elle commençait à trouver pénible. Ainsi, selon vous, il va falloir que je me mette en quête d'un époux. Ce ne sera pas facile. J'ai un petit frère dont j'ai la charge et je ne connais pas d'homme qui choisisse volontiers d'épouser une femme enceinte d'un autre.

— Moi, j'en connais un.

Il avait parlé à voix basse et souriait d'un air hésitant qui dévoila chez cet homme de prestance une vulnérabilité inattendue. Xénia comprit aussitôt que Gabriel parlait de lui. Elle resta interloquée, car elle ne s'était jamais interrogée sur sa vie privée. Il avait vingt ans de plus qu'elle. C'était un homme installé, cultivé, sûr de lui. Fortuné, aussi. Et il eût été idiot de le nier. Aussitôt, des pensées folles se mirent à courir dans sa tête. Gabriel n'avait pas hésité à l'aider quand elle était venue le trouver. Elle aimait sa voix grave qui faisait merveille dans les salles d'audience. Il était bien élevé, attentionné. Son enfant aurait un nom, Cyrille un toit plus décent que cette affreuse mansarde. Macha serait probablement envieuse. Gabriel Vaudoyer la protégerait, en effet, parce que c'était dans sa nature. Mais il y aurait les nuits aussi.

— Vous me fascinez, Xénia, poursuivit-il. Vous êtes belle, imprévisible, magnétique. Si vous me donnez une chance de vous approcher, je crois que nous pourrons passer d'excellents moments ensemble. Cet enfant est une partie de vous, alors comment ne pas l'accepter ? Je suis d'un tempérament solitaire, mais cette solitude peut devenir pesante et stérile. J'aimerais beaucoup vous épouser, mais je vous laisse réfléchir. Je ne voudrais pas avoir l'air de profiter d'un moment de désarroi… Il me semble que vous aviez envie de rentrer, n'est-ce pas ? ajouta-t-il.

Quelques années plus tard, quand Xénia se demanderait ce qui l'avait décidée à épouser Gabriel Vaudoyer, elle songerait que cela n'avait pas été pour son enfant ni par crainte d'un avenir incertain, mais parce que Gabriel n'avait pas une seule fois parlé d'amour, ce qui aurait été parfaitement déplacé, et qu'elle avait apprécié cette honnêteté des sentiments.

TROISIÈME PARTIE

Berlin, novembre 1932

Assise à son bureau, Sara Lindner étudiait le registre des comptes. Elle parcourut les colonnes de chiffres une nouvelle fois avec l'espoir insensé d'avoir mal lu, puis retira ses lunettes avec un soupir et se frotta les yeux. Elle devait se rendre à l'évidence : les ventes du magasin avaient chuté de cinquante pour cent. Pour la troisième année d'affilée.

Un point douloureux la lançait entre les omoplates. N'y tenant plus, elle s'approcha de la fenêtre. De son bureau perché au sixième étage, elle avait une vue imprenable sur le ciel et les toits de Berlin. Il faisait un temps magnifique. Le froid intense figeait la neige sur les gouttières et les rebords des fenêtres. Elle se demanda si son fils faisait des batailles de boules de neige avec ses camarades dans la cour de l'école et si la maîtresse avait veillé à ce que les enfants soient bien couverts. Comme elle aurait aimé refermer ces dossiers déprimants et emmener Félix se promener dans les bois de Grünewald pour nourrir les canards sur le lac ! Elle resta immobile un long moment, avant de revenir s'asseoir. Son regard se posa sur le visage de sa fille qui venait d'avoir deux ans. D'un doigt, elle effleura le cadre en argent. Max avait pris cette photo pour fêter l'anniversaire de la petite. La mère et la fille avaient les mêmes cheveux sombres, et leur tendre complicité se révélait dans l'éclat de leurs yeux et leurs corps pressés l'un contre l'autre. La main potelée de Lilli cherchait à saisir l'une de ses boucles d'oreilles et elle avait rejeté la tête en arrière en riant.

Soudain, on frappa à la porte. Sara n'eut pas le temps de répondre que, déjà, une jeune femme faisait irruption dans son bureau. Elle eut un frisson d'appréhension. Le visage de son employée était aussi blanc que sa blouse. Un mètre de couturière et une paire de ciseaux lui tenaient lieu de sautoirs. La jeune femme avait de courts cheveux frisés, des yeux rougis et l'expression hagarde que l'on découvrait depuis plusieurs années chez les Berlinois qui faisaient la queue devant les soupes populaires, les offices de placement et les bureaux d'allocations.

— Fräulein Lindner, ce n'est pas possible, commença-t-elle en se tordant les mains. Vous ne pouvez pas me faire ça. Vous vous rendez compte, Hans n'a pas de travail. Comment on va faire pour se nourrir et payer le loyer ? Nous, les femmes, on n'a même plus droit aux indemnités de chômage. Il faut me garder, je vous en supplie ! Je ne peux pas me retrouver à la rue. Pas en plein hiver. Et puis, il y a ma vieille mère. Elle n'a plus rien pour vivre. C'est moi qui lui donne à manger. Je vous en supplie…

Effrayée, Sara eut peur que la jeune femme ne se jette à genoux devant son bureau. Elle se leva précipitamment, heurta la table. Des crayons de couleur s'éparpillèrent sur le sol. Aussitôt, la couturière se pencha pour les ramasser.

— Laissez, ça ne fait rien, dit Sara. Malheureusement, l'atelier doit encore réduire le nombre d'employées. Les difficultés n'épargnent personne, vous le savez bien. Les clientes n'ont plus les moyens de régler leurs factures. J'ai essayé de conserver les postes en diminuant les salaires, mais la situation est devenue intenable, alors j'ai choisi de privilégier les personnes qui ont des enfants. Je suis vraiment désolée, Liselotte. En revanche, je vais vous donner d'excellentes références. Peut-être trouverez-vous une place ailleurs…

Sa voix flancha. Sara n'y croyait pas. Personne n'embauchait. Le pays comptait six millions de chômeurs. Dans la rue, des bourgeois en manteaux élimés mendiaient aux côtés d'ouvriers désespérés. Le gouvernement imposait ses décisions par décrets-lois. Après avoir réduit les prestations sociales et les salaires des fonctionnaires, il exerçait une pression constante pour une diminution des prix des produits à la consommation.

— Pourtant, le magasin n'a pas mis la clé sous la porte, insista la couturière. Il y a des clients dans les rayons. Vous continuez à vendre des robes. La dernière que j'ai terminée est très belle. Très féminine, comme vous l'avez demandé. On a rallongé les jupes, donné de l'ampleur. J'ai suivi vos instructions à la lettre. Les épaules soulignées, les coupes moins strictes.

— Ce n'est pas la qualité de votre travail qui est en cause, Liselotte. Je vous connais depuis plusieurs années et je n'ai jamais eu à me plaindre de vous, mais la crise…

— La crise ! se lamenta l'employée en levant les mains au ciel. Mais on n'y est pour rien, nous, si la Bourse à New York a fait faillite ! Ce n'est pas de notre faute, tout de même. Pourquoi on devrait payer pour ces maudits Américains ?

Ce qui pouvait passer pour de la naïveté chez Liselotte était pourtant une incompréhension sincère, et Sara éprouva un élan de compassion pour la jeune femme. Comment cette petite Berlinoise pouvait-elle comprendre les répercussions d'une crise économique qui avait été déclenchée en octobre 1929 à des milliers de kilomètres de chez elle, lors du krach de Wall Street ? Ou saisir les implications d'un cercle vicieux où l'Amérique faisait des crédits à l'Allemagne, afin que celle-ci puisse rembourser les réparations de guerre qu'elle était condamnée à payer à la France et à l'Angleterre qui, elles, réglaient ainsi leurs emprunts contractés auprès des États-Unis pour financer le conflit ? L'Allemagne avait été d'emblée frappée de plein fouet car son économie prospérait grâce à l'argent américain. La demande de remboursements et la restriction des crédits avaient aussitôt entraîné de nombreuses faillites, d'autant que les banques manquaient de liquidités. Toutes les entreprises étaient sévèrement touchées. Dans la rue, on manifestait depuis des mois contre cette misère. Sara comprenait l'angoisse de la couturière, mais elle dirigeait la maison Lindner et elle se devait d'être responsable.

— Je sais que cela vous paraît injuste, déclara-t-elle d'une voix douce, et croyez-moi, je n'agis pas ainsi de gaieté de cœur. Si la situation s'améliore, soyez assurée que vous retrouverez tout de suite une place chez nous.

— Vous ne voulez pas m'aider, hein ? Dites-le franchement, rétorqua Liselotte, tandis que son visage se crispait sous l'effet de la colère.

— Hélas, vous me demandez l'impossible. Nous sommes malheureusement dans l'obligation de licencier, comme la plupart des entreprises allemandes.

— Des entreprises juives, vous voulez dire ! Il a raison, mon Hans : c'est vous qui avez tous les droits dans ce pays. Vous avez l'argent, les banques et les commerces ! C'est à cause de grands magasins comme le vôtre que mon père a dû fermer sa boutique. Vous nous étranglez petit à petit. Une bande d'escrocs tous de mèche, voilà ce que vous êtes ! Vous empoisonnez tout, même l'eau qu'on boit ! Qu'est-ce que vous voulez, à la fin ? Qu'on meure tous de faim, nous, les vrais Allemands ? Et comme ça vous aurez encore plus de pouvoir. Vous serez encore plus riches. On voit bien que vous n'avez pas peur de mourir de faim, vous, avec vos belles maisons et vos belles voitures. Regardez-moi ce palais, fit-elle avec un geste du bras. Ah, il vous a laissé un bel héritage, votre salaud de père !

Sara frappa du plat de la main sur son bureau.

— Je vous interdis de me parler sur ce ton ! Je comprends votre désarroi, mais je ne vous permettrai pas de m'insulter, ni d'insulter la mémoire de mon père. Sortez d'ici tout de suite ! Vous serez payée ce qu'on vous doit et vous recevrez les indemnités de licenciement qui sont fixées par la loi.

La bouche tordue de haine, Liselotte frémissait de colère. De méchantes plaques rouges marbraient ses joues. Elle arracha son mètre de couturière, brandit ses ciseaux au visage de Sara.

— Tu me le payeras un de ces jours, espèce de maudite juive ! Tu ne t'en tireras pas comme ça, crois-moi !

Furieuse, elle jeta les ciseaux sur le bureau et quitta la pièce.

Un long moment, Sara resta debout, comme pétrifiée. Si elle s'était habituée aux reproches des employés dont elle était obligée de se séparer, elle n'avait jamais été confrontée à une telle virulence. Elle s'aperçut qu'elle tremblait, et se força à approcher de la porte. Dans la pièce voisine, les quelques couturières travaillaient en silence, la nuque courbée sur leur ouvrage. Seuls résonnaient les claquements des machines à coudre, mais Sara était certaine qu'elles avaient tout entendu. Chacune craignait de perdre sa place. À Berlin, la misère avait repris ses droits, avec une acuité plus désespérée encore que dix ans auparavant, lorsqu'on poussait des brouettes remplies de billets de banque sans valeur. Après l'inflation délirante des années 1920, l'Allemagne vivait une déflation sévère. Le gouvernement voulait profiter de la crise pour mettre fin aux réparations une fois pour toutes, mais cette politique économique laissait les entrepreneurs perplexes, puisqu'elle n'avait servi qu'à conduire le pays au bord d'une crise bien plus grave.

Deux ans plus tôt, aux élections législatives, le petit parti nationaliste, socialiste et antisémite d'Adolf Hitler était passé de douze sièges à cent sept députés au Reichstag. Lors de l'ouverture du Parlement, en pénétrant en uniforme dans l'hémicycle, les nouveaux élus avaient hurlé : « Allemagne, réveille-toi ! Mort aux juifs ! » En ville, on avait lancé des pierres et des projectiles contre les vitrines de plusieurs grands magasins. L'un des grooms avait été grièvement blessé à la tête. Pour la première fois, Sara s'était réjouie que son père soit mort. Ce spectacle affligeant qu'il avait tant redouté lui avait été épargné. Depuis lors, les chemises brunes continuaient à gravir une à une les marches du pouvoir. La dernière campagne électorale de l'été avait été d'une brutalité extrême. Les nazis et les communistes s'étaient étripés dans les rues. Les hommes d'Hitler avaient remporté les élections législatives haut la main, mais voilà que le Reichstag venait d'être dissous à nouveau. Que se passerait-il cette fois-ci ? Le pays était au bord du gouffre et certains redoutaient une guerre civile. C'est à vous donner le tournis, songea Sara. La tête haute, elle referma doucement la porte sur les couturières qui retenaient leur souffle.

Non sans lassitude, elle contempla les croquis punaisés à un tableau, les échantillons d'étoffes qui reposaient en vrac sur le canapé et la table basse. Elle était en retard pour la collection de printemps. Au décès de son père, la jeune femme avait repris les rênes de l'entreprise et elle trouvait moins de temps pour dessiner. Seule héritière depuis la mort de son frère à la guerre, elle avait affronté les regards méfiants de plusieurs collaborateurs et elle avait même dû se séparer de certains sceptiques. Ce grand navire, avec ses larges travées, sa verrière, ses lustres en cristal de Bohême, l'élégance raffinée de ses articles, le sourire des petites vendeuses dans leur robe noire, elle l'aimait depuis son enfance, et aucun recoin ni aucun rayon ne lui était inconnu. Le vaste bâtiment lui inspirait un sentiment presque charnel. Contrairement à ce que pensait Liselotte, ses deux mille employés lui tenaient à cœur, mais elle ne pouvait se permettre aucune émotivité. Les conseils d'administration étaient des moments tendus où elle présidait une assemblée d'hommes aux mines sévères, corsetés dans des complets gris et des cols amidonnés. Sans être intimidée, elle savait qu'ils ne toléreraient pas le moindre faux pas.

Avec un soupir, Sara se pencha pour ramasser les croquis que Liselotte avait fait tomber par terre. Elle étudia le dessin d'un manteau en fronçant les sourcils, puis elle prit sa gomme et son crayon, dessina une taille marquée, un col officier, des brandebourgs, comme si seule la rigueur de son trait de crayon pouvait la rassurer dans un monde où elle ne maîtrisait plus rien.

Les expositions de photographies connaissaient un véritable engouement en Allemagne depuis une dizaine d'années et les photographes étaient au cœur des débats artistiques. On s'arrachait les magazines illustrés comme le *Berliner Illustrierte Zeitung*, qui tirait à deux millions d'exemplaires et présentait les œuvres d'artistes aussi célèbres que Martin Munkàcsi ou Max von Passau. On encensait les femmes photographes telles Lucia Moholy ou Lotte Jacobi, et personne n'aurait manqué le vernissage qui se tenait dans une galerie huppée située sur la belle place du Gendarmenmarkt.

Max alluma une cigarette. Par la baie vitrée, il contemplait la symétrie apaisante des cathédrales jumelles française et allemande, construites au début du XVIIIe siècle, l'une pour la communauté huguenote, l'autre pour les croyants de langue allemande. Des voitures s'alignaient devant la galerie, ralentissant la circulation. Quelques curieux bravaient le froid derrière les cordons rouges, cherchant à apercevoir telle ou telle actrice célèbre. On regrettait l'absence de la Dietrich, partie pour l'Amérique. Une dizaine de ses portraits ornait les murs, dont quelques-uns de Max. En choisissant d'éclairer le visage de la comédienne par le haut, il avait souligné ses traits en accentuant cette aura mystérieuse qui l'avait rendue célèbre. Mais Max se sentait d'humeur maussade, aigri tel un vieux barbon qui ronchonne à cause du bruit et des lumières. Qu'est-ce qui lui prenait ? Il n'y avait pas si longtemps, il adorait sortir dans les festivités et traverser les nuits jusqu'à l'aube. Or ce soir-là, il aurait tout donné pour rentrer chez lui et s'enfermer avec un bon livre et un verre de vin.

Une salle entière de l'exposition lui était consacrée. Comme les autres artistes, il proposait un mélange de styles où se côtoyaient aussi bien ses portraits devenus célèbres qu'une série d'instantanés pris au hasard des rues et qui reflétaient sans concession la condition humaine. En les examinant, le galeriste avait haussé les sourcils, mais il n'avait pas osé protester. De toute façon, Max n'aurait pas accepté la moindre modification dans sa sélection.

Le long nez carrossé d'une Mercedes s'arrêta devant la galerie. Un chauffeur descendit pour tenir la portière. Kurt Eisenschacht émergea, coiffé d'un feutre et vêtu d'un épais manteau croisé au col de fourrure. Marietta portait une longue robe rouge, une cape d'hermine sur les épaules. Quand elle aperçut son frère qui la regardait à travers la vitre, elle agita la main avec la vivacité d'une enfant, puis se ressaisit d'un air sérieux en prenant le bras de son mari. Max ne put s'empêcher de sourire. Décidément, on ne la changerait pas. Bien qu'elle fût l'épouse d'un personnage pétri de certitudes et mère d'un petit garçon, il y avait toujours en elle cette gamine espiègle qui refusait de se plier aux règles du jeu. Et pourtant, Kurt avait l'art et la manière de l'enserrer dans un filet de préjugés et d'attitudes conventionnelles. Pourvu qu'elle se révolte toujours, songea Max avec un pincement au cœur.

— Bonsoir, Max, dit une voix douce.

Aussitôt, sa mauvaise humeur s'envola. Il se tourna vers Sara et lui baisa la main. Ses cheveux ondulés encadraient son visage grave aux paupières sombres qui le contemplait en souriant. Des éclats d'émeraudes brillaient à ses oreilles. Sa robe en satin blanc tombait droit le long de ses jambes et une audacieuse incrustation de dentelle soulignait sa taille fine. Chaque fois qu'il la voyait, Max ressentait une émotion délicieuse, comme celle qu'inspire un parfum qui vous ramène à des moments heureux.

— Tu es venue.

— Bien sûr, je n'aurais manqué ton succès pour rien au monde, dit-elle, sans dissimuler le plaisir qu'elle prenait à le dévisager.

— Tu mens avec tellement de charme qu'on ne peut que te pardonner. Je sais que tu détestes ces réunions mondaines où les gens viennent se pavaner.

— C'est vrai… mais j'apprécie ce qui est accroché aux murs, ajouta-t-elle en indiquant les photomontages de John Heartfield.

Max partageait son avis. Il avait été à la fois surpris et heureux d'apprendre qu'on osait exposer cet artiste communiste à la virulence notoire. On disait d'Heartfield qu'il utilisait son appareil comme une arme. Sur l'une des photos, le visage de Mussolini, partiellement transformé en tête de mort, dominait une foule de miséreux et de bourgeois en chapeau haut de forme. Sur une autre, quelques passants tranquilles, dont un petit garçon en costume marin et une fillette en socquettes blanches, regardaient un défilé de jambes bottées qui marchaient au pas de l'oie. Leurs attitudes semblaient passives, presque indifférentes.

— Il a choisi de montrer les spectateurs de dos pour qu'on ne voie pas leurs visages, et les jambes des militaires sont tout aussi anonymes. Plutôt glaçant, non ?

— C'est une gangrène, Max. Regarde autour de toi. Combien vois-tu d'insignes du parti ? J'ai même aperçu une croix gammée en rubis et diamants au revers de l'une de ces dames, précisa Sara, les lèvres pincées. Et pourtant, nous sommes au cœur de Berlin la rouge. Une ville que les nazis détestent parce qu'elle est parfaitement insoumise. Voilà pourquoi je sors de moins en moins dans ces endroits. C'est déjà assez pénible de devoir subir les manifestations et la brutalité de ces vauriens dans les rues.

— Il paraît que vous avez eu des vitrines peinturlurées de croix gammées, l'autre jour…

— Nous n'avons pas été les seuls. Nos confrères Grünfeld et Wertheim aussi. Les pamphlets antisémites prétendent que les couturiers juifs sont en train de corrompre la femme allemande en l'habillant comme une putain et en l'entraînant vers les abîmes de la perversion. C'est fou, non ? Ces nazis détestent la femme libre et indépendante, celle qui se rêve androgyne ou scandaleuse, qui prend des amants ou aime d'autres femmes au club *Monbijou*. Dans cet abominable torchon qu'est le *Völkischer Beobachter,* une journaliste a même écrit que la mode des dos dénudés était une incitation à se faire fouetter. Je préfère ne pas imaginer ses fantasmes sexuels, conclut-elle d'un ton ironique.

Un maître d'hôtel armé d'un plateau se frayait un passage parmi les robes claires et les costumes sombres. Max lui fit signe d'approcher et prit deux verres de sekt.

— Tout cela est trop déprimant. Trinquons, Sara. Je crois que je vais me soûler, ce soir.

— Excellente idée ! Je vais me joindre à toi.

— Que dirait ton mari ?

— Rien, puisqu'il a préféré rester à la maison.

Sara avait épousé un professeur de littérature, aussi cultivé que discret, un homme longiligne au front bombé et au regard mélancolique. La première fois qu'il avait rencontré Victor Seligsohn, Max avait éprouvé un sentiment de défiance. Cet universitaire aux tempes dégarnies, auteur de livres salués par la critique, était-il digne d'elle ? Saurait-il la rendre heureuse ? Il s'était étonné du choix de Sara, ayant pensé qu'elle choisirait un homme plus extraverti et incisif, davantage à l'image que Max se faisait de lui-même, mais elle se montrait affectueuse avec son mari qui était en admiration devant elle. « J'ai besoin de tempérance pour fonder ma famille », lui avait-elle avoué, presque en s'excusant.

Quand il lui prit le bras pour l'emmener dans la salle voisine, Max perçut la chaleur de son corps mince appuyé contre le sien. La foule se faisait plus dense, les invités se pressaient dans le passage. Les voix étaient criardes, les parfums un peu lourds. Sara se laissait guider, souple et confiante. Les années avaient passé depuis leur liaison, mais il y aurait toujours entre eux cette complicité née d'un amour sincère. Troublé, Max songea qu'on ne peut avoir aimé sans aimer toujours ; et si Sara chérissait son mari, Max et elle éprouvaient l'un pour l'autre une attirance qui n'appartenait qu'à eux, comme une tendresse dépourvue de mièvrerie. Ils savaient qu'ils auraient pu faire l'amour à nouveau et que leurs corps se seraient reconnus, qu'ils y auraient même pris un plaisir fou, parce qu'il existe une vérité que beaucoup n'osent s'avouer, à savoir qu'il est possible non seulement d'être attiré par deux êtres à la fois, mais aussi de les aimer sans les trahir.

Sara s'arrêta en découvrant le travail de Max. Un court instant, l'admiration lui coupa le souffle. La force d'un portrait résidait dans sa capacité à captiver un spectateur alors que le modèle lui était parfaitement inconnu.

— Mon Dieu, c'est magnifique, dit-elle, avant d'ajouter à mi-voix : Oh, Max, comme tu l'aimes…

Elle ne serait pas Sara si elle n'allait pas à l'essentiel, se dit-il, un brin amer. La luminosité de Xénia Ossoline éclatait dans la série de nus. Tout était suggéré, mais tout était dit. Sur le corps sublimé, des accents de lumière révélaient la pureté d'un mouvement d'épaules ou d'une chute de reins, la fragilité d'une nuque ou d'un poignet aux veines qui s'offraient en sacrifice. On devinait le sang à fleur de peau, et la mise en scène du modèle suscitait un désir indéniable, avec tout ce que le désir porte en lui de trouble et de révolutionnaire.

Sara saisit discrètement la main de Max et entrelaça ses doigts avec les siens. Elle ne savait presque rien de sa douloureuse relation avec Xénia. Il lui en avait parlé du bout des lèvres. Or, tandis que Sara découvrait pour la première fois le visage et le corps de la femme qui continuait à le hanter, elle avait déjà tout compris, et Max se sentit réconforté. L'un des invités le reconnut et quelques applaudissements spontanés crépitèrent dans la salle. Aussitôt, Sara lâcha la main de Max et s'écarta de lui, comme s'ils s'étaient frôlés par erreur. Agacé, il lui prit le bras d'un geste possessif, inclina la tête pour remercier ses admirateurs, mais leur fit signe de cesser leurs encouragements.

— Je me demande s'ils applaudissent pour les nus ou pour l'autre pan de mur, murmura Max à l'oreille de Sara.

La jeune femme se tourna et ne put s'empêcher de sourire. C'était de la provocation pure : des portraits saisis sur le vif aux cadrages serrés qui soulignaient la veulerie d'hommes des SA, ces sections d'assaut nazies qui terrorisaient les quartiers ouvriers et les commerçants juifs. Certains étaient immortalisés ivres morts devant des chopes de bière dans l'une de ces tavernes qui leur tenaient lieu de dortoir et de quartier général. L'un vomissait dans un caniveau, l'autre dormait affalé sur un banc, les joues flasques, le ventre obèse éclatant dans sa chemise brune. Mais il y avait aussi la peur dans le regard de leurs victimes, la haine d'un ouvrier communiste en casquette, les inscriptions hostiles badigeonnées sur les murs lépreux de Berlin, le désespoir d'une employée tenant une pancarte où elle se proposait pour n'importe quel travail, des chômeurs qui faisaient la queue devant les bureaux de placement, un enfant pieds nus qui se rongeait le poing, son regard avide bravant le spectateur. Sans états d'âme, Max von Passau accusait, dénonçait, témoignait.

— Je te félicite, mon vieux, dit Ferdinand Havel qui s'était approché d'eux. Un travail remarquable, mais je ne suis pas certain que tous ici partagent mon avis... Bonsoir, Sara, tu ne cesses d'embellir. Les autres femmes doivent te détester.

— Flatteur ! fit-elle en riant.

Ferdinand lui baisa la main. Comme d'habitude, son veston décollait de son col empesé, ses manches de chemise étaient trop longues et ses lunettes de travers sur son nez. On devinait à peine sa pochette blanche qui avait glissé. Il semblait toujours s'être habillé à la hâte, mais les présidents des tribunaux connaissaient le personnage, et si ses tenues laissaient parfois à désirer, son intelligence tranchante en faisait l'un des avocats les plus renommés du barreau. À trente-quatre ans, célibataire endurci, il fuyait avec obstination les relations durables et prétendait que ses premiers cheveux blancs étaient dus à l'inconstance des femmes.

— Je tiens à vous annoncer l'arrivée imminente de notre estimé Eisenschacht, se moqua Ferdinand en jetant un coup d'œil à son meilleur ami. Ton beau-frère traîne dans la salle voisine. Il devrait se faire précéder par les tintements de ces timbales qu'agitent les monstres bruns à chaque coin de rue pour récolter des fonds. Un peu comme les lépreux d'autrefois. Au moins, comme ça, on serait prévenus, tu ne trouves pas ?

Aussitôt, Max s'inquiéta pour Sara. Kurt Eisenschacht ne mâchait pas ses mots. Il risquait de troubler la jeune femme par des propos indélicats. Si Max était prêt à la défendre, il savait que Sara n'aimait pas attirer l'attention et qu'elle était venue uniquement pour lui faire plaisir.

— Est-ce que tu veux rester ? lui demanda-t-il.

— Surtout pas ! répliqua Sara en vidant son verre d'un trait. Ni lui ni moi n'avons quelque chose d'intelligent à nous dire, et comme tu ne pourras pas l'éviter… Victor m'attend. Je vais rentrer à la maison. Je te félicite, Max. Pour ton courage de montrer Berlin sous son vrai jour, mais surtout pour ce que tu nous racontes du désir et de l'amour. Si jamais cette jeune femme revient chez nous, je serai heureuse de faire sa connaissance.

Avec un dernier sourire, elle s'éclipsa vers la sortie. Max aurait bien aimé la suivre, mais il se devait de rester jusqu'à la fin du vernissage. À son grand regret, la foule compacte l'empêcha de s'échapper dans une pièce voisine, et quelques instants plus tard, il se retrouva face à son beau-frère.

— Vous n'y allez pas de main morte, mon cher Max, décréta Eisenschacht en examinant les scènes de rue.

— Je ne photographie que la réalité, avec tout ce qu'elle possède parfois d'étrange, d'insolite et de détestable.

— Mais avec une certaine intention politique, si je ne m'abuse ?

— Je ne fais pas de politique, Kurt. Je me promène dans ma ville, mon appareil en poche, et je saisis l'instant… Que voulez-vous, ajouta Max en haussant les épaules, certaines personnes offrent des sujets de choix pour révéler la nature humaine. Les ivrognes, les canailles, les hommes des sections d'assaut…

— Si j'ai un conseil à vous donner, Max, c'est celui de ne pas vous égarer, dit Kurt Eisenschacht d'un ton froid. Ce serait stupide. Un gâchis pour le monde artistique allemand. Tous ces photographes juifs hongrois qui pullulent dans cette ville et dont les œuvres souillent les murs de cette galerie ne feront pas long feu.

— Je ne peux pas vous laisser dire ça. Ces Hongrois que vous vilipendez appartiennent à la nation la plus douée au monde du point de vue photographique. André Kertész, Rogi André, Brassaï, Munkàcsi et tous les autres… Ce sont des artistes qui n'ont aucun préjugé. Qui regardent le monde et racontent une vérité universelle. Au-delà de ce qu'ils fixent sur leur pellicule, ils parlent de l'âme humaine. Et l'âme n'est ni juive ni aryenne, ni masculine ni féminine. Elle est, tout simplement.

Quand Kurt fixa ses yeux pâles sur lui, sa carrure soulignée par le complet aux épaules affirmées et aux revers triomphants, Max eut l'impression que le brouhaha des invités et le cliquetis des verres s'évanouissaient. Il aurait dû savoir qu'il ne fallait pas jouer au plus fin avec son beau-frère, mais il n'avait pas pu tenir sa langue. Au même instant, quelqu'un lui donna une bourrade dans le dos. Avec la mine d'un enfant capricieux, Heinrich Hoffmann lui souriait en se balançant sur ses talons.

— Bonsoir à tous les deux, fit-il, levant le menton car Kurt et Max le dominaient d'une tête. Vous gaspillez votre talent, mon cher baron. Vous feriez mieux de vous concentrer sur les femmes. À moins que vous ne veniez travailler pour moi. Je sais que les patrons de vos magazines ont quelques soucis à cause de la crise, ce qui n'est pas mon cas, précisa-t-il d'un air satisfait en tirant sur sa cigarette. J'aime vos compositions. Les réunions du parti commencent à prendre une telle ampleur que je ne m'en sors plus tout seul avec mes quelques assistants. Mettez donc votre œil au service de quelque chose d'utile. C'est l'avenir, vous savez, très cher.

Un frisson d'appréhension glaça l'échine de Max. Depuis qu'Hoffmann avait reçu la commande d'un journal américain de photographier Adolf Hitler au début des années 1920, il ne l'avait plus quitté d'une semelle. D'ailleurs, pour sa propagande photographique, Hitler ne tolérait que lui. On racontait qu'il posait pendant des heures, en studio ou à la lumière du jour, et qu'il se servait de ces photos pour travailler sa gestuelle. C'était Hoffmann qui avait eu l'idée, quelques années auparavant, de présenter Hitler comme Monsieur Tout-le-monde. Il l'avait montré dans sa vie privée, allant à la rencontre d'enfants et de jeunes gens enthousiastes. L'intimité des reportages avait choqué les hommes d'État, mais subjugué le grand public à qui l'on proposait un Führer proche du peuple, guide ouvert et chaleureux, qui n'avait rien à cacher à personne.

— Pardonnez-moi, mais je tiens à ma liberté, répliqua sèchement Max, tout en tirant un réconfort de la présence silencieuse de Ferdinand qui restait d'un calme olympien.

— Comme je vous le disais à l'instant, ne vous trompez pas de chemin, Max, ce serait dommage, menaça Eisenschacht en se tournant pour contempler la série de nus. Magnifique ! s'extasia-t-il. On ne s'en lasse pas. J'espère que la comtesse Ossoline nous fera l'honneur de revenir bientôt à Berlin. Ce sont des femmes comme elle qu'il nous faut.

Un homme vint saluer Kurt qui s'éloigna avec Hoffmann, et Max réalisa qu'il tremblait de rage. Ferdinand lui tendit un verre.

— Il faudra vraiment que tu apprennes à te maîtriser, mon vieux. On lit sur ton visage comme dans un livre ouvert.

— Je vais lui casser la gueule, murmura Max. On ne va tout de même pas se laisser faire, non ?

— Je suis sérieux, insista Ferdinand. Il faut que tu sois prudent. Désormais, ce n'est plus seulement l'agriculteur protestant qui soutient le parti national-socialiste. À l'université, je me suis aperçu que la majorité des étudiants auxquels je donne des cours de droit votent pour les nazis. Leur électorat est convaincu, déterminé, et je n'ai aucune confiance en notre dernier chancelier en date. Franz von Papen n'est pas un politique, mais un mondain. Un réactionnaire dilettante qui croit qu'en pactisant avec les nazis il les maîtrisera. J'ignore s'il est fou ou naïf, car pour dîner avec un diable comme ton beau-frère, il faut une sacrée longue cuillère.

— Mais enfin, cet Adolf Hitler est un charlatan grotesque ! Il s'agite comme un épileptique. Ses discours sont un tissu d'invectives et de contrevérités flagrantes. D'ailleurs, tu vois bien que les gens ne prennent pas tout cela au sérieux. Les nazis ont perdu près de deux millions de voix l'autre jour. On raconte que ça chauffe dans les salons de l'hôtel Kaiserhof. Le parti croule sous les dettes. Il est au bord de la rupture. Tu verras, bientôt, ce ne sera plus qu'un mauvais souvenir.

— Tu es en train de tomber dans le piège des optimistes béats. Il n'y a aucune majorité stable et le pays est à la dérive. La plupart des gens n'en peuvent plus de naviguer à vue. Hitler promet du travail pour tous et le retour à l'ordre. Le petit caporal autrichien prône la guerre pour redonner sa fierté à l'Allemand bafoué et une politique économique qui renflouera les portefeuilles. Il n'a qu'une expression à la bouche, celle de la communauté du peuple. C'est le rêve d'une grande aventure collective qui se dessine à nouveau. L'Allemand n'est pas un individualiste, et pour beaucoup c'est irrésistible. Les industriels financent et la propagande fait le reste. L'homme a un effet hypnotique sur les masses. Tous ceux qui l'ont approché prétendent qu'il a un regard bleu percutant qui vous transperce.

— Oh, ça va, Ferdinand ! se moqua Max. À t'entendre, on dirait une espèce de mage.

— Ne le sous-estime pas comme le font encore beaucoup de nos compatriotes. Ni lui ni ses sbires qui l'entourent. Ce serait une grave erreur. Une erreur imbécile et criminelle.

Max resta saisi par la véhémence qui émanait de Ferdinand, d'ordinaire si insouciant. Il ne lui connaissait pas ce visage grave ni cette intensité dramatique. Il aurait aimé se tirer de là par une boutade, comme autrefois, mais aucune réplique ne lui vint à l'esprit, et il vida d'un trait son verre de mousseux tiède avec un sentiment de malaise.

Le feu crépitait dans la cheminée, lâchant de temps à autre une pluie d'étincelles. Sara restait immobile sur le tabouret, laissant la chaleur dénouer la tension dans ses épaules. Dehors, une neige lourde et humide glissait sur les vitres et détrempait la pelouse, les branches des pins pendaient tristement vers le sol. Les doubles portes de la bibliothèque donnaient dans le jardin d'hiver où quelques lampes discrètes éclairaient les palmiers nains. Comme toujours, la jeune femme tendait l'oreille au cas où ses enfants endormis auraient besoin d'elle. En cette soirée de dimanche, elle avait donné congé à la nurse et une vague inquiétude courait le long de ses nerfs.

— Vous êtes bien silencieuses ce soir, dit Sophia von Aschänger en posant sur ses genoux le coussin qu'elle brodait. Qu'est-ce qui vous arrive, les filles ? Je ne vous avais jamais vues comme ça.

Ses boucles noires frissonnèrent autour de son visage poupin, tandis qu'elle se penchait pour prendre l'un des petits-fours de la pâtisserie Miericke auxquels, à son grand désarroi, elle n'arrivait pas à résister. Depuis son mariage avec Milo, elle ne travaillait plus comme secrétaire pour Sara, mais les deux jeunes femmes étaient devenues amies. Elle examina d'un air espiègle ses camarades en savourant la friandise, seuls quelques murmures lui répondirent.

Sara avait hérité de sa mère, une pianiste de renom, ce goût pour réunir autour d'elle quelques habitués qui venaient écouter de la musique, parler art ou littérature, et briller par leur esprit. La tradition des salons berlinois, inaugurée par des femmes juives dès le XVIIIe siècle, était quelque peu tombée en désuétude, et pourtant certaines dames influentes continuaient à recevoir régulièrement des personnalités diverses qui aimaient se ressourcer sous l'autorité d'une maîtresse de maison inspirée. Ce dimanche-là, Sara s'était entourée de quelques amies proches.

— C'est toute cette atmosphère qui n'est plus supportable, soupira Charlotte Heffner, une journaliste de mode filiforme qui tenait une chronique mondaine très appréciée. Je n'en peux plus de cette souffrance quotidienne.

— Tu es trop sensible, dit Sophia.

— Je suis humaine, c'est tout. Comment peux-tu supporter de voir ces malheureux avec des pancartes autour du cou qui s'offrent comme s'ils étaient des bêtes ? Chez moi, des chômeurs viennent sonner à la porte pour réclamer les restes des repas. Berlin ferme ses hôpitaux et ses écoles parce que la ville ne peut plus les faire fonctionner. Les plus pauvres sont expulsés de leur logement et campent dans des abris de fortune autour des lacs, non loin d'ici. On meurt de faim, je vous le rappelle !

— On est mort de faim pendant la révolution bolchevique aussi, répliqua sèchement Sophia.

— Je ne dis pas le contraire, mais je ne vois pas en quoi les souffrances des Allemands mériteraient moins de commisération. Même si nous étions vos ennemis à l'époque.

Sophia pinça les lèvres et recommença à broder d'un air déterminé.

— Avez-vous remarqué comme les rues sont pleines d'hommes ? déclara Marietta Eisenschacht. Ils traînent dans les parcs, chassent les vieillards de leurs bancs attitrés, et jouent aux cartes toute la journée. La ville est devenue un gigantesque tripot.

— Quand ils ne se battent pas, renchérit Charlotte. Les communistes et les nazis s'entre-tuent dans les quartiers ouvriers. On recense tous les jours des morts dans les journaux. Il y a un sentiment d'insécurité et de menace permanent. Je reviens d'un voyage à Londres et à Paris. Même si leur situation est grave, je peux vous assurer que l'on ne ressent pas la même chose que chez nous, conclut-elle avec un regard réprobateur pour Marietta.

Un peu soucieuse, Sara se demanda si elle devait intervenir. Cette pièce, qui avait été autrefois la bibliothèque de son père et qu'elle avait redécorée après son décès, se voulait un havre de sérénité. La lumière tamisée des lampes en bois doré se reflétait dans le paravent en laque jaune et les deux grands vases en cuivre martelé qui encadraient la cheminée. Des livres s'empilaient en désordre sur une table, les sofas en velours invitaient à la paresse. Quelques jouets traînaient sur les tapis, dont le chemin de fer électrique de Félix. Or ce jour-là, lorsque la femme de chambre avait fait entrer Marietta, Sara avait deviné que la soirée serait agitée.

— Évitons de parler politique, dit Sara avec un soupir.

— Et pourquoi donc, alors qu'on passe son temps dans ce pays à se nourrir de politique à défaut d'autre chose ? s'offusqua Lenore Epstein en se levant pour se verser un cognac. On a des élections toutes les cinq minutes. La valse des chanceliers prêterait à rire si la situation n'était pas aussi désespérée. Hindenburg est complètement sénile et à la merci de provocateurs qui se repaissent de nos malheurs telles des sangsues. Vous en voulez ? demanda-t-elle en brandissant le carafon d'alcool à la ronde.

Les femmes secouèrent la tête, préférant se contenter de leur thé au rhum et au citron. Lenore se servit une rasade généreuse. Cette radiologue énergique, avec un halo de cheveux gris frisés qu'elle se refusait à teindre, jouait un rôle actif au sein de l'Association des femmes juives, menait ses quatre fils à la baguette, et défendait haut et fort les principes sociaux-démocrates, tout comme son mari député au Reichstag.

— Osons la vérité, poursuivit-elle. Si Marietta n'était pas présente, vous diriez toutes ce que vous avez sur le cœur, à savoir que les SA sont des brutes épaisses, que la propagande du parti d'Adolf Hitler est scandaleuse…

— Mais efficace, interrompit Charlotte en levant le doigt.

— … et qu'on devrait jeter tous ces types en prison, n'en déplaise à *Herr* Eisenschacht.

Tous les regards se tournèrent vers Marietta.

— Accusée, levez-vous ! lança-t-elle d'un air ironique. Cessez de me regarder avec des airs méchants. Je sais que Kurt a des idées très arrêtées. Il veut restaurer la grandeur de l'Allemagne. Il déteste la médiocrité ambiante et les compromissions d'une république qui n'a pas réussi à faire adopter une révision du traité de Versailles. Je ne peux pas lui donner tort sur certains points. Après tout, il n'y a pas que des salauds qui soutiennent ce parti.

— Et son antisémitisme, tu en fais quoi ? insista Lenore, les poings sur les hanches. Crois-tu qu'il aimerait te savoir avec nous ? Si jamais il t'a demandé où tu allais quand tu sortais de chez toi, je parie que tu lui as menti.

Marietta rougit.

— Et alors ? la défia-t-elle. Je m'ennuyais à la maison. Cela faisait un bout de temps que je ne vous avais pas vues.

— Évidemment, tu es très occupée maintenant, se moqua Charlotte. Tu préfères la compagnie de tes nouvelles amies comme la magnifique Magda, devenue *Frau* Goebbels à défaut d'avoir pu épouser son Führer adoré. Pourtant, elle a eu un beau-père juif et on lui prête une liaison avec un sioniste convaincu. Étrange parcours, non ? Qu'est-ce qu'elle a bien pu trouver à ce nain claudiquant ? Si tu dois participer à toutes les réunions de son gauleiter de mari, je comprends que tu n'aies plus beaucoup de temps à nous consacrer.

— Ce n'est pas parce que j'assiste à certaines réceptions avec Kurt que j'ai pris ma carte du parti.

— C'est inutile, puisque ton mari est l'un des premiers adhérents.

— Mais enfin, qu'est-ce que vous avez ce soir ? s'exclama Marietta, les pommettes enflammées. On dirait que vous me détestez, d'un seul coup. Est-ce qu'on n'a pas passé de bons moments ensemble ? Avez-vous tout oublié de ces dernières années ?

Marietta avait un regard presque implorant, telle une enfant qui chercherait à se rassurer. Sara se sentit troublée. L'agressivité de ses amies lui semblait excessive, mais elle les comprenait. Marietta Eisenschacht demeurait une énigme. Autrefois, elle avait imposé à son mari que Sara dessine sa robe de mariée et elle continuait à s'habiller chez Lindner, de même que certaines femmes d'industriels et de banquiers influents dont les époux finançaient le parti nazi ou y jouaient un rôle important. Bien que Sara éprouvât une certaine réticence à servir ces clientes, la situation économique ne lui permettait pas de faire la difficile. Néanmoins, ce double langage la déroutait et la mettait mal à l'aise.

— Beaucoup de choses ont changé en six ans, dit sèchement Lenore. Tu ne peux pas continuer à fermer les yeux, Marietta. Est-ce que tu regardes les articles qui paraissent dans les quotidiens de ton mari ? Il est de notoriété publique qu'il fait d'importants dons au parti. Peut-être pas autant que Thyssen ou Krupp, mais tout de même.

Agacée, la jeune femme bondit sur ses pieds. Les plis souples de sa jupe en crêpe lui balayèrent les mollets.

— Cesse de m'agresser ! Ce n'est pas moi qui ai conduit le pays à la ruine. Ce n'est pas moi qui pousse les gens à voter. Ils sont libres de leur choix, non ? Personne ne les force à mettre un bulletin dans l'urne.

— Si, justement, rétorqua Charlotte en croisant les bras. L'intimidation des nazis n'est pas démocratique.

— Parce que tu trouves que les bolcheviks, c'est mieux ? Tu préférerais avoir les monstres communistes au pouvoir ? Demande donc à Sophia ce qu'elle en pense.

— Ce sont deux esprits matérialistes et tyranniques qui se ressemblent, je te l'accorde, déclara Lenore. Mais au moins, chez les bolcheviks, la femme a encore droit à la parole. Comment peux-tu supporter cette image de nous que prônent les nazis ? Aucune émancipation possible. Interdiction d'être élues au Reichstag ou de pratiquer certains métiers considérés comme trop « virils ». Pour eux, la femme n'est qu'un ventre destiné à enfanter, et de préférence déguisée en costume folklorique avec une couronne de nattes autour de la tête. Tu peux dire adieu à tes produits de beauté, tes cigarettes et ton verre de champagne, ma belle. Désormais, ton univers doit se limiter à tes enfants, ta cuisine et ta paroisse. Une régression absolue… Moi, j'élève mes quatre fils, mais je veux aussi pratiquer mon métier de médecin, affirma-t-elle. Je tiens autant à mon droit de vote qu'au respect de mes libertés. Je te croyais une femme émancipée, Marietta, mais en te taisant, tu cautionnes les opinions politiques de ton mari. Il y a des moments dans la vie où il faut avoir le courage d'élever la voix. Le silence aussi peut être une arme, tu sais.

Marietta blêmit. D'une main nerveuse, elle ajusta sa ceinture comme pour se donner une contenance, puis elle prit son sac à main.

— Bien, puisque votre tribunal m'a jugée coupable, je crois que je n'ai plus ma place parmi vous. J'étais venue parler d'autre chose que de ces soucis récurrents qui nous empoisonnent la vie, mais je vois que vous êtes aussi ennuyeuses que les amis de Kurt.

— Allons, allons, intervint Sara, inquiète de voir les yeux de Marietta se remplir de larmes. Nous nous laissons emporter et nous finissons par dire des bêtises. Je ne veux pas qu'on en vienne à se brouiller. Dans les situations difficiles, il faut pouvoir compter sur ses amis.

— Si jamais Herr Hitler devient chancelier, tu pourras dire adieu à tous tes amis aryens, riposta Lenore avec une moue ironique. Marietta n'aura même plus le droit de t'adresser la parole. Quant à Sophia, qui n'est pas juive mais slave, d'après ce que j'ai lu dans *Mein Kampf*, elle ne sera pas en odeur de sainteté non plus… Mais je sens bien que je gâche votre petite soirée en disant la vérité, ajouta-t-elle, attristée. Je n'ai pas le cœur à parler de futilités. Pardonnez-moi. C'est à moi de m'en aller. Ne me raccompagne pas, Sara, je connais le chemin.

Quelques instants plus tard, la porte d'entrée claqua derrière Lenore, et les femmes réunies dans la bibliothèque tressaillirent. Elles essayèrent de faire bonne figure et de trouver des sujets de conversation moins délicats, mais elles étaient soucieuses. La soirée qui promettait d'être gaie avait tourné court.

Frissonnant dans le courant d'air froid, Sara referma la porte derrière ses amies et s'y adossa un instant. Les pneus des voitures crissaient sur le gravier. Elle avait l'impression que les bois de pins se rapprochaient de la maison. Les larges allées autrefois cavalières étaient désertes. Dans les villas cossues aux alentours, folies rococo ou maisons modernes d'acier et de verre, dont plusieurs appartenaient à des familles juives fortunées, elle devinait les grilles des jardins fermées et les rideaux tirés. On devait y ressentir cette même appréhension qui imprégnait les murs et laissait un goût métallique sous la langue.

Brusquement, la jeune femme s'élança dans l'escalier. Elle voulait voir ses enfants, respirer leur odeur et caresser leurs petits corps souples. Elle se hâta le long du couloir. La porte de leur chambre était restée entrouverte et elle se força à pénétrer sur la pointe des pieds pour ne pas les réveiller, alors qu'elle avait envie d'allumer toutes les lumières pour les serrer dans ses bras et compter les doigts sur leurs mains et leurs pieds, comme au jour de leur naissance.

Félix dormait sur le dos, allongé en travers du lit, un bras autour de sa girafe en peluche. Il avait rejeté sa couette et quelques mèches de cheveux collaient à son front moite. Sara vérifia que ce n'était pas de la fièvre, mais seulement l'un de ces accès de chaleur propres aux petits garçons. Elle replia ses bras et ses jambes, l'arrangea dans une position plus confortable, s'émerveillant qu'un enfant puisse dormir si profondément. D'une main tendre, elle lui caressa la joue. De l'autre côté de la grande pièce, Lilli dormait dans son petit lit à barreaux, son doudou serré dans la main. Sara se mordit la lèvre pour ne pas la réveiller. Elle s'agenouilla à côté du lit, les deux mains agrippées aux barreaux, et contempla le visage tant aimé de sa petite fille. Il lui fallut quelques secondes pour réaliser qu'elle ne le voyait pas distinctement parce que des larmes lui brouillaient la vue.

Une ombre se dressa derrière elle, occultant la lumière du corridor qui avait éclairé une partie de la chambre. Son mari s'approcha, se baissa pour être à sa hauteur et posa une main sur l'une des siennes. Elle eut envie de lui dire qu'elle avait peur, que tout était devenu trop difficile, les soucis avec les employés, les comptes obstinément dans le rouge, la lutte pour obtenir des crédits auprès des banques, le mépris qu'elle ressentait chez certains de ses collaborateurs, cette menace sournoise, la santé fragile de sa mère qui habitait avec eux mais quittait rarement son aile de la maison, ses inquiétudes pour l'avenir et leurs enfants. Son cœur pesait si lourd qu'elle avait le sentiment d'étouffer, et elle redoutait d'ouvrir la bouche de crainte de laisser échapper un torrent de chagrin et d'angoisse.

Victor ajusta le drap autour de leur petite fille, lui effleura la joue d'un doigt, puis aida sa femme à se relever. Dans le corridor, Sara lui enlaça la taille et leva la tête pour examiner son visage fin, les sourcils en bataille, les cheveux noirs peignés vers l'arrière. Elle respira le parfum acidulé des oranges qu'il aimait manger en hiver. Il souriait pour la réconforter, mais derrière ses lunettes en écaille, son regard sombre était troublé. Sans un mot, il se contenta de la serrer contre lui et posa le menton sur le haut de sa tête. La jeune femme ferma les yeux et enfouit son visage dans la laine réconfortante du vieux chandail, reconnaissante de ce silence. Victor était l'un de ces hommes attentifs et pudiques qui savent qu'un geste vaut toutes les paroles du monde.

En cette soirée de février, un brouillard givrant noyait les réverbères et les enseignes lumineuses, tandis qu'un mélange crasseux de neige fondue et de serpentins déchirés obstruait les caniveaux. Max rentrait à son studio, les mains dans les poches, un foulard enroulé autour du visage pour se protéger de la bise. Il marchait lentement. La fatigue commençait à se faire sentir. Depuis quelques jours, il avait perdu le sommeil. La nomination d'Adolf Hitler au poste de chancelier du Reich, appelé par le maréchal Hindenburg le 30 janvier, lui avait fait l'effet d'un coup de poing. Il ne s'y était absolument pas attendu. Ferdinand avait eu l'élégance de ne pas se moquer de sa naïveté, se contentant de hocher la tête, les lèvres pincées.

Dans les heures qui avaient suivi l'annonce, Max avait donné rendez-vous à Ferdinand et à Milo von Aschänger dans une chambre au premier étage de l'hôtel Adlon, car il voulait prendre des photos du défilé martial. Pendant plus de quatre heures, en provenance du Tiergarten, un flot ininterrompu d'hommes des SA, des SS et des Casques d'acier avait franchi la porte de Brandebourg, brandissant leurs drapeaux rouges à croix gammée et vingt mille flambeaux qui projetaient des lueurs inquiétantes sur les façades des immeubles, se dirigeant vers la Wilhelmstrasse où Adolf Hitler les attendait au balcon de la chancellerie. « Je croyais qu'on n'avait pas le droit de manifester à la porte de Brandebourg, avait bougonné Milo en tirant nerveusement sur une cigarette. Et d'où est-ce que ce satané Goebbels sort tous ces flambeaux ? C'est à croire qu'il les avait en stock chez lui. » Tout en respirant l'âcre odeur des torches par la fenêtre ouverte, ils écoutaient la voix trépidante de Goebbels qui tenait son premier discours radiophonique. Soumis au martèlement cadencé des bottes de cuir qui frappaient la chaussée, observant l'alignement au cordeau, le balancement mécanique des épaules et des jambes qui en devenait hypnotique, Max avait senti son corps se raidir. L'orchestration du défilé était parfaite, l'esthétisme et la gestuelle grandioses. Une armée d'anonymes invincibles. De temps à autre, les spectateurs subjugués levaient le bras droit et hurlaient « *Heil !* » d'une voix de stentor. Ils clamaient leur consentement, exigeaient d'être baptisés dans cette force inéluctable. Pendant les années de misère d'après guerre, des prédicateurs fous avaient parcouru les rues de Berlin, proclamant que Dieu les avait envoyés pour sauver le monde, et Max retrouvait dans les yeux exorbités de la foule cette même ferveur hallucinée et mystique.

Quelques semaines plus tard, Max avait toujours l'impression de traîner une gueule de bois. N'ayant pas le cœur à faire la fête, il avait refusé d'accompagner ses amis dans l'un de ces bals de carnaval qui animaient la ville. Il préférait rejoindre la solitude de sa chambre noire avec l'espoir d'oublier pendant quelques heures le goût amer de ce qui arrivait à son pays. En poussant la porte de l'immeuble, il pria pour ne pas croiser le portier qui n'avait pas manqué de célébrer la nomination du Führer avec force chants patriotiques. Il attendit l'ascenseur en dénouant son foulard. L'humidité de la laine dégageait un parfum désagréable.

Arrivé à son palier, il s'étonna de trouver la porte du studio entrouverte. Aussitôt, une pensée aussi fugitive qu'absurde lui traversa l'esprit : Xénia était-elle revenue ? Le portier lui avait-il ouvert la porte ? Bien qu'il n'habitât plus le même immeuble, ayant déménagé après la mort de son père, il y avait conservé son studio et c'était la seule adresse dont la jeune femme disposât. Mais il s'aperçut qu'on avait fracturé la serrure. Le cœur battant, il pénétra dans l'atelier.

Un spectacle de désolation s'offrit à sa vue. Les réflecteurs avaient été renversés, les armoires éventrées, des pellicules étaient déroulées sur les meubles comme autant de serpentins dérisoires. Un mannequin de plâtre brisé en deux avait déposé une couche de poussière sur les chaises et le canapé. Une partie des stores avait été arrachée, des loques de soie pendouillaient aux armatures des écrans de tête. Des plaques de verre cassées et des photos déchirées jonchaient le sol parmi un fouillis de câbles. Les têtes des deux mannequins Siegel qu'il avait fait venir de Paris pour les présentations de mode avaient été jetées contre une vitrine. Il avança lentement comme un somnambule. Les débris crissèrent sous ses pas. La porte du laboratoire était grande ouverte. Sur le carrelage de céramique gisaient en mille morceaux flacons, cuvettes et verres gradués. Des relents d'odeurs chimiques flottaient dans l'air. Le saccage était à la fois violent et méticuleux. Il s'arrêta au milieu de la vaste pièce, abasourdi, avec le sentiment d'avoir été agressé dans ce qu'il avait de plus intime.

— Mon Dieu, les épreuves, murmura-t-il, avant de ressortir sur le palier et de se ruer dans l'escalier.

Heureusement, la porte de son ancien logement semblait intacte. Sa main tremblait tellement qu'il eut du mal à faire tourner la clé dans la serrure. Il appuya sur l'interrupteur et poussa un soupir de soulagement. Tout était en ordre. Les solides armoires fermées à clé où il conservait ses épreuves numérotées dressaient leurs silhouettes réconfortantes contre le mur. Les classeurs s'alignaient sur les étagères. C'était toute son œuvre qui se trouvait rassemblée là, dans la pénombre, une partie de lui-même, peut-être la meilleure. Ainsi, les vandales n'avaient pas eu vent de cette pièce. À moins qu'ils n'aient pas eu le temps de mener leur entreprise de destruction jusqu'au bout. Alerté par le bruit, le portier les avait peut-être dérangés. Avec une moue moqueuse, Max referma soigneusement la porte derrière lui. Ce sale nazi aurait été trop content de leur indiquer l'emplacement, car Max ne doutait pas une seconde qu'il s'agissait d'un acte de représailles des SA, une manière bien à eux de lui faire payer quelques reportages qui avaient dû leur déplaire.

De retour dans l'atelier, il redressa une chaise et s'y assit. Il se sentait désemparé. D'une main fébrile, il se frotta la nuque. Il lui faudrait plusieurs jours pour nettoyer le désordre et commander une nouvelle installation. Sa secrétaire aurait un choc. Des séances de poses devraient être annulées. Il n'avait aucune idée de ce qui était programmé pour la semaine à venir, mais il ne doutait pas que la chère Inge, avec son ironie si typiquement berlinoise, lâcherait quelques exclamations bien senties avant de retrousser ses manches pour l'aider.

Il allait devoir se rendre à la préfecture de police pour porter plainte. Comment le recevraient les hommes en shako dans leur imposant bâtiment sur l'Alexanderplatz ? On racontait que les dépositions concernant une possible implication des SA n'étaient pas bien vues, d'autant moins que Göring avait fait nommer des corps de police auxiliaires, composés de SS armés et affublés de brassards blancs. Je serai probablement fiché, si ce n'est pas déjà fait, songea-t-il avec rancœur.

Max se pencha pour ramasser quelques photos déchirées. Drôle de collage. Tant pis pour les prises de vues de la ville et la série de chapeaux commandée par *Die Dame*. Les portraits peu flatteurs des SA avaient été lacérés au point d'être méconnaissables, mais c'est avec un soin particulier qu'il essaya de recomposer la silhouette de Xénia. D'un seul coup, la jeune femme lui manqua avec une telle violence qu'il fut cassé en deux. Les premiers mois, pas un jour ne s'était écoulé sans qu'il pense à elle. Une absence physique à couper le souffle. Une plaie ouverte. Un acide qui le rongeait jour et nuit, quand les souvenirs le possédaient sans lui faire grâce du moindre détail. La moue malicieuse, le front buté, les sourires. Et ses élans, ses enthousiasmes. Amputé de sa présence, il la percevait néanmoins à chaque instant comme le plus perfide des manques qu'aucun alcool ni aucune autre femme ne parvenait à chasser. Xénia était là, sous sa chair, dans son cœur. Blessé par leur dernière dispute, il avait pris son temps avant de lui écrire plusieurs lettres et de se mettre à guetter le courrier chaque matin. De plus en plus fébrile, il était même descendu une ou deux fois dans la rue attendre le facteur, se rendant parfaitement ridicule. Un espoir vain, puisque Xénia ne lui avait pas répondu. Et il en avait conçu non seulement de l'amertume, mais aussi de la colère. Au fil des mois, il était devenu plus grave. Il s'était mis à lire beaucoup, cherchant à comprendre ce qui leur était arrivé et comment ils en avaient été réduits à s'ignorer, comme si l'explication se cachait entre les lignes. Dans sa solitude, il avait appris que la souffrance vous aiguise telle la lame d'une épée, qu'à défaut de rendre fou elle rend humble.

Alors que le père de Sara n'en finissait plus de mourir, c'était le Freiherr von Passau qui était parti le premier, terrassé par une crise cardiaque dans son bureau de la Wilhelmstrasse. Max avait été pris au dépourvu. Son père était en parfaite santé, l'esprit clair, la démarche assurée. Il avait eu l'impression odieuse de ne pas avoir eu le temps de lui dire des choses essentielles, alors que de son vivant ils s'étaient parlé si peu et si mal. Ils étaient tous venus à l'enterrement, diplomates étrangers et hommes d'État, oncles et tantes, cousins rigides et silencieux, recelant dans les plis de leurs uniformes et de leurs costumes sombres les parfums des plaines de Prusse-Orientale où souffle le vent de la Baltique. Dans la villa de Dahlem, Marietta, en grand deuil, avait orchestré la réception. À son côté, serrant les mains et acceptant les condoléances, Max s'était senti étranger à lui-même.

D'un commun accord, Marietta et lui avaient vendu la maison de Dahlem et Max avait cherché un appartement en ville. Il avait pris son temps, avant de trouver un espace dans un immeuble à la majestueuse façade art nouveau qui donnait sur un dédale de cours intérieures, assez vaste et original pour qu'il s'y sente à l'aise. Il y avait placé les quelques meubles en marqueterie qui lui rappelaient son enfance, des toiles de ses amis peintres aux couleurs éclatantes, mais il avait veillé à conserver une atmosphère dépouillée. À la tête d'une fortune confortable, investie de manière judicieuse par son père dans l'immobilier, artiste reconnu aux œuvres achetées par des collectionneurs et qui recevait les droits de reproduction de ses photos désormais diffusées dans le monde entier, Max von Passau ne tirait plus le diable par la queue. « Mais c'est que tu es devenu un homme de biens, avait plaisanté Ferdinand, alors qu'ils buvaient du champagne et fumaient un cigare pour fêter sa pendaison de crémaillère. J'espère pour autant que tu ne vas pas devenir ennuyeux », avait-il ajouté d'un air taquin.

Max s'était mis à voyager. Il était resté plusieurs mois à New York à travailler pour *Vogue*. Le directeur artistique avait apprécié la rigueur de ses compositions, ses effets tranchés d'ombre et de lumière. De son côté, son maître Edward Steichen lui avait appris que les exigences d'une photo de mode étaient « la distinction, l'élégance et le chic ». Max, qui refusait un rigorisme trop statique, y ajoutait un supplément d'âme. Quant à ses portraits, le travail qui lui tenait le plus à cœur, ils révélaient toujours une fêlure secrète. Un trait de lumière soulignait aussi bien l'indéfinissable tristesse dans le visage d'une femme trop belle que la peur de la mort chez un scientifique athée.

D'un geste du bras, Max déblaya la surface du bureau des feuilles de papier glacé et des fibres de verre qui lui servaient à composer les univers blancs dont il avait besoin pour mettre les dernières toilettes en valeur. Il devait recomposer cette photo de Xénia. C'était l'une des premières qu'il avait prises d'elle, les cheveux humides, le visage sans artifice, une chemise d'homme déboutonnée qui laissait deviner la naissance de sa poitrine. Pourquoi ne lui avait-elle pas répondu ? Lorsqu'une lettre lui était revenue avec l'inscription *« Inconnue à cette adresse »* barrant l'enveloppe d'un trait rageur, il avait arrêté d'écrire.

Il avait été lâche, pensa-t-il en fouillant parmi les tiroirs renversés par terre. Il aurait pu mener son enquête de manière plus approfondie, même quand les photos d'elle avaient cessé de paraître dans les magazines. Mais la mort subite de son père l'avait empêché de réagir, et le cours de la vie avait fait le reste.

Le téléphone sonna.

— Max, c'est bien toi ? demanda Ferdinand d'un ton fébrile, haussant la voix pour se faire entendre en dépit des éclats de voix.

— Évidemment, répliqua-t-il, agacé. Qui veux-tu que ce soit ? À moins que mes charmants visiteurs ne s'amusent aussi à jouer les standardistes quand ils viennent me rendre une petite visite.

Il y eut un blanc à l'autre bout du fil. Max perçut ce qui ressemblait à des vociférations.

— Je ne comprends rien à ce que tu racontes. Peux-tu répéter ?

— Mon studio a été saccagé. Je suis au milieu d'un champ de ruines. Je présume que j'ai eu droit à une descente de nos amis, ironisa Max. Tu connais leurs méthodes, non ? Je dois m'estimer heureux de ne pas avoir été sur place. Ils m'auraient passé à tabac sans hésiter.

— Est-ce qu'ils ont détruit tes négatifs ? s'inquiéta Ferdinand.

— Non, Dieu merci, mais je ne te parle pas du reste. Ma secrétaire va avoir une attaque demain matin… Qu'est-ce qui se passe autour de toi ? Je t'entends à peine.

— Tu n'es pas au courant ? Le Reichstag est en flammes. On dit que ce sont les communistes qui ont foutu le feu.

Sara n'avait pas fermé l'œil de la nuit. À l'aube, quand les premières lueurs apparurent entre les fentes des rideaux, elle se glissa hors du lit, prenant soin de ne pas réveiller Victor. En se regardant dans le miroir de la salle de bains, elle fut effrayée par sa mine livide. Elle prit son bain, puis se maquilla avec soin, choisissant un rouge à lèvres éclatant, assorti à sa blouse en mousseline. La jupe de son tailleur en laine et soie flottait autour de sa taille. Elle esquissa une grimace, irritée d'avoir encore perdu du poids. Avec tous ces soucis, son appétit lui jouait des tours.

— Tu es déjà prête ? demanda Victor d'une voix ensommeillée.

Son mari avait boutonné de travers sa veste de pyjama et nouait sa robe de chambre autour de sa taille d'un geste malhabile. Avec son visage chiffonné et ses paupières lourdes, il lui sembla si vulnérable qu'elle en eut le cœur serré.

— Pardonne-moi de t'avoir réveillé, chéri, mais je n'arrivais pas à dormir. Je ne vais pas tarder à me rendre au bureau. J'ignore ce qui nous attend aujourd'hui. La journée risque d'être pénible.

— Il n'est pas question que tu y ailles toute seule, tu m'entends ? Je vais t'accompagner.

— C'est absurde, voyons, Victor ! Tu as des cours à donner à l'université et je ne suis pas seule puisque j'ai le chauffeur.

— Je préférerais que tu restes à la maison, Sara, insista-t-il en fronçant les sourcils. Je te l'ai déjà demandé plusieurs fois. Pourquoi est-ce que tu ne m'écoutes jamais ?

La jeune femme posa tendrement une main sur sa joue.

— Ne t'inquiète pas. J'ai prévenu les employés que nous allions vivre des moments difficiles. J'ai même donné congé à ceux qui préféraient rester chez eux, mais il est hors de question que je les abandonne le jour où les nazis ont appelé au boycott des magasins juifs. Ce serait une lâcheté que je ne me pardonnerais jamais, conclut-elle d'un air décidé, avant de se dresser sur la pointe des pieds pour l'embrasser. Je vais descendre prendre mon petit déjeuner. Il me faudra des forces, n'est-ce pas ? Je te parie que notre chère Simone m'a préparé un festin et qu'elle ne me laissera pas partir sans que j'aie fini mon assiette.

Sara essayait de plaisanter, mais son ton enjoué sonnait faux. Elle se détourna, et voulut épingler au revers de sa veste sa broche d'améthystes et de tourmalines en forme de pivoine. Son père lui avait offert cet emblème de la maison pour ses vingt et un ans. Voyant qu'elle était trop fébrile, Victor la lui prit des mains pour l'aider.

Dans la nuit, les nazis avaient placardé sur les colonnes publicitaires des affiches qui appelaient à boycotter les magasins tenus par des juifs. Désormais, parmi les réclames pour les spectacles de cabaret, le dernier film de Greta Garbo ou l'appel de fonds pour l'aide d'hiver aux miséreux, on pouvait lire : « *Les juifs du monde entier veulent détruire l'Allemagne. Peuple allemand, résiste ! N'achète pas chez les juifs !* » Une semaine auparavant, les députés s'étaient réunis à l'Opéra Kroll, orné pour l'occasion de drapeaux et de guirlandes de chêne puisque la salle des séances du Reichstag n'était plus que cendres. Ils avaient accordé au chancelier les pleins pouvoirs pour quatre ans. En l'absence forcée des communistes, seuls les parlementaires sociaux-démocrates avaient rejeté le texte de loi. Dès que la police avait arrêté l'incendiaire, un jeune communiste hollandais du nom de Van der Lubbe, les nazis en avaient profité pour lancer une vague d'arrestations, sous prétexte que le parti communiste prévoyait un dangereux soulèvement. Pourtant, en dépit d'une campagne d'intimidation violente, plus de la moitié des électeurs n'avait pas voté pour le parti lors des dernières élections début mars, le chancelier avait manœuvré avec une si grande habileté qu'il s'était emparé des rênes législative et exécutive du pays de manière parfaitement légale. Désormais, la croix gammée flottait sur les locaux gouvernementaux, les journaux clamaient que l'heure du Troisième Reich avait sonné, et plus rien ne s'opposait à une virulente campagne antisémite.

Une heure plus tard, sanglée dans un manteau en drap de laine, son chapeau plat retenu par une épingle, Sara se tenait très droite à l'arrière de la Mercedes. À sa demande, le chauffeur fit un détour, car elle désirait prendre le pouls de la ville. Les passants se pressaient autour des colonnes Morris, le nez levé pour lire les affiches. Sur la Wittenbergplatz, l'élégant magasin d'Adolf Jandorf, le célèbre *Kaufhaus des Westens*, était fermé, ainsi que beaucoup d'autres commerces juifs.

Le dernier recensement avait comptabilisé cinq cent vingt-cinq mille juifs dans toute l'Allemagne – ce qui représentait un pour cent de la population –, dont un tiers résidait à Berlin. Pourtant, depuis la prise de pouvoir des nazis, Sara avait l'impression que chacun d'entre eux était visé. La voiture s'arrêta à un feu rouge de la Potsdamer Platz, à côté d'un camion sur la plate-forme duquel s'entassaient des jeunes gens au visage poupin, revêtus de l'uniforme des Jeunesses hitlériennes. Sur une banderole s'inscrivait en lettres gothiques : « FÜHRER, ORDONNE ! NOUS OBÉIRONS ». Elle s'aperçut qu'elle serrait si fort sa pochette en cuir posée sur ses genoux qu'elle avait des crampes dans les doigts. Tout se passera bien, se dit-elle, avec une pensée pour son père, comme s'il pouvait lui insuffler du courage. Lorsqu'elle arriva devant les portes à tambour de la maison Lindner, le petit chasseur qui se précipitait d'ordinaire pour lui tenir la portière n'apparut pas. La veille, Sara lui avait donné l'ordre de ne pas sortir du magasin, et elle crut déceler son visage anxieux qui l'observait derrière la vitre.

— Merci, Rudi. Vous me reprendrez à cinq heures ce soir, comme d'habitude.

— Bien, madame, répondit sèchement le chauffeur, la nuque raide, la casquette vissée sur le crâne.

Cet homme la conduisait depuis cinq ans. Elle chercha à lire dans son regard un encouragement ou un signe d'amitié, mais son visage verrouillé resta impassible, lui donnant l'étrange sensation d'être devenue invisible.

En se détournant, la jeune femme fut confrontée à deux membres des SA dans leur détestable uniforme brun. Les bottes noires, les épais ceinturons et les baudriers luisaient dans la lumière matinale. Leurs casquettes molles, ajustées par des lanières sous le menton, leur donnaient des airs d'abrutis, mais leurs regards étaient perçants. Ils tenaient des pancartes : « DANGER DE MORT ! JUIFS ! » La gorge nouée, Sara s'aperçut que deux hommes montaient la garde devant chacune des portes, comme s'ils assiégeaient le magasin. L'intimidation était manifeste, les mines sérieuses, les mâchoires déterminées. Des passants curieux se retournaient. Elle avança de quelques pas et poussa la porte d'une main décidée.

Sous la verrière, les vendeuses patientaient en silence, figées à côté des présentoirs. Dans cet immense espace qui ressemblait d'ordinaire à une ruche bourdonnante, le silence était écrasant. Il est tôt, songea Sara. Pas encore dix heures. On vient à peine d'ouvrir. Peut-être que les Berlinois braveront tout de même cette interdiction absurde ? Elle ne pouvait pas croire que les clients, dont certains venaient depuis des générations et dont les mesures étaient répertoriées dans les différents départements d'habillement, allaient se laisser impressionner par cette bande de voyous au pouvoir. La vie devait continuer. On ne pouvait pas abdiquer devant des fous furieux.

Elle chercha à se rassurer. La branche du textile et de l'habillement employait trois millions de personnes en Allemagne. L'expérience des juifs, leur réputation internationale pour la qualité et l'élégance de leurs vêtements conféraient à ces métiers une aura qui attirait la convoitise des nazis, tout en les obligeant à prendre certaines précautions. Néanmoins, des articles virulents dans la presse et les discours de Goebbels, devenu ministre de l'Information et de la Propagande du Reich, appelaient à une « purification » du monde de la mode. On se plaignait que les propriétaires juifs des grands magasins s'enrichissaient grâce à des marges honteuses. On critiquait les stylistes dont la mode mettait en péril l'équilibre physique et mental des Allemandes en s'inspirant de la mode française décadente. S'il ne tient qu'à eux, toutes les femmes seront bientôt affublées de sacs à pommes de terre, pensa Sara, irritée, en se dirigeant vers l'ascenseur. C'est alors qu'elle aperçut le responsable du département masculin. À son veston, l'homme aux cheveux blancs avait épinglé ses médailles militaires obtenues lors de la Grande Guerre, dont la croix de fer première classe. Sara eut une pensée émue pour son frère, mort au champ d'honneur, ainsi que pour les milliers de juifs allemands tombés pour la patrie.

— Bonjour, mesdemoiselles, dit-elle en pénétrant dans l'atelier de couture.

— Bonjour, Fräulein Lindner, répondirent les petites mains en se levant poliment.

Elle poussa la porte de son bureau, retira ses gants, son chapeau, puis s'assit et contempla ses mains qui tremblaient de manière incontrôlable.

Le métro s'immobilisa dans un grincement de roues. Parmi les nouveaux passagers qui se pressèrent dans la voiture se trouvait un groupe de jeunes filles enjouées. Vêtues de chemises blanches fermées par un mouchoir noir et une lanière de cuir, de jupes bleu marine et d'épaisses chaussettes blanches, elles jacassaient avec des voix haut perchées, tandis que leurs nattes oscillaient au gré des cahots. Quelque chose piqua Max dans le dos. L'une des gamines lui enfonçait entre les omoplates la hampe d'un drapeau nazi soigneusement roulé.

— Faites attention, protesta-t-il, agacé. Les objets encombrants ne sont pas permis dans les voitures.

La responsable du groupe, une jeune femme blonde d'une vingtaine d'années, les cheveux sagement tressés en couronne, lui jeta un regard noir.

Max fut soulagé d'arriver à sa station et grimpa deux par deux les marches qui menaient à la rue. Il faisait un temps magnifique depuis plusieurs semaines. Sur les branches des robiniers, les grappes de fleurs blanches dégageaient un fort parfum sucré. Un garçon des Jeunesses hitlériennes lui agita une timbale sous le nez pour récolter de l'argent, mais Max l'esquiva. Décidément, on ne pouvait plus se promener en ville sans monnaie en poche. Quand il arriva devant la maison Lindner, il vit des passants discuter avec deux SA devant la porte. Un peu plus loin, un homme était adossé à un réverbère, un appareil photo en bandoulière. Un journaliste ? Ou quelqu'un chargé de prendre des photos des clients qui oseraient pénétrer dans le magasin ?

— Monsieur ! l'interpella l'un des SA en lui barrant le passage. C'est un magasin juif.

— Merci, vous êtes bien aimable, mais je le savais déjà, répliqua Max avec insolence en le regardant dans les yeux.

— Vous êtes aryen ?

— Parfaitement. Et mes ancêtres ont probablement foulé la terre de ce pays depuis plus longtemps que les vôtres. Je suis donc ici chez moi, et si je veux dépenser mon argent dans ce magasin, personne ne m'en empêchera. C'est compris ?

Ils restèrent quelques secondes à se toiser, mais l'homme joufflu sembla décontenancé. Max fit un pas de côté avec un sourire crispé, poussa la porte et pénétra sous la verrière. Bien que l'affluence fût moins importante qu'un samedi ordinaire, il éprouva un grand soulagement en voyant qu'il était loin d'être le seul client à l'intérieur. De vieilles Berlinoises, très dignes, faisaient leurs achats comme d'habitude. La période qui précédait Pâques était toujours propice au commerce. Il choisit de prendre l'escalator pour vérifier s'il y avait du monde dans tous les rayons. Au département masculin, des clients s'affairaient devant le comptoir à cigares, et c'est avec des regards complices pour de parfaits inconnus que Max atteignit enfin le sixième étage.

Quand il frappa à la porte de Sara, une voix anxieuse lui dit d'entrer. Il passa la tête par l'entrebâillement. Elle était assise à son bureau, un stylo à la main. Dès qu'elle le vit, son visage s'éclaira.

— Max ! Comme c'est gentil à toi d'être venu.

— Parce que tu croyais que j'allais te faire faux bond en ce jour mémorable ? plaisanta-t-il.

Elle se précipita dans ses bras et il la serra contre lui. Inquiet, il perçut le frémissement de son corps et il eut le sentiment qu'elle était encore plus mince que d'habitude.

— Je suis venu pour déjeuner avec toi, de peur que tu n'avales rien. Et cet après-midi, j'ai beaucoup d'emplettes à faire. Il faudra plusieurs de tes petits chasseurs pour emporter mes nombreux paquets. Penses-tu que tes nouveaux gardes du corps nous donneront un coup de main ?

D'un geste tendre, il essuya une larme sur la joue de la jeune femme.

— Pardonne-moi, dit-elle en riant. Je suis idiote d'être émue à ce point, mais c'est un peu difficile en ce moment.

— Je sais, murmura-t-il, mais tu n'es pas toute seule, tu m'entends ? Je ne t'abandonnerai jamais, Sara. Il faut que tu en sois consciente.

Il lui serrait les deux mains comme pour la convaincre.

— Je m'inquiète surtout pour Victor, avoua-t-elle. La situation n'est pas meilleure à l'université. Certains professeurs ont été chassés de leurs cours. Raccompagnés à la porte et conspués. Tu te rends compte ? Cette humiliation…

— On me l'a raconté, en effet, dit Max avec un soupir, tandis que Sara enfilait sa veste. Je reviens du journal. Dans les couloirs, tout le monde se regarde de travers. J'ai vu des insignes du parti fleurir aux revers des vestons les plus inattendus. Ullstein est une maison juive éminemment respectable, mais cette vermine grouille comme des punaises.

— C'est pourtant nous qu'ils traitent de parasites, frémit Sara en se pinçant les joues pour leur donner de la couleur. Bon, je suis prête. Allons affronter cette ville.

Sara semblait rassurée de voir les clients se presser aux caisses et arpenter les travées. Une ou deux fois, elle inclina poliment la tête pour saluer quelqu'un, mais dès qu'ils franchirent la porte, ils entendirent le son familier des bottes qui martelaient la chaussée. Une formation de chemises brunes apparut au coin de la rue, clamant le *Horst-Wessel-Lied*, ce chant à la gloire d'un jeune nazi tombé lors d'une bagarre avec des communistes et devenu l'hymne officiel du parti. Sara agrippa le bras de Max.

— Mon Dieu, celui qui est en tête du défilé, c'est mon chauffeur, murmura-t-elle, abasourdie. Il travaille pour moi depuis des années. Je connais sa femme. Je donne des cadeaux à ses enfants pour Noël. Rien ne m'avait laissée deviner qu'il était des leurs.

L'homme croisa sans ciller le regard de sa patronne et continua à chanter à tue-tête, tandis que la petite troupe passait devant eux. Parmi les passants, certains tendaient le bras droit pour saluer.

— Je pense que tu ferais mieux de changer de chauffeur, grommela Max. Mais tu ne pourras pas le renvoyer, sinon il risque de te dénoncer. La meilleure manière de t'en débarrasser serait de lui trouver une sorte de promotion. Tu peux faire ça ?

— Oui, je pense, bafouilla-t-elle, déconcertée. Mais alors, ça veut dire que n'importe qui… Des gens que nous côtoyons tous les jours. Avec qui nous n'avons jamais eu de soucis…

Sa voix se brisa. Aux frontons de certains immeubles claquaient des drapeaux rouges à croix gammée. À cet instant précis, Max comprit que leur vie avait basculé. Désormais, ils seraient obligés de penser en termes de délation, de rancœurs et de représailles. Ils allaient devoir observer ceux qui les entouraient pour deviner leurs convictions intimes. Plus rien ne serait jamais acquis. Ni l'amitié ni l'amour. Un frisson de dégoût le parcourut. L'Allemagne s'était effondrée tel un château de cartes, trahie par des parlementaires et des partis politiques incapables d'ériger une barrière crédible contre des extrémistes qui avaient pris le pouvoir légalement. Trahie par des ouvriers qui s'inscrivaient en masse depuis quelques semaines dans les cellules nazies, par les fonctionnaires qui juraient obéissance au nouveau seigneur et maître, trahie par les étudiants, les professeurs et les magistrats, les paysans dans les campagnes, les nostalgiques d'une armée triomphante, tous enivrés par l'euphorie d'appartenir désormais à un État fort. Trahie par ceux qui avaient peur et qui s'étaient précipités ces derniers jours pour demander leur carte du parti avant que les inscriptions ne soient closes, par lâcheté ou opportunisme, par faiblesse morale surtout, et c'était ce qui lui faisait le plus mal.

Une longue voiture noire s'arrêta devant eux. Un chauffeur en uniforme gris en descendit et ouvrit la portière. Marietta Eisenschacht émergea en tailleur de laine pourpre, une étole de renard sur les épaules, un feutre coquet incliné sur l'œil. Max et Sara la regardèrent d'un air ébahi.

— Ah, mes chéris ! s'exclama-t-elle d'un ton enjoué. Quel bonheur de vous trouver là. Je regardais mes placards ce matin, et je me suis aperçue que je n'avais plus rien à me mettre. J'ai toute une garde-robe à renouveler. Incroyable, non ?

Le regard de Marietta croisa celui de son frère. Sous la moue moqueuse, Max décela une gravité qui le toucha au cœur, et le cercle de plomb autour de ses tempes se desserra quelque peu. Il eut l'impression de pouvoir respirer à nouveau, le temps d'une joie aussi inattendue que fragile.

Paris, décembre 1933

En cette heure matinale, l'aube n'était qu'une promesse incertaine. Il faisait encore nuit. Les réverbères éclairaient les vastes avenues désertes et l'eau avait gelé dans les caniveaux. Seuls quelques rares passants marchaient avec des pas d'échassier, prenant soin de ne pas déraper, tandis qu'un percheron remontait lentement la rue en tirant une charrette. Des bougnats déchargeaient des sacs de charbon qui laissaient des traînées de suie sur leurs mains et leur visage. Assise sur un banc à la peinture écaillée, Xénia regardait la haute muraille de la prison de la Santé.

La porte s'entrouvrit pour laisser passer un homme vêtu d'un manteau informe, une casquette sur la tête, une petite valise à la main, puis se referma aussitôt derrière lui avec un claquement sec. Alors qu'il hésitait, silhouette fragile découpée contre le mur intraitable, Xénia se leva et traversa la rue pour rejoindre son oncle. En la voyant, Sacha redressa les épaules et la dévisagea d'un air méfiant. Elle s'arrêta devant lui, à la fois anxieuse et intimidée, cherchant à afficher un calme qu'elle ne ressentait pas. Quand elle le serra dans ses bras, il resta raide comme un piquet, et elle perçut chez lui un infime mouvement de recul.

— Oncle Sacha, murmura-t-elle, je suis heureuse.

Comme il ne disait rien, elle lui prit le bras et l'entraîna doucement vers l'entrée du métro. Grâce au plaidoyer de Gabriel Vaudoyer, sa peine de prison avait été la moins sévère possible, mais ces quelques années derrière les barreaux avaient marqué Sacha au fer rouge. Il avançait à petits pas prudents, ceux d'un vieillard ou d'un être sans repères, et Xénia songea, un peu effrayée, qu'il lui faudrait du temps pour réapprendre à marcher en homme libre. Elle avait proposé de l'accueillir chez elle, mais Sacha tenait à son indépendance.

— Je n'ai pas réussi à te trouver une chambre, alors tu vas habiter avec Macha, dit-elle, tandis qu'ils tressautaient sur la banquette en bois du métro. La situation est dramatique. Beaucoup de gens ont perdu leur emploi. Alors, nous, on est devenus encore plus indésirables que les autres. Si tu voyais les affreuses pancartes affichées dans certains immeubles du XVe : « PAS DE CHIENS, PAS DE CHATS, PAS DE RUSSES » ! C'est la crise, tu comprends ?

— Pas vraiment. J'ai passé sept ans enfermé entre quatre murs. On y prend de mauvaises habitudes. Comme de recevoir ses repas à heure fixe et de se désintéresser des aléas de la vie.

— Dans ce cas, il va falloir que tu t'adaptes rapidement, rétorqua-t-elle sèchement, un poing d'angoisse lui serrant le cœur.

À la mort de Diaghilev, quatre ans plus tôt, Macha avait perdu son emploi de décoratrice aux Ballets russes. La crise économique lui avait compliqué la tâche pour retrouver du travail. Les maisons de couture russes avaient commencé à fermer les unes après les autres, non seulement à cause de la perte de la clientèle américaine, mais surtout parce que les broderies onéreuses à base de perles ou autres sequins, tout comme les peintures sur soie, étaient passées de mode. On disait aussi que les Russes n'avaient pas le sens des affaires. Beaucoup, comme le prince Youssoupoff et sa maison Irfé, avaient fait faillite. Macha s'était rendue chez la grande-duchesse Marie Pavlovna, mais Kitmir avait été vendu, et la princesse était partie pour New York. Heureusement, avec son visage d'une beauté nordique classique, ses cheveux blonds permanentés et sa silhouette épanouie, Macha avait trouvé une place de mannequin chez le couturier Lucien Lelong, et Xénia veillait à ce qu'elle ne manque de rien.

— Nous ne sommes plus les bienvenus comme autrefois, poursuivit Xénia à voix basse, de crainte que les autres passagers ne prennent ombrage à les entendre parler une langue étrangère. Les Français n'ont pas apprécié qu'un émigré russe assassine le Président Doumer l'année dernière. Ils en ont profité pour nous tomber dessus à bras raccourcis. Il faudra que tu te tiennes à carreau, tu m'entends ? On peut être arrêtés à tout moment et reconduits à la frontière. Beaucoup se retrouvent en prison en Belgique. Il suffit d'un rien. Une infraction au code de la route. L'absence d'un certificat de travail. Désormais, les Français se moquent de notre accent qu'ils trouvaient charmant autrefois.

Certains amis de Cyrille ont même demandé à franciser leur nom.

— Pas lui, j'espère ! s'exclama Sacha, outré.

— Bien sûr que non. Tu connais Cyrille. À seize ans, il a des idées très précises sur certaines choses. D'ailleurs, il se réjouit de te voir. Il m'a chargée de t'embrasser.

Un mince sourire anima le visage blême de Sacha. Brusquement, Xénia lui prit la main et la serra.

— Tout ira bien, dit-elle, saisie d'émotion. Je te le promets. Nous avons survécu à des choses tellement plus dures, n'est-ce pas ?

— Et toi, comment vas-tu ? Es-tu heureuse avec ton mari ? lança-t-il à brûle-pourpoint, en la regardant pour la première fois dans les yeux.

Xénia resta interdite. Habituée à l'égoïsme de Sacha, cette sollicitude inattendue la prenait au dépourvu. Elle réalisa qu'elle ne s'était jamais posé la question. Était-elle heureuse ? Une foule d'images fugitives la traversa. Les claquements des persiennes qu'elle ouvrait le matin sur le jardin du Luxembourg, la sérénité de son salon aux étoffes claires quand le feu brûlait dans la cheminée. Le visage enjoué de la cuisinière. Désormais, Xénia ne s'inquiétait plus de savoir comment nourrir les siens. Et puis il y avait la haute silhouette un peu voûtée de Gabriel. Son embonpoint rassurant et sa moustache de notable. Ses lunettes perchées sur le nez quand il étudiait ses dossiers. Leurs incursions chez les antiquaires. Leurs éclats de rire. Cette manière bien à lui de l'observer à la dérobée d'un air émerveillé, comme s'il s'étonnait non seulement de l'avoir pour épouse, mais qu'elle fût toujours là.

— Oui, avoua-t-elle. C'est à peine croyable, mais je crois que je suis heureuse. Gabriel est un père merveilleux pour Natacha. Une révélation, je dirais même.

— C'est souvent le cas pour les hommes qui deviennent père sur le tard. Moi, si je pouvais connaître ce bonheur, je crois que je serais fou de joie.

Personne ne savait que Gabriel n'était pas le père de sa petite fille. C'est pourquoi la générosité de son mari envers cette enfant à laquelle il avait donné son nom ne cessait d'étonner la jeune femme. Gabriel avait tenu parole, il semblait sincèrement heureux d'élever Natacha. À cette pensée, elle éprouva pour lui un élan de tendresse et de gratitude.

— Qu'est-ce que je vais devenir, Xénia ? demanda soudain Sacha d'une petite voix, en regardant défiler le tunnel noir.

Quelques lumières disparates clignotaient de temps à autre avant de disparaître. Une sueur froide l'inondait et sa chemise rêche lui collait à la peau. Il avait l'impression de dégager l'odeur rance des cellules et des parloirs. Avec des doigts fébriles, il voulut desserrer son nœud de cravate. La vitre reflétait son visage. La cicatrice sur le front, les cheveux blonds clairsemés, les deux rides profondes qui marquaient sa bouche. Il avait quarante et un ans et le sentiment d'être un vieillard.

— J'ai foutu ma vie en l'air, murmura-t-il, désemparé.

— Arrête, Oncle Sacha ! ordonna Xénia. Le passé, c'est le passé. Tu as fait des bêtises, et Dieu sait que tu as payé le prix fort. Tu ne méritais pas ça. Maintenant, tu dois continuer à te battre.

— Me battre ? s'enflamma-t-il. Mais avec quoi ? Et contre qui ? Je n'ai plus rien. Qui voudra de moi ? Ils vont tous me demander ce que j'ai fait pendant sept ans. Sept ans, Xénia ! C'est une éternité.

— On ne te demandera rien du tout. Gabriel t'a obtenu un emploi de veilleur de nuit. Ne me regarde pas comme ça. Je sais que ce n'est pas reluisant, mais au moins, c'est un travail. Et crois-moi, par les temps qui courent, c'est un cadeau du ciel.

— Ainsi, nous lui serons redevables de cela aussi, lança Sacha avec un brin d'amertume. Cela fait beaucoup, tu ne trouves pas ?

Dans le regard de son oncle, Xénia retrouva l'éclat de cette arrogance qu'il avait affichée jeune homme, alors qu'il régnait en maître dans les salons de Saint-Pétersbourg. Elle détourna la tête. Se sentait-elle l'obligée de son mari ? Gabriel les avait accueillis sous son toit, Cyrille et elle, et il avait reconnu son bébé. Il avait défendu son oncle aux assises et continuait à le protéger, car Sacha aurait pu être expulsé du territoire à sa sortie de prison. Gabriel connaissait au ministère un haut fonctionnaire qui avait classé le dossier. Elle devait beaucoup de choses à son époux, mais elle comprenait la réaction de son oncle. Ceux qui vous tendent la main peuvent finir par devenir détestables, et la reconnaissance est toujours amère aux âmes orgueilleuses.

Dès leur mariage, elle avait compris que Gabriel comptait beaucoup de relations, chez les parlementaires, les ministres, les généraux, les magistrats, les patrons d'industrie. Il s'était présenté à la députation de leur arrondissement, mais il avait été battu. Lors de la valse continuelle des gouvernements, affaiblis par des majorités trop fragiles et dont certains ne duraient que quelques jours, il avait même occupé un maroquin éphémère. Secret, parfois ombrageux quand il s'agissait de ses affaires, il appartenait à la caste des hommes d'influence. Au début, elle avait essayé de s'intéresser à ses activités, pensant lui faire plaisir, mais il lui avait fait comprendre que ces domaines devaient rester privés. Gabriel avait désiré avant tout une maîtresse de maison accomplie et une compagne, et Xénia savait se montrer consciencieuse. Et puis, il y avait eu la révélation d'une complicité inattendue. Gabriel était un bon amant et elle prenait plaisir à faire l'amour avec lui. Entre leurs corps régnait aussi une entente cordiale. Serais-je devenue sage ? se demanda-t-elle, quelque peu étonnée, tandis que les soubresauts du métro la jetaient contre l'épaule de son oncle.

— Je ne peux pas rester en France, Xénia, poursuivit Sacha d'une voix rauque. C'est mourir à petit feu. Je préfère rentrer en Russie.

— Ils te tueront ou te déporteront tôt ou tard en Sibérie, ce qui revient au même. Certains d'entre nous ont choisi d'y retourner, mais toi, tu ne t'y habitueras pas. Notre Russie est perdue à jamais. Il faut que tu l'acceptes. C'est un autre monde, et nous n'y avons plus notre place. Désormais, l'avenir est ici.

Elle marqua une pause, lissa sa jupe sur ses genoux.

— À la naissance de Natacha, j'ai demandé la nationalité française.

— Ce n'est pas possible ! Tu n'as pas fait ça ?

— Et pourquoi pas ? répliqua-t-elle, irritée. Ce n'est pas un crime, tout de même. À t'entendre, on dirait que j'ai vendu mon âme au diable ! Pendant dix ans, la plupart d'entre nous sommes restés assis sur nos valises, persuadés qu'on allait rentrer chez nous. Mais l'attente s'éternise, Oncle Sacha. On s'y perd. On y meurt aussi, murmura-t-elle, les mains serrées l'une dans l'autre. Grâce à la loi de 1927, ma fille, née en France et d'un père français, est française. Ce n'est pas pour autant qu'elle ne connaîtra pas la Russie. Je l'élève dans l'amour de la patrie de ses ancêtres et dans le respect de celle qui nous a tous accueillis. Mais le passeport Nansen ne me suffisait plus. Je dois pouvoir protéger mon enfant si jamais la vie se complique à nouveau.

— Et tu crois que tu y parviendras mieux en étant française ? fit-il d'un air méprisant.

— S'il y a une guerre, sûrement.

— Tu plaisantes ou quoi ?

— Tu dis toi-même que tu as vécu pendant des années à l'écart du monde. Une époque est révolue. Celle de l'après-guerre. Cette ivresse d'avoir survécu au pire. Aux tranchées, aux massacres. La joie de vivre, les excès, l'enthousiasme… Désormais, nous avons Mussolini en Italie, Hitler en Allemagne, Staline en Union soviétique. Et des millions de gens dans la rue, sans travail, sans un sou. La vie est chère, les salaires ont baissé de vingt pour cent, beaucoup de rentiers sont ruinés. Personne n'est à l'abri. L'avenir s'est assombri. Attends un peu et tu comprendras vite ce que je veux dire.

Elle s'aperçut qu'elle avait élevé la voix. Les passagers les regardaient avec méfiance, étonnés par l'alliance singulière entre cette femme en manteau de fourrure et son compagnon aux joues hâves, veston élimé et chaussures éculées.

— Nous sommes arrivés, dit Xénia, soulagée, en se levant.

— Sales étrangers, n'ont qu'à rentrer chez eux, grommela une voix.

L'homme avait des cheveux noirs hirsutes, des lèvres grasses. Un cure-dents lui tenait lieu de cigarette. Rentrer chez elle… À la maison… Soudain, Xénia fut submergée par le souvenir de sa ville natale, les rives de la Néva prise par les glaces, les coupoles byzantines, la flèche dorée de la forteresse Pierre-et-Paul qui s'élançait dans le ciel d'hiver. Ainsi, il avait suffi d'une parole malheureuse pour pulvériser tous ses beaux discours et faire jaillir ce déchirement intime que seul connaît l'exilé. Sacha avait raison. À Paris, parmi ces passagers aux traits tirés et aux corps raidis de fatigue, elle demeurait une étrangère. Elle resterait à jamais Xénia Féodorovna Ossoline. Privée de son pays, mariée à un homme pour qui elle éprouvait un sentiment sincère mais incolore, otage docile d'un mariage choisi par défaut, elle était devenue semblable à l'une de ces ombres évanescentes qui hantent au printemps les nuits blanches de Saint-Pétersbourg, quand la lumière et l'obscurité se troublent et se confondent en autant de chimères.

— *Mamotchka !*

La petite fille dans son manteau bleu marine poussa un cri et lâcha la balançoire. Elle courut si vite vers Xénia que son chapeau cloche s'envola, libérant deux tresses blondes, et elle se jeta dans les bras de sa mère qui la souleva en riant.

— Où étais-tu ? demanda l'enfant d'un air réprobateur, plaquant ses deux mains contre les joues de sa mère. Tu m'avais dit que tu viendrais au jardin avec moi s'il faisait beau. Je t'ai attendue.

— J'ai dû aider ton grand-oncle Sacha à s'installer chez Tante Macha, mon cœur. Cela m'a pris plus longtemps que prévu. Il a fallu que j'aille lui acheter des vêtements.

— Il n'est pas capable de le faire lui-même ?

— Si, bien sûr, mais c'était plus gentil de l'aider. Il a été souffrant, tu sais. Quand tu le rencontreras, il faudra que tu sois patiente avec lui.

Elle reposa sa fille. À six ans, avec sa bouche dessinée au pinceau, ses joues rondes et son regard noisette, Natacha avait un caractère affirmé. Sa témérité effrayait parfois la bonne d'enfants qui n'avait jamais une minute de repos. Au jardin, la jeune Bourguignonne avait pris l'habitude de surveiller les petits garçons dans leur costume marin, car l'on était plus susceptible de trouver Natacha en leur compagnie, escaladant des barrières en s'écorchant les genoux, que de la voir s'amuser au cerceau ou à la poupée avec des fillettes de son âge. Secrètement, Xénia en concevait une certaine fierté. Il fallait faire preuve d'autorité pour corriger les caprices de Natachenka, mais elle aimait ce tempérament volontaire, ne supportant pas les fragilités ni les minauderies des autres enfants.

Pourtant, à la naissance de sa fille, elle avait connu un moment d'égarement. Devant le visage chiffonné et le petit corps congestionné, elle s'était sentie étrangement lointaine, comme si rien ne la liait à cette enfant et qu'elle découvrait une parfaite inconnue. Elle avait pris peur. Alors qu'elle avait élevé Cyrille depuis sa naissance, d'où lui venait cette odieuse impression de perdre pied devant sa propre fille ? À cet instant-là, l'absence de sa Nianiouchka lui avait semblé d'autant plus cruelle. En trouvant les mots pour la rassurer, la vieille sage aurait balayé ces incertitudes d'un geste de la main. Puis Natacha lui avait saisi un doigt avec cette fermeté instinctive des nouveau-nés, et la force inattendue avait surpris Xénia qui avait cru déceler chez le nourrisson cette même intensité qui l'avait guidée depuis tant d'années. Elle s'y était reconnue, et elle avait été soulevée par un élan d'amour, devinant confusément qu'à l'avenir sa fille ne serait pas une charge mais un soutien.

Xénia s'accroupit à côté de son enfant, sans se préoccuper de laisser traîner sa jupe et son manteau sur le sol, lui saisit le visage et lui déposa des baisers sonores sur les joues et les lèvres. Natacha éclata de rire, puis s'échappa en courant.

— Viens, *mamotchka* ! Viens me pousser sur la balançoire !

Gabriel Vaudoyer patientait dans le salon. Il vérifia le nœud de sa cravate blanche dans le miroir placé au-dessus de la cheminée. Le tombé des longues basques noires de son habit était impeccable. Il ne l'aurait pas avoué, mais il appréhendait cette soirée. C'était l'une des premières fois que Xénia l'emmenait au sein de la communauté russe. Il savait que le mariage de la jeune comtesse Ossoline n'avait pas été bien vu. La même année, en 1927, celui de la princesse Natalie Paley, la petite-fille du tsar Alexandre II, avec le célèbre couturier Lucien Lelong avait défrayé la chronique, bien que Lelong fût un héros décoré de la croix de guerre et l'un des plus généreux donateurs des soirées de bienfaisance organisées en l'honneur des réfugiés. Les

Russes se mariaient entre eux, par fidélité à l'idéal d'une patrie dont ils se sentaient amputés, mais aussi pour respecter une religion orthodoxe qu'ils conservaient chevillée au corps et parce qu'ils n'étaient pas toujours acceptés dans la société française de leur rang.

Gabriel avait acquiescé sans sourciller quand Xénia lui avait demandé s'ils pouvaient se marier à l'église rue Daru. À son grand étonnement, l'agnostique qu'il était devenu au fil des ans avait été troublé par le parfum de l'encens, les lueurs des minces cierges jaunes qui éclairaient des icônes d'or, le chœur des voix pénétrantes, toute cette cérémonie aux accents orientaux empreinte de majesté et tellement étrangère à ce qu'il avait pu connaître dans son enfance. Dressé derrière lui, l'un de leurs nombreux témoins, un colosse ancien officier de l'armée impériale, avait tenu d'une main ferme une couronne au-dessus de sa tête, tandis qu'un voisin de palier des Ossoline faisait de même pour Xénia. À leurs visages méfiants, il avait compris que les deux hommes ne l'appréciaient pas. Avec son regard clair et ses cheveux blonds peignés avec de la brillantine pour domestiquer son épi, le petit Cyrille s'était tenu très droit au côté de Macha, intimidée et frémissante, qui hésitait entre se réjouir ou s'inquiéter pour sa sœur. Et puis, il y avait eu Xénia, bien sûr, dans sa robe courte en crêpe de Chine rose pâle, avec une traîne ivoire, un corsage brodé de perles et un voile de dentelle à bordures festonnées qui encadrait son visage sérieux.

Lors de l'emménagement de son épouse, Gabriel avait eu un aperçu de l'existence difficile de la jeune femme. Xénia n'avait apporté qu'une seule petite valise en cuir fatigué, et il y avait eu quelque chose d'intensément digne dans ce dénuement. Avec son ventre arrondi qui s'esquissait sous sa robe, elle était restée impassible, debout dans le salon, donnant la main à son petit frère, et il en avait été ému.

Il s'était attendu à une femme fantasque, entière et ardente, extravagante, qui aurait alterné les crises de colère et de larmes avec des moments d'exaltation, à l'image de l'âme slave telle qu'il la concevait à travers ses lectures ou les représentations des Ballets russes. Mais Xénia n'était pas capricieuse. Au fil des mois, il avait découvert une femme d'une politesse exquise qui lui faisait la grâce de croire en leur mariage. Alors qu'il avait secrètement redouté la naissance de l'enfant, à sa grande surprise, il s'était d'emblée attaché à la petite. Il lui arrivait même d'oublier qu'il n'était pas son père, et les bras de Natacha qui lui enlaçaient le cou, son espièglerie et sa tendresse lui procuraient une satisfaction qui ressemblait étrangement au bonheur.

— Gabriel ? Pardon de vous avoir fait attendre. Natacha a été exigeante ce soir. Elle a voulu que je lui lise plusieurs histoires.

Xénia apparut dans l'embrasure de la porte. Ses cheveux blonds bouclés lui effleuraient la nuque, et les pendants d'oreilles en brillants qu'il lui avait offerts pour la naissance de sa fille accrochaient la lumière. Un mince bracelet en onyx et diamants soulignait la finesse d'un poignet. Elle portait une longue robe de soirée sans manches en drapé de satin blanc, au décolleté en pointe dans le dos que soulignaient deux fines bretelles croisées. D'une main, elle tenait une étole et un sac de soirée. Elle était si sereine que Gabriel resta un instant interdit, subjugué comme chaque fois.

— Êtes-vous prêt, mon ami ? s'inquiéta-t-elle. Je ne voudrais pas vous presser, mais Macha vient de me faire appeler pour me demander si j'avais l'intention d'arriver ce soir ou demain. Il ne faut pas manquer les premiers votes du jury. Si elle est éliminée d'emblée, je serai obligée de la consoler, mais j'ai bon espoir que ma sœur soit au moins finaliste. À mon avis, le titre de Mademoiselle Russie lui tend les bras, et dans ce cas nous passerons la nuit à faire la fête. J'espère que vous n'avez pas d'audience aux aurores demain matin.

Avec un sourire, Gabriel vérifia qu'il avait glissé son étui à cigarettes dans sa poche.

— Votre sœur ne sera jamais aussi belle que vous, ma chérie, mais elle est ravissante. Sans aucun doute, elle a toutes ses chances. Allons donc affronter les Russes, puisqu'il le faut, ajouta-t-il avec un soupir.

— Voyons, Gabriel, vous n'êtes pas Napoléon, tout de même, s'amusa Xénia, alors qu'il lui tendait le bras. Personne ne va vous manger, vous savez.

L'élection de Mademoiselle Russie était devenue un événement important. Depuis quelques années, ces concours de beauté s'organisaient dans toutes les communautés d'expatriés, et celui de la France, pays considéré comme l'icône de la mode, était particulièrement prestigieux. L'heureuse élue faisait la une des journaux. Son portrait ornait des cartes postales qu'on vendait à Berlin, Riga, Shanghai ou Harbin, cette ville lointaine de Mandchourie où s'étaient réfugiés un grand nombre de Russes. À condition d'être en possession d'un passeport Nansen, toute jeune fille pouvait s'enregistrer auprès du journal de l'émigration qui en était l'organisateur. Lorsqu'elle avait reçu son invitation à participer à l'élection avec une vingtaine d'autres concurrentes, Macha avait sauté de joie. Le jury était composé de personnalités russes du monde des arts, écrivains, actrices ou célèbres ballerines. La jeune fille avait supplié Xénia d'assister au concours, ce qui avait flatté sa sœur, car leurs relations demeuraient toujours aussi fragiles.

Xénia s'était inquiétée de savoir comment Macha allait accepter la présence de Gabriel dans sa vie, mais ses craintes étaient restées infondées. Gabriel se montrait courtois, tandis que Macha flirtait naïvement avec lui, impressionnée par son argent et son aura de respectabilité. Il arrivait à Xénia de se demander si sa jeune sœur n'éprouvait pas une pointe de jalousie. N'avait-elle pas obtenu malgré elle ce que Macha continuait à désirer avec tant de détermination : une sécurité matérielle, une belle maison ? Xénia demeurait néanmoins sur ses gardes, ne se laissant pas bercer par l'illusion d'une vie qui lui présentait à nouveau son visage souriant. De son entente avec son mari dépendait aussi la sérénité d'esprit de Cyrille. Depuis que leur quotidien s'était trouvé facilité, il excellait au lycée Henri-IV et participait avec enthousiasme aux camps de scouts russes. Son frère avait trouvé un équilibre entre la France, son pays d'adoption, et sa patrie d'origine dont il ne concevait que de vagues impressions élaborées à partir des récits de ses sœurs. Natachenka grandissait dans une ambiance paisible et Macha ne redoutait plus d'être mise à la porte de son logement, si jamais elle perdait son emploi. Il y avait quelque chose de doux à savoir sa famille sereine, même aux dépens de sa propre liberté, car Xénia était une femme lucide. Elle savait qu'en choisissant le chemin de la raison elle avait sacrifié cette partie d'elle-même qui ne s'était révélée au grand jour qu'auprès d'un seul homme. Et dès que ses pensées l'entraînaient vers cette pente dangereuse, elle fermait les yeux comme pour oublier des éclats de souvenirs aussi tranchants que des lames de rasoir.

Un peu plus tard dans la soirée, Macha remporta le concours sous les applaudissements. Ses belles joues rondes s'empourprèrent de plaisir et ses yeux brillèrent. Elle n'avait jamais été plus ravissante et Xénia fut heureuse pour sa sœur. Cette consécration lui assurerait un travail de mannequin plus régulier. Pendant au moins un an, la lauréate n'aurait plus à se faire de souci.

Ils terminèrent la soirée au Shéhérazade, l'un des cabarets russes les plus courus de la ville. Un orchestre tzigane jouait sous les tentures aux allures de harem oriental, parmi les poufs et les bouteilles de champagne. Xénia vérifia du coin de l'œil que Gabriel ne s'ennuyait pas. Il buvait sa vodka en étudiant la salle d'un air intéressé. Il ne semblait pas dépaysé. Pendant le dîner, il avait fait honneur au koulibiac de saumon, au chachlik caucasien et au soufflé sibérien.

— Xénia, tu ne devineras jamais ce qu'on vient de me proposer ! s'écria soudain Macha en s'asseyant sur un pouf à côté d'elle.

— Parle en français, s'il te plaît, afin que Gabriel comprenne, lui demanda Xénia, bien qu'il fallût élever la voix pour se faire entendre.

— Nicolas Alexandrovitch travaille aux studios de Billancourt sur l'adaptation d'un livre de Kessel. Il paraît qu'ils recherchent des actrices. Je lui ai dit que je n'étais pas comédienne, mais décoratrice, alors il veut me présenter à Boris Bilinsky. Tu te rends compte, je pourrais peut-être enfin travailler à nouveau sur des décors et des costumes ! Ce serait merveilleux, non ? fit-elle en serrant ses mains l'une dans l'autre comme une enfant.

— Bilinsky est une référence, en effet. Ce serait une grande chance pour toi. Et où est ce Nicolas Alexandrovitch ?

— Je vais le chercher, dit Macha en se levant d'un bond.

Xénia la regarda s'approcher d'un homme élancé aux cheveux noirs qui portait son smoking avec une nonchalance étudiée. Il avait un visage long, un menton indolent, des yeux effilés où perçait un regard vif. Quand il l'observa, elle y décela cette lueur particulière aux séducteurs, mélange de ferveur et de calcul. Macha papillonnait autour de lui, tel l'insecte aveuglé par une lumière trop vive. Alors que le couple revenait vers elle, les violons augmentèrent leur cadence et les balalaïkas se mirent à exulter. Un frisson lui parcourut l'échine, comme un mauvais pressentiment.

— Je n'aime pas cet homme, déclara Xénia, quelques semaines plus tard.

— Évidemment, puisqu'il est amoureux de moi, rétorqua sèchement Macha. Au lieu de te réjouir de mon bonheur, tu ne cherches qu'à me l'enlever.

Debout près de la fenêtre, Xénia compta jusqu'à dix en étudiant le dessin enchevêtré des branches saupoudrées de neige. Décidément, Macha avait le don de l'exaspérer. Elle prit une profonde inspiration. Il fallait qu'elle garde son calme. Ce Nicolas Alexandrovitch était devenu un personnage incontournable dans la vie de sa sœur, et en dépit de sa bonne volonté, Xénia n'arrivait pas à lui trouver de qualités.

— Il n'y a pas de rivalité entre nous, Macha, soupira-t-elle. Pourquoi veux-tu toujours en inventer une ? Je t'ai élevée parce que le destin l'a voulu ainsi, et j'ai cherché sans cesse ce qu'il y avait de mieux pour toi.

Macha était assise dans le canapé, les jambes croisées, la mine renfrognée. Ses yeux se mirent à briller.

— Dans ce cas, tu devrais être heureuse que je me marie. J'aime Nicolas. Mon plus cher désir est de rester toute ma vie à ses côtés.

Agacée par ce sentimentalisme, Xénia se retint de lever les yeux au ciel. Comment pouvait-on se montrer aussi naïve après avoir traversé autant d'épreuves ? Elle songea que c'était peut-être parce que Macha, en dépit de tout, avait toujours été protégée. Trop jeune pour prendre des décisions, elle s'était contentée de suivre en rechignant les ordres de sa grande sœur, mais au moins elle avait pu s'abriter derrière un bouclier. À cette seule pensée, la nuque de Xénia se raidit, comme si le fardeau pesait physiquement sur ses épaules.

— Je croyais que tu cherchais un mari fortuné. Or ton Nicolas est plutôt un touche-à-tout, non ? Un jour, il écrit pour un vague journal, le lendemain, il travaille sur une adaptation d'un roman de Joseph Kessel. Il n'a pas de métier stable. À bientôt trente ans, c'est un peu inquiétant, tu ne trouves pas ?

— Au moins, il ne joue pas aux courses ni au casino. Tu sais aussi bien que moi que les choses sont difficiles en ce moment. Et puis maintenant que j'ai rencontré l'amour, je me fiche de l'argent ! s'écria Macha. Je saurai toujours me débrouiller pour subvenir à mes besoins. En cela, j'ai été à bonne école, ajouta-t-elle avec une lueur espiègle. Je ne te demande pas ta bénédiction, Xénia. Nous allons nous marier, que tu le veuilles ou non. Et je serai heureuse, tu verras.

Comment lui expliquer ? songea Xénia. Sa méfiance envers Nicolas était instinctive. Il avait un regard faux, jouait de sa séduction, et son discours prétentieux trahissait l'intérêt qu'il portait à sa seule personne. Les rares fois où il était venu dîner à la maison avec Macha, elle avait eu la sensation désagréable qu'il la déshabillait du regard. Impossible d'avouer à sa sœur qu'elle avait demandé à Gabriel de mener sa petite enquête sur le personnage de Nicolas Alexandrovitch Rostoff. Il n'avait rien trouvé de compromettant, pas de casier judiciaire ni de dettes d'importance. Un homme bien sous tous rapports. Un arriviste sans talent, songea-t-elle, méprisante.

— Je ne crois pas qu'il soit digne de toi, Macha. Il y a quelque chose chez lui qui me déplaît fortement. Une sorte de…

— De quoi ? Qu'est-ce que tu as bien pu inventer puisque tu ne trouves même pas tes mots ?

— Je ne sais pas ! tempêta Xénia. Je n'aime pas sa morgue. Pour qui nous prend-il au juste ? J'ai l'impression qu'il veut se servir de toi, mais j'ignore pour quelle raison.

— Et s'il m'aimait, tout simplement ?

Xénia était lasse de lutter. De toute façon, sa sœur n'en ferait qu'à sa tête. Elle se tourna vers l'arbre de Noël qu'elle était en train de décorer et qui dégageait une belle odeur de pin et de résine. En examinant les guirlandes, elle sourit en se demandant qui, de Gabriel ou de Natachenka, préférait cette tradition. Son mari n'avait jamais eu de sapin chez lui dans son enfance. Bientôt, les branches seraient surchargées de fruits, de cadeaux et de noisettes enveloppées dans du papier doré. Quelques lamelles d'argent étaient rangées dans un carton. Elle les déplia délicatement.

— Tu te souviens des Noëls à la maison ? demanda Xénia, émue. C'est toujours toi qui insistais pour accrocher l'étoile en haut du sapin. Papa te portait sur ses épaules.

Macha s'approcha de sa sœur. À son tour, elle effleura les décorations et les suspendit à une branche.

— Je me souviens de tout, tu sais, dit-elle à voix basse. De chaque instant. De chaque souffrance. On n'en parle jamais et c'est mieux ainsi. Tu n'as pas voulu qu'on passe notre vie à regarder par-dessus notre épaule. À une époque, je t'en ai voulu. Tu étais si intransigeante. Si dure. Mais au fond, j'avais confiance en toi. Je savais que toi, tu serais toujours là.

Xénia contempla sa sœur, qui avait baissé les yeux et jouait avec les lamelles d'argent qui jetaient des éclats de lumière entre ses doigts. Et elle songea que Macha avait raison. Elle serait toujours là pour les siens, quoi qu'il advienne. Par devoir et par amour.

Gabriel Vaudoyer contemplait son interlocuteur par-dessus ses lunettes en demi-lune. La pendule sonna sept heures. Dehors, le crépuscule de cette fin décembre drapait les rues d'une écharpe de brume. Il était impatient de rentrer chez lui, mais n'en laissait rien paraître. On ne refusait pas de recevoir un ancien camarade de faculté en proie à une agitation extrême. Dès qu'il avait vu le visage décomposé de cet homme, Gabriel avait compris que la situation était grave et il avait dit à sa secrétaire de rentrer chez elle, préférant éviter toute oreille indiscrète.

Incapable de rester en place, Camille Bellecourt arpentait la pièce, s'épongeant le front avec un mouchoir. Le ventre corpulent, les joues avachies, une barbe en pointe dissimulant un menton effacé, il était aussi essoufflé que s'il avait couru un cent mètres.

— Il faut que tu m'aides, Gabriel, supplia-t-il. Je suis dans de beaux draps. Tu ne peux pas imaginer…

Effondré, il se laissa tomber dans un fauteuil.

— Tu te souviens d'Alexandre Stavisky ? Il y a quelques années, tu avais refusé de le défendre. Quand il s'était adressé à moi, je m'étais frotté les mains. Je pensais que tu avais laissé échapper un bon client, mais toi, tu t'es contenté de hausser les épaules en me souhaitant bonne chance. Ah, si j'avais su ! Je me demande ce qui t'a mis la puce à l'oreille.

— Son père, répondit calmement Gabriel.

— Comment cela ? Je ne comprends pas.

— J'ai refusé en effet de prendre la défense de Stavisky, contrairement à Paul Boncour, Henry Torrès ou encore toi, mon cher ami. Il a eu l'habileté de choisir d'éminents parlementaires pour avocats, n'est-ce pas ? J'avais flairé l'escroc dans toute sa splendeur, mais ce n'était pas la raison de mon refus. Quand la Banque nationale de crédit a fait connaître le montant faramineux des chèques sans provision, Stavisky a pris la fuite et la police a appréhendé son père. Le brave homme a proposé d'indemniser les victimes de son fils avec ses économies. Puis il est rentré chez lui et il s'est donné la mort. Que veux-tu, je préfère les assassins qui tuent de leurs propres mains, plutôt que par omission.

Bellecourt le regardait d'un air ahuri. Visiblement, il ne comprenait pas les réticences de son confrère et Gabriel n'allait pas les lui expliquer. Il se rappelait parfaitement le personnage d'Alexandre Stavisky. Un vaniteux au regard sombre qui perçait sous un front haut, avec une attitude flamboyante qui ne dissimulait pourtant pas quelque chose de grossier dans ses traits. C'était surtout cette vulgarité à peine masquée qui avait déplu à Gabriel. Le personnage avait eu un parcours singulier. Maître en escroqueries, amateur de chèques falsifiés comme de faux bijoux, gérant de sociétés aussi troubles qu'éphémères, vingt-quatre plaintes avaient été déposées contre lui. Pendant de nombreuses années, il s'en était toujours tiré. Complicités ? Corruption ? Dans le bureau de Gabriel, Stavisky lui avait lancé : « Les relations, c'est le secret de tout. » Et des relations, il en avait. Au Parlement, bien sûr, mais aussi dans les journaux, à la Sûreté ou à la préfecture.

— Je croyais qu'il s'était assagi après ses dix-huit mois passés à la Santé. Je n'ai plus entendu parler de lui.

— Il a changé de nom. Désormais, il se fait appeler Serge Alexandre, se présente comme un homme d'affaires et mène grand train avec sa femme. On les voit partout, à Deauville, à Cannes. Ils ne fréquentent que du beau monde.

Gabriel eut une moue amusée. Les grands escrocs ont une capacité inépuisable à se réinventer, à croire qu'ils tiennent du prestidigitateur ou du caméléon.

— Bon, venons-en aux faits. Qu'est-ce que tu redoutes à ce point et pourquoi es-tu venu me voir ?

Bellecourt se pencha en avant, le visage blême. Il se mit à parler à mi-voix, comme s'il craignait qu'on ne l'entende.

— À côté du scandale qui va éclater d'une minute à l'autre, toutes les autres escroqueries de Stavisky sont des foutaises. Le parti radical y sera mêlé en plein. Des députés, des journalistes, sans parler de complicités dans la magistrature et la police. C'est la république tout entière qui va vaciller. Je n'exagère pas, je te le jure.

Silencieux, Gabriel le regardait se décomposer sous ses yeux. La vision de ces chairs flasques et tremblantes lui était pénible, mais il y avait dans le regard de Bellecourt une lueur égarée qui exigeait qu'on lui prête attention. La situation politique était instable. La crise économique mondiale avait atteint la France plus tardivement que les autres pays, mais elle était bien présente. Les agriculteurs, les petits industriels et commerçants qui composaient les classes moyennes étaient frappés de plein fouet. À travers eux, on touchait au socle social de la Troisième République. Depuis plusieurs années maintenant, ceux-ci remettaient en question un régime incapable de trouver des solutions efficaces. L'antiparlementarisme gagnait du terrain. Le parti radical au pouvoir était montré du doigt, mais aussi ses alliés socialistes, ainsi que toutes les institutions. La rue accusait les parlementaires d'incompétence et de corruption. Et la rue avait raison, songea Gabriel, soucieux.

— Je t'écoute, lança-t-il d'un ton sec à Bellecourt.

— Stavisky a convaincu le député-maire radical-socialiste de Bayonne de créer un Crédit municipal, autrement dit un mont-de-piété. Tu connais le principe : ils accordent des prêts sur des objets déposés en gage. Pour financer ces prêts, le Crédit municipal est autorisé à émettre des bons de caisse. Non seulement Stavisky a déposé en gage des faux bijoux qui ont été surévalués pour des sommes astronomiques, mais il a fait trafiquer les bons. De son côté, le ministre du Travail avait encouragé des compagnies d'assurances à y souscrire. Les relations de Stavisky constituent une espèce de pieuvre tentaculaire qui va bientôt se déliter.

La voix de Bellecourt s'étrangla. Gabriel se leva et lui remplit un verre d'eau que l'homme but d'un trait.

— Une plainte vient d'être déposée auprès du ministère des Finances. Plus de deux cents millions de faux bons ont été mis en circulation.

— Mon Dieu, autant que cela ? fit Gabriel, ne parvenant pas à cacher sa stupéfaction.

— Ah, tu vois que ce n'est pas une plaisanterie ! Et tout va éclater d'un jour à l'autre. Tissier, le directeur du Crédit municipal, a été écroué. On m'a dit qu'un mandat d'amener avait été lancé contre Stavisky qui a pris la fuite.

— Comme d'habitude, ironisa Gabriel. Mais cette fois, il ferait bien de ne pas se faire prendre. Et toi, qu'as-tu à te reprocher ?

Les épaules de Bellecourt s'affaissèrent.

— J'avais des dettes. Stavisky a proposé de m'aider. Il m'a présenté à Tissier. Et de fil en aiguille, l'engrenage… Ma vie est fichue, Gabriel. La police remontera jusqu'à moi. C'est évident. Que va dire ma femme quand elle va l'apprendre ? Et mon fils ? Il faut que tu me défendes, je t'en supplie !

Le regard de Gabriel se perdit dans le vide. Il avait un mauvais pressentiment. Le mécontentement des Français grondait dans les rues et les cafés, lors des réunions de cellules syndicales et d'associations militaires, éclatait dans les colonnes des quotidiens. Il ne manquait pas grand-chose pour mettre le feu aux poudres. Les anciens combattants étaient nombreux dans le pays et ils étaient en colère. Écœurés par les scandales financiers et l'instabilité gouvernementale chronique, ils dénonçaient la médiocrité des hommes politiques qu'ils accusaient d'avoir corrompu une victoire acquise au prix d'innombrables souffrances. Gabriel avait combattu, lui aussi. Pour comprendre certaines émotions, il fallait avoir connu les tranchées. Il n'en parlait jamais, mais pas un jour ne s'écoulait sans qu'il y pense.

Les ligues de droite s'agitaient depuis des mois. Emmenés par le lieutenant-colonel de La Rocque, les Croix-de-Feu avaient adopté une organisation quasi militaire. La plume brillante de Charles Maurras calomniait la république en enflammant les royalistes de l'Action française. Les camelots du roi ne demandaient pas mieux que d'abattre la « gueuse ». Sous leur béret basque et leur chemise sombre, les Jeunesses patriotes du richissime Pierre Taittinger se réclamaient d'un nationalisme traditionnel, tandis que les adhérents de Solidarité française, fondée par le milliardaire parfumeur François Coty, scandaient leur devise « La France aux Français » en défilant en béret, chemise bleue et culotte grise. S'il y avait un sentiment commun à ces centaines de milliers d'adhérents, c'était le mépris envers une république parlementaire vérolée et des politiques corrompus. Or Gabriel se méfiait du mépris, une émotion dangereuse qui, portée à son paroxysme, retire à l'adversaire toute dignité humaine et en appelle à l'anéantissement.

Gabriel eut un mouvement de pitié.

— Tu m'en as dit assez pour aujourd'hui, Camille. Désormais, il faut attendre de voir ce qui va se passer.

Depuis que Natacha savait se tenir à table, Xénia prenait ses petits déjeuners avec sa fille dans la salle à manger, puisque c'était le seul repas qu'elles avaient le loisir de partager. Le plus souvent, Gabriel avait terminé avant même qu'elles ne fussent levées, car il rejoignait son bureau de bonne heure.

Le papier peint jaune d'or aux larges motifs circulaires réchauffait la pâle lumière d'hiver. Sur la table en acajou reposaient les tasses de chocolat chaud, les croissants et la cafetière, mais aussi des feuilles de papier sur lesquelles dessinait Natacha, la tête penchée, les doigts mouchetés de couleurs. Vêtu d'un pyjama en soie, Xénia feuilletait les nombreux journaux que Gabriel consultait chaque matin. Sur l'échiquier politique, de la droite à l'extrême gauche, on ne parlait plus que d'Alexandre Stavisky. Quelques semaines auparavant, l'hebdomadaire satirique *Le Canard enchaîné* avait titré : *« Stavisky se suicide d'un coup de revolver qui lui a été tiré à bout portant »*. L'escroc avait été retrouvé par des policiers début janvier dans un chalet à Chamonix. Personne ne croyait à son suicide, mais à une mort opportune destinée à éliminer le protagoniste d'une affaire qui avait précipité le monde politique dans la tourmente. Au fil des jours, les journalistes égrenaient les noms des personnalités influentes qui l'avaient côtoyé : un pêle-mêle de parlementaires radicaux, de ministres et de journalistes, et même le procureur Pressard, l'homme à la tête du parquet qui n'était autre que le beau-frère du président du Conseil Camille Chautemps. Devant l'ampleur du désastre, Gabriel avait accepté de défendre son confrère Bellecourt qui avait été placé sous contrôle judiciaire. Certains prétendaient que Stavisky avait financé le parti radical-socialiste et que ses membres n'étaient plus dignes de diriger le pays. On traitait les hommes du gouvernement d'escrocs d'autant plus volontiers que le radical Chautemps avait refusé la réunion d'une commission d'enquête. Et, en plus, le filou était d'origine russe, constata Xénia. Elle fit une moue, quelque peu écœurée.

Depuis plusieurs jours, une légère angoisse lui mettait les nerfs à vif. Les manifestations se succédaient.

À la nuit tombée, dès la sortie des bureaux, les mécontents se rassemblaient dans les rues autour de la Chambre des députés. Les camelots du roi arrachaient les bancs et les grilles d'arbres qu'ils jetaient contre les policiers. Scandant *L'Internationale*, les communistes manifestaient place de l'Hôtel-de-Ville. Les affrontements avec les forces de l'ordre étaient violents. On jetait du sable aux yeux des chevaux de la Garde républicaine qui chargeaient la foule, les tramways restaient bloqués par des barricades érigées à la hâte. On ne comptait plus les blessés ni le nombre des arrestations. Or ces violences rappelaient de mauvais souvenirs à Xénia. La Russe de Petrograd connaissait le pouvoir des foules, ce danger impalpable et sournois qui contamine les uns et les autres, enflamme les esprits, trouble la raison, accorde aux plus faibles l'illusion d'un pouvoir, aux plus habiles l'occasion de renverser un régime et d'instaurer une dictature.

Nerveuse, elle se versa du café. Quand elle s'en était ouverte à Gabriel, il avait balayé ses craintes d'un revers de la main. « Ce n'est tout de même pas la Commune », avait-il répliqué. C'était la première fois qu'il lui parlait sur ce ton, et cette légèreté ne cessait de l'irriter. Était-ce une manière maladroite de chercher à la rassurer ? La prenait-il pour une tête de linotte, préoccupée de savoir si elle pourrait se rendre chez les couturiers et sortir dîner le soir ? Elle replia le journal d'un geste agacé. Elle avait la sensation de se réveiller d'une sorte de torpeur dans laquelle son mariage l'aurait enveloppée à son insu. L'autre jour, en passant devant l'hôtel Lutétia, elle avait pris des explosions de pétards pour des coups de feu. Aussitôt, d'autres émeutes avaient surgi de sa mémoire, aussi vibrantes qu'au premier jour, mais Xénia Féodorovna n'était plus la jeune fille insouciante de l'époque. Elle était devenue une femme déterminée et vigilante. Une femme aux aguets.

Elle ouvrit son courrier avec le coupe-papier. Des invitations au théâtre, à des dîners en ville ou des vernissages. Même si elle ne travaillait plus comme mannequin, son aura n'avait pas faibli. Elle revoyait régulièrement Man Ray, l'élégant baron balte George Hoyningen-Huene, ou son protégé le jeune Allemand Horst. Il lui arrivait de poser pour l'un ou l'autre de ces artistes qui recherchaient ce « chic » inimitable des Parisiennes, alliance d'élégance, de raffinement et de mystère, et dont elle était l'une des incarnations.

Sur un carton d'invitation figurait Juliette, l'épouse de Jean Moral, jouant au ballon sur une plage, immortalisée de dos par le Rolleiflex de son mari qui avait saisi toute la vitalité de ce corps tonique. Un mot de Jean Moral la fit sourire : *« Venez ! Vous êtes indispensable. »* Ce photographe d'une séduction imparable était encensé de Berlin à New York pour ses œuvres graphiques dont émanait une étonnante force de suggestion. Xénia l'avait rencontré lors d'une exposition à la galerie de la Plume d'Or, et elle avait apprécié la spontanéité de ses portraits aux cadrages serrés. Cette fois-ci, il s'agissait d'une exposition internationale du nu, dans une galerie située rue de Rivoli, à partir de dix-sept heures, le mardi 6 février 1934.

— Je suis en retard ! cria Cyrille, pénétrant en trombe dans la pièce, ses cheveux en bataille.

Il portait un pantalon large et un col roulé sombre sous une veste en tweed sans doublure. L'élégance nonchalante de son frère adolescent ne cessait d'étonner

Xénia. Elle se pencha sur le côté. Ce matin-là, pour accompagner ses chaussures parfaitement cirées, le jeune homme avait choisi des chaussettes rouges. Cyrille Féodorovitch Ossoline avait un goût très sûr, d'un raffinement surprenant pour son âge, qui lui assurait de ferventes admiratrices. Doté d'une taille souple et d'un regard gris lumineux, l'éclat solaire du petit garçon s'était transformé chez le jeune adulte en un charme irrésistible. À travers son frère, Xénia retrouvait la beauté insolente de sa famille maternelle qui avait enchanté la cour impériale. Dans un même mouvement fluide, Cyrille attrapa le dernier croissant qui restait dans le panier, le mordit à pleines dents et se versa un chocolat chaud qu'il but debout.

— Tu seras encore puni, Oncle Cyrille ! s'écria Natacha, les yeux ronds.

La petite fille vouait à son oncle une admiration sans bornes, parce que Cyrille lui racontait d'interminables épopées guerrières au cours desquelles s'illustraient toujours les régiments de leurs aïeux. Xénia n'avait pas à s'inquiéter que sa fille connaisse l'histoire de la Russie. Bientôt, Natacha en saurait plus qu'elle. Cyrille passa une main affectueuse sur la tête de sa nièce avant de repartir en coup de vent, et l'ambiance de la pièce resta quelques instants suspendue, comme brusquement devenue orpheline.

Quelques jours plus tard, Xénia avançait d'un pas décidé sous les arcades de la rue de Rivoli. Depuis le matin, un vent frais au goût de sel balayait la ville. Des tracts traînaient dans les caniveaux. Sur les colonnes Morris, des affiches annonçaient les manifestations. Au carrefour où se dressait la statue de Jeanne d'Arc, un agent de police en gants blancs laissait s'agiter des conducteurs intempestifs. Visiblement, il n'était pas pressé de faire dégager la chaussée. La révocation du préfet de police Jean Chiappe, un Corse sévère porté aux nues par ses hommes et les ligues de droite, mais abhorré par la gauche, avait mis le feu aux poudres. Même la nomination à la présidence du Conseil d'Édouard Daladier, avec son allure râblée d'homme assez solide pour sauver une France embrasée, ne suffisait pas à apaiser la colère.

Les anciens combattants et les ligues avaient appelé à manifester en fin d'après-midi devant la Chambre des députés. Quelques heures plus tôt, faisant écho à l'article du *Petit Parisien,* Gabriel avait recommandé à Xénia d'éviter de se rendre dans les parties de la ville où les manifestants devaient se rassembler. Elle s'était contentée de hocher la tête sans répondre. Des Jeunesses patriotes à l'Action française, les uns et les autres avaient appelé à se réunir à dix-neuf heures. Elle avait le temps de faire un saut à la galerie, d'embrasser Jean Moral et de rentrer à la maison. Si jamais son taxi n'arrivait plus à se frayer un chemin, elle prendrait le métro ou rentrerait à pied. Elle n'allait tout de même pas se laisser intimider. L'atmosphère électrique de la ville avait rallumé ce sentiment de révolte qui avait caractérisé sa jeunesse. Elle se sentait partagée entre une inquiétude latente et une forme d'exaltation, comme si les cavaliers de la Garde républicaine, les barrages de gardes à pied et les clameurs des manifestants lui fouettaient le sang. Xénia ne prenait pas parti. La politique intérieure française lui était indifférente. La veulerie des politiciens ne la surprenait pas ; elle avait appris à mépriser la plupart des hommes au pouvoir, incapables de maîtriser des foules en délire et d'empêcher des massacres. Tout cela manquait de panache. Il lui arrivait de repenser au courage insensé des trois cents femmes du Bataillon féminin de la mort, emmenées par l'intrépide Maria Botchkareva, qui, au printemps 1917, avaient combattu les Allemands afin de donner l'exemple en sauvant l'honneur de la Russie, alors que les soldats, gangrenés par la propagande bolchevique, ne songeaient qu'à déserter.

Lorsqu'elle poussa la porte de la galerie, Xénia s'aperçut qu'elle était seule. Perplexe, elle ignora les photos accrochées aux murs, les vases d'orchidées disposés sur des guéridons en laque, et passa dans la grande pièce qui donnait sur l'arrière-cour avec le sentiment d'être une intruse. Un homme en costume de flanelle grise lui tournait le dos et bataillait avec une prise électrique.

— Monsieur ?

— Mon Dieu ! s'écria-t-il en se redressant si vite que le sang lui monta à la tête et qu'il vacilla. Pardonnez-moi, madame. Je croyais avoir fermé la porte sur la rue. Je ne m'attendais pas à voir quelqu'un.

— Je suis désolée. Elle était bien ouverte, je vous assure. Je suis venue pour le vernissage…

— Vous n'avez pas reçu mon mot d'annulation ? Je voulais éviter aux personnes de se déplacer aujourd'hui. Avec tout ce qui se passe en ville, vous imaginez… Il fallait qu'ils choisissent le jour de mon vernissage pour appeler à la grande manifestation, s'exclama-t-il en ouvrant les mains d'un geste excédé et presque comique. Je suis vraiment confus, chère madame. Mais puisque vous êtes là, peut-être voulez-vous tout de même voir l'exposition ? Je peux vous faire une visite guidée.

Xénia sourit. L'homme semblait si content que quelqu'un ait réussi à parvenir jusqu'à lui qu'elle n'eut pas le cœur de le décevoir.

— Ce sera avec joie.

— Permettez-moi de me présenter : Jean Bernheim. L'heureux propriétaire de cette galerie esseulée. Bien, en attendant que la république s'effondre, laissez-moi vous montrer les merveilles qui ornent mes murs.

Il la guida vers une série de photos de la belle Assia Granatouroff. La jeune Russe était arrivée d'Ukraine avec sa mère et son frère en 1921. Depuis deux ans, elle posait avec une simplicité qui enchantait les photographes adeptes de la Nouvelle Vision. Son visage rond et son corps aux formes pulpeuses traduisaient à merveille ce goût pour le naturel qui correspondait à l'air du temps. Il y avait un parfum de liberté dans ses boucles blondes, ses seins haut perchés, la fraîcheur de son teint mat mais clair et qui se jouait de la lumière. Attentive, Xénia étudia chaque œuvre, les photos de Jean Moral, de Man Ray et celles de son ancienne élève et compagne Lee Miller, une Américaine d'une parfaite beauté glacée, à la fois modèle et photographe. Le galeriste donnait des explications qui ne manquaient pas d'intérêt, mais Xénia n'écoutait que d'une oreille, fascinée par le mouvement puissant des compositions d'André Steiner qui dévoilaient les formes en creux d'une aisselle, d'un sein ou d'une cuisse. Dehors, ils entendirent des coups de sifflet et quelques vociférations. Des voitures se mirent à klaxonner.

Bernheim retourna vers la porte d'entrée.

— On dirait que les choses se gâtent, dit-il d'un air soucieux. Des gens marchent au milieu de la chaussée en direction de la Concorde. Il est encore tôt, mais vous feriez peut-être mieux de rentrer chez vous, madame. Je ne voudrais pas que vous soyez prise dans des affrontements.

Ne pouvant pas lui donner tort, Xénia le rejoignit et jeta un coup d'œil rapide sur les murs de la première salle. Soudain, son cœur se mit à résonner à coups de cymbales. Elle fut brutalement ramenée plusieurs années en arrière, à une petite pièce en désordre où Max sculptait la lumière artificielle pour souligner les mouvements de son corps, tandis qu'elle transformait le moindre de ses gestes en émotion. C'était la première fois qu'elle découvrait ces photos pour lesquelles ils avaient tellement travaillé, et toute la sensualité du jeune modèle éclatait sous l'œil complice du photographe.

— Selon Man Ray, le nu se doit d'être désirable, murmura Bernheim. Et Max von Passau traduit comme personne ce que le désir possède d'inquiétant et de fascinant à la fois, vous ne trouvez pas ?

Xénia resta silencieuse, presque intimidée. Dans la courbe vulnérable de sa nuque, le dessin de sa poitrine, son dos courbé vers le sol, les paumes de mains offertes, elle retrouvait toute l'ardeur qu'elle avait éprouvée pour cet homme qui l'avait tellement aimée.

Bernheim ne l'avait pas reconnue. Heureusement. Elle avait eu les cheveux plus courts, et seule l'une des photos présentait son profil à contre-jour. Pourtant, Max avait fait une série où elle était nettement plus identifiable. Était-ce un choix délibéré de sa part pour cette exposition ?

— Si vous étiez venue un peu plus tôt, vous auriez pu rencontrer l'artiste, poursuivit le galeriste d'un ton enjoué. Un homme charmant. Il s'est déplacé à Paris pour le vernissage, et il est gentiment passé me remonter le moral quand il a su que j'avais tout annulé.

Ainsi, Max était à Paris. Pourquoi cette nouvelle la surprenait-elle à ce point ? Pouvait-elle raisonnablement penser qu'il s'était tenu écarté de la capitale française pendant des années uniquement à cause d'elle ? Après leur séparation, et dès sa décision d'épouser Gabriel, elle avait enfoui Max dans le secret de sa mémoire. C'était un réflexe de défense que Xénia avait appris à maîtriser très tôt, le jour où elle avait découvert le cadavre de son père. Une question de survie, tout simplement. La vie ne lui avait pas accordé de moments de répit pour se pencher sur ces douleurs si subtiles que l'âme tout entière frémit à leur souvenir. Et Max von Passau appartenait à ces silences.

— Je vous remercie, monsieur, dit-elle en lui tendant brusquement la main. Vous avez été très aimable. L'exposition est magnifique. Je suis sûre qu'elle aura beaucoup de succès dès que les événements se seront calmés.

— Espérons-le, chère madame, répondit-il en lui tenant la porte et en jetant un regard soucieux dans la rue, comme s'il redoutait qu'un révolutionnaire ne vienne saccager sa galerie. Rentrez vite chez vous.

Dès qu'elle se retrouva dehors, il verrouilla la porte à double tour. Un peu désemparée, Xénia se demanda par où elle devait aller. Aucun taxi libre à l'horizon. Au coin de la rue, des voitures et des chariots n'arrivaient pas à avancer. Des conducteurs irrités gesticulaient sur la chaussée. Autant rentrer à pied. De toute façon, elle avait besoin de reprendre ses esprits. Coinçant sa pochette sous le bras, elle décida de traverser les Tuileries pour rejoindre la rive gauche.

Max observait son interlocuteur qui bourrait sa pipe sans se presser. C'était un homme d'un âge indéterminé, le corps emmitouflé dans deux chandails de laine, avec une écharpe autour du cou. Visiblement, il souffrait du froid alors que son poêle ronronnait. La pièce sentait le tabac, le charbon de bois et le papier. Des tracts fraîchement imprimés s'empilaient par terre. Max savait que certains seraient acheminés clandestinement vers l'Allemagne.

— Combien de juifs songez-vous à faire sortir ? demanda le libraire en redressant soudain la tête.

M. Brun avait une voix enrouée et des gouttes de sueur lui perlaient sur le front. Max songea que le brave homme aurait été mieux au fond de son lit, mais le rendez-vous avait été fixé depuis plusieurs semaines.

— Dix couples et huit enfants. Sans oublier deux communistes qui vivent cachés depuis des mois pour éviter d'être emprisonnés en camp de concentration.

— C'est tout ?

— Pour le moment. En Allemagne, beaucoup de juifs veulent émigrer en Palestine. D'autres préfèrent l'Amérique ou la France. Ce sont surtout les femmes qui souhaitent partir. Elles songent à l'avenir de leurs enfants. Les hommes craignent l'inconnu, et ils sont persuadés que les Allemands s'apercevront bientôt qu'Hitler est un dangereux abruti et que le régime n'y survivra pas. Les femmes sont plus perspicaces. Elles s'organisent pour prendre des cours afin de se débrouiller dans une nouvelle vie : elles apprennent les langues étrangères, à coudre des manteaux de fourrure, à faire de la pâtisserie… Les familles que je vous enverrai pourront travailler. Elles y seront obligées pour subvenir à leurs besoins, puisque les autorités les empêchent de quitter le pays avec leur argent, ajouta-t-il d'un ton amer.

Les nazis encourageaient les juifs à partir, mais ils avaient fixé un montant limite pour l'argent liquide et les biens que ceux-ci avaient le droit d'emporter. Sans oublier un impôt confiscatoire, établi dès 1931 par le gouvernement Brüning et destiné à empêcher la fuite des capitaux. Les familles devaient se séparer de la quasi-totalité de leur capital pour obtenir les précieux sésames permettant la sortie du territoire. Les SA se remplissaient les poches à bas prix en rachetant pour des sommes dérisoires les meubles et objets d'art que les candidats au départ se voyaient obligés de vendre. Ainsi, les malheureux arrivaient à l'étranger le plus souvent ruinés.

M. Brun fut saisi par une quinte de toux qu'il essaya d'endiguer en se frappant la poitrine.

— Le problème, remarqua-t-il, c'est que dans nos pays on regarde tous ces nouveaux arrivants d'un mauvais œil à cause de la crise. Déjà, nous n'arrivons pas à donner du travail aux nôtres. Alors, l'étranger, vous pensez bien qu'il n'est plus le bienvenu.

— C'est pour cette raison qu'on m'a dit de m'adresser à vous, insista Max. Il paraît que vous savez comment obtenir les papiers nécessaires. Nous avons besoin de vous, monsieur.

L'homme retira ses lunettes qu'il se mit à essuyer avec un mouchoir d'une propreté douteuse.

— Bien, concéda-t-il d'un air bougon. Laissez-moi la liste des noms. Je m'en occupe.

Max le remercia, lui tendit un papier et se leva pour prendre congé. Il commençait à étouffer dans la petite pièce confinée.

— Qu'est-ce qui vous pousse à les aider ? demanda soudain M. Brun en l'examinant de ses yeux brillants de fièvre. Vous n'êtes pas juif et je doute fort que vous soyez communiste.

Max hésita un court instant. Il ne s'était pas posé la question. Les visages de Ferdinand, de Sara et de ses enfants défilèrent devant ses yeux, mais aussi celui de son père, ce conservateur éclairé, ou encore la silhouette élancée de son frère aîné partant à la guerre. Et la Prusse de son enfance, ses professeurs d'internat, humanistes rigoureux. Et les dômes des cathédrales chrétiennes. Son regard effleura les rayonnages de livres qui grimpaient jusqu'au plafond. Désormais, en Allemagne, on brûlait les livres sur des bûchers dressés en pleine rue.

— J'ai été élevé avec une certaine idée de l'homme, monsieur, dit-il enfin, et sa voix lui sembla étrangement lointaine.

Max referma la porte derrière lui, sachant que son interlocuteur redoutait les courants d'air. En traversant la librairie qui donnait dans la rue de Rivoli, il salua d'un signe de tête la jeune fille à la caisse. Il était satisfait de son entretien. Lorsque Max lui avait annoncé son voyage à Paris, Ferdinand lui avait demandé de lui rendre un service et de rencontrer ce M. Brun. C'est alors que Max avait appris que son ami aidait certaines personnes à quitter l'Allemagne. « Il faut agir, tu comprends ? avait déclaré Ferdinand, la mine sévère.

Agir pour ne pas sombrer. L'indifférence serait la pire des lâchetés. »

Dès qu'il se trouva dans la rue, Max fut happé par la tension d'une foule dense et déterminée. Il était au courant pour la manifestation et il vérifia que son Leica était armé. Un peu plus haut, les uniformes des gardes à pied et des gardes républicains sur leurs montures dressaient des barrières sombres. Un flot impressionnant de manifestants déferlait vers la Concorde. Des hommes élégants, gantés et coiffés de feutres, marchaient au milieu de la chaussée d'un pas résolu. Au revers de certaines vestes, il reconnut la Légion d'honneur. « Vive Chiappe ! À bas les voleurs ! » criait-on de temps à autre, mais la plupart des gens se taisaient. Les haleines créaient des nuages de vapeur dans l'air froid.

Comme toutes les voies étaient bloquées, il traversa la chaussée parmi des voitures échouées, et décida de rejoindre la terrasse du jardin des Tuileries, d'où il pourrait contempler la place de la Concorde et la Chambre des députés située de l'autre côté de la Seine. Le crépuscule était tombé. Les lumières des becs de gaz dessinaient des ombres sur les murs. Les arbres dressaient leurs branches décharnées vers le ciel couleur de suie. Dans le jardin, à proximité de la triste carcasse d'un kiosque vandalisé, des hommes en colère arrachaient les arceaux de fonte qui encadraient les parterres de fleurs. Il flottait dans l'air un parfum de fébrilité et de bois brûlé. Des silhouettes indistinctes se faufilaient entre les arbres, portant sur le dos des sacs qui leur donnaient des allures de bossus.

— Ils ont fermé le jardin, cria une voix excitée. Toutes les issues sont bouclées.

Arrivé en haut du promontoire, Max domina la place plongée dans la pénombre d'où montaient des cris et des détonations. On avait brisé la plupart des réverbères. Un autobus aux lueurs fantasmagoriques flambait devant l'hôtel Crillon. De part et d'autre de l'Obélisque et des deux fontaines, les manifestants érigeaient des barricades et déversaient des sacs de billes sous les sabots des chevaux de la Garde républicaine qui dérapaient avec des hennissements aigus. Deux cavaliers étaient coincés sous leur monture dont ils n'arrivaient pas à se dégager. Les contestataires jetaient des projectiles sur les forces de l'ordre qui, de temps à autre, chargeaient la foule avant de se replier. En dépit de la faible luminosité, Max se mit à prendre des photos. Il s'étonna de voir que le pont de la Concorde était à peine protégé par quelques gardes mobiles et des cavaliers isolés, et se demanda si ces milliers de manifestants déterminés n'allaient pas parvenir à leur but : traverser la Seine et envahir la Chambre.

Autour de lui, on vociférait : *« Ça ira, ça ira, ça ira ! Les députés à la lanterne ! Ça ira, ça ira, ça ira ! Les députés on les pendra ! »* Les uns lançaient des morceaux de fonte, d'autres utilisaient des frondes pour envoyer des billes. De temps à autre, comme dans un sinistre jeu de quilles, un homme du service d'ordre s'écroulait et le blessé devait être évacué. Après un temps d'hésitation, les agents commencèrent à se baisser pour ramasser les projectiles et les renvoyer sur la foule. Non loin de Max, un jeune homme en casquette reçut un impact à la tête et tomba à la renverse. Une méchante estafilade lui barrait le front et le sang lui dégoulinait dans les yeux. Max chercha quelqu'un pour lui venir en aide, mais personne ne se préoccupait d'eux.

— Venez. Il faut vous soigner, dit-il en l'aidant à se mettre debout et à reculer de quelques mètres.

Mais le blessé reprit rapidement ses esprits.

— C'est bon. C'est juste une éraflure. Merci, monsieur.

Max le laissa repartir. Un couple d'adolescents le contourna en courant. Alors que Max suivait des yeux la jeune fille en jupe-culotte, voulant les prévenir que la situation était dangereuse et qu'il valait mieux se replier, il resta pétrifié. Les hurlements de la foule s'évanouirent. Il n'y avait plus qu'elle, Xénia Féodorovna, qui se dressait immobile devant lui, mince silhouette sanglée dans un manteau sombre, un petit chapeau incliné sur son visage pâle.

Xénia ne pouvait pas détacher ses yeux de Max. Dans la pénombre qu'éclairaient les lueurs incertaines d'un incendie, il était campé sur ses deux pieds, le col de son manteau beige relevé, un appareil photo à la main. Si intensément présent que plus rien n'existait autour de lui. Les traits rigoureux, le regard sombre qui la fixait d'un air sévère : elle n'avait rien oublié. Comment aurait-elle pu ? Max von Passau faisait partie d'elle, de son essence même. Elle lui avait donné une enfant, sans jamais chercher à le lui dire, et à cet instant-là, dans le jardin des Tuileries, alors que des milliers d'hommes autour d'eux criaient leur colère, Xénia réalisa qu'elle l'avait trahi, et elle se demanda s'il pourrait un jour le lui pardonner.

— Ils ont fermé le jardin vers la Seine, dit-elle en forçant la voix pour se faire entendre. Je n'ai pas pu sortir.

Max frémit, comme s'il émergeait d'une transe. Il jeta un regard nerveux autour d'eux. L'air sentait la fumée et la poudre, des relents qui piquaient l'arrière-gorge.

— C'est dangereux de rester ici. La situation est en train de dégénérer. Il faut que tu te mettes à l'abri.

Mais Xénia resta immobile. Elle n'avait pas peur. Du moins, pas de cela. Elle songea qu'il était juste qu'elle retrouve cet homme en pleine émeute, elle qui était née d'une révolution. Soudain, des coups de feu retentirent en provenance du pont de la Concorde, et des manifestants paniqués se mirent à refluer en courant. Deux d'entre eux portaient un homme inconscient.

— Les salauds ! Ils nous tirent dessus ! cria quelqu'un.

Les matraques levées, des agents s'élancèrent au pas de course à partir des cars de police stationnés sous les arbres. Sans réfléchir, Max saisit la main de Xénia et l'entraîna vers les grilles qui donnaient sur la rue de Rivoli. Heureusement, elles étaient restées entrouvertes. Ils dévalèrent l'escalier. Des cavaliers de la Garde, brandissant leur sabre, chargeaient au milieu de la chaussée. Des étincelles jaillissaient sous les fers des chevaux. Non loin de là, d'autres bêtes tenaient à peine debout, les jarrets ruisselant de sang. Des gardes mobiles évacuaient leurs blessés. Max ignorait si l'on avait donné l'ordre de tirer sur la foule, mais il redoutait une balle perdue. Pour mettre Xénia à l'abri, il n'avait pas d'autre solution que de se réfugier à l'hôtel Meurice où il était descendu, et qui se trouvait à quelques dizaines de mètres. Du côté de la Concorde déferla une puissante *Marseillaise.* Les crépitements des pétards augmentaient la panique, puisqu'on ne percevait pas la différence avec des coups de feu. Quand il avisa une brèche entre deux pelotons de cavaliers, Max décida de prendre le risque de traverser la chaussée, priant le ciel de ne pas trébucher, car ils risquaient d'être piétinés par les montures. Serrant la main de Xénia, il s'élança et elle le suivit sans hésiter. Sous les arcades, il se fraya un passage parmi la foule jusqu'aux portes de l'hôtel, qui étaient gardées par des employés paniqués, et il entraîna la jeune femme à l'intérieur.

Sous la verrière de fer forgé régnait un étrange chaos. Une femme sanglotait, terrorisée. Des blessés étaient allongés par terre sur des brancards de fortune. Le sang sur leur visage ou leurs vêtements paraissait incongru parmi les lustres, les marbres et les dorures. La mine grave, des maîtres d'hôtel apportaient des bassines d'eau chaude et des linges propres, tandis que deux infirmières en blouse blanche appliquaient des pansements. Max se tourna vers Xénia d'un air inquiet.

— Tu n'as rien ? Tu n'es pas blessée ?

Elle avait perdu son chapeau. Ses cheveux étaient ébouriffés, ses joues roses. Les yeux brillants, elle reprenait son souffle. Elle secoua la tête, puis un sourire lui éclaira le visage, et elle se mit à rire. Soulagé, Max la serra dans ses bras et elle se laissa faire. Il ferma les yeux, savourant le bonheur inespéré de sentir le corps de Xénia pressé contre le sien. Elle lui avait manqué avec une férocité qui avait failli le détruire. Harcelé par son souvenir, combien de jours et de nuits avait-il passés à se remémorer leur rencontre, la première fois qu'ils avaient fait l'amour, chaque instant partagé ? Personne n'avait pu la remplacer. Aucun grain de peau, aucun parfum ni aucune caresse d'une amante attentive n'avait réussi à combler ce vide. Et maintenant qu'il la tenait à nouveau dans ses bras, il comprit que, ces dernières années loin de cette femme, il avait avancé en funambule.

— Max, ça suffit, tu vas m'étouffer, murmura-t-elle en riant. C'est gênant, tout le monde nous regarde.

— Tant mieux, répliqua-t-il sans lui lâcher la main. Viens, il doit y avoir un coin tranquille où nous pourrons parler. Tu as un peu de temps, n'est-ce pas ?

Et il l'entraîna sans lui donner l'occasion de répondre. Le bar avait été épargné par l'agitation de l'émeute. Sous la fresque du plafond, une lumière tamisée éclairait les boiseries sombres et la pyramide de bouteilles dont les alcools aux couleurs vives ressemblaient à des émaux. Des bougies scintillaient sur les tables. Quelques clients prenaient un verre en discutant à voix basse, pendant qu'un pianiste en smoking jouait des mélodies américaines. Xénia se lissa les cheveux, s'assit et croisa les jambes. Max lui commanda un martini *dry*, son cocktail de prédilection autrefois. Elle fut amusée qu'il s'en souvienne, mais les premières émotions passées, elle se sentait fragilisée. Tandis que Max posait son appareil photo sur la table, puis retirait son écharpe et son manteau, elle détailla chacun de ses gestes. Il avait pris de l'assurance, son corps s'était étoffé, ses traits étaient plus marqués. Le barman apporta leurs verres et Max s'assit dans un fauteuil en face d'elle. Soudain, il fixa la main de Xénia.

— Tu es mariée.

— Oui.

Le visage de Max se durcit. Il hocha la tête, fouilla dans sa poche dont il tira un paquet de cigarettes.

— Des enfants ?

— Une petite fille.

Qui est aussi la tienne, pensa Xénia, le cœur battant, et ce fut brusquement comme si Natacha était là, son petit corps chaud pelotonné contre le sien, avec ce parfum d'amande douce au creux de sa nuque, son regard intense, souvent intransigeant. Max lui offrit une cigarette qu'elle accepta, puis il gratta une allumette. Quand il prit une gorgée de whisky, les glaçons tintèrent. Il reposa le verre avec trop de soin, comme s'il craignait de le briser. Elle regarda ses doigts fins, les ongles courts, et réprima l'envie folle de les porter à ses lèvres pour les mordre et les embrasser à la fois. Elle voyait qu'il bataillait avec lui-même. Son regard s'était fermé et pour la première fois Xénia eut l'impression de découvrir un inconnu. Cette conversation lui faisait peur. Retrouver Max lui faisait peur. Tout était bâti sur un mensonge. Elle ne pouvait pas lui annoncer de but en blanc qu'il avait une fille, et elle se berçait d'illusions en pensant pouvoir le revoir sans que sa vie en soit bouleversée.

— Tu es heureuse ?

— Ah, la question piège. Tu sais bien que je ne suis pas très douée pour le bonheur. J'étais venue pour le vernissage chez Bernheim. Je ne savais pas que tu exposais.

— Tu ne m'as pas laissé d'adresse où t'envoyer une invitation, répliqua-t-il d'un ton coupant.

Elle resta silencieuse. Était-elle assez naïve pour avoir cru échapper aux reproches ? Pouvait-elle lui en vouloir ? À l'époque, elle avait été lâche, mais comment lui faire comprendre qu'elle s'était sentie menacée par son amour, par ce don de soi sans concession ni repères ?

— J'ai cherché à te retrouver, Xénia. Tu avais disparu sans laisser de traces. À un certain moment, j'ai fini par abandonner. J'avais aussi ma fierté. J'ai pensé que le geste viendrait peut-être de toi, mais je comprends mieux maintenant.

Il la dévisageait de manière hautaine mais insatiable, détaillant son visage, son cou, ses épaules, s'attardant sur sa poitrine, et elle sentait le sang battre fort dans ses veines. Le ventre noué, le trouble résonnait dans son corps tout entier. Ainsi, il lui suffit d'un regard, songea-t-elle, admirative. Un seul regard appuyé qui ressemble à un défi. Max von Passau détenait ce pouvoir sur elle. Pourtant, Xénia ne cillait pas, et elle remarqua non sans fierté qu'à son tour elle l'avait décontenancé. Il s'attendait probablement à ce qu'elle soit effarouchée, mais curieusement, au lieu de se révolter ou de s'enfuir, elle prenait plaisir à écouter monter en elle cette exquise exigence où se répondaient en écho l'espérance, la crainte et l'exaltation. La jeune femme avait choisi de se rendre à l'évidence. Pourquoi perdre du temps ? Pourquoi s'épuiser à se chercher des excuses ? Cet homme, elle le désirait comme au premier jour. Rien n'avait changé. Entre eux, rien ne changerait jamais.

Quelques semaines plus tard, à l'approche du printemps, il se mit à neiger sur Paris. Des flocons capricieux tombèrent d'un ciel blanc d'où coulait une lumière pâle qui lissait les façades en pierre de taille, estompait les débris calcinés du kiosque dans les Tuileries et les pavés noircis de la place de la Concorde. Les voitures roulaient au ralenti, les passants avançaient à pas mesurés, le cou rentré dans les épaules. Paris pansait ses plaies et pleurait ses morts. Après avoir été enfiévrée par des grèves et d'autres manifestations sanglantes, la ville reprenait son souffle. La république avait survécu aux émeutes. Gaston Doumergue avait pris les rênes du gouvernement avec le maréchal Pétain au portefeuille de la Guerre. Les frères ennemis, socialistes et communistes, s'étaient juré d'empêcher le fascisme de s'emparer du pouvoir. Et la neige tombait, étouffant les bruits, comme un appel au silence, au recueillement, alors que Xénia venait rejoindre Max dans sa chambre d'hôtel et que, pour eux, le fracas du monde s'évanouissait.

Il leur avait suffi de tendre la main et de mêler leurs doigts sans dire un mot, ce premier soir de leurs retrouvailles, dans le bar feutré d'un grand hôtel parisien. Il leur avait suffi de retrouver la peau de l'autre, d'effleurer l'intérieur d'un poignet où les veines dessinent un entrelacs bleuté, pour comprendre que cette attirance emportait leurs peurs et leurs orgueils, et que rien ne résiste à l'exigence de la passion. Xénia et Max s'étaient aimés ce soir-là, tout simplement parce qu'ils avaient eu envie l'un de l'autre, et qu'ils avaient été trop intègres pour le nier. Ils avaient fait l'amour avec une joie profonde, un enthousiasme mutin, tandis que les vitres de la chambre de Max tremblaient encore sous les clameurs de la rue. Ils s'étaient enivrés de ce vertige qui n'appartenait qu'à eux. Xénia avait tressailli lorsque Max avait caressé le ventre qui avait porté leur enfant, mais elle avait banni cette pensée de son esprit. Pour l'instant, il ne devait y avoir que ce corps à corps, avec tout l'égoïsme que se doivent deux êtres qui s'aiment. Max était un homme libre, Xénia était devenue ce soir-là une épouse infidèle, mais leurs existences s'étaient révélées dans leur entière plénitude, le temps d'une heure dérobée à leur quotidien, le temps de s'aimer.

Au fil des mois, Xénia était revenue vers lui, bien sûr. Encore et toujours. L'ivresse des sens est une drogue comme une autre. Irrésistible. Un étourdissement qui ignore les interdits et fouette le sang. Max et Xénia n'avaient aucun doute à ce sujet : la seule vérité était celle qui les unissait, en dépit des autres et du choix que Xénia avait fait quelques années auparavant. Leur amour était illicite, mais légitime.

La jeune femme n'éprouvait envers Gabriel aucune culpabilité, mais un sentiment de protection. Pour rien au monde elle n'aurait voulu que son mari apprenne qu'elle le trompait, et elle l'avait fait comprendre d'emblée à Max. C'était elle qui décidait du moment et du lieu où elle retrouvait son amant. Les premiers temps, Max s'était laissé faire, tout entier consumé par son amour pour Xénia. Il avait prolongé son séjour, ne pouvant pas se passer d'elle, mais il savait que cette parenthèse ne durerait pas, parce que sa vie n'était pas à Paris. Si son métier lui permettait de choisir librement son emploi du temps, la situation politique de son pays lui imposait une autre armature. Il en profitait pour nouer d'autres contacts par l'intermédiaire de M. Brun, et rendait visite aux photographes qui s'étaient réfugiés à Paris lorsque les nazis avaient pris le pouvoir. Désormais, dans les cafés de Montparnasse, les conversations avaient pris un ton plus sombre que dix ans auparavant. On parlait du camp de concentration d'Oranienbourg, au nord de Berlin, où avaient été enfermés les opposants politiques, de tel ou tel présentateur radiophonique, chanteuse de cabaret ou rédacteur en chef qui avaient disparu sans plus donner signe de vie. Des passages à tabac et des tortures dans les locaux des SA. Et chez les exilés, le pire était ce sentiment d'impuissance. Mais de tout cela, Max ne parlait pas à Xénia. Par discrétion, par pudeur aussi. D'un accord tacite, tous deux préféraient s'en tenir à des choses gaies, et ils évitaient d'évoquer le passé ou l'avenir avec le soin des âmes blessées. Seul comptait à leurs yeux l'instant présent qu'ils dévoraient sans vergogne.

Dès son arrivée à Paris, Max était retourné voir Lucien Vogel dans ses bureaux de l'avenue des Champs-Élysées. Le fondateur de l'hebdomadaire *Vu* s'était inspiré de ses confrères allemands pour créer en 1928 le premier magazine illustré moderne français. Sa devise : « Le texte explique, la photo prouve. » Cet homme affable et raffiné, au regard bleu sincère, travaillait avec des agences de photo, mais aussi des photographes indépendants. Max avait commencé à collaborer avec lui deux ans auparavant pour un numéro hors série intitulé *« L'Énigme allemande »*. Vogel était un journaliste aux idées libérales que l'évolution de l'Allemagne inquiétait au plus haut point. La censure imposée par le régime aux agences allemandes l'avait incité à chercher la vérité ailleurs, afin de *« montrer de l'intérieur, non pour juger mais pour voir »*, ainsi qu'il l'avait formulé dans son introduction au numéro. C'est sous un pseudonyme que Max lui avait fourni des photos dénonçant le visage sombre de l'hitlérisme : sociaux-démocrates roués de coups, juifs sauvagement agressés, terreur qu'imposaient les brutes des sections d'assaut dans leurs locaux pavoisés d'affiches de propagande et d'armes prises aux communistes. Depuis, il continuait à lui envoyer de temps à autre des photos qui n'auraient jamais trouvé preneur en Allemagne.

Max avait expliqué à Vogel sa frustration de ne plus pouvoir travailler librement à Berlin, depuis que tout ce qui concernait la photographie avait été centralisé au sein du ministère du Dr Goebbels. « Je ne peux réaliser que des portraits anodins en studio », avait-il dit en haussant les épaules. Quand Vogel lui avait proposé de profiter de son séjour parisien pour réaliser plusieurs reportages dans l'esprit de ceux sur lesquels travaillaient Brassaï ou André Kertész, Max avait accepté avec reconnaissance. Il était aussi éclectique que ses confrères. Tous étaient capables d'exercer leur métier de différentes manières, de passer de la mode à la publicité ou au reportage. Mais qu'il travaille en extérieur ou en studio, le photographe n'en demeurait pas moins un solitaire, quelqu'un d'attentif et d'assidu qui tenait du chasseur d'âmes, guettant des heures pour saisir cet instant fugitif, presque miraculeux, d'une authentique émotion. Or Max, lui, attendait aussi Xénia.

— J'ai besoin de toi, murmura-t-elle.

Ils étaient assis dans un café parisien, penchés au-dessus d'une petite table branlante, leurs jambes pressées l'une contre l'autre, comme si leurs corps avaient besoin d'être rassurés par la présence de l'autre. En cette douce journée de juin, Xénia portait une robe en soie brune à pois blancs, au corsage cintré et plissé sur les hanches. Sous le béret orné d'une broche, son visage rayonnait.

— J'en suis flatté. Je croyais que tu n'avais besoin de personne.

— Qui peut prétendre cela ? Ce serait faire preuve d'un orgueil insensé.

— Pourtant, il y a des gens dont tu sembles avoir davantage besoin que d'autres, fit Max d'un ton amer.

Il marqua une pause et détourna les yeux. D'un seul coup, il se sentait irritable. Il serait bientôt temps pour Xénia de rejoindre son mari. Elle jetterait un regard discret à sa montre, esquisserait une moue en enfilant ses gants, puis viendrait la phrase assassine : « Il faut que j'y aille. » Max avait appris à détester ces ruptures à répétition, autant de petites déchirures quotidiennes, quand il ne lui restait plus qu'à attendre le lendemain en espérant que rien ne viendrait contrarier leurs plans, ni une fièvre subite de l'enfant ni un déjeuner impromptu avec le mari. L'amour adultère est une histoire à éclipses. Parcellaire. Qui se réduit à des éclats de verre aux aspérités tranchantes. Il y en a toujours un qui attend l'autre, les mains vides et le cœur serré, comme sur un quai de gare désert. Quelque chose en lui se révolta et il eut un goût d'amertume dans la bouche. Il était tellement plus exigeant que Xénia. D'elle, il voulait non seulement sa ferveur, mais ses jours et ses nuits. Chacun de ses instants. Des souvenirs communs, des complicités, des silences où l'on écoute le temps qui passe, et qui nourrissent un amour, lui permettent de grandir et de prospérer. D'elle, il voulait aussi des enfants.

— Pourquoi lui et pas moi, Xénia ? demanda-t-il d'un ton mordant. Qu'avait-il de plus à t'offrir ? T'aimait-il mieux que moi ?

— Ce n'était pas toi qui étais en cause, mais moi, dit-elle avec un soupir. J'étais encore si jeune. Tu étais si intense, si enthousiaste. Persuadé que tout cela était bien pour nous. À croire que tu pouvais aimer pour deux. Et tu en aurais probablement eu la force. Tout te réussissait. Tout ce que tu touchais se transformait en or. C'était trop beau pour être vrai. Alors que moi, j'étais farouche. Méfiante. D'une certaine façon, peut-être avais-je peur de te perdre ? (Elle eut un mouvement d'épaules.) Il faut croire que j'ai manqué de foi.

— Et aujourd'hui, Xénia, comment peux-tu te contenter de si peu ? Tu fais l'amour avec moi, mais tu partages ta vie avec un autre. Tu ne l'aimes pas, c'est évident. Sinon, tu ne viendrais pas me retrouver tous les jours depuis des mois. À mes côtés, tu vis, Xénia. Tu le sais, n'est-ce pas ? Je te connais par cœur. Je le devine à ta démarche, à ton regard, à tes gestes. Si cet homme t'aime, il s'en est sûrement aperçu, lui aussi. Qu'y a-t-il vraiment entre vous ? De la sympathie, de la reconnaissance ? Mais ça ne veut rien dire. C'est petit. Médiocre. Comment peux-tu accepter de vivre un mensonge quotidien ? Et pendant combien de mois, d'années penses-tu continuer cette mascarade ? Jusqu'à ce qu'on soit devenus vieux tous les trois ? Et si je te disais de le quitter, de venir vivre à Berlin et de m'épouser ? Que dirais-tu ? Aurais-tu soi-disant moins peur aujourd'hui ? conclut-il d'un ton presque dédaigneux.

L'ardeur affûtait le visage de Max. Avec ses cheveux en désordre, son complet prince-de-galles aux filets de couleur vive, sa chemise en batiste dont il portait les manches rabattues sur les poignets, Xénia le trouva tellement beau qu'elle eut mal.

— Je ne peux pas faire cela à Gabriel, dit-elle, la gorge sèche.

— Mais à moi, tu peux le faire ! s'enflamma-t-il. Que t'ai-je fait pour mériter pareille punition ? À part t'aimer, que t'ai-je fait, bon Dieu ?

D'un seul coup, elle eut les larmes aux yeux. Une lame de douleur la traversa, si poignante et imprévue qu'elle en eut le souffle coupé.

— Je ne sais pas, Max, je ne sais pas… Je ne peux pas tout quitter sur un coup de tête.

— Parce que tu appelles ça un coup de tête, répéta-t-il d'un air abasourdi, avant de la contempler un long moment, les lèvres blêmes, et elle voyait à son visage tourmenté qu'il était partagé entre la colère et la douleur.

Elle rageait de le faire souffrir, de ne pas trouver les mots, mais elle était prise au piège. Une nouvelle fois. Pourquoi Max la poussait-il toujours dans ses retranchements ? D'où lui venait ce sentiment d'être constamment au bord d'un précipice, avec lui ? Et pourquoi ne pouvait-elle pas se passer de cet homme ?

Quand il se mit à parler, sa voix n'était plus qu'un murmure rauque.

— Il ne faudra pas m'en vouloir, Xénia, mais je ne sais pas si j'aurai la force de t'attendre toute une vie.

Il prit son feutre posé sur la banquette, repoussa sa chaise. Elle se pencha brusquement en avant et lui saisit le poignet.

— J'ai besoin de toi, lâcha-t-elle d'une voix blanche.

C'était sa manière à elle de lui dire qu'elle l'aimait, mais après quelques secondes Max l'obligea à desserrer son étreinte.

— Tu parlais de foi à l'instant. Peut-être dois-tu la trouver ? Mais tu devras le faire toute seule. Je ne peux plus rien pour toi.

Elle le regarda traverser la salle du bistrot. Autour d'elle résonnaient les intonations pointues des Parisiens, et la fumée bleutée des cigarettes montait vers le plafond. Elle aurait aimé pouvoir lui crier de revenir, hurler qu'elle l'aimait et qu'elle lui avait donné une fille, lui faire comprendre que, sans lui, elle n'était rien. Son existence protégée, son bel appartement, la sérénité de savoir que les siens étaient à l'abri du besoin, ce repos du guerrier auquel elle avait tant aspiré, tout cela n'était qu'un leurre. Depuis son mariage, elle avait endossé un rôle, s'accordant un moment de répit, semblable à un long sommeil, mais Max avait fait voler en éclats la vie qu'elle s'était patiemment construite ces dernières années. Il l'avait ramenée à la réalité de son corps et de ses envies. À sa seule vérité. Il la voulait combattante, téméraire, audacieuse, et non soumise et silencieuse. Contrairement à un homme comme Gabriel, qui se contentait d'une apparence, Max exigeait tout. Mais si elle lui donnait ce qu'il voulait, que lui resterait-il ?

Berlin, juin 1934

Max arriva d'humeur maussade un soir de juin à Berlin. Pendant le long voyage en train, trop soucieux pour se concentrer sur son livre, il avait regardé défiler les paysages sans vraiment les voir. Depuis trois mois, l'Allemagne subissait une sécheresse anormale. Les récoltes étaient menacées, les pâturages et les feuilles des arbres jaunissaient déjà. À la gare de la Friedrichstrasse, parmi les nuages de vapeur de la locomotive et l'agitation des voyageurs, le comité d'accueil ne lui rendit pas le sourire. Deux hommes en civil de la police secrète semblaient chercher quelqu'un. Il fut emmené à l'écart avec quelques autres passagers, et ses papiers soigneusement examinés. On lui posa des questions sur son séjour en France, auxquelles il répondit du bout des lèvres mais sans trahir son agacement. Les hommes de la Gestapo possédaient un amour-propre plutôt chatouilleux.

Le taxi emprunta des rues étrangement désertes où les drapeaux rouges à croix gammée lui donnèrent l'impression désagréable que sa ville avait été mise sous scellés. Les nazis n'aimaient pas Berlin. Ils lui préféraient Munich, la ville de leurs débuts, et Nuremberg, où se tenaient les prestigieux congrès du parti. Hitler trouvait les Berlinois réfractaires. Pendant des années, le gouvernement prussien ne lui avait-il pas interdit de prendre la parole en public ? Alors que le reste de l'Allemagne votait déjà largement pour le parti national-socialiste, les ouvriers des quartiers de Wedding ou Neukölln avaient longtemps affiché leurs préférences pour les sociaux-démocrates ou les communistes, et l'élite intellectuelle composée d'écrivains et de juristes, d'artistes ou d'hommes politiques n'avait pas caché son attachement aux institutions de la république de Weimar. Avec son goût pour la modernité, son ouverture d'esprit et son brassage de populations, la métropole n'inspirait que de la défiance aux hommes qui avaient pris le pouvoir. Aucun des proches d'Hitler n'était berlinois, mais qu'ils fussent originaires de Bavière, de Saxe ou de Rhénanie, qu'ils eussent même pour certains grandi loin des frontières de l'Allemagne, tous étaient obligés de composer avec la capitale, et celle-ci contrainte de les endurer.

Dans l'entrée de son appartement, le courrier s'amoncelait sur la console, mais Max avait prévenu sa femme de chambre par télégramme de son retour et elle avait dû passer la journée à faire la poussière et astiquer l'argenterie. Il porta ses valises dans sa chambre, puis ouvrit toutes les fenêtres pour chasser la chaleur étouffante. Des étoiles brillaient dans le ciel. Satisfait d'être revenu chez lui, il se servit un verre d'eau à la cuisine. Il s'apprêtait à prendre une douche quand le téléphone sonna.

— Bonsoir, Max, j'espère que tu as fait bon voyage, dit Ferdinand d'une voix curieusement compassée.

— Salut, vieux, qu'est-ce qui te… ?

— Est-ce qu'on peut venir te retrouver ce soir, comme d'habitude ?

— Si tu veux, mais…

— À tout de suite, conclut son ami avant de raccrocher.

Max resta quelques instants interdit, à contempler l'écouteur. Il n'était parti que depuis quatre mois, mais l'atmosphère de la ville était devenue encore plus pesante. Un léger mal de tête pressait contre ses tempes et il chercha un cachet d'aspirine.

C'était Ferdinand qui avait été à l'initiative de ces réunions hebdomadaires. Ils étaient une petite dizaine, hommes et femmes, dont un médecin, un juriste, un fonctionnaire, un violoniste et un diplomate. Sans oublier Milo von Aschänger. La plupart d'entre eux se côtoyaient de façon informelle depuis toujours. L'arrivée au pouvoir d'Adolf Hitler avait suscité chez les uns et les autres une répulsion spontanée, et ils avaient trouvé un certain réconfort à pouvoir exprimer librement leurs inquiétudes au sein d'un cercle composé de gens de confiance. Leur résistance avait été instinctive. Dans la rue, ils s'engouffraient sous un porche dès qu'ils entendaient approcher un peloton de SA, afin d'éviter d'avoir à faire le salut hitlérien. Un jour, alors qu'il marchait le nez plongé dans un livre, Ferdinand n'avait pas été assez rapide pour les esquiver et il s'était fait rosser par les hommes en brun parce qu'il avait refusé de saluer le drapeau à croix gammée. Lors du boycott des magasins juifs, tous avaient mis un point d'honneur à y faire ostensiblement leurs achats, et jamais leurs placards n'avaient été aussi remplis. De fil en aiguille, ils avaient été amenés à cacher le mari de Lenore Epstein, un député social-démocrate qui risquait un internement à Oranienbourg pour des propos séditieux, ainsi qu'un comédien connu pour ses sympathies communistes. Il avait fallu soutenir la famille d'un journaliste emprisonné, obtenir des papiers pour aider des opposants à émigrer. Des gestes sans grande importance, mais qui revenaient à tendre la main à des personnes persécutées par un régime qu'abhorraient les amis du Cercle Agora, les uns par conviction politique, les autres par foi religieuse, ou tout simplement parce que, comme Max, ils plaçaient la liberté et la dignité de l'individu au-dessus de tout.

Max resta longtemps sous l'eau fraîche de la douche, le visage offert au jet d'eau. Depuis quelques jours, une étrange langueur s'était emparée de lui. Le corps lesté de plomb, le cerveau amorphe, il n'avait plus de goût à rien, mais il refusait de s'apitoyer sur lui-même. Ne pas penser à Xénia ! s'ordonna-t-il avec une pointe de colère. Surtout ne pas penser à elle ni à son désarroi lorsqu'elle lui avait fait comprendre qu'elle ne pouvait pas vivre avec lui. Ne pas chercher à comprendre la complexité d'une femme qui lui procurait à la fois la plus puissante des émotions et le chagrin le plus intense. Je dois apprendre à me guérir d'elle, songeat-il, le cœur serré. D'une manière ou d'une autre. Sinon, je n'y survivrai pas.

— Qu'est-ce qui ne va pas ? demanda Max, dès qu'il ouvrit la porte à Ferdinand une demi-heure plus tard. Tu as une mine de déterré.

— Bonsoir à toi aussi, et je te rends la politesse. Mais je suppose que tes raisons ne sont pas les miennes.

Ferdinand posa son feutre sur le portemanteau dans l'entrée et pénétra dans le salon où régnait comme toujours un chaleureux désordre. Une bibliothèque en chêne occupait un pan de mur entier et des disques s'empilaient à côté du Gramophone. Au-dessus de la cheminée, plusieurs photos de Berlin que Max avait prises au gré des saisons créaient un pêle-mêle audacieux.

— Pourquoi étais-tu aussi bizarre au téléphone ? insista Max. Tu es blanc comme un linge. Tu n'es pas malade, au moins ?

Ferdinand le regarda d'un air étonné.

— Tu n'es toujours pas au courant ?

— Je te rappelle que je viens d'arriver. J'ai passé ma journée dans un train.

Sans un mot, Ferdinand ouvrit sa sacoche et en retira un journal qu'il tendit à Max. C'était un supplément du quotidien *Berliner Zeitung* qui avait titré : *« Action radicale du Führer. Röhm relevé de ses fonctions et exclu du parti et de la SA »*. Pendant que Ferdinand se servait un verre, Max parcourut l'article. Il était question d'un complot qu'aurait fomenté le chef d'état-major Ernst Röhm, qui présidait aux destinées de plusieurs millions d'hommes enrôlés dans les troupes d'assaut. Chacun savait que cette armée, dix fois supérieure à l'armée régulière, avait commencé à poser des problèmes à Hitler car Röhm avait de hautes prétentions, et sa vision d'un Reich socialiste et militaire, dont il serait le chef, ne correspondait pas à celle du Führer.

Deux coups de sonnette retentirent à la porte. Ferdinand alla ouvrir.

— Une Saint-Barthélemy nazie, voilà ce que c'est ! s'exclama Milo von Aschänger en entrant dans la pièce. Une journée à marquer d'une pierre blanche. C'est une joie de te revoir, mon cher Max, mais je me demande si tu n'aurais pas mieux fait de rester à Paris. L'air y est certainement plus respirable.

— Qu'est-ce qui se passe ? demanda Max en agitant le journal.

— Sers-moi un verre, tu veux bien ? fit Milo en se laissant tomber dans un fauteuil. Je cours depuis ce matin pour glaner des renseignements. L'ambition de Röhm a fini par le conduire à sa perte. Que voulez-vous, à force de clamer qu'il fallait une révolution socialiste après la révolution nationale ! Sans oublier ses fanfaronnades, achats d'armes à l'étranger et autres orgies homosexuelles qui étaient de notoriété publique… Quelque peu indigeste pour le grand patron, tout cela, n'est-ce pas ? Merci, mon vieux, ajouta-t-il, tandis que Max lui tendait un whisky bien tassé. Hitler tient à tout prix à préserver son entente fragile avec le monde de l'industrie et l'armée traditionnelle. Les prétentions de Röhm ont fini par devenir intolérables, alors ses petits camarades sont passés à l'action. Et de quelle manière ! Une vague d'assassinats. En Bavière, la plupart des dirigeants SA ont été massacrés. Un bain de sang d'une brutalité sans nom. Croyez-moi, mes amis, tuer des hommes qui ont été vos alliés et vos plus proches compagnons, ce n'est pas comme de descendre des ennemis jurés. Et c'est un militaire qui vous le dit.

— Mais le plus ennuyeux, c'est qu'ils ont profité de la répression pour s'en prendre à d'autres ennemis du régime, précisa Ferdinand. Ils ont abattu Kurt von Schleicher et sa femme dans leur maison de Potsdam.

— Ce n'est pas possible... l'ancien chancelier ? s'exclama Max.

— Autant profiter de la prétendue tentative de putsch de Röhm pour éliminer les opposants conservateurs, non ? ironisa Milo. Ainsi que les vieux compagnons de route infidèles comme Gregor Strasser. Au ministère des Transports, Klausener a été abattu dans son bureau. Personne n'a bronché. Visiblement, on n'a pas apprécié que ce dirigeant de l'Action catholique ait rassemblé des dizaines de milliers de personnes l'autre jour pour rappeler l'importance de Dieu dans une existence.

— À la prison de Lichterfelde, les salves des pelotons d'exécution n'ont pas cessé de résonner toute la journée, poursuivit Ferdinand. Ils s'en sont pris aussi à des journalistes et des avocats. L'un de mes amis a été tiré de son lit à l'aube par des types de la Gestapo. Ils l'ont emmené sans donner aucune explication à sa femme. S'il n'a pas déjà été collé contre un mur, il sera enfermé dans un camp, le malheureux.

Abasourdi, Max les regardait tour à tour. Sous leur ton parfois narquois perçait une réelle angoisse. Il leur trouva un air grave, des rides plus prononcées. Les cheveux de Ferdinand avaient encore blanchi, alors qu'ils avaient tous à peine trente-cinq ans.

— Qui commet les assassinats ? demanda-t-il un peu naïvement.

Ferdinand se tourna vers lui.

— On voit que tu as été loin, ces derniers temps. Ce sont les commandos SS aux ordres d'Himmler, évidemment. La police du parti. Les milices noires. Auxquelles appartient ton beau-frère Eisenschacht, conclut-il, le visage tendu.

Max sentit le sang se figer dans ses veines. La *Schutzstaffel*, autrement dit l'« Échelon de protection », se voulait la garde prétorienne du Führer, et elle lui était dévouée corps et âme par un serment de fidélité. Contrairement à la SA, où chacun pouvait se porter volontaire, les aspirants à la SS devaient se soumettre à une sélection rigoureuse – être notamment âgés de vingt-cinq à trente-cinq ans, présenter des critères physiques irréprochables, et surtout une garantie d'« origine aryenne ». Jusqu'à présent, ces quelques dizaines de milliers d'hommes étaient restés plutôt discrets, mais depuis qu'ils avaient pris en charge l'organisation du camp de concentration de Dachau, en Bavière, des rumeurs sur leur brutalité remontaient à ceux qui voulaient bien les entendre.

— Qu'est-ce que tu racontes ? protesta Max. En quoi est-ce qu'un type comme Eisenschacht peut devenir policier ou une espèce de garde du corps d'Hitler ? C'est absurde, voyons !

— Himmler veut former une élite du pays totalement inféodée à Hitler, expliqua Ferdinand en se frottant les yeux comme s'il n'avait pas dormi depuis des jours. Son discours plaît à ceux qui commençaient à trouver pénibles la brutalité des SA et leurs appels à la révolution et l'expropriation. Mais il ne cherche pas que des combattants. Tu verrais ceux qui portent désormais l'uniforme noir à tête de mort ! On commence à y trouver de tout, des aristocrates, des diplomates, des industriels, des fonctionnaires, des juristes, des scientifiques. À ces gens-là, il accorde des sortes de grades honorifiques… C'est le cas d'Eisenschacht, ajouta-t-il en remettant ses lunettes pour regarder son ami.

La sonnette de la porte d'entrée retentit à nouveau. Ferdinand alla ouvrir, tandis que Max, consterné, s'asseyait dans un fauteuil en face de Milo. Son mal de tête avait repris et menaçait de se transformer en migraine. Il s'inquiétait pour Marietta et son neveu de cinq ans, dont il était le parrain. Comment son beau-frère pouvait-il se lier de manière aussi étroite avec un homme comme Himmler qui prônait la rigueur, la dureté implacable et la pureté de la race ? Que voulait Eisenschacht ? Se voyait-il en missionnaire zélé de la garde noire ou cherchait-il seulement à asseoir une carrière déjà féconde ? L'air un peu perdu, Max leva les yeux sur Milo. Après tout, cet homme avait aimé Marietta au point de vouloir l'épouser. Il ne pouvait pas rester indifférent.

— Je sais, soupira Milo, et son long visage se crispa. J'ai essayé de parler à ta sœur, mais elle ne veut rien entendre. J'ignore si Marietta aime son mari, mais elle refuse de le voir sous son vrai jour. Est-ce une manière de se voiler la face ? Est-elle vraiment aussi naïve ? Je n'en sais rien. Et de toute façon, que pouvons-nous espérer ? Qu'elle divorce ? Mais à quoi bon ? Elle a un fils avec ce type, et Eisenschacht ne laissera jamais partir le petit. Marietta n'est peut-être pas la plus maternelle des femmes que je connaisse, mais elle aime son enfant. Quand j'ai mentionné l'honneur des Passau, elle m'a cité quelques noms de familles prestigieuses qui suivent l'exemple de son mari. Et le pire, c'est que je ne pouvais même pas la contredire, conclut-il, la mine dégoûtée.

— Je vais aller parler à Eisenschacht, s'emporta Max en se mettant à arpenter la pièce. Je vais lui dire ses quatre vérités. Que c'est intolérable de sa part…

— Au contraire, Max. Tu vas dorénavant te montrer d'une parfaite politesse avec ton beau-frère. Et non seulement avec lui, mais avec certains de ses amis, comme Heinrich Hoffmann ou Hermann Göring.

Max pivota sur ses talons. Au côté de Ferdinand se dressait la haute silhouette de Walter von Briskow, un jeune diplomate en poste à Varsovie à la carrière prometteuse, aux cheveux blonds et au regard bleu, qui était l'un de ses cousins germains. Il vint vers Max et lui donna une accolade affectueuse, mais Max resta rigide de colère.

— As-tu perdu la tête, Walter ? siffla-t-il, les dents serrées. Comment oses-tu me demander de m'acoquiner avec ces types méprisables ?

Son cousin sortit un étui à cigares qu'il tendit à la ronde. Seul Max refusa d'une main, quelque peu irrité par ce goût de Walter pour la mise en scène, comme si chacun devait rester suspendu à ses lèvres.

— En ton absence, nous avons beaucoup réfléchi, dit enfin son cousin. Les nazis ne lâcheront pas le pouvoir de sitôt. Si nous voulons avoir une capacité de nuisance, nous devons chacun œuvrer en fonction de nos responsabilités. Ferdinand comme avocat, Milo comme militaire dans la Reichswehr, moi dans la diplomatie, et toi en tant que photographe.

— Vous peut-être, mais moi, c'est ridicule ! Qu'est-ce que tu veux que je fasse ?

— Hoffmann apprécie ton travail. C'est l'un des confidents d'Hitler. Tu as une occasion unique de t'approcher du Führer. Peut-être de le photographier pour l'un de ces reportages qu'organise Hoffmann afin de nous montrer le guide suprême en homme tendre et aimant. Tu sais bien, le Führer à la montagne, le Führer et la jeunesse…, se moqua-t-il. Bon sang, on se croirait dans un conte pour enfants, tant tout cela dégouline de sensiblerie. Mais on ne sait jamais quels renseignements pourront se révéler utiles le moment venu. Par ailleurs, ton frère aîné était l'un des camarades de guerre de Göring. Ils ont combattu dans la même escadrille. Göring ne peut qu'avoir de la sympathie pour un Passau. À toi de t'en servir.

En l'écoutant, Max était devenu blême. Tout cela participait de la fantaisie la plus absurde. En quelques mois d'absence, il avait l'impression que la vie s'était accélérée.

— Désolé, mais je ne crois pas que je sois fait pour jouer un double jeu. Demande à Ferdinand, je n'ai jamais su cacher mes sentiments. Je ne tiendrai pas deux secondes à leurs côtés. Et de toute façon, ils ne me croiront jamais. Je suis sûrement déjà sur l'une des listes noires d'Heydrich, maintenant qu'Himmler et lui ont pris la direction de la Gestapo. Vous avez tous vu ma dernière exposition. Aucune galerie ne propose plus de m'exposer. C'est encore heureux que je puisse faire des photographies de mode et qu'on ne m'ait pas retiré ma carte de presse.

Walter le fixa d'un air sévère.

— On ne te demande pas de devenir espion, Max. Aucun d'entre nous n'a les capacités pour cela. Nous savons tous que la situation est périlleuse. Il y a une loi en préparation concernant ce que les nazis appellent la « trahison sournoise ». On pourra emprisonner quiconque émettra la moindre critique contre l'État ou le parti. Les délateurs vont s'en donner à cœur joie. Je vous rappelle que les écoutes téléphoniques se multiplient. Méfiez-vous des déclics suspects quand vous décrochez. Pour l'instant, nous ne pouvons rien faire de précis, mais nous devons nous tenir prêts. C'est d'autant plus important que nous ne sommes pas nombreux à vouloir faire entendre une voix différente dans ce pays, même si je connais l'existence d'autres cercles comme le nôtre.

Ferdinand plissa les yeux en tirant sur son cigare. Il le tenait de manière maladroite, les doigts écartés, tel un adolescent qui apprend à fumer.

— Hélas, l'Allemand est aux anges, dit-il. Il n'aime rien de mieux que de se fondre dans une communauté et s'enivrer de cette camaraderie malsaine que les nazis proclament à tout bout de champ. Ainsi, au moins, il n'a pas à penser par lui-même, ajouta-t-il avec une pointe de mépris. Regardez comme ils les embrigadent dès le plus jeune âge. Bientôt, ils les prendront au berceau. Même les femmes sont enrégimentées. On ne compte plus le nombre d'associations de toutes sortes. Ainsi, il y a toujours quelqu'un pour surveiller nos faits et gestes et déchiffrer la moindre de nos pensées. Moi, j'ai appris à tourner sept fois ma langue dans ma bouche avant de parler. Mais nous avons choisi de résister les mains nues, Max, avec les deux seules armes que nous possédons à ce jour, notre conscience et notre intelligence. Alors, es-tu des nôtres ?

Max sentit les regards de ses trois amis se poser sur lui. Celui de Walter, pénétrant et grave, celui de Milo, teinté de chagrin, alors que chez Ferdinand brillait la flamme de la révolte. Il n'y avait pas si longtemps, quand ils se retrouvaient ainsi le soir, c'était pour choisir un cabaret où passer la nuit. Ils parlaient de littérature ou de cinéma, du dernier combat de boxe, et des filles dont ils étaient amoureux. Où avait disparu leur insouciance ? Désormais, comme la plupart de leurs amis, Walter et Milo étaient mariés et pères de famille. Seuls Ferdinand et lui demeuraient célibataires. L'un par goût, l'autre par défaut.

Par les fenêtres ouvertes entraient les rumeurs de la ville, le crissement des roues des voitures, quelques éclats de voix. L'air était lourd, sans un souffle de vent. Des gouttes de sueur lui perlèrent sur le front. Max n'était pas fait pour une vie d'hypocrisie et de mensonges, lui qui avait toujours été en quête d'une sorte de vérité. S'il jouait avec les ombres derrière son objectif, il n'aimait que la lumière. C'est pourquoi il avait quitté Xénia la mort dans l'âme, incapable de se résigner à une existence réduite à de petites lâchetés quotidiennes. Ses amis ne lui en voudraient pas s'il refusait de s'impliquer davantage et se contentait d'aider les uns ou les autres, comme il l'avait fait jusqu'à maintenant. Mais qu'ai-je à perdre ? se dit-il avec une pointe d'amertume. Il devinait confusément qu'il était à une croisée des chemins. Il pouvait choisir la tranquillité d'esprit et se donner bonne conscience tout en restant timidement au bord de la route. Il pouvait aussi défendre une cause qu'il savait juste. Ses trois compagnons continuaient à le contempler en silence. Walter agitait la jambe d'un air nerveux et Ferdinand se rongeait un ongle.

— Ferdinand, tu mériterais une correction pour avoir pensé une seule seconde que je ne serais pas des vôtres, plaisanta Max en levant son verre, et quand il croisa le regard de son meilleur ami, il y découvrit une lueur de reconnaissance, mais aussi de fierté.

La fenêtre entrouverte donnait sur un jardin où des oiseaux s'agitaient parmi les frondaisons. Sara se rhabillait derrière le paravent. Elle avait chaud et bougeait lentement. Comme une vieille, se dit-elle avec une moue. Elle lissa son chemisier, vérifia que sa jupe était boutonnée, puis revint s'asseoir en face du médecin.

— Tout va bien, chère madame, dit-il en reposant son stylo plume. Je ne pense pas que vous ayez de souci particulier avec cette grossesse. Mais tâchez de ne pas trop vous fatiguer. Surtout par cette chaleur.

Sara hocha la tête. Lorsqu'elle avait compris qu'elle attendait un troisième enfant, elle avait éprouvé un pincement au cœur et s'en était aussitôt voulu. N'était-ce pas une aberration de mettre un enfant au monde dans ce pays où la haine et la peur étaient devenues ses compagnes les plus fidèles ? Avait-elle le droit de lui infliger un avenir aussi précaire ? Mais Victor semblait si heureux ! Cette nouvelle lui avait redonné du baume au cœur. Quand elle s'inquiétait, son mari lui caressait la main d'un air bienveillant, comme si une femme enceinte ne pouvait qu'être émotive. Pourtant, lors de ses insomnies, Sara ne pouvait s'empêcher de penser à son père. Aurait-il quitté le pays pour mettre sa famille à l'abri ? Mais comment abandonner l'héritage ancestral de la maison Lindner, sa maison natale et tous leurs biens ? L'idée de s'exiler en se séparant de ses souvenirs d'enfance la révoltait. Et pour aller où ? Ce n'était pas aussi simple. Les passeports et les autorisations étaient de plus en plus difficiles à obtenir, et les pays d'accueil se montraient réticents. Par ailleurs, la santé de sa mère était préoccupante. Elle avait besoin d'attentions constantes et Sara voyait mal comment lui imposer un pénible exil. La vieille dame n'avait-elle pas le droit de mourir chez elle, puis d'être enterrée au côté de son mari ? Quant à Victor, bien qu'il n'en parlât pas ouvertement, il craignait l'idée d'être déraciné. De toute façon, la question ne se pose plus pour l'instant, se dit-elle fermement. J'aviserai après la naissance de l'enfant.

Le médecin la raccompagna à la porte. Les épaules voûtées, il traînait des pieds et semblait épuisé. Sara le connaissait depuis plusieurs années. Il l'avait assistée pour ses deux premiers accouchements. Les Berlinoises aisées ne juraient que par lui. Non seulement cet homme d'un certain âge avait une excellente réputation, mais son sens de l'humour rassurait ses patientes les plus fébriles. Elle réalisa soudain qu'il n'avait plus de secrétaire et que la salle d'attente était vide. Une mouche bourdonnait contre la vitre. Aurait-elle été sa seule patiente de la matinée ? C'était, hélas, possible. Selon les nouveaux décrets, les médecins juifs n'avaient plus le droit de soigner des aryens. En descendant les marches qui menaient à la rue, Sara comprit qu'il avait été ostracisé, comme tant d'autres.

Peu à peu, on cherchait à écarter les juifs de la vie publique. Certains de ses anciens amis ne lui adressaient plus la parole ou évitaient d'être vus en public avec elle, et la jeune femme en concevait de l'amertume. Mais ce qui la blessait au plus profond, c'était la souffrance de ses enfants. À l'école, Félix avait dû subir les quolibets de ses camarades aryens. Dans la cour de récréation, les enfants de son âge avaient rivalisé de méchanceté en dansant une farandole autour de lui et en l'insultant. Lorsque Sara s'en était plainte auprès des professeurs, ils s'étaient contentés de la regarder de haut. Félix avait été exclu de la piscine, comme de la pièce de théâtre de fin d'année. Son professeur lui avait interdit de rédiger les compositions sur les thèmes nazis, lui infligeant des rédactions absurdes. Quand elle avait découvert que son petit garçon de sept ans avait recommencé à mouiller son lit pendant la nuit, Sara avait décidé de le retirer de cette école et de l'inscrire à la rentrée dans une école juive privée.

Sur les bâtiments publics, les drapeaux étaient en berne car le vieux maréchal Hindenburg venait de mourir. Des passants lisaient une annonce placardée sur les murs. Sara s'approcha à son tour. « *Les fonctions de président du Reich sont fusionnées avec celles de chancelier d'empire. En conséquence, toutes les attributions et les prérogatives du Président sont transférées au Führer et chancelier Adolf Hitler.* » Le conseil de cabinet n'avait pas perdu une seconde. Jamais, en Allemagne, un homme n'avait concentré ainsi tous les pouvoirs entre ses mains. L'un des passants murmura que l'armée lui avait aussitôt prêté serment. Quand Sara arriva devant la maison Lindner, une nausée lui souleva le cœur et la jeune femme se demanda si c'était à cause de son bébé, de la chaleur, ou de l'étau nazi qui se resserrait autour d'elle.

Elle se dépêcha de rejoindre les toilettes réservées aux dames. Lorsqu'elle se sentit un peu mieux, elle fit couler de l'eau fraîche, puis se tamponna le visage et les poignets. Il lui restait quelques minutes avant le comité de direction. S'appuyant des deux mains sur le lavabo, elle se contempla dans le miroir. Elle ne voulait surtout pas paraître décomposée. Question de fierté. L'un de ses directeurs s'était révélé comme un fervent nazi. L'insigne du parti à la boutonnière, Erich Kärner la mettait toujours mal à l'aise, mais la situation politique l'empêchait de le renvoyer. Elle se repoudra et se pinça les joues pour leur redonner un peu de couleur.

Les conversations cessèrent lorsqu'elle entra dans la pièce aux boiseries claires. Sara salua l'assemblée, avant de rejoindre sa place à la présidence de la table où siégeaient déjà les neuf hommes. Ils discutèrent de stratégie financière pendant une heure. En dépit de la propagande antijuive, le magasin avait réussi à conserver sa clientèle, grâce à la qualité de ses produits, à la fidélité des consommateurs et à l'évolution des différents départements. Sara avait développé le rayon des articles de sport, puisque la propagande incitait les femmes à mener une vie sportive. Elle avait aussi veillé au réaménagement du quatrième étage, désormais entièrement dévolu à l'enfance. Quant à son travail de couturière, sa collection de *Dirndls* – ces robes traditionnelles bavaroises et tyroliennes aux corsages ajustés, jupes amples et tabliers brodés – connaissait un succès grandissant. Lors du dernier défilé organisé par l'Institut de la mode allemande, elle avait proposé des *Dirndls* en soie raffinés que plusieurs actrices avaient choisis pour des photos de presse. Avec cette tenue qui exaltait à leurs yeux la germanité, les nazis pensaient avoir trouvé l'élégance qui convenait à leur idéal d'une Allemande libérée de la néfaste influence des modes française et juive.

— Bien, messieurs, dit Sara en refermant le dossier posé devant elle. Nous arrivons au dernier point de notre réunion. Je vois que Herr Kärner a demandé à prendre la parole.

Elle s'efforça d'afficher un air aimable, alors qu'elle redoutait l'intervention de cet homme funeste dont la voix nasillarde lui écorchait les nerfs.

— En passant dans les rayons, je n'ai pas remarqué de promotion particulière pour les textiles fabriqués en Allemagne, déclara Kärner. Qu'en est-il de notre soie artificielle qui nous évite d'importer de la soie étrangère ? C'est pourtant le résultat d'un remarquable travail de nos ingénieurs. Il faudrait remédier à cela, madame. J'avais déjà émis cette remarque lors du dernier comité. Il est indispensable que les produits allemands soient valorisés, mais vous semblez persister à avoir une préférence pour les produits qui viennent de France.

— Pardonnez-moi de vous détromper, Herr Kärner, mais je veille à ce que nous utilisions exclusivement de la laine et de la dentelle fabriquées chez nous, le corrigea Sara, le ventre noué. J'ai passé commande pour de nombreux accessoires faits à la main par nos artisans. Vous remarquerez les plumes et les rubans de satin, mais aussi toutes les fleurs artificielles que je propose cette saison en broches.

Elle était irritée. En d'autres circonstances, jamais Kärner n'aurait osé lui parler sur ce ton. Une indiscrétion lui avait appris qu'il participait à l'Association des fabricants allemands-aryens de l'industrie de l'habillement, une organisation dont le but affiché était de

« briser l'hégémonie du parasite juif » qui aurait contaminé le monde de la confection et du textile allemands. Plus de deux cents entreprises en étaient déjà devenues membres, mais le programme ouvertement antisémite ne convainquait pas tout le monde. Les bonnes relations que la maison Lindner entretenait avec ses fournisseurs aryens depuis des décennies continuaient à porter leurs fruits, à la grande exaspération de Kärner.

— J'aimerais faire davantage, lança Sara avec un sourire crispé. Hélas, comme vous le savez, nous autres juifs n'avons pas le droit de vendre les accessoires à la gloire du Führer. Tous ces drapeaux, calicots, insignes, livres ou autres photographies qu'on trouve un peu partout, fit-elle avec un geste de la main. C'est regrettable que nous ne puissions pas en faire profiter notre clientèle. Il en va de même pour les uniformes, ce qui est préjudiciable pour nos recettes, bien sûr. Peut-être pourriez-vous en toucher un mot au Dr Goebbels, Herr Kärner ? Qu'en pensez-vous ?

L'homme releva le menton en la fusillant du regard. L'ironie de Sara ne lui avait pas échappé.

— Il n'est pas tolérable que les juifs puissent s'enrichir encore davantage en vendant des objets destinés à célébrer notre Führer.

Sara commençait à perdre patience. La haine de cet homme et le mépris qu'elle lisait sur son visage lui étaient insupportables.

— Pourtant, Frau Goebbels et d'autres épouses de personnalités continuent à s'habiller chez des couturiers juifs. D'ailleurs, j'ai moi-même l'honneur de la compter parmi mes clientes. Il faut croire que ces dames trouvent qu'on ne les traite pas si mal.

Kärner s'empourpra. Spectateurs de la joute oratoire, les autres directeurs semblaient être partagés entre la crainte et l'amusement. L'un ou l'autre toussotait ou baissait les yeux, mais tous se taisaient, n'osant pas prendre la défense de Sara, alors qu'elle savait que la plupart d'entre eux étaient des hommes aux opinions politiques modérées. Des lâches, songea-t-elle, serrant discrètement le poing sous la table pour se donner du courage.

— C'est une honte ! s'exclama Kärner. Il faut interdire les tenues indécentes que nous impose la haute couture française et que vous copiez de façon indue. La femme allemande en a assez d'être humiliée. Vous devez aussi fermer le rayon des cosmétiques. Le vernis à ongles et le rouge à lèvres sont des artifices de prostituée, lâcha-t-il en s'attardant d'un air dédaigneux sur la bouche et les ongles rouges de Sara.

— Il me semble pourtant qu'une des amies proches du Führer ne jure que par les produits américains d'Elizabeth Arden, répliqua Sara, n'osant pas prononcer le nom d'Eva Braun, la maîtresse secrète d'un chancelier qui se prétendait marié à l'Allemagne.

Les yeux exorbités et le visage enflammé, Kärner resta bouche bée. Il avait du mal à développer ses arguments, car le rôle de la femme obligeait les nazis à tenir un double langage. D'un côté, l'idéologie prônait l'image d'une femme naturelle, saine et sportive, mère au foyer s'occupant de sa progéniture, et à qui incombait la tâche sacrée de permettre l'épanouissement de la communauté du peuple. De l'autre, personne n'arrivait à contrôler le goût des femmes pour la mode, dictée comme toujours par la haute couture française. Ainsi, les magazines de mode continuaient à promouvoir l'image d'une femme raffinée et internationale, au grand amusement de Max qui ne manquait pas de commandes. Chacun savait aussi que Magda Goebbels défendait à sa manière le droit des femmes, à la grande consternation de son mari qui s'empressait de la priver de parole. Ni les épouses des dignitaires nazis ni les Allemandes les plus modestes n'avaient l'intention de renoncer à l'élégance pour des principes politiques.

— Je vous rappelle que le Führer n'a jamais émis la moindre opinion concernant la mode et les femmes, conclut Sara d'un ton ferme. Ainsi, j'ai l'intention de persister dans la voie que j'ai tracée pour la maison Lindner. Que cela vous plaise ou non, Herr Kärner.

Le cœur battant, Sara serra les lèvres, réprimant une nouvelle nausée. L'homme la regardait avec une haine si féroce qu'elle prit peur. Serait-elle allée trop loin ? Mais comment supporter ses provocations persistantes ?

— Nous en avons terminé pour aujourd'hui, messieurs, dit-elle en se levant, ce qui les incita à l'imiter. Je vous souhaite une bonne journée. Veuillez m'excuser, mais je suis pressée. On m'attend pour déjeuner.

Sara prit son dossier sous le bras et quitta la pièce, soulagée que personne ne la retienne. Elle n'aurait pas pu prononcer une seule parole cohérente.

— Il n'en est pas question, déclara Marietta Eisenschacht. Je refuse catégoriquement.

Elle tourna la tête et regarda par la vitre de la Mercedes. En cette belle soirée de printemps, Berlin était en liesse. Les immeubles étaient pavoisés de drapeaux et de guirlandes de fleurs, des milliers de soldats formaient des haies d'honneur le long des rues. La journée avait été déclarée fériée, afin de fêter avec un faste princier le mariage du Premier ministre de Prusse Hermann Göring avec la comédienne Emmy Sonnemann. La veille, lors d'un somptueux gala à l'Opéra, les mille invités avaient assisté à une représentation de Richard Strauss, avant d'être conviés à souper au champagne. Désormais, après la cérémonie à la cathédrale, plus de trois cents intimes étaient attendus à l'hôtel Kaiserhof.

— Je tiens à ce que tu occupes un rôle digne de toi, insista son mari. C'est important pour mon avenir et celui de notre fils.

— Axel n'a pas besoin d'avoir une mère déguisée en uniforme pour devenir quelqu'un de bien, rétorqua Marietta. Je n'ai pas l'intention de perdre mon temps avec des associations féminines grotesques. Mais, si tu veux, j'accepte de m'intéresser à la Croix-Rouge. Comme cela, tu pourras dire à tes amis que ton épouse s'implique dans la vie du pays, puisque c'est ce que tu souhaites. C'est tout ce que je peux te proposer.

Au lieu d'être exaspéré par ce refus de coopérer, Kurt Eisenschacht esquissa un sourire. Décidément, après dix ans de mariage, elle continuait à le surprendre. À l'époque, il n'avait été attiré que par son titre de noblesse et sa distinction. À ses yeux, Marietta von Passau n'avait été qu'un rouage pour l'aider dans son ascension sociale. Il l'avait imaginée sotte et malléable, ne devinant pas que sous la fébrilité de la jeune femme insolente se cachait un caractère volontaire qui s'était affirmé au fil des ans, et qu'il trouvait aussi troublant qu'excitant. C'était peut-être la raison pour laquelle il ne s'était pas lassé de son épouse et qu'il ne l'avait jamais trompée. Ses occupations l'entraînaient souvent loin de chez lui, mais il la retrouvait toujours avec le même plaisir.

— La Croix-Rouge, pourquoi pas ? Cela te correspond en effet assez bien.

— Tu vois, Kurt, tu es tellement plus agréable à vivre quand tu te montres raisonnable, dit Marietta avec un sourire.

Ils entendirent résonner les cris joyeux de la foule. Göring était apprécié des Allemands, notamment pour ses exploits de pilote lors de la guerre et pour l'amour exalté qu'il avait voué à sa première épouse, Carin, une comtesse suédoise décédée des suites d'une longue maladie. Son entrain, son goût extravagant pour les uniformes et ses cent quarante kilos qu'il exhibait avec la superbe d'un comédien semblaient les fasciner.

Quant à sa nouvelle épouse, l'actrice de théâtre, elle comptait beaucoup d'admirateurs.

— J'aimerais un autre enfant, dit soudain Kurt. Je ne rajeunis pas. Axel grandit. Pourquoi te montres-tu si réticente ?

— La nature ne fait pas toujours bien les choses, répondit Marietta, le corps tendu, comme chaque fois qu'elle mentait à son mari. Tu sais que ma grossesse a été difficile. Mon médecin pense que ce serait dangereux pour ma santé. Veux-tu vraiment que je coure ce risque ?

— Non, bien sûr que non, murmura Kurt en lui baisant la main. J'aurais seulement aimé avoir d'autres enfants de toi.

Marietta détourna une nouvelle fois la tête. C'était un sujet épineux. Kurt avait rêvé d'avoir plusieurs fils afin d'asseoir une descendance, mais elle n'avait aucune intention de revivre une expérience pénible et douloureuse. Elle était en parfaite santé et son médecin lui avait assuré qu'elle pourrait avoir autant d'enfants qu'elle le souhaitait. Elle mentait à Kurt depuis six ans et elle était bien décidée à continuer. Pendant quelques heures, elle feindrait d'avoir été heurtée par ses propos, et Kurt se démènerait pour se faire pardonner. C'était l'une des manières qu'elle avait trouvées pour dominer ce mari ambitieux et parfois autoritaire.

Le chauffeur s'arrêta devant l'entrée du Kaiserhof. Un jeune chasseur en uniforme se précipita pour ouvrir la portière. La foule rangée derrière des cordons agitait des fanions à croix gammée, cherchant à reconnaître les invités de marque. On se serait cru à une première de cinéma. Quelques applaudissements éclatèrent lorsque Marietta se tourna vers eux. Personne ne la connaissait, mais on saluait sa robe longue en tulle de soie vert, dont le décolleté gansé mettait en valeur ses épaules et sa parure d'émeraudes. Lorsqu'elle leva la main pour leur faire un petit signe amical, les bras droits se tendirent comme un ressort. Marietta fut obligée d'imiter le salut hitlérien, se sentant quelque peu ridicule, mais Kurt la surveillait du coin de l'œil.

Dans la grande salle décorée d'immenses pyramides de fleurs, elle survola du regard les femmes en robe du soir et les hommes en habit. L'assemblée était prospère. On le devinait aux tissus chatoyants, aux visages luisants, à l'empressement des serviteurs. On respirait ce parfum capiteux de l'argent et du pouvoir. Marietta n'arrivait toujours pas à s'habituer au curieux mélange que constituait l'élite nazie. Certaines femmes inconnues arboraient des diadèmes et des bijoux dont on ignorait tout de la provenance. Les uns et les autres étaient passés maîtres dans l'art de s'inventer des arbres généalogiques. Et pourtant, ils ne parvenaient pas à faire oublier des joues replètes, des regards trop gourmands et des gestes qui manquaient de grâce. En dépit de leurs efforts, ils détonnaient parmi l'aristocratie du sang et des affaires. Elle reconnut le prince Philipp de Hesse, l'héritier des aciéries Fritz Thyssen, son amie Asta qui conversait avec Magda Goebbels, quelques diplomates étrangers en queue-de-pie. Sous le halo de ses cheveux blonds, le visage en lame de couteau de Richard Heydrich se penchait vers son supérieur Heinrich Himmler, dont les petites lunettes rondes réfléchissaient les lumières des chandeliers. Papa doit se retourner dans sa tombe, songea-t-elle avec une moue amusée.

Puis, à son grand étonnement, elle aperçut Max qui se tenait à l'écart, adossé à un pilier. Quand il croisa son regard, l'expression sévère de son frère s'adoucit. Elle salua un diplomate qui lui baisa la main, esquiva une actrice trop bavarde, et parvint jusqu'à lui.

— Qu'est-ce que tu fais là ? Je croyais que tu ne partageais pas les idéaux de la nouvelle Allemagne réunie dans cette pièce, dit-elle à voix basse d'un air moqueur.

— On m'a demandé de photographier les heureux mariés, répondit-il sur le même ton. J'ai fait mon devoir et j'ai même été convié à partager les agapes. Quelle chance, n'est-ce pas ? Le deuxième personnage de l'État m'a parlé d'Erich pendant de longues minutes la larme à l'œil. Notre estimé frère aîné ne lui a laissé que de bons souvenirs. Il faut croire que Göring est un sentimental dans l'âme.

— Et sa femme, comment est-elle ? demanda Marietta avec curiosité.

— Plutôt charmante. Et jolie, non ? Avec cette blondeur germanique à la mode qui capte bien la lumière. Mais je trouve surtout sympathique qu'elle ait imposé comme demoiselle d'honneur l'une de ses amies dont les origines seraient plus que suspectes aux yeux de la plupart des personnes ici présentes.

Marietta ouvrit son sac de soirée et en tira une cigarette.

— Tu ne crains pas des reproches ? chuchota-t-il en lui proposant du feu. Je croyais que les femmes qui fument étaient mal vues.

— Quand me suis-je attachée à ce que l'on pensait de moi ? s'amusa Marietta. Je t'accorde que je me suis assagie avec le mariage, mais il ne faudrait tout de même pas exagérer.

On convia les invités à passer à table. Max se retrouva placé entre l'épouse d'un banquier et une cantatrice de l'Opéra. Les plats se succédèrent, plus somptueux les uns que les autres ; les vins étaient de grands millésimes qu'il aurait appréciés en d'autres circonstances, mais il n'arrivait à avaler que quelques bouchées en écoutant ses voisines d'une oreille distraite. Elles vont me prendre pour un malotru ou un demeuré, se dit-il, tout en leur adressant des sourires distraits.

Adolf Hitler trônait à la place d'honneur à côté de la mariée. Max n'arrivait pas à en détacher ses yeux. C'était la première fois qu'il l'approchait autant. L'homme parlait beaucoup avec ses mains, rejetait la tête en arrière pour rire, puis rabattait d'un geste efféminé sa mèche de cheveux bruns sur le côté. Comme le lui avait fait remarquer l'un de ses amis journalistes, le Führer avait un visage aux traits grossiers, un nez particulièrement épais et évasé que sa moustache incongrue essayait en vain de faire oublier, et des yeux bleu pâle qui ne laissaient personne indifférent. Max eut une pensée pour Ferdinand, qui lui avait parlé de ce regard hypnotique et dont il s'était moqué autrefois sans savoir.

Une fois le repas terminé, le chancelier se leva pour prendre la parole. Sa chaise racla le sol, puis heurta une lampe qui se renversa avec fracas. Aussitôt, plusieurs portes s'ouvrirent derrière lui pour révéler des SS armés jusqu'aux dents. L'assemblée retint son souffle, mais, à un signe d'Heinrich Himmler, les hommes disparurent aussi vite qu'ils étaient apparus.

Max retint un fou rire nerveux. Il y avait quelque chose de surréaliste à se retrouver à l'une de ces tables qui croulaient sous les chandeliers et la porcelaine fine tandis qu'un ramassis d'assassins jouaient aux hommes du monde. Le double visage du nazisme s'illustrait dans toute sa splendeur. Des femmes affublées de robes haute couture et ruisselantes de bijoux, un art de la table raffiné et, derrière des portes dérobées, des chacals en noir prêts à surgir à tout moment. Ces mêmes hommes qui avaient abattu de sang-froid des fonctionnaires, des généraux à la retraite et des journalistes innocents.

Quand le chancelier se mit à féliciter les mariés d'une voix rauque mais parfaitement modulée, aux intonations autrichiennes, on aurait entendu voler une mouche. Quelques années auparavant, le magazine américain *Vanity Fair* l'avait consacré comme étant l'un des meilleurs orateurs de son époque. Max jeta un coup d'œil discret autour de la salle. Chacun était suspendu aux lèvres du Führer, une lueur extasiée dans le regard. Il eut un sentiment de malaise.

Max avait tenu parole. Ferdinand et Walter l'avaient félicité, un brin narquois, quand il leur avait montré l'invitation au mariage. Mais pour se rapprocher du pouvoir, Max ne s'était adressé ni à Heinrich Hoffmann ni à son beau-frère, comme l'avait suggéré son cousin. Il avait pris son téléphone afin de se rappeler au bon souvenir de l'une de ses amies qui ne cachait pas son admiration pour Adolf Hitler. À l'époque où elle était encore comédienne, la jeune femme avait posé pour lui et elle avait été enchantée par l'intensité érotique des portraits. Max l'avait photographiée en maillot de bain, la peau humide, dans le décor aux lignes géométriques d'une piscine municipale. Il avait souligné la résolution de ce visage symétrique au regard sans concession, la sensualité des lèvres ourlées et du corps de danseuse. Ce jour-là, comme à son habitude, Max avait pris l'accent berlinois pour parler à Leni Riefenstahl et elle avait éclaté de rire en l'entendant. Ils s'étaient retrouvés auprès de la fontaine aux éléphants pour prendre le thé à l'Adlon. Après le triomphe de son reportage sur le congrès du parti à Nuremberg, la cinéaste lui avait raconté qu'on venait de lui demander de réaliser un film sur les Jeux olympiques qui allaient bientôt avoir lieu en ville. Le gouvernement avait l'intention de profiter de l'événement pour s'offrir une propagande mondiale. Elle avait semblé préoccupée, ne voyant pas l'intérêt de filmer pendant des heures le déroulement répétitif des compétitions ; en revanche, peut-être pouvait-elle refléter l'idéal olympique, mettre en scène une transposition de la mythologie grecque dans le Berlin des Temps modernes ? Emportée par son imagination, son regard s'était perdu dans le vague. Max avait lancé certaines idées. Ils s'étaient renvoyé la balle jusqu'à ce que la jeune Berlinoise, enthousiaste, lui propose de collaborer au projet.

Un tonnerre d'applaudissements le fit sursauter. Le Führer avait terminé son compliment et se rasseyait d'un air satisfait. Avec un temps de retard, Max se mit à applaudir à son tour, sous les regards ombrageux de ses voisines.

Quelques mois plus tard, Sara était assise à son bureau de la maison Lindner. Elle serrait si fort l'écouteur du téléphone que les jointures de ses doigts avaient blanchi.

— Tu peux tout de même t'en occuper, non, Victor ? s'énerva-t-elle. Ce n'est pas une épreuve insurmontable de coucher les enfants et de leur lire une histoire pour qu'ils s'endorment. La nourrice s'occupe du bébé… Non, je ne sais pas à quelle heure je rentrerai. Et je n'ai pas oublié que tes parents viennent dîner, mais vous risquez de devoir commencer sans moi, ajouta-t-elle en levant les yeux au ciel. Ce n'est pas le moment de parler de ça, Victor. Je suis occupée. À tout à l'heure.

Elle raccrocha d'un air exaspéré. Max l'observait d'un air soucieux.

— Quelque chose ne va pas ?

— Trouve-moi une seule chose qui aille et je serai la plus heureuse des femmes, ironisa-t-elle en se levant. Depuis qu'il a été exclu de l'université, Victor passe ses journées à se morfondre à la maison. Il s'est réfugié dans l'écriture, refuse de sortir en ville ou de voir du monde. Il est en pleine dépression, mais s'en défend. Je ne le reconnais plus, avoua-t-elle d'un air défait. Il m'avait toujours soutenue jusque-là. Je pouvais compter sur lui. Désormais, il n'est qu'un souci de plus. J'ai demandé à ses parents de venir lui remonter le moral, mais je ne sais pas si cela servira à grand-chose.

— Même s'il n'y est pour rien, il doit s'en vouloir de ne plus pouvoir travailler. Pour un homme, c'est une question de fierté, tu comprends ?

— Je n'ose plus lui parler de quoi que ce soit, alors j'essaye de faire comme si tout allait bien. Je ne veux pas que nos soucis troublent les enfants. Mais je ne peux pas tout arranger d'un coup de baguette magique. Il faut qu'il y mette du sien.

Sara semblait si attristée que Max la serra dans ses bras. Avec un sourire, elle posa la tête sur son épaule et s'appuya de tout son poids contre lui.

— La banque a refusé de me faire crédit, murmura-t-elle. Quelques-uns de mes fournisseurs ont retourné mes bons de commande sans donner suite et deux magazines ont annulé une publicité. Les lois raciales de ces derniers temps enveniment la situation. On ne sait jamais sur quel pied danser. Tous les jours, il y a des nouveaux décrets et de nouvelles interdictions. Tu as vu les dernières en date, j'imagine ? On nous retire nos droits civiques. On interdit les mariages entre juifs et aryens, ainsi que les liaisons.

Elle s'écarta de lui. Le crépuscule enveloppait la ville, les derniers rayons de soleil embrasaient la pièce, baignant de lumière les cheveux sombres de Sara, et sa main où brillaient son alliance et sa bague de fiançailles.

— Dix ans de prison, chuchota-t-elle. Aux yeux des nazis, voilà le châtiment que nous aurions mérité, toi et moi.

L'émotion saisit Max à la gorge, tandis qu'il observait le visage grave de cette femme courageuse qui avait été son premier amour. Dans son tailleur sobre au col de velours noir, jamais Sara ne lui avait paru plus belle.

— C'est peu pour un amour comme le nôtre, dit-il, en lui effleurant la joue d'un geste tendre.

Elle ferma les yeux, comme pour mieux retrouver le parfum des années heureuses, l'odeur de l'herbe coupée dans le jardin de Grünewald, l'élan de leurs corps l'un vers l'autre.

— Pourquoi est-ce que tu ne t'es pas encore marié, Max ? Ce ne sont pourtant pas les femmes qui manquent autour de toi.

Il s'approcha de la fenêtre. Les lumières des enseignes commençaient à s'allumer. Plusieurs d'entre elles avaient changé de nom ces derniers mois.

— Elle n'a pas voulu de moi, avoua-t-il d'une voix blanche, en haussant les épaules.

— À cause d'elle, tu as mis ta vie entre parenthèses. Est-elle exceptionnelle à ce point ?

En amour, chacun croit toujours que l'autre est extraordinaire, et pourtant, Max savait qu'il existait des femmes au courage plus audacieux et aux ardeurs plus ferventes. Une race de conquérantes qui marque un homme à tout jamais. Des femmes aussi magnifiques que redoutables, parce que, auprès d'elles, toutes les autres semblent insipides.

— D'une certaine façon, Xénia te ressemble, dit-il en esquissant un sourire. Il faut croire qu'un homme ne guérit jamais d'une femme comme vous.

On frappa à la porte. Un peu étonnée car elle n'attendait personne, Sara donna la permission d'entrer.

— C'est un monsieur pour vous, madame, dit sa secrétaire d'un air anxieux en lui tendant une carte de visite. Je suis désolée. Je lui ai demandé de prendre rendez-vous, mais il n'a rien voulu entendre.

Perplexe, Sara étudia la carte.

— Hans Dieterhausen… Ça ne me dit rien du tout.

— Cela ne m'étonne pas, lança une voix d'homme. Les petites gens ne comptent pas à vos yeux.

Ce qui frappait d'emblée chez celui qui venait d'entrer, c'était la cicatrice qui lui barrait la joue droite. Les chairs mal recousues créaient des boursouflures hideuses. Il portait un veston aux épaules trop larges, un pantalon qui tire-bouchonnait sur ses chaussures, et serrait un dossier sous le bras.

— De quel droit entrez-vous ainsi chez moi ? demanda Sara.

— Ce ne sera plus chez vous pendant très longtemps, cracha-t-il d'un air méprisant. Vous ne croyez tout de même pas qu'on va vous laisser garder la haute main sur l'industrie de la mode dans notre pays ? Mon nom ne vous dit rien, mais vous vous souvenez peut-être de ma femme, Liselotte, une couturière que vous avez jetée à la rue quand nous n'avions plus rien à manger.

Sara fut décontenancée.

— Bien sûr que je me souviens de Liselotte. Je ne pouvais pas faire autrement. Le contexte…

— Je n'ai rien à faire de vos excuses ! Nous nous sommes donné pour mission de nettoyer la confection allemande de ses parasites juifs. Vous allez rendre ce qui appartient au peuple allemand. Tout ça ! conclut-il avec un large mouvement du bras.

— Ce n'est certainement pas à vous que je vais donner quoi que ce soit, rétorqua Sara, furieuse. Vos menaces ne m'intimident pas. La maison Lindner dégage des profits trop importants et emploie trop de monde pour qu'un petit malotru comme vous puisse espérer une part du gâteau. Allez donc terroriser d'autres proies !

— Vous allez céder votre entreprise à des aryens, insista-t-il. De gré ou de force ! Je voulais vous le dire en face. Désormais, c'est à vous de trouver un repreneur, et je vous conseille de vous activer. Il ne vous reste plus beaucoup de temps.

Sara recula d'un pas, comme si l'homme avait levé la main sur elle.

— J'ignore qui vous êtes, monsieur, dit Max d'une voix glaciale, et c'est peut-être mieux pour vous, mais sachez que Frau Lindner n'est pas seule à se défendre et qu'elle a des amis en haut lieu. Alors maintenant, vous allez quitter cette maison sur-le-champ.

L'homme essaya de le toiser, mais comme Max le dominait d'une tête, il perdit confiance. Il jeta le dossier sur la table, renversant une photo des trois enfants de Sara.

— Voilà une proposition que je vous conseille d'étudier de près, ironisa-t-il. Il ne faudrait pas qu'il arrive quelque chose de déplaisant à ce beau magasin, n'est-ce pas ?

Il tourna les talons. Le visage blême, la secrétaire referma la porte derrière eux.

— Quelle horreur ! s'écria Sara en frémissant. Tu as vu, Max ? Tu as vu ce regard, cette arrogance ? Quelle brutalité ! Je ne m'y habituerai jamais ! Et ce monstre ose venir chez moi. Chez moi ! fit-elle en se frappant la poitrine. L'intimidation prend toutes les formes possibles. Des lettres anonymes, des visites comme celle-là. Sais-tu que près de cinquante pour cent de toutes les entreprises juives ont déjà été rachetées par des aryens ?

Elle s'était mise à arpenter la pièce et ses bracelets cliquetaient à son poignet.

— Je sais, fit Max d'un air dépité. C'est honteux. Ullstein y est passé l'année dernière. Ils poussent les propriétaires à vendre pour des sommes dérisoires et obligent les collaborateurs juifs à quitter leur travail, qu'il s'agisse de postes de direction ou pas.

Sara semblait tellement en colère qu'elle ne trouvait plus ses mots. Elle redressa les épaules. Son visage prit une expression sévère que Max ne lui connaissait pas. Elle saisit entre le pouce et l'index le dossier que l'homme avait jeté sur son bureau, le souleva d'un air dégoûté et le laissa tomber dans la corbeille à papier.

— Tu ne veux pas regarder ce que c'est ? s'inquiéta Max.

Sara lui lança un regard noir.

— J'emploie encore quatre cent cinquante-cinq juifs sur mes mille deux cents employés. Le plus âgé d'entre eux a soixante-cinq ans. Il travaillait déjà pour mon grand-père. La plus jeune a dix-huit ans et une famille à charge, car son père et ses frères ont été chassés de leurs emplois. Tous ont besoin de la maison Lindner pour vivre. Et tu crois que je vais céder au chantage de ce petit morveux ?

Max se contenta de hocher la tête. De la race des conquérantes, songea-t-il, mais il ne pouvait pas s'empêcher de ressentir une réelle appréhension.

Après une journée pluvieuse, une éclaircie avait enfin permis au soleil du mois d'août de reprendre ses droits. Le ventre rebondi d'un zeppelin flânait au-dessus du stade olympique. Une chaleur humide aux senteurs d'herbe montait de la pelouse et un bourdonnement semblable à un essaim d'abeilles émanait des spectateurs installés dans les gradins. Le succès de Jesse Owens, l'athlète noir américain qui avait remporté quatre épreuves, enthousiasmait ce public averti, même si le Führer se détournait de manière ostensible dans la tribune d'honneur à chaque victoire d'un participant dont la race ne lui convenait pas.

Épuisé, Max se glissa dans l'un des trous creusés dans la pelouse où se tenaient d'ordinaire les cameramen. Il sortit de sa besace une bouteille d'eau, but au goulot, puis essaya d'apercevoir Leni Riefenstahl. Il voulait à tout prix échapper à son œil de lynx et éviter les remontrances. Dans son travail, Leni se comportait en général d'armée. La cinéaste ne tolérait aucun relâchement et menait à la baguette son équipe de quarante cameramen. Par sa maîtrise des perspectives et des effets spéciaux, elle était en train de révolutionner l'art du reportage, comme elle l'avait déjà fait lors de la réalisation du *Triomphe de la volonté*, le film qu'elle avait orchestré à la gloire du congrès du parti. C'était elle qui avait suggéré de percher les caméras à quarante mètres de hauteur ou de faire enfiler des patins à roulettes à certains cameramen afin d'obtenir un mouvement plus fluide. De même que Max passait des heures dans sa chambre noire, Leni veillait ensuite elle-même au montage de ses films. Le photographe ne pouvait qu'admirer cette alliance d'imagination visuelle et de connaissances techniques.

La cinéaste aimait se mettre en valeur. Sa propagande personnelle n'avait rien à envier à celle du parti nazi, et Leni avait chargé Max de la photographier pendant le tournage, ce qui expliquait la fatigue passagère du jeune homme qui avait du mal à suivre son rythme. Il l'aperçut un peu plus loin, vêtue de son pantalon de flanelle grise et de sa blouse blanche, un bandeau retenant ses boucles sombres. Aussitôt, il rentra la tête dans les épaules et s'abrita derrière la grosse caméra. Encore quelques minutes de répit ! implora-t-il. Heureusement qu'il s'agissait du jour de clôture. Il était d'autant plus las que les nuits berlinoises étaient courtes. Ces Jeux olympiques de 1936 étaient l'occasion pour les dignitaires de rivaliser à coups de dîners et de fêtes somptueuses. On ne comptait plus les concerts, les feux d'artifice ou les défilés de mode proposés aux milliers de visiteurs étrangers. Berlin ressemblait à l'enfant en costume du dimanche qu'on exhibe devant les invités.

Quelques semaines plus tôt, Max avait reçu une commande du magazine *Die Dame* pour illustrer un reportage qui donnait des conseils vestimentaires aux lectrices, afin de promouvoir l'élégance allemande aux yeux du monde entier. En le parcourant, Sara s'était amusée qu'on ne fît nulle mention des *dirndls* et autres uniformes que prônait le régime : on n'y vantait que des tailleurs ajustés, des robes de journée ou du soir. Dans l'article, la journaliste précisait la longueur idéale des jupes, les couleurs ou les accessoires les plus distingués. De manière beaucoup plus cynique, les nazis avaient pris soin de faire retirer pour la durée des Jeux les signes apparents du harcèlement des juifs. Disparus les bancs jaunes qui leur étaient réservés dans le Tiergarten, ainsi que le virulent journal antisémite *Der Stürmer* dont la parution avait été interdite pendant quinze jours. Bannis également les uniformes dans les stades. Rien ne devait troubler l'image lisse d'une Allemagne rayonnante qui relevait la tête et croyait en son avenir.

En l'espace de quelques jours, Max avait assisté à une soirée chez Joachim von Ribbentrop où le champagne Pommery avait coulé à flots pour fêter sa nomination comme ambassadeur à Londres, à un dîner chez Kurt et Marietta pendant lequel des acrobates étaient venus divertir les convives, et à une réception chez les Göring dont le clou du spectacle avait été une démonstration aérienne. Désormais, il ne lui restait plus qu'à se rendre au dîner dansant qu'organisait Goebbels le soir même sur la Pfaueninsel, près de Potsdam. Il faudra ensuite que je prenne des vacances, songea-t-il, en se tamponnant le front avec un mouchoir. Sa chemise blanche lui collait à la peau de manière désagréable.

Quand il entendit la voix de stentor de Leni, il décida d'émerger de sa cachette avant de se faire prendre en flagrant délit de désœuvrement.

Xénia avait retrouvé Berlin avec un mélange de curiosité et d'appréhension. Gabriel avait tenu à assister aux Jeux olympiques. Non seulement son mari voulait découvrir par lui-même cette Allemagne qui venait d'occuper la zone démilitarisée de la Rhénanie, au grand dam de la France et des autres signataires du pacte de Locarno, mais certains de ses clients importants traitaient avec des entreprises allemandes. Surpris par la réticence de son épouse, il avait pensé qu'elle redoutait de se séparer de Natacha pour la première fois. Xénia ne l'avait pas détrompé. Cette nuit-là, elle n'avait pas fermé l'œil, hantée par trop de souvenirs où se mélangeaient les défilés de M. Rivière, les impatiences de Tania avec qui elle avait partagé sa chambre, ses élans de jeune fille, et cette rage née d'un sentiment d'injustice et d'impuissance qui l'avait habitée. À l'époque, toutes ces émotions confuses avaient trouvé un écho dans la métropole enfiévrée. Elle y avait découvert le goût de la liberté. De l'insolence. Elle y était devenue femme. Pour Xénia Ossoline, Berlin resterait à jamais la ville de l'audace, celle du désir et de tous les devenirs.

En retrouvant l'hôtel Adlon, Xénia avait eu l'impression insolite de revenir chez elle. Gabriel l'avait emmenée à plusieurs compétitions d'athlétisme et ils avaient assisté au triomphe des cavaliers allemands au concours hippique. Ils s'étaient promenés en ville et rendus à différentes réceptions. Mais au fil des jours, Xénia s'était sentie de plus en plus déconcertée, n'arrivant pas à partager l'enthousiasme de son mari, conquis par l'amabilité des Berlinois, et la foule exubérante qui se bousculait aux terrasses des brasseries et dans les rues d'une propreté impeccable. Gabriel se laissait courtiser par les hommes d'affaires et ne cachait pas son admiration pour l'assurance qu'affichaient les industriels et les fonctionnaires. Alors qu'il était un homme circonspect, il semblait impressionné par leur sentiment de puissance. Les yeux brillants, il disait entrevoir de grandes possibilités pour ses clients. Mais Xénia, elle, ne se laissait pas abuser.

Les tilleuls de la plus belle avenue de la ville avaient cédé la place à des rangées de colonnes blanches en haut desquelles des aigles aux ailes déployées tenaient entre leurs serres un svastika, cet ancien symbole venu d'Orient qui imitait la course du soleil et qu'Hitler avait choisi comme emblème de la pureté de la race aryenne. D'immenses drapeaux nazis laissaient des traînées rouges sur les façades. Aux frontons des nouveaux immeubles néoclassiques, la jeune femme avait remarqué les croix gammées taillées dans la pierre, les mosaïques et les frises qui reprenaient des thèmes chers aux dirigeants, tout comme les uniformes bruns et noirs qui hantaient la Wilhelmstrasse. Elle n'éprouvait plus cette agitation insouciante d'autrefois, mais une exaltation angoissante. À ceux qui la cherchaient, l'empreinte du totalitarisme se révélait dans le moindre recoin, et par moments Xénia était prise à la gorge.

— Il y a quelque chose de pourri au pays d'Adolf Hitler, murmura-t-elle en parodiant Shakespeare.

— Évidemment ! renchérit Sophia von Aschänger. Ils sont d'une habileté diabolique. Ils présentent aux étrangers une face souriante, alors que des innocents sont torturés dans les caves. Ils enfreignent les traités internationaux, mais personne ne réagit.

Les deux femmes se tenaient un peu à l'écart dans les jardins de la Pfaueninsel. Autrefois, les rois de Prusse y avaient reçu toute l'aristocratie européenne, mais ce soir-là ils étaient le cadre d'une réception offerte par le ministre de la Propagande. Accrochées aux branches des arbres, des milliers de lanternes éclairaient la pénombre. Des paons se pavanaient sur la pelouse. Plusieurs orchestres jouaient pour les deux mille invités, et les serveurs en livrée faisaient sauter les bouchons des bouteilles de champagne.

— Pourtant, il suffirait d'un coup de fusil pour l'éliminer.

— Tais-toi ! s'exclama Sophia avec un regard autour d'elle. Tu es folle ! Quelqu'un pourrait t'entendre... Mais que je suis bête ! ajouta-t-elle en riant. On parle russe. Je doute que quelqu'un nous comprenne.

— De toute façon, nous sommes en plein air. Ne me dis pas que des espions sont cachés dans les buissons.

— Hélas, tout est possible, ironisa Sophia. Cela fait trois ans et demi que nous vivons sous un régime de mouchards. Ici, il faut se méfier de tout le monde. Du gardien de ton immeuble au conducteur du tramway. De ta coiffeuse au liftier de l'hôtel. Il paraît que la Gestapo reçoit d'innombrables petites lettres à l'écriture bien appliquée. Une malheureuse remarque désobligeante, et pour certains c'est le camp de concentration. Les gens ont peur.

— Il est entouré de militaires, insista Xénia. L'un d'eux n'a qu'à l'abattre.

— Ce n'est pas aussi simple. Après la mort d'Hindenburg, Hitler a exigé que l'armée prête serment à sa propre personne, et non plus au peuple et à la patrie, comme c'était la coutume. Pour des militaires comme Milo, ce serment est un engagement sacré.

— Rien n'est sacré quand il s'agit d'un tyran ! s'emporta Xénia. Pense à Staline qui martyrise notre peuple, déporte et assassine des millions de koulaks, hommes, femmes et enfants, parce qu'ils ont le malheur d'être propriétaires de leurs terres. Ces monstres-là ne méritent qu'une balle dans la tête !

Sophia la regarda d'un air amusé.

— Tu n'as pas changé. Tu crois toujours que la vie se plie à tes quatre volontés. Il faut apprendre la subtilité, ma chérie. Tu oublies qu'il y a aussi beaucoup de gens qui soutiennent le régime. Tiens, regarde ton mari. On dirait un poisson dans l'eau. Quand j'ai discuté avec lui tout à l'heure, j'ai compris qu'il faisait partie des convertis.

Agacée, Xénia suivit le regard de Sophia. Non loin de là, Gabriel parlait avec Kurt Eisenschacht. À les voir, on les aurait crus les meilleurs amis du monde. Au même moment, ils se tournèrent dans sa direction et Eisenschacht inclina la tête pour la saluer, avant de se diriger vers elle.

— Gabriel a deux faiblesses. L'esthétisme et le pouvoir. C'est une proie facile pour des gens comme eux, murmura Xénia.

— Madame, fit Eisenschacht en lui baisant la main, quelle joie de vous revoir ! Vous êtes toujours d'une beauté à couper le souffle.

Xénia se contenta d'esquisser un sourire. Même si Gabriel demeurait impassible, elle voyait bien qu'il était furieux. Comme elle ne lui avait pas avoué qu'elle connaissait Berlin, il avait dû passer pour un imbécile auprès d'Eisenschacht.

— J'espère que vous restez encore un peu de temps parmi nous, poursuivit l'Allemand. Ma femme et moi serions ravis de vous recevoir à la maison.

— C'est trop aimable, mais nous repartons demain matin pour Paris, dit Xénia.

— Je me demande si je ne vais pas prolonger notre séjour, intervint sèchement Gabriel. M. Eisenschacht aimerait me présenter quelques-uns de ses collaborateurs.

— Restez si vous le désirez, Gabriel. Pour ma part, je vais rentrer à la maison. Natacha m'attend. Je ne veux pas la laisser seule trop longtemps.

— Elle n'est pas seule, voyons. Elle a une gouvernante compétente et son oncle Cyrille pour veiller sur elle. Et puis vous pouvez toujours téléphoner. Je crois qu'il est important que nous passions encore quelques jours à Berlin. Faites-moi ce plaisir, ma chère. D'autant plus que vous connaissez bien cette ville. Je suis sûr qu'il y a des endroits que vous ne m'avez pas encore fait découvrir.

Xénia avait rarement vu Gabriel aussi glacial. Eisenschacht semblait s'amuser de la petite joute verbale. Les nerfs à vif, elle sentit monter en elle une colère sourde. Gabriel Vaudoyer n'avait pas à lui dicter sa conduite. Pour qui se prenait-il ? Loin de leur appartement et de leur vie parisienne, Xénia réalisait de manière plus évidente encore qu'elle s'était enfermée dans un carcan. Sophia lui avait parlé de son mariage avec Milo von Aschänger, de leurs trois enfants et du château de famille non loin de la mer Baltique. Son amie d'enfance avait pris de l'embonpoint, quelques cheveux blancs s'égaraient dans ses boucles noires, mais on voyait à son visage épanoui qu'elle avait trouvé le bonheur. À son côté, Xénia se sentit brusquement friable comme du verre.

Un coup de tonnerre éclata, les faisant tous sursauter. Une gerbe d'étincelles blanches et vertes explosa au-dessus des arbres. Il était minuit. Le feu d'artifice venait de commencer. On disait que le Dr Goebbels avait prévu un spectacle sans précédent, afin d'impressionner non seulement ses invités mais aussi les Berlinois qui se trouvaient à plusieurs kilomètres de là, sur la Potsdamer Platz. Xénia profita du désordre pour s'éloigner. Alors que les fusées bruyantes crépitaient autour d'elle et que les rosaces s'épanouissaient dans le ciel sombre, elle se réfugia dans un salon où brillait une seule lampe.

— Tu n'aimes pas les feux d'artifice ? demanda une voix profonde.

Xénia redoutait cette rencontre depuis sa descente de l'avion, mais elle ne broncha pas. Avec une crainte mêlée de joie, elle regarda Max von Passau émerger de la pénombre dans son habit noir au col rigide et au nœud papillon blanc. Même si elle s'enfuyait au bout du monde, tôt ou tard, leurs chemins se croiseraient à nouveau. Elle aurait aimé pouvoir s'y résigner.

— Bonsoir, Xénia, dit-il en inclinant le buste d'un air moqueur. Je vois que tu es venue avec ton mari. Cela fait près d'une heure que je l'observe. Un homme courtois au regard perspicace. Habile, aussi. J'ai remarqué les personnes qui l'intéressent. Des gens d'influence. Comme lui. Tu pourrais nous présenter. Je serais enchanté de faire sa connaissance.

— Je ne vois vraiment pas pourquoi. Vous n'avez rien en commun.

— Dois-je le prendre comme un compliment ou une insulte ?

— Que veux-tu dire ? Je ne comprends pas.

— C'est simple, pourtant. Tu nous as aimés tous les deux. Lui, suffisamment pour l'épouser, mais pas assez pour lui rester fidèle. Le trompes-tu avec d'autres hommes que moi ?

Xénia blêmit. L'ironie de Max ne la surprenait pas. Elle l'avait blessé. Plusieurs fois. Leur relation était trop intense pour être paisible. Entre eux, il y aurait toujours cette force vitale qui les dressait l'un contre l'autre, mais cette fois-ci, elle décelait dans le regard de Max quelque chose d'éteint qui l'effraya.

— Ma vie ne te regarde pas. Est-ce que je te demande si tu as des maîtresses ?

— Pourtant, tu brûles de le savoir, n'est-ce pas ? fit-il avec un sourire railleur.

Il s'approcha, mais elle ne recula pas. Puis il fut si proche qu'elle respira son parfum aux accents de cuir et de bois de santal. Sans la toucher, il la dominait d'une tête. Son corps était une montagne dont elle connaissait les pleins et les déliés. Les nerfs tendus à l'extrême, elle ne put s'empêcher de tressaillir. Max voulait l'intimider, ce qui l'exaspéra. Qu'avaient tous ces hommes à étaler leur force ? Les athlètes, les militaires, les nazis, Gabriel qui essayait de lui imposer sa loi, et maintenant Max qui cherchait Dieu sait quoi, à la menacer, à lui faire payer l'amour qu'elle ne parvenait pas à lui montrer, alors qu'elle portait cet homme en elle et que pas un jour ne s'écoulait sans qu'elle pense à lui.

— Je n'ai pas peur de toi, Max.

Il fouilla longuement son regard. Dehors, les éclairs rouges, verts et blancs cisaillaient le ciel. Sur la terrasse, les invités poussaient des exclamations.

— Tu mens, dit-il.

Pour toute réponse, Xénia se dressa sur la pointe des pieds et lui déposa un baiser sur les lèvres. Ils restaient droits, les bras le long du corps, mais elle l'embrassait, encore et toujours, et les lèvres distantes de Max finirent par céder.

— Ce sera toujours comme cela entre nous, murmura Xénia. On ne peut pas le nier. Ce qui nous unit est plus fort que ce qui nous sépare.

Elle eut un moment de faiblesse. Elle avait besoin qu'il la serre dans ses bras, afin de poser la tête sur son épaule et de puiser chez lui une force qui, d'un seul coup, l'abandonnait. Mais Max ne fit aucun geste vers elle. C'était la première fois que Xénia percevait cette retenue, et elle en fut troublée.

— Où êtes-vous descendus ? demanda-t-il d'un ton neutre.

— À l'Adlon.

— Tu restes encore longtemps ?

— Non. Je repars demain. Contre le gré de mon mari.

— Pourquoi ?

— Il veut prolonger notre séjour de quelques jours, mais maintenant que je t'ai revu, je ne peux pas rester, sinon je me retrouverai dans tes bras une nouvelle fois, lança-t-elle d'un air taquin, comme si elle cherchait à le séduire.

— Tu es bien présomptueuse.

— Je suis réaliste.

— Serait-ce si terrible ?

— Bien sûr que non. Nos corps s'entendent à merveille. Si seulement nous y parvenions aussi bien.

Il se contenta de hocher la tête. Xénia ne lui connaissait pas cette réticence. Elle prit peur. Brusquement, elle réalisa que l'amour de Max lui avait toujours semblé une évidence, et maintenant qu'il lui échappait, elle se sentait désemparée. Lorsqu'il lui effleura le bras du dos de la main, presque à regret, sa caresse ne fut que brûlure.

— C'est comme une punition, n'est-ce pas ? lança-t-elle, les larmes aux yeux. Tant d'années séparés. Et quand on se retrouve, c'est toujours aussi douloureux.

— Parce que tu l'as voulu ainsi, Xénia.

Il se détourna avec un sourire triste. Les lumières dessinaient des arabesques de couleur sur les murs. Le cœur battant, Xénia ne le quittait pas des yeux.

— Pourquoi es-tu si distant ?

Il ne répondit pas. Elle s'approcha de lui, détailla le visage rigide, posa une main sur son épaule. En sentant la tension nerveuse qui le parcourait, son cœur se serra.

— Qu'est-ce qui ne va pas, Max ? Je peux peut-être t'aider. Parle-moi, je t'en prie !

Il fut touché de la voir dévoiler cette fragilité inattendue. Elle attendait quelque chose et il devinait qu'à cet instant-là tout était encore possible. Dehors, les explosions du feu d'artifice devenaient assourdissantes. Max frémit. Il ne pouvait pas lui expliquer. Pas maintenant. Sa vie l'emmenait ailleurs. Tant que les fauves tiendraient son pays entre leurs crocs.

— Ne m'en veux pas, murmura-t-il.

Le feu d'artifice prit fin et les invités se mirent à applaudir à tout rompre. Quelques-uns poussèrent les portes-fenêtres pour entrer dans le salon. Max et Xénia s'écartèrent.

— Viens, allons prendre l'air, ajouta-t-il.

Quand ils sortirent sur la terrasse, les dernières fumées mouraient dans le ciel. On respirait des relents de poudre. Ils virent Sophia qui revenait vers eux en gesticulant et en tirant Milo par le bras.

— Vous ne devinerez jamais ce qui se passe ! s'exclama-t-elle en riant, sans sembler s'étonner de trouver Max avec Xénia.

— Aviez-vous remarqué les ravissantes filles déguisées en pages qui portaient les flambeaux ? s'amusa Milo. Eh bien, figurez-vous qu'elles sont en train de se faire trousser dans les fourrés ! Goebbels a convié certains de ses camarades qui avaient fait le coup de main dans les quartiers ouvriers avant la prise de pouvoir. Mais j'ai l'impression qu'il ne maîtrise plus ses troupes.

Max et Xénia se regardèrent d'un air ébahi.

— Regardez ! cria Sophia en montrant du doigt des maîtres d'hôtel qui en étaient venus aux poings.

Quelques convives éméchés se mirent à renverser des tables en riant. La vaisselle, les chandeliers et les verres se fracassèrent sur le sol. On entendait des glapissements dans les buissons. Un couple qui se tenait par la main passa devant eux en courant. Avec des mines consternées, plusieurs diplomates étrangers se dépêchaient de rejoindre les bateaux à moteur qui devaient les ramener à la rive. Un peu à l'écart, dans sa belle robe en organdi, son collier de perles autour du cou, Magda Goebbels ouvrait de grands yeux horrifiés.

Avec force moulinets de bras, le Dr Goebbels, rouge de colère, invectivait ses aides de camp qui se précipitaient entre les arbres pour essayer de rappeler à l'ordre les ivrognes et d'éviter le désastre d'une soirée qui se délitait sous les yeux d'invités venus du monde entier.

Une fois passé les premiers instants de stupeur, Max, Xénia, Milo et Sophia échangèrent un regard complice, puis ils n'y tinrent plus et se mirent à rire à gorge déployée.

Paris, mai 1937

Xénia s'arrêta au palier du quatrième étage pour reprendre son souffle et fronça le nez en respirant les relents de soupe à l'oignon. La rampe avait laissé une traînée noire sur son gant de fil. Elle épousseta ses mains d'un geste vif. Encore deux étages. Avec une grimace amusée, elle se rappela l'époque où sa famille habitait sous les toits et qu'elle accomplissait ce genre d'exercice plusieurs fois par jour sans broncher. Elle reprit son ascension, puis frappa à la porte de son oncle Sacha.

— Que fais-tu là ? lui demanda-t-il d'un air bougon.

— Tu n'es pas venu me voir depuis des semaines. Tu ne réponds pas à mes messages. Je commençais à m'inquiéter. Tu ne m'invites pas à entrer ? ajouta-t-elle, car il continuait à lui barrer le passage.

Il hésita, avant de reculer d'un pas. La petite chambre était parfaitement rangée, la fenêtre ouverte sur le ciel sans nuages. Dans un coin se trouvait l'icône de la Vierge de Kazan qui avait appartenu à Nianiouchka. Sur un mur, une photographie de l'empereur Nicolas II, une autre du tsarévitch en costume marin avec ses sœurs, les grandes-duchesses, leurs longs cheveux blonds dénoués sur les épaules. Posée sur le lit, une petite valise à moitié remplie. Prise au dépourvu, Xénia resta figée quelques instants à la regarder. Sans dire un mot, Sacha décrocha un veston accroché à une patère, qu'il plia et rangea dans la valise. Il y avait quelque chose d'irrévocable dans la précision de ses gestes.

— Qu'est-ce que ça veut dire ? demanda-t-elle d'un ton cinglant.

— Ne commence pas, je t'en prie, Xénia.

— Comment ça ? Tu fais le mort pendant des jours. Je viens te voir. Je grimpe six étages par cette chaleur infernale et je te trouve en train de faire ta valise. Avais-tu l'intention de partir sans me le dire ?

Son oncle se pencha au-dessus du lit pour décrocher l'icône. Un pan de sa chemise se releva, dévoilant une bande de peau très blanche. Le cœur de Xénia se mit à battre la chamade.

— Où vas-tu, Oncle Sacha ? J'ai le droit de le savoir.

Il baisa l'icône avant de l'envelopper soigneusement dans un morceau d'étoffe rouge et de la placer au centre de la valise.

— Je ne veux plus rester ici. Je pars me battre.

— En Espagne ?

— Oui.

Xénia hocha la tête, la gorge nouée. Elle ne pouvait plus prononcer un mot. Une nouvelle fois, Sacha la mettait devant le fait accompli. La guerre d'Espagne déchaînait les passions depuis un an. Lors de l'abdication du roi Alphonse XIII, le pays avait fêté la naissance de la république avec des kermesses et des feux de joie, mais le gouvernement du *Frente Popular* n'avait pas réussi à imposer ses réformes en pleine crise économique. Une violente vague d'anticléricalisme avait déferlé sur le pays où l'Église était devenue le symbole de la réaction. Alarmée par la multiplication des attentats et le désordre créé par la gauche révolutionnaire, la droite nationaliste s'était rassemblée autour du général Francisco Franco, qui s'était proclamé l'ennemi du gouvernement républicain. Or la guerre civile était rapidement devenue un enjeu international. Pour des raisons stratégiques, Franco avait fait appel à l'Allemagne et à l'Italie, dont il partageait les aspirations fascistes, en leur réclamant des hommes et du matériel. De leur côté, les républicains s'étaient tournés vers les Soviétiques et les volontaires de tous pays engagés dans les Brigades internationales. Sous les yeux du monde, la péninsule s'était transformée en un échiquier sanglant où s'affrontaient deux forces impitoyables, les républicains antifascistes et les ennemis du bolchevisme. La pensée de son frère lui traversa l'esprit. Cyrille serait dévasté d'apprendre le départ de cet oncle qu'il adorait. Pire encore, il pourrait avoir des velléités de le suivre. Pour cela, il faudra me passer sur le corps, se dit Xénia.

— Est-ce que Cyrille est au courant ? demanda-t-elle.

— Oui. Je l'ai prévenu il y a quelques jours. Macha aussi. Je suis allé la voir pour lui annoncer mon départ.

— Mais moi, je ne suis pas digne d'être informée, se fâcha-t-elle. Ou est-ce que tu attendais la dernière minute pour me l'annoncer, comme d'habitude ?

Sacha posa les mains sur ses épaules. Elle fut irritée de sentir des larmes lui piquer les paupières.

— Je savais quelle serait ta réaction et je redoutais de te faire de la peine une nouvelle fois. Je te dois tellement, Xénia. Depuis tant d'années. Je devais d'abord trouver en moi la force de te le dire en face et de te demander ta bénédiction. Celle que tu m'as refusée à Odessa.

Soumis au regard intraitable de sa nièce, Sacha revit la jeune fille dans son épais manteau militaire, un Nagan coincé dans la ceinture. Elle était si jeune quand il l'avait laissée seule sur le quai de ce port de Crimée. Seule avec ce qui restait de leur famille. Parmi les bourrasques de neige et le tumulte des Russes pourchassés, Xénia s'était tenue toute droite, ses yeux gris traversés d'orages. C'est une louve, avait-il pensé, impressionné par sa détermination et son courage. Une louve blanche, souveraine, qui donnerait sa vie pour défendre les siens. Et c'est la raison pour laquelle il avait pu la laisser partir.

— Pourquoi veux-tu ma bénédiction pour aller te faire tuer ? répliqua Xénia, furieuse. C'est ta dernière trouvaille pour combattre les communistes, c'est ça ? Tu espères reprendre le fil d'une vie qui a été rompu il y a plus de quinze ans. En fait, tu n'as jamais accepté notre défaite. Et maintenant que les Soviétiques arment les rouges, tu crois qu'en allant te battre contre les républicains tu combattras pour l'Armée blanche. Mais tu rêves, Oncle Sacha ! C'est une guerre horrible, d'une cruauté sans nom comme le sont toujours les guerres fratricides. Les deux camps commettent les pires atrocités. On le lit tous les jours dans les journaux. Lorsque tu seras en train de te vider de ton sang sur la terre espagnole, à quoi te servira ton idéal ? En quoi est-ce que ces gens-là te seront reconnaissants ? Tu ne parles pas leur langue, tu ne partages pas leur culture. Ils n'ont même pas la même religion que nous ! Pourquoi veux-tu aller te perdre dans un conflit qui ne nous concerne pas ?

Sacha ferma sa valise et la posa sur le sol, puis il s'assit sur le lit pour regarder sa nièce.

— Moi, il me concerne. Tu as raison, c'est ma dernière chance d'aller défendre mes idées. C'est une question d'honneur. De fidélité. Je vais me battre avec d'autres chrétiens contre les tenants d'une idéologie totalitaire qui a massacré ma famille et asservi mon pays. Qui affame et martyrise des millions de gens. Je hais les bolcheviks de tout mon être, lança-t-il, la mâchoire crispée. Pendant des années, j'ai traîné ici comme un malheureux et j'en ai honte. Honte, tu m'entends ? Je me suis mis à jouer. À boire. J'ai fait de la prison. Je suis devenu un mort vivant. Quand est-ce que tu le comprendras enfin ?

D'un seul coup, Sacha avait redressé les épaules, retrouvé son assurance d'autrefois et une partie de cet éclat dont avait hérité Cyrille.

— Tu es beaucoup plus rationnelle que moi, Xénia. Tes choix sont toujours réfléchis. Tu sais protéger les tiens, leur trouver un toit et un travail. Pour leur bien, tu les enfermes dans de sages petites cages et tu vérifies s'ils ont à boire et à manger. Tu édictes des règles pour les protéger, et gare à celui qui ne les suivrait pas à la lettre. Regarde-toi ! Tu es prisonnière toi aussi de l'une de ces cellules immaculées. Quelle perfection ! Ton élégance, ton maintien, tes certitudes. L'éducation de ta fille, l'intérieur de ta maison. La place que tu accordes à ton mari. C'est ordonné à faire peur. Tu es là, devant moi, mais je ne te reconnais plus. J'ai parfois l'impression que tu t'es égarée en chemin.

Il se tenait la tête haute. Le regard franc. Et ses paroles frappaient Xénia telles des flèches.

— Ce n'est pas ça, la vie, Xénia, reprit-il d'une voix plus tendre. La vie, c'est cette flamme qui guide chacun d'entre nous. C'est de croire en quelque chose qui n'est pas forcément tangible, qui ne se mesure pas mais qui nous inspire et nous permet de devenir meilleur que ce que nous sommes. À quoi bon une belle armure si elle ne contient que du vent ?

Il se leva, fit deux pas vers la fenêtre. On pouvait à peine se retourner entre le lit avec sa couverture rapiécée, le lavabo et le petit poêle à charbon. Xénia aussi avait l'impression d'étouffer. Elle craignait de bouger ; le moindre de ses gestes pouvait briser quelque chose. De quel droit Sacha lui parlait-il comme si elle était devenue un monstre de pierre ? Et ce regard apitoyé ! C'était insupportable ! Oui, elle avait construit une carapace autour des siens. Comment pouvait-on le lui reprocher ? Elle les avait menés à bon port. Du moins ceux qu'elle avait pu sauver. Et l'image de sa mère enveloppée dans son linceul blanc la déchira de part en part. Xénia chancela. Ce jour-là, elle avait failli à son rôle et elle n'avait jamais pu se le pardonner. Non seulement elle avait abandonné sa mère, mais elle n'avait même pas trouvé le temps de lui dire qu'elle l'aimait.

Une larme glissa le long de sa joue. Aussitôt, elle l'essuya d'un geste rageur, ne voulant surtout pas que Sacha devine chez elle la moindre fêlure. Ses paroles l'avaient touchée au cœur. Cette flamme dont il parlait, elle ne la connaissait que trop bien pour s'y être brûlée maintes et maintes fois.

Quand son oncle se tourna vers elle, il souriait. Ses joues étaient lisses, ses yeux apaisés.

— Ne crois pas que je sois ingrat. Je te remercie du fond du cœur pour tout ce que tu as fait pour moi. C'est seulement qu'un corps ne sert à rien si l'âme est morte. Il est temps pour moi de revivre. Le temps que Dieu m'accordera encore sur cette terre.

Sacha la prit dans ses bras avec précaution, comme s'il craignait de lui faire mal, et l'attira à lui. Xénia resta rigide, emmurée dans son chagrin, façonnée malgré elle par ce combat qu'elle livrait depuis tant d'années. Un frisson la parcourut. Lui revinrent en mémoire des souvenirs de son enfance, de la grande demeure à Saint-Pétersbourg, de la joie qui l'irradiait quand elle entendait son oncle l'appeler dès qu'il franchissait la porte de la maison. Elle dévalait l'escalier, se jetait dans ses bras, et il la faisait tournoyer sous le lustre du vestibule en riant aux éclats. À l'époque, la vie lui avait promis un bonheur si grand que ses deux bras ne suffisaient pas à l'encercler. Avec un soupir, la jeune femme s'abandonna et enlaça son oncle. Il s'en allait et elle savait qu'elle ne le reverrait plus. Sacha mourrait sur cette terre étrangère aux âpres étendues brûlées par le soleil, mais elle lui donnerait sa bénédiction comme il le lui avait demandé, parce qu'elle réalisait enfin, dans cette mansarde sous les toits de Paris, qu'il ne sert à rien de tout vouloir maîtriser, que les remparts qu'on érige à force de volonté peuvent se transformer en tombeaux, et que seuls comptent le désir et l'espérance, avec tout ce qu'ils possèdent d'insaisissable et d'exaltant.

Quelques semaines plus tard, au pied de la colline de Chaillot, campée devant le pavillon soviétique de l'Exposition internationale des arts et techniques, Xénia Ossoline leva la tête d'un air sombre, comme si elle défiait la silhouette d'une dizaine de mètres de hauteur du couple qui s'élançait en brandissant une faucille et un marteau, symboles d'un système politique totalitaire qu'elle abhorrait. Elle était d'autant plus agacée qu'elle ne pouvait pas s'empêcher d'admirer l'énergie qui émanait de l'œuvre gigantesque de Vera Mukhina. C'est un ouvrier et une kolkhozienne, mais avant tout un couple de Russes, songea-t-elle pour se rasséréner. Bien qu'elle mourût d'envie d'entrer dans le pavillon, elle s'en abstiendrait, ne voulant pas passer pour une visiteuse admirative.

Un coup de vent menaça de faire s'envoler son chapeau qu'elle retint d'une main. Elle pivota sur ses talons et se trouva confrontée à la masse monolithique d'un cube aux pilastres épais que surmontait un aigle arrogant. Lorsqu'il avait conçu le pavillon allemand, l'architecte Albert Speer avait choisi d'opposer une barrière infranchissable à l'élan soviétique, comme si la vague de la révolution communiste devait venir se briser contre la falaise nazie. Il y avait quelque chose de redoutable dans l'affrontement de ces deux forces belliqueuses.

— Xénia ! appela une voix.

Macha portait un charmant ensemble en lin vert, dont la veste cintrée soulignait sa taille fine, et un petit chapeau assorti. Soucieuse, Xénia remarqua les cernes sous ses yeux.

— C'est beau, tu ne trouves pas ? s'exclama Macha avec un enthousiasme enfantin. Est-ce que tu as déjà visité le pavillon de l'Électricité ? Il faut absolument que tu ailles voir le travail de Dufy. C'est passionnant. Et les Espagnols ? Ils exposent une toile de Picasso. Un hommage aux victimes de ces affreux bombardements de Guernica…

— Qui parle de bombardements ? On n'est même pas sûr qu'ils aient eu lieu, ironisa Nicolas Alexandrovitch en surgissant tel un mauvais génie au côté de sa femme. On raconte que c'est encore un coup de propagande des républicains espagnols. Les rouges auraient incendié la ville afin de faire porter le chapeau aux nationalistes.

— Je n'en crois pas un mot, rétorqua Xénia. Un journaliste anglais a décrit très précisément ce qui s'est passé. Il était sur place le lendemain du massacre. Les Allemands utilisent le pays comme un champ de manœuvres à taille humaine.

— Vous feriez mieux de vous méfier de ce que vous dites, murmura Nicolas. Ils ne sont pas très loin, ajouta-t-il avec un mouvement du menton en direction du pavillon nazi. Mais peut-être que Sacha nous donnera un jour le fin mot de l'histoire ? Avez-vous reçu des nouvelles du valeureux combattant ?

Xénia se retint de l'envoyer au diable, mais le regard apeuré de Macha l'incita à se taire. Au début de son mariage, quand le couple s'était installé rue Lecourbe, Macha avait été radieuse. Bien que son travail de mannequin ne lui procurât pas la même notoriété qu'à Xénia, il permettait de mener une vie décente, car Macha ne pouvait pas compter sur son mari. Nicolas Alexandrovitch avait la fâcheuse habitude de changer de travail comme de chemise. Il décrochait de temps à autre un salaire confortable dont il se vantait avec l'air goguenard de celui qui aurait réussi le casse du siècle, mais après quelques mois il s'en allait vers d'autres horizons. Xénia n'avait jamais réussi à savoir s'il était renvoyé ou s'il partait de son plein gré parce qu'il était paresseux comme une couleuvre. Mais elle aurait pu excuser le dilettantisme de son beau-frère si elle n'avait pas commencé à avoir des soupçons sur la manière dont il traitait sa sœur.

Au début, les changements chez Macha avaient été à peine perceptibles. Une certaine fébrilité, une humeur irascible pour un propos anodin, un regard absent quand elle jouait avec Natacha… Une fausse couche quelques mois après son mariage l'avait laissée anémiée et fragile. « Je ne comprends pas pourquoi tu n'as pas d'autres enfants, avait reproché un jour Macha à sa sœur. Nicolas et moi, nous aurons une famille nombreuse. » Elle l'avait décrété avec un rare aplomb pour quelqu'un d'aussi superstitieux.

Ce jour-là, sans le savoir, Macha avait touché un point sensible chez sa sœur. Xénia ne lui avait pas avoué qu'elle s'était étonnée elle aussi de ne pas tomber enceinte de Gabriel. Son mari n'avait jamais abordé le sujet. Savait-il qu'il ne pouvait pas avoir d'enfants et redoutait-il confusément de le lui dire ? Était-ce la raison pour laquelle il avait si facilement accepté la présence de Natacha dans sa vie ? Au début de leur mariage, Xénia en avait conçu quelques regrets. Elle aurait aimé lui faire le cadeau d'un enfant. Mais tout avait changé dès que Max était revenu dans sa vie. La jeune femme s'était sentie soulagée. Un enfant devait être un gage d'amour, non une reconnaissance de dette.

Au fil des mois, Macha s'était renfermée sur elle-même. Elle avait cessé de contredire Xénia à la moindre occasion. Les nerfs à vif, elle sursautait parfois, l'esprit ailleurs. Xénia était convaincue que le responsable était son beau-frère, qui ne perdait pas une occasion pour la rabrouer devant les autres, la traitant comme une enfant incapable. Macha n'était pas érudite, mais elle avait un goût artistique très sûr. Sa naïveté faisait partie de son charme, et les hommes qui la courtisaient autrefois avaient aimé cette innocence qui leur donnait envie de la protéger. Ce n'était pas le cas de Nicolas, qui semblait s'en irriter. Mais alors pourquoi l'avoir épousée ? se demandait parfois Xénia. Ses soupçons avaient été renforcés quand Cyrille, revenant de la rue Lecourbe, lui avait raconté que Nicolas était rentré à l'improviste dans l'après-midi, semant la panique chez Macha qui avait aussitôt mis son jeune frère à la porte. Mais quand elle tentait d'aborder le sujet avec sa sœur, Macha rougissait et l'envoyait au diable.

— Gabriel est-il avec toi ? demanda Macha.

— Non. Il est encore au palais, mais il ne devrait pas tarder.

— Me Vaudoyer travaille toujours comme un fou, se moqua Nicolas qui jalousait son beau-frère.

— Contrairement à d'autres que je connais, répliqua Xénia. Que faites-vous ces derniers temps, Nicolas Alexandrovitch ?

— Je termine la rédaction de mon roman. Mon éditeur prétend que c'est une œuvre d'une qualité rare.

— Je n'en doute pas. Voilà tant d'années que vous y travaillez d'arrache-pied. J'attends avec impatience de le lire enfin.

L'ironie de Xénia fit mouche. Agacé, Nicolas saisit le bras de sa femme.

— Veuillez nous excuser, Xénia Féodorovna, mais nous avons des choses à faire.

Macha esquissa un sourire d'excuse et se laissa entraîner par son mari. Xénia les suivit du regard, n'aimant pas la manière avec laquelle Nicolas avançait à grandes enjambées, obligeant sa femme à trottiner à son côté. Quel mufle ! Comment Macha pouvait-elle le supporter ?

Elle vérifia l'heure à sa montre. L'ambassadeur d'Allemagne les avait invités, Gabriel et elle, à une réception, pour fêter la remise de quelques médailles à des exposants. Macha et Nicolas l'avaient retardée et elle n'arrivait pas à oublier le regard éperdu de sa petite sœur. Troublée, elle se dépêcha de gravir les marches du pavillon et passa entre les sculptures monumentales qui flanquaient les portes d'entrée. À l'intérieur, d'immenses lustres éclairaient le temple austère mais grandiose. La foule déambulait parmi les vitrines qui présentaient des œuvres d'art caractéristiques du pays. Xénia y jeta un coup d'œil distrait. On n'y trouverait pas les représentants de l'art que les nazis considéraient comme « dégénéré » et qu'ils stigmatisaient au même moment lors d'une exposition à Munich. On lui indiqua l'ascenseur, et elle rejoignit le dernier étage où s'était établi le célèbre restaurant berlinois Horcher.

Les invités bavardaient d'un air enjoué, un verre de champagne à la main. Elle chercha des yeux Gabriel, se demandant si son mari était déjà arrivé, car ils étaient convenus de se retrouver à la réception. Parmi les bouquets de fleurs, des petits drapeaux rouges à croix gammée ornaient les tables. Comme à Berlin, elle nota l'insigne du parti à de nombreuses boutonnières, mais l'absence d'uniformes. Certains hommes la dévisageaient avec insistance, les yeux brillants. Elle s'amusa de posséder la blondeur au goût du jour. Mais s'ils savaient qu'elle était slave… Un brin narquoise, elle préféra se détourner, n'ayant guère envie d'entamer une conversation avec un fervent nazi.

La vue panoramique sur la tour Eiffel et l'esplanade du Trocadéro était splendide, et Xénia s'approcha d'une baie vitrée pour mieux l'admirer. Paris s'étendait à ses pieds. Des applaudissements retenus attirèrent son attention. Une jeune femme élancée venait d'entrer dans la salle. Xénia reconnut Leni Riefenstahl, qui avait reçu des mains du Président Édouard Daladier une médaille d'or pour son documentaire *Le Triomphe de la volonté*. Tout est bon pour leur propagande et les étrangers se laissent berner, songea Xénia. Max avait travaillé avec la cinéaste lors des Jeux olympiques. Comment pouvait-il s'acoquiner avec ces gens-là ? Quand Xénia lui avait demandé pourquoi il ne partait pas s'installer à New York ou à Paris, comme beaucoup d'autres photographes, il s'était contenté de hausser les épaules. « J'aime mon pays, avait-il répondu. Je ne vais pas l'abandonner en pleine tempête. »

— Pardonnez-moi, madame, mais est-ce que vous ne seriez pas Xénia Ossoline ? lui demanda-t-on en allemand.

Xénia se tourna vers une élégante femme brune, vêtue d'une robe ivoire froncée à la taille et aux manches boutonnées. Deux clips en diamants en marquaient le col. Le chapeau à large bord incliné dévoilait un visage aux traits décidés et des gants noirs soulignaient la rigueur de sa tenue. Les yeux sombres l'observaient d'un air grave. Se seraient-elles croisées lors de son séjour à Berlin ?

— Nous nous connaissons ? demanda Xénia, intriguée.

— Non, mais j'ai souvent admiré des photographies de vous.

La jeune femme sourit, mais son regard demeura réservé, presque inquiet. C'est Sara Lindner, pensa soudain Xénia. L'amie de cœur de Max, celle qui avait été son premier amour. La jalousie la transperça. C'était à cause de Sara Lindner qu'elle s'était brouillée la première fois avec lui, et cette rupture qui aurait dû être anodine, une simple querelle entre des amants fervents et indociles, avait entraîné son mariage avec Gabriel. Sa vie avait brusquement bifurqué, l'éloignant de Max et la renvoyant à une solitude intérieure qui s'intensifiait au fil des ans.

Xénia repensa à l'émotion avec laquelle Max évoquait toujours cette femme. Un mélange d'admiration, de tendresse et d'amour, bien sûr, parce qu'une partie de lui aimait encore Sara et l'aimerait probablement toujours. Je devrais la détester, pensa Xénia, fiévreuse.

Pourtant, elle se savait injuste. Sara Lindner n'avait jamais été sa rivale. Mais, à l'époque, Xénia avait refusé d'admettre qu'on puisse éprouver une fidélité de cœur pour un être autrefois aimé. Elle s'était sentie menacée, alors que cette constance de Max était avant tout une fidélité à lui-même. Elle avait été trop jeune pour comprendre ces subtiles résonances entre les différentes amours qui composent une vie, des ardeurs aussi brèves et violentes qu'un orage d'été ou infiniment plus profondes, et qui se réfléchissent à l'infini dans les miroirs d'une même âme.

Elle réalisa qu'elle dévisageait Sara Lindner depuis de longues secondes avec une avidité qu'elle n'avait pas réussi à masquer, mais l'Allemande n'avait pas bronché.

— Pardonnez-moi, dit Xénia en lui tendant la main. Vous m'avez troublée. Je ne vous connais pas, mais je suis certaine que vous êtes Sara Lindner, n'est-ce pas ?

— Je suis soulagée, dit Sara avec un sourire. À un moment donné, j'ai crains que vous ne me tourniez le dos.

— Seigneur, suis-je aussi impolie que cela ? C'est que Max… Notre histoire est tellement…

— Je comprends, murmura Sara. Je ne voulais pas vous mettre mal à l'aise. Si vous voulez, je peux vous laisser.

— Non ! Surtout pas. Dites-moi ce que vous êtes venue faire à Paris. Je suppose que votre visite est liée à l'exposition…

— Bien sûr. Quelques-unes de mes robes sont exposées au pavillon de l'Élégance. J'ai même eu la chance de recevoir une médaille du jury, avoua-t-elle en rougissant.

— Félicitations ! Mais comment est-ce possible que vous soyez ici ? Je veux dire : vous êtes… Oh, mon Dieu, je m'exprime mal !

Sara sembla amusée de voir les joues de Xénia s'empourprer à leur tour, mais elle reprit aussitôt un air plus tendu.

— N'ayons pas peur des mots. Je suis juive, en effet, et vous devez vous demander comment les nationaux-socialistes tolèrent ma présence en ce lieu vénérable, railla-t-elle. Je ne suis pas le seul « parasite » à avoir été primé. Fritz Grünfeld est le propriétaire du plus élégant magasin de linge de maison berlinois. Il compte parmi ses clientes Frau Goebbels et Frau Göring, et on vient de lui remettre une médaille d'or. C'est bien là toute leur perversité. Ils nous persécutent par petits groupes. Trouvent toujours des exceptions pour mieux nous déstabiliser. Les anciens combattants, les femmes, les diplômés, ceux qui travaillent dans un secteur de l'économie qui emploie beaucoup d'Aryens… Il me faudrait des heures pour vous réciter le catalogue des dérogations. Ainsi, les uns et les autres se rassurent comme ils peuvent. Nous nous raccrochons aux branches, mais l'étau se resserre. Les exceptions se font de plus en plus rares. Bientôt, il n'y en aura plus, conclut-elle d'une voix blanche.

Les pommettes de Sara saillaient dans son visage exsangue. Elle porta une main à sa gorge en regardant autour d'elle d'un air craintif. Le cœur de Xénia se serra. Il y avait quelque chose d'humiliant à voir la peur sur le visage de cette femme distinguée. Par la baie vitrée, elle remarqua les drapeaux rouges soviétiques qui claquaient au vent. Un goût acide lui envahit la bouche. Cette angoisse qui vous prenait aux tripes, vous réveillait la nuit avec des sueurs froides, vous tenaillait quand vous marchiez dans les rues de votre ville, alors que les regards des passants reflétaient la haine, elle l'avait vécue dans sa chair et dans son sang, et elle ne l'avait jamais oubliée. Brusquement, Xénia n'y tint plus et saisit la main de Sara.

— Venez ! ordonna-t-elle, avant de l'entraîner vers l'ascenseur.

Lors de la réception, Sara avait été frappée d'emblée par la personnalité d'une femme distinguée, en tailleur beige piqué de blanc, un collier de perles baroques autour du cou, qui se tenait à l'écart et contemplait la vue par la baie vitrée. Avec un sourire énigmatique, elle avait semblé si parfaitement sereine que Sara lui avait envié ce calme, un luxe dont elle avait oublié le goût depuis longtemps. Puis, quand l'inconnue s'était tournée vers elle, Sara avait reconnu Xénia Ossoline.

La vie vous joue parfois de drôles de tours. Sara avait commencé par refuser ce voyage à Paris, ne voulant pas laisser sa famille, même pour quelques jours, mais Max l'avait encouragée à partir. Il lui avait semblé indispensable qu'elle vienne recevoir sa récompense. « Il faut que ton nom paraisse dans les journaux, avait-il insisté. On parlera de toi. C'est important de ne pas rester anonyme. » Elle n'avait pas osé le contredire, mais elle doutait que sa notoriété fît une différence au sort qu'on réservait aux juifs. Or ces deux journées de liberté parisienne lui avaient fait réaliser combien l'atmosphère à Berlin était devenue irrespirable. La veille, après une nuit blanche, Sara était arrivée à la conclusion qu'elle devait faire sortir sa famille d'Allemagne. Sa mère souffrante refusait de l'envisager pour elle-même, mais la vieille dame l'engageait à partir avec les enfants. Quant à Victor, elle parviendrait bien à le convaincre de la suivre. Puis, le lendemain, par le plus grand des hasards, elle avait croisé le chemin de cette femme dont les photographies ornaient toujours le studio de Max.

Elle avait été touchée que Xénia perçoive son malaise et l'entraîne de force à l'air libre, sans lui lâcher la main, alors même qu'elles dévalaient les marches du pavillon. Dans leur course, il y avait eu la vitalité de fillettes espiègles qui partent jouer au fond du jardin, mais aussi l'ardeur de deux femmes qui connaissent la persécution et la peur, et affrontent la vie sans baisser les yeux. Deux femmes qui ont aimé le même homme.

Xénia lui avait pris le bras pour remonter jusqu'à la place du Trocadéro où elle l'avait installée d'autorité à la terrasse d'un café. Le fond de l'air était doux, la colonne de la Paix se dressait dans le ciel où le soleil déclinant dessinait des traînées roses. Xénia avait appelé le garçon en long tablier blanc et commandé deux cocktails à la vodka. Quand Sara avait voulu protester, la Russe avait eu un geste désinvolte, prétendant qu'elles avaient besoin d'un remontant, et que personne n'avait jamais rien inventé de mieux que la vodka pour reprendre espoir. Amusée, Sara avait cédé. C'était agréable de se laisser guider, surtout quand on avait l'habitude de toujours prendre l'initiative.

Xénia Ossoline avait une manière bien à elle de s'imposer. Sous son air mutin, le regard gris se durcissait et le ton de sa voix ne tolérait aucune contradiction. Mais cette emprise, qui aurait pu être déplaisante, dégageait une énergie irrésistible, et derrière ces manières autoritaires se devinaient des émotions plus complexes. Quand Xénia parlait des siens, de sa fille ou de son frère Cyrille, son visage s'éclairait d'une douceur émouvante. De temps à autre, elle laissait échapper un rire spontané, et sa joie était si absolue qu'on ne pouvait que la partager.

Xénia s'était intéressée à la famille de Sara, à ses enfants, à Victor. Elle avait décoché des questions précises avec un staccato de mitrailleuse, mais écouté attentivement les réponses. Son regard plongé dans celui de Sara, on aurait dit que le monde n'existait plus. Elle était tout entière dans l'instant et sa ferveur avait quelque chose d'envoûtant. Max avait saisi et sublimé cette intensité dans ses photos et Sara avait enfin compris pourquoi il ne parvenait pas à faire le deuil de cet amour.

Un an auparavant, troublé d'avoir croisé les Vaudoyer lors de leur séjour à Berlin, Max avait raconté à Sara le destin de Xénia Ossoline. Pour la première fois, il lui avait aussi dévoilé les secrets de leur amour, la séparation, leurs retrouvailles quelques années plus tard, et cette attirance qui n'avait jamais faibli. À son regard éteint et aux frémissements qui le parcouraient, Sara avait deviné que Max portait en lui telle une punition l'absence de la femme qu'il aimait, et qu'il s'agissait d'une souffrance de tous les jours.

— Que devient-il ? demanda soudain Xénia à voix basse.

Sara sursauta.

— Vous parlez de Max ?

— Bien sûr.

Sara hésita. Que dire ? Des banalités ? Lui raconter que Max travaillait de temps à autre pour Heinrich Hoffmann, le photographe attitré du Führer, devenu incontournable dans le monde artistique et qui lui confiait des portraits de dignitaires nazis ou d'adolescents des Jeunesses hitlériennes que dirigeait son gendre, Baldur von Schirach ? Lui avouer que Max avait encore rompu avec sa dernière maîtresse en date et qu'il ne restait jamais plus de quelques mois avec une même femme, alors qu'il méritait tellement mieux que de demeurer fidèle à un amour improbable ? Sans oublier qu'il appartenait à cette poignée de gens intègres qui refusaient en leur âme et conscience la dictature sanglante, mais cela, personne ne devait le savoir.

Irritée, Sara prit une gorgée de son cocktail. Autour d'elle, les Parisiens profitaient du beau temps. Leurs voix joyeuses résonnaient aux tables des terrasses bondées. Les voitures décapotables contournaient la place, se dirigeant vers le bois de Boulogne où les restaurants resteraient ouverts tard dans la nuit. Les femmes portaient des tailleurs à manches gigot, des robes d'été parées de larges nœuds dans le dos, avec une profusion de fleurs véritables ou en tissu épinglées à leurs corsages, leurs poignets ou leurs chapeaux. Cet été-là, la Parisienne se rêvait romantique. Parce qu'elle peut se le permettre, songea Sara, amère, et d'un seul coup elle éprouva un sursaut de colère envers ces gens qui regardaient en spectateurs complaisants le drame qui se jouait de l'autre côté du Rhin, laissant Hitler impunément réarmer le pays, dénoncer les traités internationaux et persécuter des innocents.

— Max souffre parce que vous l'avez abandonné et qu'il ne parvient pas à vous oublier, lança-t-elle d'un ton sec.

Xénia blêmit. Dans ses yeux passa un éclair de colère. Visiblement, elle n'avait pas l'habitude qu'on la défie.

— Je ne vois pas ce que vous voulez dire, protesta-t-elle en redressant les épaules.

— Mais si ! reprit Sara, exaspérée. Pardonnez-moi, mais je n'ai pas de temps à perdre. Demain matin, je reprends le train pour Berlin. Dans mon pays, on torture et on assassine des gens dans des camps de concentration. On tourmente mes enfants. On cherche à me prendre mes biens en échange d'une bouchée de pain. On m'a privée de mes droits civiques. Je ne peux plus entrer dans certains restaurants ni m'asseoir à une terrasse de café, comme nous le faisons aujourd'hui. Mes amis aryens prennent des risques pour me voir. Alors vous comprenez pourquoi j'ai appris à aller à l'essentiel.

Elle inspira profondément, voyant qu'elle avait pris de l'ascendant sur Xénia Ossoline qui la contemplait fixement.

— Max vous aime. J'ai rarement vu un amour comme le sien. Il vous aime depuis qu'il est venu vous retrouver à Paris il y a une dizaine d'années. J'ignore pourquoi vous n'avez pas voulu accepter cet amour. Vous avez probablement vos raisons et je les respecte. Mais je ne peux pas m'empêcher d'être attristée par la solitude de cet homme que j'ai aimé, moi aussi, et que j'ai quitté parce que je n'étais pas la femme qu'il lui fallait.

Sara baissa la tête. Sa jeunesse avait surgi d'un seul coup avec toute la force de son insouciance, son goût de liberté, ses promesses trompeuses d'un avenir radieux. Désormais, de tout cela, il ne restait que des débris pitoyables.

— Comment l'aviez-vous deviné ? murmura Xénia, troublée.

— Je l'avais pressenti. Nous aurions pu nous marier. Mon père n'aurait pas été opposé à notre union. Celui de Max aurait probablement espéré mieux pour le seul fils qui lui restait, mais Max a toujours été très indépendant. Mais je savais que notre amour n'aurait pas résisté à l'épreuve du temps. À ce moment-là, nous n'attendions pas la même chose de la vie, et ces différences se seraient accentuées au fil des années. Chaque histoire d'amour porte en elle sa durée naturelle. Quelques jours, quelques mois, parfois une vie entière. La nôtre avait vécu. Or à mes yeux, une rupture n'est pas nécessairement un échec. Il faut parfois trouver le courage de clore une histoire avec dignité et conserver la reconnaissance de ce qui a été partagé. J'ai préféré privilégier le sentiment qui nous unissait plutôt que de forcer le destin. Et je ne le regrette pas, avoua Sara avec un sourire. Quand j'ai rencontré mon mari, j'ai su que c'était avec lui que je voulais poursuivre ma vie. J'aime son intégrité. Sa grandeur d'âme. Et il m'a donné les enfants dont je rêvais. Max aussi vous aurait apporté tout cela, Xénia. Contrairement à moi, je crois que vous étiez son âme sœur.

Xénia se sentit intimidée par la lucidité et la générosité de cette femme, par son intelligence de l'amour qui lui donnait une leçon d'humilité. Or c'était là une émotion dont elle ne savait que faire.

— Il m'a donné ce cadeau, murmura-t-elle, angoissée. C'est le père de ma fille. On s'était disputés. Quand j'ai découvert que j'étais enceinte, je n'ai pas eu la force d'aller vers lui. C'était plus fort que moi… Il était tellement exigeant, tellement insatiable. Ce que j'éprouvais pour lui était trop confus, vous comprenez ? J'avais l'impression que je ne maîtrisais plus rien. Alors je me suis forgé une autre vie. J'ai évité Max parce qu'il était dangereux pour moi. Par lâcheté peut-être. Par égoïsme sûrement.

Xénia se mordilla la lèvre. D'un seul coup, il était essentiel que Sara Lindner la comprenne, mais elle ne trouvait pas les mots pour s'expliquer et elle détestait se justifier. Elle devinait confusément qu'elle s'était laissé aveugler par une forme d'orgueil et ressentait le besoin irrationnel de se confier à cette inconnue.

— Pardonnez-moi, reprit-elle, gênée. Je ne sais pas ce qui m'a pris de vous le dire. C'est complètement absurde. Personne n'est au courant. Excepté mon mari, bien sûr. Je n'en avais jamais parlé auparavant.

Soudain, Xénia eut froid. Pourquoi avoir avoué ce secret si intime ? Elle eut l'impression d'avoir été indélicate. Elle qui détestait la sensiblerie eut les larmes aux yeux. Brusquement, elle eut envie de se lever et de s'enfuir. Comme si elle l'avait deviné, Sara posa une main sur son bras pour la retenir.

— Vous ne pouvez pas revenir en arrière, Xénia, mais il faut songer à l'avenir. On nous prédit la guerre depuis des années. Les gens intelligents savent qu'elle est inéluctable. Il faut aller à l'essentiel pendant qu'il est encore temps. Vous ne pouvez pas cacher à Max quelque chose d'aussi important.

— C'est impossible, dit Xénia, effrayée. Il ne me le pardonnera jamais. Il ne comprendra pas comment j'ai pu permettre à un autre homme d'élever notre enfant. J'ai été tentée de lui dire quand nous nous sommes retrouvés, mais j'ai eu peur. Max sera furieux. Vous savez l'importance qu'il accorde à l'honneur. Il pensera que je l'ai trahi. Et je ne crois pas que je supporterais l'idée qu'il me haïsse.

En voyant cette détresse, Sara se sentit soulagée. Au fil de leur conversation, elle avait perçu chez Xénia Ossoline une armure intérieure qui l'avait effrayée. Cette femme avait trop longtemps combattu toute seule pour se permettre la moindre faiblesse, or Sara était persuadée qu'on ne peut aimer en toute sincérité que si l'on dépose les armes, ce qui exige sans aucun doute du courage. Mais tout n'était pas perdu, puisque Xénia possédait la grandeur d'âme de se remettre en question.

— Max est incapable de ressentir de la haine. C'est un sentiment qui lui est étranger. Il sera sûrement attristé. Et en colère. Mais si vous avez le courage de lui dire la vérité, comme vous venez de le faire à l'instant, il vous pardonnera. C'est un homme d'une qualité rare. Dites-le-lui avant qu'il ne soit trop tard, Xénia.

Sara fit un effort pour ne pas en dire davantage. Max lui avait fait promettre de ne parler à personne de son engagement au sein du Cercle Agora. Il risquait une dénonciation, une parodie de procès et un internement en camp de concentration. Peut-être même une de ces exécutions sauvages dont les nazis étaient si friands. Mais Sara voyait bien qu'il ne le redoutait pas tant pour lui-même, mais pour ceux qui œuvraient avec lui. Rien ne rattachait vraiment Max à la vie. Il avait trouvé une cause qu'il défendrait jusqu'à ce que le régime hitlérien soit renversé, mais il arrivait à Sara de redouter cette témérité aveugle née de la détresse.

— Écoutez-moi bien, Xénia. Un jour, Max aura besoin de vous, dit-elle d'un air sévère en serrant le poignet de la jeune femme à lui faire mal. Et ce jour-là, il ne faudra pas l'abandonner. Cela, au moins, vous le lui devez.

La lettre arriva avec le courrier du matin quelques semaines plus tard. Quand Xénia la vit, elle la laissa tomber sur la table comme si l'enveloppe lui avait brûlé les doigts. Les nombreux timbres étrangers se chevauchaient, l'ordre de la rue et du numéro de l'immeuble était inversé, et ce n'était pas la calligraphie soignée de Sacha, mais l'écriture hésitante de quelqu'un qui ne connaissait pas bien les adresses françaises. Une maudite lettre qui suintait le malheur.

Dans la pièce voisine, Natacha prenait son cours de piano. Les fausses notes ponctuaient l'étude de Chopin que son professeur lui faisait travailler depuis des jours. Le corps lourd, Xénia s'assit à son bureau. Cette lettre, elle redoutait de la recevoir depuis le départ de Sacha quelques mois auparavant, et pourtant, au fond d'elle, il y avait toujours eu ce secret espoir qu'il reviendrait un jour frapper à la porte. Elle savait que son oncle était parti pour revivre, donc pour mourir, et elle lui avait donné sa bénédiction. Mais elle ne pouvait pas s'empêcher de lui en vouloir.

Elle effleura l'enveloppe presque transparente, prit son coupe-papier. Quelques lignes en cyrillique griffonnées à la hâte par l'un des compagnons de Sacha rappelaient son courage au sein du détachement des Volontaires russes, célébraient le souvenir d'un homme exceptionnel, officier de valeur qui croyait ardemment que la victoire des franquistes en Espagne n'était qu'un premier pas vers la libération de la patrie russe... Un ami aussi, avant toute chose, d'une générosité sans égale... Les lignes se brouillèrent devant ses yeux. Ainsi, Sacha était mort comme il l'avait souhaité : respecté par ses pairs, aimé de ses hommes. Il était mort heureux, et c'était peut-être là sa plus grande victoire.

Elle replia soigneusement la lettre qu'elle glissa dans l'enveloppe. À son retour de ses cours de droit, Cyrille la lirait à son tour, puis il s'enfermerait dans sa chambre pour pleurer son oncle. Par fierté, il cacherait son chagrin à sa sœur, à son beau-frère et surtout à Natachenka. Et Xénia respecterait cette pudeur. La mort faisait partie de la vie. Cette leçon-là, les Ossoline l'avaient apprise depuis longtemps.

Elle décida de se rendre chez Macha pour lui annoncer la nouvelle. À l'inverse de Cyrille, sa sœur aurait sûrement besoin d'être réconfortée. Après avoir prévenu la gouvernante de Natacha qu'elle serait de retour pour le déjeuner, elle enfila son béret et son imperméable, puis sortit dans la rue prendre un taxi.

À son arrivée dans le XVe arrondissement, la pluie s'était mise à tomber de plus belle. Une bourrasque de vent s'engouffra dans la rue Lecourbe et retourna son parapluie. Elle dut batailler quelques minutes pour le remettre à l'endroit. Les roues d'une charrette soulevèrent une gerbe d'eau qui lui aspergea les pieds. Agacée, elle fit un bond de côté, puis elle poussa la porte de l'immeuble de Macha.

Elle grimpa l'escalier en colimaçon jusqu'au deuxième étage et se mit à sonner avec insistance, dégoulinant sur le tapis-brosse. Aucune réponse. Flûte, Macha n'était pas sortie, tout de même ! Sa sœur ne travaillait pas les lundis matin. Elle faisait probablement la grasse matinée. Pourvu que Nicolas fût absent, se dit soudain Xénia qui n'avait guère envie de croiser son beau-frère, avant de se rappeler qu'il était parti rendre visite à ses parents qui habitaient Nice.

— Qui est là ? appela la voix de sa sœur derrière la porte.

— C'est moi. Ouvre ! Je suis trempée et je n'ai pas envie de prendre froid.

— Je ne peux pas te recevoir maintenant, Xénia. Rentre chez toi.

Xénia fut tellement étonnée qu'elle demeura bouche bée. Les Russes avaient l'habitude de débarquer à l'improviste chez les uns ou les autres. Il était impensable de ne pas recevoir un ami ou un membre de la famille.

— Tu plaisantes ou quoi ? insista-t-elle. J'ai quelque chose de très important à te dire. Ouvre-moi, je te prie.

— Non.

— C'est au sujet de l'oncle Sacha. Il faut que je te parle, Macha.

Il y eut un silence, puis la clé tourna dans la serrure. La petite entrée était plongée dans la pénombre. Xénia discerna la silhouette de sa sœur enveloppée dans un peignoir. Macha lui tourna le dos et se dirigea vers sa chambre. Xénia posa ses affaires trempées dans la cuisine, avant d'aller la rejoindre. Sa sœur se dépêchait de s'habiller dans le noir. D'un geste brusque, Xénia appuya sur l'interrupteur.

— Mon Dieu ! souffla-t-elle, abasourdie, en découvrant le chapelet de bleus sur la peau de sa sœur.

— Qu'est-ce que tu fais dans ma chambre ? cria Macha en serrant une chemise contre sa poitrine. Tu pourrais au moins avoir la politesse de m'attendre au salon.

— Retourne-toi, je veux voir ton dos, ordonna Xénia.

Les lèvres de Macha se mirent à trembler et ses yeux se remplirent de larmes.

— S'il te plaît, Xénia, laisse-moi, supplia-t-elle.

Jamais Xénia n'avait éprouvé une telle rage ! Elle serra les poings pour ne pas hurler. Si elle avait eu son beau-frère sous la main, elle l'aurait étripé. De quel droit ce salaud osait-il lever la main sur Macha ? Elle inspira pour reprendre ses esprits et ne pas effrayer sa sœur.

— C'est trop tard, Machenka, déclara-t-elle d'une voix douce. J'ai tout vu. Tu n'as plus besoin de te taire. Je suppose que cela dure depuis des mois. Je savais qu'il y avait un problème, mais je n'aurais jamais deviné une chose pareille. Pourquoi ne m'as-tu rien dit ?

Macha n'arrivait plus à tenir sur ses jambes. Tremblante, elle s'assit sur le bord du lit. Les larmes coulaient sur ses joues. Sans s'en rendre compte, elle se mit à froisser sa chemise entre ses mains.

— J'avais honte, murmura-t-elle.

Xénia s'agenouilla devant sa sœur et prit ses mains dans les siennes. Dieu savait que Macha l'avait souvent rendue folle. Leurs disputes avaient été mémorables. Combien de fois Macha lui avait-elle claqué la porte au nez, l'accusant d'être orgueilleuse et insensible ? Et combien de fois Xénia l'avait-elle traitée de tous les noms ? Mais elle ne tolérerait pas qu'on s'en prenne à sa petite sœur.

— Il ne faut pas avoir honte quand un homme vous frappe, Macha. C'est lui le monstre. Lui le coupable. On ne lève pas la main sur une femme. Jamais ! C'est une question d'honneur.

— Je n'arrive pas à faire ce qu'il veut, sanglota-t-elle. J'essaye pourtant, mais je ne suis pas comme toi, je m'y prends mal. Nicolas me compare tout le temps à toi, et j'essaye de faire de mon mieux pour te ressembler, mais c'est impossible…

Si jamais il me tombe entre les mains, je vais le tuer, pensa Xénia froidement. D'un doigt, elle releva le menton de Macha pour l'obliger à la regarder dans les yeux.

— Tu n'as pas à me ressembler, ma chérie. Tu es beaucoup plus douce et merveilleuse que moi. Dieu soit loué, tu n'as pas hérité de mon caractère de chien. Nicolas Alexandrovitch ne m'aurait pas supportée deux minutes si j'avais été sa femme. Je ne sais pas lequel des deux aurait étranglé l'autre en premier. Probablement moi, ajouta-t-elle, et elle fut soulagée de voir Macha esquisser un sourire. C'est fini maintenant. Tu vas venir t'installer à la maison pour que je puisse te soigner.

— Oh non ! protesta sa sœur en ouvrant des yeux bleus effarés. Nicolas sera furieux si je ne suis pas là à son retour.

— Écoute-moi bien, Macha, parce que je ne le répéterai pas : cet homme n'avait pas le droit de te frapper. Aucune excuse, aucune explication n'est acceptable. Il a commis une faute que je ne tolérerai pas. Et toi non plus.

— Mais je l'aime, cria Macha en sanglotant de plus belle.

— Je sais. Ce n'est pas la première fois que tu me le dis. Mais je ne peux pas me préoccuper de cela pour le moment. Je vais préparer une valise avec tes affaires. Tu vas venir habiter quelque temps chez moi. Ensuite, nous aviserons.

Ensuite, tu demanderas le divorce, songea Xénia, et je ferai comprendre à ce salaud qu'il a intérêt à ne plus jamais croiser le chemin d'un Ossoline. Elle ne doutait pas une seconde que son vieil ami Youri, du haut de ses deux mètres, se ferait une joie de réduire en bouillie cette misérable créature.

Berlin, novembre 1938

Sara se redressa brusquement dans le lit. Désorientée, le cœur battant, elle écouta la pulsation de son sang dans ses oreilles. Avait-elle fait un cauchemar ? L'un des enfants aurait-il crié ? D'une main fébrile, elle chercha à allumer sa lampe de chevet, mais ne réussit qu'à renverser son verre d'eau.

— Qu'est-ce qui se passe ? demanda Victor d'une voix ensommeillée.

— Je ne sais pas, dit-elle, soulagée quand la lumière illumina enfin la pièce. Quelque chose m'a réveillée. Je vais aller voir les enfants.

Victor grommela des paroles inintelligibles et se retourna dans le lit. La pendule marquait cinq heures. Elle se leva et frissonna dans l'air froid. Alors qu'elle enfilait sa robe de chambre, un craquement sourd les fit tressaillir tous les deux. Aussitôt, Victor bondit hors du lit. Sara ouvrit la porte et se précipita dans le couloir. Elle entendait des vociférations et des coups contre la porte d'entrée.

— Occupe-toi des enfants ! cria Victor en dévalant l'escalier.

— Fais attention à toi, le supplia-t-elle.

Dans la chambre des filles, elle alluma la lumière, courut vers le lit où dormait sa petite Dalia qu'elle prit dans ses bras.

— Lilli, réveille-toi, ma chérie, dit-elle à la fillette de huit ans qui continuait à dormir à poings fermés.

Elle lui secoua l'épaule, le cœur serré. Il y avait quelque chose d'inhumain à devoir réveiller ses enfants en sursaut pour les tirer du lit à une heure indue, en pleine nuit de novembre, avant que la maison n'ait été réchauffée.

— Qu'est-ce qui se passe, maman ? demanda Félix sur le seuil de la porte, en se frottant les yeux.

Dans son pyjama bleu, son fils de douze ans était le portrait de son père. Il avait le même front intelligent, le même regard doux sous sa tignasse de cheveux foncés.

— Aide-moi à habiller tes sœurs, ordonna Sara. Je ne veux pas qu'elles prennent froid.

Elle pensait avec frayeur à ce qui se déroulait au rez-de-chaussée. Dès qu'elle avait entendu les coups assenés à la porte, elle avait songé à la Gestapo. Tout le monde connaissait ces affreuses histoires où les hommes d'Himmler débarquaient à l'improviste pour arrêter un innocent. J'aurais dû partir plus tôt, songea-t-elle. C'est ma faute ! Elle eut une pensée fugitive pour la paperasserie qui s'empilait sur la table de la bibliothèque. Depuis plusieurs mois, elle s'efforçait de réunir la vingtaine de documents que l'administration réclamait pour Victor et elle, afin qu'ils puissent quitter l'Allemagne. Il était aussi compliqué d'obtenir des visas d'entrée dans un pays d'accueil que de se procurer les papiers nécessaires à la sortie du territoire. Les chicaneries des fonctionnaires ressemblaient à un dédale infernal. Sans parler de la corruption. C'était peut-être l'une des révélations qui avaient le plus choqué Sara : elle avait découvert avec stupeur cette gangrène qui pourrissait désormais tous les échelons de la vie quotidienne.

Alors que son corps était glacé de terreur, elle ne cédait pas à la panique. Son esprit analysait avec lucidité la situation. Tout en imaginant le pire, elle se forçait à rejeter des images trop violentes et se concentrait sur l'essentiel. Sa seule obsession était de protéger ses enfants et sa mère, qui habitait l'autre aile de la maison. Mais pour l'instant, elle devait faire confiance à la garde-malade, qui s'était sûrement levée lorsque le premier cri avait résonné dans le jardin.

— Dépêche-toi, insista Sara, alors que Lilli s'était mise à pleurnicher parce que son frère lui tirait les cheveux en l'obligeant à enfiler un chandail.

— C'est la Gestapo ? demanda Félix d'une petite voix.

— Je ne sais pas. Ton père s'en occupe. Et maintenant, suivez-moi.

Elle ressortit dans le couloir, Dalia dans les bras. Félix donnait la main à Lilli. Ils rejoignirent l'escalier de service qu'ils dévalèrent jusqu'au rez-de-chaussée. Quelques mois auparavant, Sara avait réfléchi à l'endroit où se réfugier en cas d'urgence. Victor avait voulu la convaincre de s'enfermer dans le grenier dont la porte en bois était particulièrement épaisse, mais elle avait refusé. Il était hors de question d'être prisonnière dans la maison avec les enfants. Rien que l'idée d'être coincée au dernier étage, sans aucune issue de secours, lui avait donné un sentiment de claustrophobie. Elle voulait pouvoir s'enfuir par le jardin. Dans la buanderie, elle se plaqua contre un mur, serrant les enfants contre elle, et tendit l'oreille. Elle ne sortirait dans la nuit que si elle le jugeait indispensable. Le froid du sol carrelé remontait le long de ses jambes nues et l'obscurité donnait aux sons une amplitude effrayante.

Ils écoutèrent en silence les hurlements des vandales, le fracas de verre brisé, les craquements sinistres. On aurait dit qu'une tempête s'était engouffrée dans la maison. Quelque temps auparavant, les nazis avaient ordonné qu'on retire les grilles qui protégeaient les domaines des particuliers. Ils voulaient un accès plus facile aux maisons. Depuis lors, Sara avait vécu avec un sentiment d'insécurité qui se vérifiait en cette journée funeste. Lilli pleurnichait. De sa main libre, Sara lui caressa les cheveux.

Alors qu'elle hésitait encore à se réfugier dans la cabane du jardinier, à l'abri des arbres, un fracas plus violent que les autres fit trembler les murs. Elle ne pouvait pas prendre le risque de se trouver confrontée à ces barbares. Avec un peu de chance, ils ne viendraient pas les chercher dans le jardin. Elle décrocha la clé pendue à une ficelle et déverrouilla la porte.

— Suivez-moi, commanda-t-elle aux enfants.

Ils traversèrent la pelouse en courant, veillant à longer les arbres pour éviter de se faire repérer. Arrivée à la cabane, Sara installa les enfants derrière la brouette et les pelles, tendit Dalia à Félix et leur ordonna de ne pas bouger. Ils lui obéirent sans protester, leurs visages terrifiés. À trois ans, les yeux noyés de larmes, Dalia enserrait le cou de son frère à l'étouffer.

Sara s'approcha de la petite fenêtre à carreaux, essuya la poussière et les toiles d'araignées avec la manche de sa robe de chambre. Comme il n'y avait pas de feuilles sur les arbres, elle pouvait apercevoir une partie de sa maison. Les fenêtres du rez-de-chaussée étaient éclairées, la porte d'entrée grande ouverte. Deux voitures noires étaient garées près du perron. Dans le jardin d'hiver et la bibliothèque, elle voyait s'agiter des silhouettes sombres. Les hommes renversaient les guéridons, jetaient les livres par terre, saccageaient le mobilier avec des barres de fer. L'un d'eux empoigna un fauteuil qu'il jeta contre une fenêtre qui vola en éclats. L'horloge de son grand-père bascula sur le côté et se fracassa sur le sol. C'était une destruction méthodique, avec une rage et une férocité qui lui coupaient le souffle. Brusquement, les volets claquèrent au premier étage et des nuées de plumes s'échappèrent par les fenêtres ouvertes. Agités par les vandales, les oreillers, les édredons et les matelas lâchaient leur duvet telle une bourrasque de neige. Bouleversée, Sara songea que quelques minutes auparavant ses enfants, son mari et elle-même dormaient dans ces mêmes lits. Rien n'était sacré aux yeux des hordes nazies. Après avoir privé les juifs de leurs droits, de leur travail, des aides sociales, après les avoir exclus de la communauté allemande, ils s'en prenaient symboliquement à ce qu'ils avaient de plus intime, à leur dernier refuge. La menace était implicite. Rien ne leur serait plus épargné. Ils n'auraient même plus un endroit tranquille où poser leur tête et dormir en paix. En assistant au pillage de sa maison,

Sara comprit que l'heure de la fin avait sonné. Le dernier espoir de trouver un compromis avec les barbares, de réussir à mener une existence difficile mais décente dans ce pays où ses ancêtres s'étaient établis près de deux siècles auparavant, se brisait sous ses yeux à tout jamais. Désormais, elle n'avait plus le choix. Pour survivre, elle devait conduire les siens en exil.

Soudain, Victor apparut dans l'embrasure de la porte d'entrée, encadré par deux hommes en uniforme noir des SS qui l'avaient empoigné sous les aisselles comme un vulgaire criminel. Au moins, il avait pu enfiler un manteau sur son pyjama. Elle porta les deux mains à sa bouche pour s'empêcher de crier, tandis que les hommes obligeaient son mari à monter à l'arrière d'une des voitures et claquaient les portières. Le chauffeur hurla un ordre. Quatre hommes sortirent en courant, deux d'entre eux portant une besace sur l'épaule. Ils s'engouffrèrent dans la seconde voiture qui démarra sur les chapeaux de roues. Les phares balayèrent la cabane et Sara baissa instinctivement la tête pour qu'on ne l'aperçoive pas. Une fois le danger écarté, elle se dépêcha de sortir, les regarda descendre l'allée à toute allure, mordant sur la pelouse, avant de bifurquer et de disparaître.

Elle était tellement choquée qu'elle resta debout à trembler, incapable de bouger. Pour quelle raison avaient-ils emmené Victor ? Le malheureux n'avait rien fait de mal. Il n'avait aucune activité qui puisse être considérée comme séditieuse par les hommes de la Gestapo. Depuis qu'il avait été interdit de cours à l'université, il ne sortait pratiquement plus de la maison.

La demeure se dressait devant elle, ouverte à tous les vents. Les rideaux flottaient par les fenêtres ouvertes, les débris de verre jonchaient le sol. Affolée, elle pensa à sa mère, mais heureusement les trois fenêtres de son appartement étaient encore closes. Pourvu qu'ils n'aient pas eu le temps de terroriser la vieille dame !

— Maman, j'ai froid, dit Lilli en se pressant contre sa mère.

— Tu dois être gelée, ma pauvre chérie ! Félix et Dalia aussi. Nous allons rentrer et faire un chocolat chaud. Il doit aussi rester du pain. Venez, mes amours.

Alors que son corps tout entier hurlait sa peur et sa colère, qu'elle était en proie à une panique comme elle n'en avait jamais connu, Sara ne versa pas une larme. Elle sourit calmement à ses enfants et prit Dalia des bras de Félix. La tête haute, la jeune femme remonta pieds nus vers sa maison dévastée.

Quelques heures plus tard, Max fut tiré d'un profond sommeil par le téléphone qui n'arrêtait pas de sonner. Il décrocha en grommelant, l'esprit embrumé et l'humeur mauvaise. Il n'avait jamais été un lève-tôt et discernait à peine les lueurs matinales entre ses rideaux.

— On ne s'est pas trompés ! s'exclama Ferdinand. Il est mort et ils ont déclenché un pogrom. C'est hallucinant !

— Qui est mort ? fit Max, la bouche pâteuse.

— Ernst vom Rath, imbécile !

Aussitôt, Max se redressa dans son lit et reprit ses esprits. Trois jours plus tôt, un jeune juif émigré à

Paris avait tiré sur un diplomate allemand dans la capitale française, afin d'attirer l'attention du monde sur le sort pitoyable réservé aux juifs d'origine polonaise que les nazis avaient brutalement reconduits à la frontière quelques semaines auparavant. Les Polonais ne les avaient pas laissés entrer sur leur territoire. Errant entre les deux pays dans des campements de fortune, par un froid glacial, sans rien pour s'abriter ou se nourrir, plusieurs femmes, enfants et vieillards avaient succombé aux conditions déplorables. La famille d'Herschel Grynzpan se trouvait parmi ces malheureux, d'où son geste de désespoir. Alors que le secrétaire d'ambassade luttait contre la mort, les journaux allemands s'étaient soulevés en un torrent d'indignation et de haine contre ce *« lâche et odieux attentat »*, ajoutant que *« la juiverie internationale dévoilait enfin son vrai visage »*.

— On redoutait des représailles, mais jamais on n'aurait pu concevoir une chose pareille, poursuivit Ferdinand. Tu ne peux pas imaginer ce qui se passe en ville. On se croirait en Russie au siècle dernier. J'ai vu flamber la synagogue de la Fasanenstrasse. Les pompiers ont interdiction d'intervenir. Ils se contentent de vérifier que les immeubles allemands avoisinants ne prennent pas feu. Les SA et les SS saccagent les magasins. Les trottoirs du Kurfürstendamm sont jonchés d'éclats de verre. Ils arrêtent des juifs par centaines. Je viens d'arriver au bureau et les gens font le siège en espérant que je puisse les aider.

— Mon Dieu, ce n'est pas possible, dit Max, abasourdi, en passant une main nerveuse dans ses cheveux.

— Viens me retrouver au bureau tout à l'heure. Je ne crois pas que je pourrai m'en aller de sitôt. Les gens sont complètement paniqués. Il faut que je voie avec eux pour leurs papiers. Salut, vieux.

Ferdinand raccrocha. Sans perdre une seconde, Max mit de l'eau à chauffer pour son café, prit une douche, jura copieusement quand il s'entailla le menton en se rasant, enfila des vêtements chauds et se précipita dehors, son appareil photo à la main.

Son ami n'avait pas menti. Sous le ciel blanc aveugle de cette matinée du 10 novembre 1938, les flammes s'échappaient des coupoles de plusieurs synanogues parmi des relents d'essence et de bois brûlé. Les passants observaient en silence, les bras ballants. Quelques visages semblaient plus fermés que d'autres, mais personne ne protestait. Par lâcheté, par peur ? On ne savait jamais quel mouchard se cachait parmi une foule.

Max parcourut à la hâte le quartier. Toutes les vitrines des magasins juifs avaient été brisées. Devant l'une des boutiques, des SS ordonnèrent au propriétaire de ramasser à mains nues les morceaux en verre. Le vieil homme s'exécuta. En quelques secondes, il avait les mains en sang. Les spectateurs se mirent à rire en le conspuant. Écœuré, Max héla un taxi et lui donna l'ordre de rejoindre la maison Lindner. Le nez collé à la vitre, il fut confronté au même spectacle désolant de rue en rue.

— Il y a eu aussi beaucoup d'arrestations, dit le chauffeur d'un air hésitant, le regardant dans le rétroviseur.

Ferdinand lui avait maintes fois demandé de tenir sa langue et de ne jamais laisser transparaître ses émotions, mais Max ne pouvait pas rester silencieux. Cette destruction ciblée d'une violence sans égale lui faisait l'effet d'un sombre cauchemar. Comment les autorités légales d'un pays soi-disant civilisé pouvaient-elles se livrer à une pareille infamie en s'en prenant à des personnes innocentes ?

— C'est une honte ! s'exclama-t-il en mitraillant les scènes de rue avec son Leica.

— C'est vrai, monsieur, reprit le chauffeur avec un fort accent berlinois. Moi, j'aime pas les juifs. Ils ont pas cessé de nous créer toutes sortes d'ennuis depuis toujours, et je suis d'accord qu'il faut les punir. Mais pas comme ça. Non, pas comme ça…

— Laissez-moi là ! demanda Max, alors qu'ils tournaient le coin de la rue et débouchaient devant la maison Lindner.

Il paya, se dépêcha de descendre, et se fraya un chemin parmi les passants attroupés devant lui. Armés de bâtons et de barres de fer, des garçons des Jeunesses hitlériennes s'y prenaient à plusieurs pour fracasser les hautes vitrines qui se fissuraient avec des crissements sinistres et se répandaient en une pluie de verre. Sur le sol gisaient les pancartes qui précisaient « MAGASIN JUIF » et que Sara avait été obligée d'apposer dans les vitrines. Par les portes à tambour ou les vitrines brisées, des vandales hilares quittaient le magasin en emportant sans vergogne des marchandises. Plusieurs camions étaient stationnés devant les portes et des policiers SS forçaient des employés à y grimper.

Affolé, Max se demanda si Sara était déjà arrivée au bureau. Comme le gouvernement avait interdit que les juifs emploient des domestiques aryennes âgées de moins de quarante-cinq ans, elle avait dû se séparer de sa cuisinière et de la gouvernante des enfants. La jeune fille juive qui travaillait désormais pour elle ne savait pas conduire. Ainsi, Sara déposait elle-même les enfants à l'école le matin. Avec un peu de chance, elle se trouvait encore chez elle, à l'abri.

Pourvu que ces salauds ne mettent pas le feu, songea-t-il, effrayé. Mais connaissant les nazis, on avait probablement donné l'ordre d'épargner les commerces qui pouvaient rapporter de l'argent. Il savait qu'il ne servait à rien de se révolter. Inutile de se faire embarquer par la police. Alors il prit son mal en patience et se tint très droit, presque au garde-à-vous, rendant hommage de manière aussi inutile qu'absurde au souvenir de Saul Lindner, le père de Sara, l'un des hommes les plus distingués et les plus intelligents qu'il ait jamais eu l'honneur de connaître. Et tout en pensant à lui avec une ferveur qui ressemblait à une prière, Max von Passau lui demandait pardon.

Une demi-heure plus tard, alors qu'il ne restait aucune vitrine intacte, que le rez-de-chaussée avait été pillé, les vauriens s'éloignèrent, laissant dans leur sillage un spectacle de terreur et de désolation. Les camions avaient démarré, emportant des dizaines d'employés vers les quartiers de la Gestapo disséminés dans la ville. Tandis que les passants s'en allaient les uns après les autres retrouver leur petite vie tranquille, Max pénétra, le cœur battant, sous la haute verrière. De la pyramide de cristal renommée dans le monde entier il ne restait rien, hormis les fragments désolants des cristaux de Bohême, des vases vénitiens ou des porcelaines de Meissen. Quelques vendeuses terrorisées se serraient dans un coin en sanglotant. Les présentoirs de foulards laissaient échapper des coupons de soie aux couleurs vives qui traînaient sur le sol. Dans une pièce voisine, la fontaine aux parfums avait été réduite en morceaux. Les précieux liquides ambrés s'égouttaient sur le dallage en marbre et les odeurs capiteuses prenaient à la gorge. Quelqu'un avait réussi à éteindre le début d'un incendie et l'on marchait dans des flaques d'eau. Plusieurs mannequins en cire gisaient à terre, leurs membres nus contortionnés de manière grotesque. On leur avait arraché les robes, manteaux ou autres vestes en tricot. Les mines blafardes, des vendeurs essayaient vainement de remettre de l'ordre, soulevant un chapeau ou un sac à main qu'ils tenaient d'un air hésitant. L'un d'eux avait été chercher un balai dont il ne savait que faire.

Max revint vers le hall d'entrée. Désemparé, il se pencha pour ramasser un morceau d'améthyste qui avait appartenu au décor de la pyramide et miraculeusement survécu à la destruction. Il le posa avec précaution sur un présentoir. Quand il se retourna, il vit Sara qui se tenait sous la verrière, dans son manteau brun aux revers de vison. Sous le chapeau noir, son visage était impassible. Elle regardait autour d'elle, sans rien s'épargner, sans broncher.

— Herr Werner, appela-t-elle, et un homme approcha à grands pas. Nous fermons évidemment le magasin pour aujourd'hui. Qu'on organise les employés en équipes de nettoyage. On m'a fait comprendre que je ne pouvais pas demander à mes employés aryens de retirer les débris sur le trottoir, alors veuillez demander à ces messieurs de confession juive de bien vouloir faire le travail.

— Mais c'est que, Fräulein Lindner, c'est impossible, bafouilla-t-il.

— Comment cela ?

— La plupart d'entre eux ont été emmenés par les SS.

Pour la première fois, le visage de Sara se décomposa sous l'effet de la douleur, si bien que Max fit un mouvement en avant. Quand elle l'aperçut, ses yeux sombres se fixèrent un instant sur lui, comme si elle tirait un réconfort de sa seule présence.

— Dans ce cas, nous allons être obligés de nous adresser aux femmes, dit-elle d'un ton résolu. Frau Kaplan, où êtes-vous ? ajouta-t-elle en regardant autour d'elle, et une dame maigre aux cheveux gris vint la rejoindre. Je suis désolée, mais nous allons devoir demander à celles de nos employées qui voudront bien se porter volontaires de s'atteler à cette tâche pénible. Je viendrai les aider dès que je le pourrai.

— Bien sûr, Fräulein Lindner, répondit la femme, les larmes aux yeux.

— À vous tous, je demande de la bonne volonté, ajouta Sara en élevant la voix. Je mesure l'émotion et la peur que vous ressentez, et sachez que je suis de tout cœur avec vous. Mais nous avons un devoir à accomplir. Il faut sauver ce qui peut être sauvé, faire le décompte des marchandises qui ont été pillées ou saccagées, et remettre de l'ordre. Nous y arriverons. Avec du courage et de la détermination. Je vous remercie tous dès à présent pour votre coopération. Et maintenant, au travail, mes amis !

Aussitôt, les uns et les autres se détournèrent avec une énergie nouvelle. Les jeunes vendeuses essuyèrent leurs larmes et enfilèrent des gants et des tabliers.

Les responsables de département commencèrent à organiser leurs troupes. Chacun savait désormais ce qu'il avait à faire.

Quand Sara s'approcha de lui, Max lui sourit. Il voulait la féliciter, lui dire qu'il l'admirait pour sa résolution et son cran, mais le regard hagard de la jeune femme l'empêcha de parler.

— Max, murmura-t-elle d'une voix blanche. Ils sont venus à la maison ce matin. En pleine nuit. Ils ont emmené Victor.

À l'approche de Noël, le carnet de rendez-vous de Max réservé aux portraits de famille ne désemplissait pas. La plupart des familles berlinoises semblaient vouloir fixer sur le papier le souvenir d'un bonheur qui leur paraissait de plus en plus vulnérable.

À chaque annexion orchestrée par le Führer, le grondement des canons se précisait. Sa politique extérieure était d'une habileté diabolique, et suscitait chez les Allemands un mélange d'effroi et d'admiration devant cette audace à laquelle les pays européens assistaient sans réagir. Cependant, après le rattachement de l'Autriche au printemps, celui du territoire des Sudètes avait manqué de peu de déclencher les hostilités. Lors de la conférence de Munich en septembre, réunie de toute urgence à l'initiative de l'Italien Mussolini, l'Europe entière avait retenu son souffle. Le chancelier du Reich accepterait-il les conditions ? Soulagés, les Anglais et les Français avaient fêté triomphalement le retour de leurs hommes politiques, Chamberlain et Daladier, après qu'ils eurent réussi à éviter un conflit. De son côté, le peuple allemand avait acclamé lui aussi ces accords qui garantissaient la paix, au grand dam de son chancelier qui se voyait privé d'une guerre contre la Tchécoslovaquie. Mais à l'aube de la nouvelle année 1939, la tension demeurait à son comble.

L'assistant de Max termina de déplacer les projecteurs, veillant à ce que les éclairages de côté et d'en haut harmonisent les traits des modèles. Max approcha un écran de tête, afin d'atténuer la luminosité sur les chevelures blondes. Curieusement, il avait l'impression d'être aveuglé par l'éclat des chemisiers blancs et des peaux claires des enfants sagement installés devant le fond blanc. Seul l'adolescent de dix-sept ans en uniforme des Jeunesses hitlériennes, qui tenait dans ses bras sa petite sœur âgée de quelques mois, apportait une touche plus sombre à l'ensemble. Et Dieu sait que Max aurait voulu effacer ce contraste odieux de l'uniforme et du brassard à croix gammée ! Il n'aimait pas photographier des enfants en studio. Leurs visages trop lisses ne l'inspiraient pas. Pour ses portraits, il préférait l'âpreté des traits d'un adulte, l'instant où une émotion échappe à son modèle et révèle le secret intime d'une âme. Il se méfiait des pièges de l'innocence.

La nurse et la gouvernante étaient assises dans le coin salon, feuilletant des magazines. En dépit de la tranquillité parfaite de l'adolescent et des cinq enfants qui ne le quittaient pas des yeux, Max avait du mal à se concentrer pour cette séance de pose.

— Avec les juifs, c'est toute l'élégance de Berlin qui disparaît, constata une voix féminine avec un soupir.

Max se retourna. Il n'avait pas entendu entrer Magda Goebbels. Elle contemplait le panneau où Max avait accroché une série de photos des tenues les plus spectaculaires conçues par Sara durant ces dernières années, dont plusieurs avaient fait la une des magazines féminins. Connaissant le goût de Frau Goebbels pour le luxe et l'élégance, il ne s'étonna pas qu'elle eût d'emblée reconnu la griffe Lindner. Mais que voulait-elle dire au juste par cette remarque sibylline ? Regrettait-elle simplement l'époque où elle profitait du talent des couturiers juifs ou était-elle touchée par le destin tragique de ces victimes dont son mari était l'un des persécuteurs les plus zélés ? Max doutait fortement de sa compassion. Installée dans une magnifique propriété, sur le Wannsee, dont les propriétaires juifs avaient été dépossédés par les Goebbels, Magda roulait en voiture de sport, voguait sur son voilier sur le lac, et passait des vacances dans leurs diverses résidences de campagne, quand elle n'était pas en maison de repos. Les conséquences néfastes de l'antisémitisme ne semblaient pas être l'une de ses préoccupations majeures.

Dans son tailleur noir qu'avivaient un chemisier en soie blanche et un collier de perles, celle qu'on considérait comme la première dame du Troisième Reich avait les traits tirés et un regard bleu absent. Max songea aux rumeurs qui couraient sur toutes les lèvres. Il était de notoriété publique que Frau Goebbels en avait assez des infidélités incessantes de son mari. La dernière liaison en date du ministre de la Propagande avec la jeune et ravissante actrice Lida Baarova prenait un tour plus sérieux qui écœurait son épouse, d'autant qu'il s'affichait ouvertement avec sa maîtresse. Humiliée, dépressive, affaiblie par ses grossesses à répétition, Magda songeait à divorcer, mais on disait que le Führer n'avait nullement l'intention d'accéder à sa requête. Celle qui recevait à son côté dans l'imposante chancellerie flambant neuve de la Wilhelmstrasse avait été la première femme à être décorée de la « croix d'honneur de la mère allemande », en hommage non seulement à sa nombreuse progéniture, mais à son impeccable dignité aryenne, et le Führer n'avait pas l'intention de voir éclater cette image idyllique d'une femme belle, saine et maternelle. Seule Emmy Göring pouvait prétendre rivaliser avec elle. « Alors, Magda se console dans les bras de Karl Hanke, avait confié Marietta à son frère d'un air amusé. C'est un secrétaire d'État de son mari. Un chevalier servant bien sous tous rapports, mais qu'elle trouve intellectuellement limité. Il l'inonde de lettres enflammées. »

— J'espère que mes enfants sont sages, dit Magda Goebbels avec un sourire.

— Absolument, madame, répondit Max. Sages comme des images.

Elle contourna un réflecteur, veillant à ne pas se prendre les pieds dans les câbles, et prit son bébé des bras du fils qu'elle avait eu avec son premier mari, le riche industriel Günther Quandt. Habituée à prendre la pose, elle s'installa dans le fauteuil, le bébé dans les bras, et son fils aîné se plaça derrière elle, une main sur son épaule.

Max vérifia que tout était en place. L'époque aimait le blanc. On retrouvait la couleur virginale dans la mode, la décoration, les recherches artistiques, telle une quête éperdue d'une pureté inaccessible, mais le sang ne cessait de couler, aussi bien sur les terres arides d'Espagne que dans l'univers soviétique ou les camps de concentration nazis. La décennie du mensonge, songea Max avec amertume, alors que les enfants l'observaient d'un regard docile. Quand il fut satisfait de la pose, il leur demanda de sourire et appuya sur le déclencheur.

Quelques jours plus tard, il neigeait sur Berlin. Par les fenêtres de l'appartement de Max, on voyait danser les épais flocons. Dans le salon se dressait le sapin décoré de guirlandes. Les bûches et les pommes de pin crépitaient dans la cheminée. Il faisait doux dans la pièce parfumée aux arômes de cannelle et d'épices. On avait préparé un gâteau pour le goûter des enfants de Sara. Max avait réussi à obtenir assez de beurre pour leur confectionner un dessert digne de ce nom. Depuis plusieurs mois, les Allemands subissaient des restrictions alimentaires et composaient avec des cartes d'alimentation. « Comme ça, au moins, on aura pris l'habitude le moment venu », ironisait Sara.

En cette fin de journée, il se tenait seul dans le salon, un livre ouvert sur les genoux, attendant le retour de la jeune femme. Après le pillage de sa maison, Sara avait accepté d'emménager quelque temps chez lui avec ses enfants et sa mère. L'appartement était assez grand pour accueillir tout le monde, même si Max dormait désormais sur le canapé du salon. Non seulement Sara avait été dépouillée de sa demeure, cédée à un dignitaire nazi pour une somme dérisoire, mais elle avait aussi dû entamer les démarches obligatoires pour vendre la maison Lindner. On lui avait d'ailleurs donné rendez-vous à quatre heures pour signer les derniers formulaires. Il aurait aimé l'accompagner, mais elle le lui avait interdit, prétendant qu'il s'exposait déjà suffisamment en les hébergeant.

Depuis le pogrom de début novembre, le régime avait pris des mesures encore plus draconiennes contre les juifs, qui avaient été collectivement condamnés à payer un milliard de Reichsmarks à l'État. Tout remboursement versé par les assurances pour les dommages encourus devait être également restitué aux autorités, et la charge des réparations incombait exclusivement aux juifs. Une rafale de décrets les privait de permis de conduire, leur interdisait l'accès aux cinémas, musées et autres lieux publics, excluait leurs enfants des écoles allemandes. Enfin, ils étaient condamnés à vendre leurs commerces et leurs entreprises. Exclus de la vie économique et sociale, traités en parias, les candidats au départ se multipliaient.

Sara avait réuni les papiers nécessaires pour s'exiler en France, mais elle se refusait à quitter l'Allemagne tant que Victor serait emprisonné dans le camp de Sachsenhausen, non loin d'Oranienbourg. « À trente kilomètres de Berlin, autant dire au bout du monde », grommelait Max. Le refus de partir de Sara l'inquiétait au plus haut point. Il aurait préféré qu'elle se mette à l'abri sans plus attendre. Il lui avait promis de s'occuper de Victor, ne comprenant pas pourquoi on n'arrivait pas à obtenir sa libération, d'autant que les nazis relâchaient les juifs qui détenaient des sorties de territoire. Ferdinand et lui se tourmentaient d'autant plus qu'ils étaient au courant des conditions de détention épouvantables qu'infligeaient les SS aux prisonniers. Certains en réchappaient, mais physiquement ou psychologiquement brisés. Submergé par les dossiers, Ferdinand se débattait de son mieux avec les fonctionnaires aussi tatillons que corrompus.

Max regarda sa montre. Sara ne devrait plus tarder. Le téléphone sonna, le faisant sursauter. La ligne grésillait.

— Max ? C'est bien toi ?

En entendant la voix mélodieuse avec sa pointe d'accent, il fut envahi par une vague de bonheur. Le temps passait, mais il restait toujours aussi vulnérable. Comme étourdi, il s'adossa au mur.

— Oui, c'est moi.

— Je suis heureuse de t'entendre, dit Xénia. J'ai reçu ta lettre ce matin. Évidemment que je peux les accueillir. Comment oses-tu même en douter ? Félix et Lilli, c'est cela, n'est-ce pas ?

— Oui. Ils ont douze et huit ans. Sara n'acceptera jamais de quitter Berlin sans son mari ou de se séparer de sa petite dernière, mais je veux la convaincre de laisser partir ses deux aînés. Ici, la situation est devenue intenable. Comme elle n'a pas de famille en France, j'ai pensé à toi. Tu es mon seul recours.

— Mais je ne suis pas sûre qu'elle acceptera de me confier ses enfants, déclara Xénia d'une voix hésitante.

— Pourquoi ? Moi, j'ai confiance en toi.

Il y eut un blanc au bout du fil. La communication crépitait à son oreille de façon désagréable.

— Tu m'entends, Xénia ?

— Oui, bien sûr, s'impatienta-t-elle, avant de poursuivre d'une voix pressante : Dis à Sara que ses enfants sont les bienvenus chez moi. Qu'ils seront à l'abri jusqu'à ce qu'elle vienne à son tour avec son mari et sa petite. Il faut que tu arrives à la convaincre, Max. C'est important. Ce qui se passe chez vous est abominable.

— Je sais. Je vais lui en parler ce soir et je te tiendrai au courant... Et toi, dis-moi, comment vas-tu ?

Elle se tut à nouveau. De mémoire, Max dessina sa silhouette et les traits de son visage, respira son parfum, et il eut envie d'elle. Une envie folle, irraisonnée. Et il s'en voulut de cette faiblesse, tout en éprouvant une pointe d'orgueil pour l'amour inaltérable que lui inspirait cette femme.

— Je pense tous les jours à toi, avoua-t-elle d'un ton grave, le prenant au dépourvu, mais Xénia serait toujours imprévisible, rebelle aux bienséances qui voulaient qu'on invente des politesses et des mensonges pour masquer une vérité profonde.

— Je t'aime, dit Max.

Elle ne répondit pas, bien sûr. Fidèle à elle-même.

— J'attends les enfants, Max. Si tu veux, je peux venir à Berlin les chercher. Si Sara préfère... Je vous laisse décider. Tiens-moi au courant.

— Merci, murmura-t-il. Merci de tout cœur. À bientôt.

Quand il reposa l'écouteur, les voix joyeuses des enfants de Sara s'élevèrent de la chambre au fond du couloir.

Une heure plus tard, la clé tourna dans la serrure et Sara pénétra dans l'appartement. Max la regarda retirer son manteau, son chapeau sombre, ses gants. Dans le miroir, elle lissa soigneusement ses cheveux. Elle bougeait avec une infinie lenteur. Alors que des dizaines de questions lui brûlaient les lèvres, il resta silencieux, comme s'il redoutait qu'une parole malheureuse la fît éclater en morceaux. Quand son amie se tourna vers lui, il vit que son regard était éteint.

Elle s'assit dans le fauteuil près de la cheminée. Sans dire un mot, Max lui tendit un verre de whisky avant de s'asseoir en face d'elle. Il se sentait fruste, maladroit. Brusquement, il avait honte devant cette femme qui avait tout perdu et dont on avait jeté le mari en prison. Il avait honte d'être allemand, lui, le Freiherr von Passau, parce qu'il considérait que Sara Lindner était aussi allemande que lui et qu'on la punissait injustement pour un crime qu'elle n'avait pas commis. Il avait honte d'être un homme et de ne pas avoir su la protéger de cette souffrance qui raidissait le corps qu'il avait tant aimé autrefois. On lui avait tout pris, sa maison, son travail, ses biens, tout excepté sa dignité. Sans verser une larme, sans trembler, elle restait immobile, repliée sur elle-même, comme si elle priait. Puis, lentement, elle leva les yeux vers lui.

— Voilà, c'est fait, dit-elle, et toute sa fragilité transparaissait sur son visage. La maison Lindner n'existe plus. La semaine prochaine, tu verras une autre enseigne au-dessus de la porte. On passera une annonce dans les journaux pour expliquer que le magasin se trouve désormais en la possession d'aryens respectables. Tu sais à qui je pense en ce moment ?

— À ton père.

— Bien sûr. Et c'est comme si on m'enfonçait un poignard. Ici, fit-elle en portant une main à son cœur.

Max voulut lui dire qu'il était désolé, mais toute parole était devenue dérisoire. Pire, elle aurait été insolente. Voilà ce à quoi ils nous ont réduits, pensa-t-il, amer.

— Je dois t'avouer que j'ai eu une surprise quand le nouveau propriétaire est entré dans la salle.

— Je croyais que c'était une entreprise de textiles d'Hambourg, s'étonna-t-il. Tu sais que j'ai essayé de me mettre sur les rangs pour te racheter tes parts. Cela aurait été une façon de te protéger jusqu'à ce que cette sinistre histoire prenne fin. Mais mon dossier n'a jamais été accepté.

— Et pour cause, lâcha-t-elle d'un air ironique, alors qu'une petite flamme se rallumait dans ses yeux. Quelqu'un de beaucoup plus introduit que toi était déjà sur les rangs.

Un frisson parcourut l'échine de Max, tandis que Sara prenait une gorgée de whisky.

— Non, ne me dis pas…

— Hélas, si. Kurt Eisenschacht est le nouveau propriétaire de la défunte maison Lindner. Désormais, ta sœur pourra faire ses courses chez elle.

Elle ne put cacher son amertume. Max se leva d'un bond, s'approcha de la fenêtre et appuya le front contre la vitre froide. Il lui fallut quelques secondes pour se ressaisir.

— Je suis désolé. Absolument désolé. Je te demande pardon.

— Mais voyons, tu n'y es pour rien, mon pauvre Max ! lança-t-elle avec un sourire crispé. Je sais qu'il profite des événements pour accroître sa jolie fortune. On raconte qu'il est aussi sur les rangs pour racheter le magasin de Nathan Israël. De toute façon, Marietta n'est probablement même pas au courant, ajouta-t-elle en se levant. Je doute que son mari lui raconte le détail de ses affaires... Bien, si tu le permets, je vais aller coucher les enfants. As-tu des nouvelles de Ferdinand ?

— Non, mais il m'a promis de passer ce soir.

— La seule bonne nouvelle de la journée, c'est que désormais je peux mettre toute mon énergie à sortir Victor de Sachsenhausen. Je n'ai plus rien d'autre à faire.

En fin de soirée, Ferdinand sonna à la porte. Il était échevelé, son feutre et son vieux manteau couverts de neige. Max les emporta dans la cuisine pour qu'ils ne dégoulinent pas dans l'entrée. Lorsqu'il revint au salon, il trouva son ami campé devant le feu de la cheminée en train de se réchauffer les mains.

— As-tu dîné ? demanda Max.

— Non.

— Il doit y avoir des restes. Je te prépare ça. Alors, les nouvelles ?

— Alors, rien, répliqua Ferdinand d'un air bougon. Pour l'instant, je suis dans une impasse avec Victor. Ils lui reprochent des écrits dans un journal sioniste d'il y a quelques années.

— Mais c'est absurde, voyons ! Victor était professeur de littérature. Il s'intéressait à Goethe et à Schiller.

— Certes, mais il a été jeune et enflammé comme toi et moi, mon cher ami. Malheureusement, ses premiers écrits ont eu un certain écho à l'époque, et les services concernés ont repéré son nom. Comme tu sais, tous les prétextes sont bons. Je suis inquiet, avoua Ferdinand à voix basse. Je crains de ne pas arriver à le tirer de là dans les jours qui viennent. Il faut que Sara parte tant que ses papiers sont en règle. Son visa pour la France sera bientôt périmé. Il lui faudra recommencer toutes les démarches de zéro. C'est dangereux.

— Je ne partirai pas sans Victor, dit Sara qui avait tout entendu du seuil de la porte. C'est hors de question. Je me battrai jusqu'à ce qu'on me le rende.

— Je sais, je sais..., soupira Ferdinand. Parfois, j'aimerais que vous soyez moins courageuses, vous, les femmes. On dirait que vous voulez m'empoisonner la vie ! Je n'ai pas l'intention d'abandonner ton mari, tu en es consciente, j'espère. Je peux aussi bien m'en occuper si tu es saine et sauve de l'autre côté du Rhin.

— Victor a besoin de savoir que je suis là, rétorqua-t-elle, le visage fermé.

Ferdinand secoua la tête, partagé entre l'agacement et l'inquiétude.

— Dans ce cas, laisse au moins partir Félix et Lilli, dit Max d'une voix douce. Il faut que tu sois lucide. Tu as réuni tous les papiers, les tampons, les visas, les autorisations... Tu t'es démenée pendant des mois pour les obtenir. Tu dois laisser sortir les petits. Tu ne peux pas leur faire courir le risque de rester dans un pays devenu fou.

La jeune femme blêmit et s'assit lentement. Un frisson lui parcourut le corps.

— Mais je n'ai personne là-bas, murmura-t-elle, désemparée.

— Xénia Ossoline a accepté de les prendre chez elle, déclara Max. Elle vient de m'appeler. Elle te fait dire que tu peux avoir confiance en elle, qu'elle les protégera jusqu'à ce que tu puisses les rejoindre avec Victor et Dalia.

— Comment est-elle au courant ? s'étonna Sara.

— Je lui ai écrit l'autre jour pour lui demander si elle acceptait de recevoir Félix et Lilli. Elle n'a pas hésité une seconde. Pardonne-moi, mais j'ai préféré prendre les devants. Il faut que tu sois raisonnable. Je t'en supplie, Sara.

La jeune femme regarda tour à tour ses deux meilleurs amis. Ils étaient suspendus à ses lèvres, leurs visages anxieux. Elle était déchirée. Pouvait-elle laisser partir ses enfants chez quelqu'un qu'ils ne connaissaient pas ? Dans un pays étranger ? Elle pensa aux enfants juifs réfugiés qui avaient été accueillis en Angleterre. Aux photos de ces fillettes et de ces petits garçons, ficelés dans leurs vêtements d'hiver, des pancartes autour du cou. À leurs regards égarés. Avait-elle le droit d'infliger à ses propres enfants ce même déchirement ?

— Il le faut, Sara, insista Max d'une voix ferme. Tu veux rester pour Victor et personne ne peut te le reprocher. On ne peut pas non plus te forcer à te séparer de Dalia. Elle est trop petite. Mais tes deux aînés doivent partir. Maintenant.

Sara repensa à Xénia, à son émotion lorsque la jeune femme lui avait parlé de son propre enfant qui avait l'âge des siens. La fille de Max, dont il ignorait encore tout. Et c'était comme si cette mère, qui avait elle aussi connu l'exil, l'appelait par son prénom et la suppliait d'écouter la voix de la raison. On pouvait reprocher à Xénia Ossoline d'être intransigeante et égoïste. On pouvait lui reprocher de ne pas être à la hauteur de l'amour que lui portait un homme au cœur pur, mais jamais personne ne pourrait douter du courage et de la détermination de la Russe blanche. S'il y avait une personne au monde à qui Sara Lindner confierait ses enfants les yeux fermés, c'était bien Xénia Ossoline.

— Très bien, dit-elle en redressant la tête, et aussitôt le soulagement se peignit sur les visages des deux hommes. Félix et Lilli partiront pour Paris.

QUATRIÈME PARTIE

Sur une route de France, juin 1940

Sous le ciel bleu sans nuages, les champs de blé s'étendaient de part et d'autre de la route. Une longue file de voitures, charrettes, landaus, camions et bicyclettes s'étirait à l'infini. Les taches rouge vif des édredons ficelés sur les toits des véhicules éclataient çà et là, tels des coquelicots. Exaspérée, Xénia ouvrit sa portière et se dressa sur le marchepied de la voiture. La caravane hétéroclite demeurait désespérément immobile, frissonnant au loin dans une brume de chaleur. Seuls les piétons continuaient à avancer, tête basse et traînant les pieds. On savait qu'ils venaient de loin, d'Amiens, de Lille, Sedan ou Rouen. Sur leurs visages hagards se lisaient des peurs indicibles. Cet été-là, toute la France semblait s'être mise en marche. Des vieillards, des aliénés, des prisonniers enchaînés, des paysans inquiets pour leurs bêtes laissées à l'abandon, des femmes en habit du dimanche avec des talons trop hauts, des enfants accrochés aux jupes de leurs mères, des soldats errants… Xénia avait essayé de se faufiler parmi la cohue, mais un militaire chargé de la circulation l'avait rappelée à l'ordre : il était interdit de doubler. De toute façon, cette portion de route était infranchissable. Des femmes chapeautées et des hommes en bras de chemise s'étaient assis sur les bas-côtés. Certains dormaient, épuisés. Des enfants jouaient dans la poussière. On est pris dans une souricière, songea la jeune femme en levant les yeux vers le ciel. Mais il n'y avait rien à l'horizon. Aucun avion ennemi. Pour l'instant.

Elle avait préféré éviter le train, puisque la Luftwaffe bombardait en priorité les gares et les voies ferrées, mais elle avait fini par se demander si elle avait fait le bon choix. Gabriel avait obtenu un sauf-conduit pour lui permettre de quitter la capitale par une route réservée aux militaires, ce qui lui avait fait gagner quelques heures précieuses alors que les civils étaient détournés par un autre chemin. Partie de Paris dans la nuit, après avoir entendu annoncer à la radio le départ du gouvernement, la jeune femme avait juste pris le temps de boucler les valises préparées depuis plusieurs semaines, bien que Gabriel eût clamé que la Marne ne serait pas franchie ni la Somme traversée. « N'oublions pas la ligne Maginot », avait marmonné Xénia d'un ton sarcastique. Mais comment en vouloir à l'officier de la Grande Guerre qui raisonnait, comme la plupart des Français, avec des certitudes d'autrefois ? Après avoir été aveuglé par l'efficacité des nazis dans les affaires, voilà que son mari croyait à l'invincibilité de l'armée française. Cependant, depuis que Cyrille avait rejoint son régiment, une partie du cœur de Xénia voulait y croire aussi. D'ailleurs, chaque fois qu'elle croisait des soldats, elle cherchait son frère, ce qui était absurde car elle n'avait aucune chance de le retrouver sur cette route de l'exode, d'autant moins que Cyrille n'était pas du genre à se joindre à cette débandade de militaires désorientés. Quand Gabriel, lui, avait refusé de déserter la capitale, Xénia n'avait pas insisté.

— Alors, on va bientôt pouvoir avancer ? s'impatienta Macha qui s'éventait avec la carte routière, sa petite fille de deux ans endormie dans les bras.

— Je t'ai déjà dit mille fois de ne pas parler russe, grommela Xénia. Ce pays est gangrené par une espionnite aiguë. Je n'ai pas envie de me faire lyncher.

— Désolée, murmura sa sœur.

Le pacte de non-agression germano-soviétique avait été signé en août 1939, quelques jours avant l'invasion de la Pologne par la Wehrmacht. Cette alliance contre nature entre les deux forces qui s'étaient opposées sur le champ de bataille espagnol avait bouleversé non seulement la communauté russe et les communistes français, mais le monde entier. Ce jour-là, Xénia avait remercié le ciel d'avoir pris la nationalité française et d'avoir convaincu son frère et sa sœur de le faire également, puisque d'un trait de plume les Russes se retrouvaient du côté de l'ennemi allemand. Dès le début des hostilités, de nombreux réfugiés en provenance des « territoires appartenant à l'ennemi », selon la circulaire officielle, avaient été enfermés dans des camps comme celui du Vernet, dans l'Ariège, ou celui de Gurs, dans les Basses-Pyrénées. S'y côtoyaient Allemands, Autrichiens, Italiens, Russes et Espagnols, communistes, juifs et républicains ayant combattu dans les Brigades internationales désormais vaincues. Les conditions d'internement étaient épouvantables.

— J'ai soif, *mamotchka*, se plaignit Natacha.

Xénia prit la bouteille d'eau posée aux pieds de Macha et se tourna pour la tendre à sa fille.

— Une gorgée, précisa-t-elle. Pour Félix et Lilli, la même chose.

Alignés sur la banquette arrière, les trois enfants obéirent sans broncher. Le ton de voix de Xénia ne souffrait aucune réplique. Natacha se contenta d'une grimace, évitant de faire remarquer que l'eau était trop tiède pour se désaltérer. À douze ans, la petite fille était assez perspicace pour savoir quand il valait mieux ne pas irriter sa mère. De leur côté, Félix et Lilli ne protestaient jamais. Depuis leur arrivée en France, l'autorité mêlée de tendresse de celle qu'ils appelaient Tante Xénia les rassurait. Elle était devenue leur rocher dans la tempête. Quand l'absence de leurs parents restés en Allemagne se révélait trop cruelle, elle était la seule qui trouvait les mots pour apaiser leur chagrin.

— À ce rythme-là, il nous faudra des jours pour arriver jusqu'à Nice, s'inquiéta Macha. Je t'avais bien dit qu'on aurait dû s'en aller plus tôt.

— Je n'ai pas cherché à te retenir. Tu pouvais prendre la décision de partir avec Olga, non ? répliqua Xénia. De toute façon, nous trouverons sûrement un train lorsque nous aurons franchi la Loire.

Elle sortit de son sac un mouchoir, l'humecta avec du parfum et se tamponna la nuque. Ses appréhensions, la jeune femme préférait les garder pour elle. Le jour de la déclaration de guerre de la Grande-Bretagne et de la France à l'Allemagne, le 3 septembre, elle s'était retirée seule quelques instants. Dans un miroir, elle avait étudié son regard gris, qui s'était à nouveau durci, et la ligne sévère de ses lèvres. Ainsi, la guerre se rappelait à elle avec son cortège de tourments et d'angoisses. Une vieille connaissance. Elle avait esquissé un sourire acide. Pour commencer, il y avait eu quelques mois d'un calme trompeur dont Xénia n'avait pas été dupe. L'invasion allemande des Pays-Bas, du Luxembourg et de la Belgique, avec les bombardements massifs et l'avancée inéluctable des panzers, avait jeté des centaines de milliers de personnes sur les routes. Aussitôt, Xénia avait retrouvé cette fermeté qui la guidait à travers les épreuves depuis plus de vingt ans, et elle avait pris sa décision : il fallait partir et mettre les siens à l'abri, dont deux enfants allemands, juifs de surcroît.

Si elle avait attendu aussi longtemps, c'est que, contrairement à beaucoup de Français, elle ne disposait pas d'une maison de famille en lieu sûr. Gabriel comptait seulement quelques cousins éloignés dans le Bordelais, mais avec lesquels il n'entretenait aucune relation. Xénia ne les connaissait pas et elle n'avait nullement l'intention d'échouer chez des inconnus. La belle-famille de Macha, en revanche, lui avait semblé beaucoup plus prometteuse. Elle avait décroché son téléphone pour appeler les parents de Nicolas Alexandrovitch, qui habitaient l'arrière-pays niçois depuis leur arrivée en France au début du siècle. Avec cette générosité impulsive des Russes, ils avaient exigé qu'elle accompagne leur belle-fille et la petite Olga, s'inquiétant d'ailleurs que la famille ne se soit pas déjà mise à l'abri chez eux.

Trois ans plus tôt, en dépit de l'attitude de son mari, Macha avait refusé de le quitter. À l'époque, Xénia avait eu une conversation courte mais explicite avec son beau-frère au sujet de son comportement. L'entente dans le couple semblait meilleure, notamment depuis la naissance de leur petite fille. Macha était devenue moins fébrile, Nicolas plus raisonnable. Si Xénia surveillait de près son beau-frère, qu'elle détestait toujours aussi cordialement, elle gardait un bon souvenir de ses parents rencontrés au mariage de Macha. Son père était un chirurgien ophtalmologue réputé à la retraite, sa mère une femme pieuse, dévouée à sa famille. Les sœurs de Nicolas étaient généreuses et enjouées. Macha et sa petite fille seraient à l'abri chez eux.

Soudain, comme par miracle, la file s'ébranla. Les gens remontèrent à bord de leurs voitures. Le claquement des rênes sur les croupes des chevaux les incita à avancer. Les cyclistes enfourchèrent leurs bicyclettes qui traînaient de petites remorques. Xénia fit démarrer la Delage et le ronronnement du moteur résonna comme un doux bruit à ses oreilles.

En fin d'après-midi, à l'approche d'Étampes, la fatigue avait commencé à creuser les traits des adultes. Les enfants pleurnichaient, épuisés par l'ennui et la chaleur accablante. On pestait contre une voiture tombée en panne d'essence qu'il fallait pousser sur le bas-côté. Ses passagers suppliaient qu'on les embarque, mais les autres véhicules étaient déjà surchargés. Les malheureux n'arrivaient pas à se résoudre à abandonner leurs valises et à poursuivre à pied. Chacun surveillait ses affaires par crainte d'un voleur. On n'avait confiance en personne. Aucune solidarité ne naissait de ce qui finissait par ressembler à une punition divine. Des affichettes aux points de passage les plus évidents cherchaient désespérément un enfant égaré, donnaient des informations sur une famille éparpillée, autant de bouteilles lancées à la mer. Prises d'assaut, les pompes à essence étaient vides. De toute façon, le carburant était rationné. Le ravitaillement manquait, l'eau aussi.

À la consternation des fuyards, certaines personnes sans scrupule vendaient des verres d'eau sur le chemin. Les nouvelles étaient alarmantes : les Allemands continuaient à avancer. Certains racontaient d'un air effrayé qu'ils n'étaient plus qu'à quelques kilomètres de Paris.

Immobilisée à un carrefour, Xénia pianotait sur le volant. Sa robe collait à ses reins. Des gouttes de sueur perlaient sur son front et entre ses seins. Elle avait soif mais n'osait pas boire, préférant conserver la dernière bouteille d'eau pour les enfants. Un fantassin se tenait devant elle, affublé tel un épouvantail de ses bandes molletières, d'une vareuse trop épaisse, d'une musette et d'un bidon qui lui battaient les cuisses. En le voyant agiter les bras en vain, Xénia sentit une boule de nervosité lui serrer l'estomac. N'y tenant plus, elle déboîta soudain sur la droite, manquant de renverser un cycliste qui se mit à l'injurier. Empruntant une petite route qui serpentait entre les talus, elle appuya sur l'accélérateur. Les enfants poussèrent des cris de joie.

— Qu'est-ce qui te prend ? demanda Macha, affolée. Ce n'est pas le chemin qui est marqué sur la carte. Tu sais où tu vas ?

Xénia ne répondit pas. La voie était dégagée. La voiture roulait et le vent qui entrait par les vitres baissées lui donnait le sentiment de revivre. Au même moment, ils entendirent des vrombissements sourds dans le ciel.

— Tante Xénia, je vois des avions ! s'exclama Félix qui s'était retourné pour regarder par la vitre arrière.

— Mon Dieu, qu'est-ce qu'on va faire ? s'affola Macha, en serrant si fort sa fille dans ses bras que l'enfant éclata en sanglots.

— Les arbres, maman ! Vite ! cria Natacha en montrant du doigt un petit bois.

Xénia appuya sur l'accélérateur et la puissante voiture bondit. Quelques instants plus tard, les pneus mordirent sur l'herbe du bas-côté et la jeune femme pila net.

— Descendez ! ordonna-t-elle en ouvrant la portière. On se met à l'abri dans le fossé.

Les enfants s'empressèrent de lui obéir. Xénia empoigna les mains de Lilli et de Natacha. Macha courait à son côté avec Olga dans les bras. Tous se jetèrent à plat ventre dans l'herbe haute. Xénia protégea de son mieux Natacha et Lilli, tandis que Félix couvrait d'un bras la tête de sa sœur. Du coin de l'œil, Xénia vérifia que Macha était allongée, elle aussi. De la petite Olga, on ne voyait qu'un pied car sa mère l'avait cachée avec son corps. Quand elle leva les yeux, Xénia vit un nuage noir passer au-dessus de leurs têtes. Une ombre menaçante. Les avions se mirent à descendre en piqué vers la route nationale. Des sifflements stridents déchirèrent l'air paisible de la fin d'après-midi. Quelques explosions se répondirent en écho. Le sol trembla et des rafales de balles crépitèrent sur la route. Xénia avait la bouche pleine d'herbe et de terre. Des nuages de poussière les enveloppèrent, s'insinuant dans le nez et les oreilles. Alors qu'elle serrait Natacha et Lilli contre elle, la jeune femme avait envie de se dresser sur ses pieds, de lever le poing vers le ciel et de hurler sa rage. Qu'ils laissent ces innocents en paix ! Des enfants, des femmes et des civils accablés qui cherchaient seulement à sauver leur peau. Mais elle resta allongée sur le sol, Natacha pressée contre sa poitrine, et elle sentait palpiter le corps de son enfant comme au jour de sa naissance.

Les avions passèrent une seconde fois au-dessus d'eux. Il y eut encore des rafales de mitrailleuses, puis le bruit terrifiant des moteurs s'éloigna dans le ciel. On entendit alors les hurlements et les cris des victimes. Xénia se redressa. De la route s'élevaient des fumées noires. Elle respira l'odeur piquante du caoutchouc brûlé.

— Est-ce que ça va ? demanda-t-elle, en les examinant les uns après les autres. Natacha, tu n'as rien ? Et toi, Lilli ? Félix, tu n'es pas blessé ?

Avec des mains fébriles, elle essuya les larmes sur les joues striées de poussière, palpa les bras, les jambes, à la recherche d'une balle perdue. Mais les enfants étaient indemnes. Quand elle se tourna vers Macha, son cœur s'arrêta de battre. Sa sœur était restée immobile, allongée sur sa petite fille qu'on entendait pleurer.

— Macha ! s'écria Xénia en l'empoignant aux épaules.

Du sang coulait sur le visage de Macha, s'échappant d'une entaille sur le front. Hébétée, elle clignait des yeux.

— Mon Dieu, tu m'as fait une de ces peurs… Mais je ne pense pas que ce soit grave, poursuivit-elle en examinant la blessure. Est-ce que tu m'entends, Macha ? Réponds-moi !

— Olga n'a rien ? demanda Macha en baissant la tête vers son enfant.

— Non, tout va bien, dit Xénia, et quand Macha éclata en sanglots, elle la serra dans ses bras.

Agenouillée, Natacha tenait Lilli contre elle. Ses nattes blondes s'étaient défaites. Dans son visage gris de poussière, son regard brillait de colère. La petite fille ne versait pas une larme. La mère et l'enfant s'observèrent un long moment, puis esquissèrent un sourire complice.

— Ne t'inquiète pas, *mamotchka*, murmura Natacha. On s'en sortira.

Quand Cyrille Féodorovitch Ossoline ouvrit les yeux, il se sentit désorienté. Ébloui par l'éclat du soleil qui passait entre les branches, il roula sur le côté et une douleur fulgurante lui traversa l'épaule, lui arrachant un grognement. Aussitôt, les dernières semaines lui revinrent en mémoire. Les bombardiers qui déversaient une pluie de feu sur les positions françaises, l'équipement insuffisant, les munitions dérisoires, une DCA quasi inexistante, les ordres du commandement qui n'arrivaient pas ou trop tard. Et, face à eux, une Wehrmacht d'une rapidité et d'une efficacité redoutables. Une aviation implacable qui préparait les assauts des formations blindées soutenues par une infanterie motorisée, des fantassins encadrés par des officiers supérieurs qui évoluaient en première ligne, alors que les généraux français se trouvaient trop loin de leurs troupes, sans moyens de communication modernes. Mais certains militaires s'étaient battus avec la rage du désespoir, et Cyrille parmi eux. Blessé à l'épaule lors de la déroute de son régiment, il avait été sauvé par un camarade. Ils avaient obéi à l'ordre de repli, puis, quelques jours plus tard, l'oreille collée au poste de radio de campagne, ils avaient écouté la voix chevrotante du maréchal Pétain : « Je fais le don de ma personne à la France pour atténuer son malheur… C'est le cœur serré que je vous dis qu'il faut cesser le combat… »

— Ce n'est pas vrai, avait murmuré Augustin d'un ton rauque. Ce n'est pas possible. On ne peut pas abandonner comme ça.

Cyrille avait détourné la tête, essuyant d'une main noire de crasse les larmes qui coulaient sur ses joues. Sa première confrontation avec la guerre se soldait par une cuisante défaite. En six malheureuses semaines. Une défaite sans honneur, dans un chaos indescriptible. Bouleversé, il s'était demandé si les tintements qui résonnaient dans ses oreilles étaient dus aux bombardements de la veille ou à la consternation qui frappait l'armée française de stupeur.

Il se redressa tant bien que mal. Son uniforme n'était qu'une loque couverte de taches de sang. Adossé à un arbre, son compagnon dormait encore. Tous deux empestaient et faisaient peur à voir, leurs visages émaciés dévorés par une barbe de plusieurs jours. Il nous faut absolument trouver des vêtements civils, songea Cyrille en passant la main sur ses joues râpeuses. En tâtonnant dans ses poches à la recherche d'un quignon de pain de la veille, il effleura sa boussole et sa carte Michelin.

Lorsque Augustin et lui avaient décidé qu'ils n'étaient pas faits pour végéter dans un camp de prisonniers en Allemagne, ils avaient attendu le moment propice pour échapper à leurs sentinelles allemandes. Depuis plus de quinze jours, ils avançaient vers le sud, évitant les routes et les villages, vérifiant avec soin qu'aucun Boche ne se tenait aux abords d'une ferme avant de s'en approcher pour quémander un peu de nourriture. Un paysan leur avait appris qu'avec la signature de l'armistice le pays avait été coupé en deux, et que la zone Nord était occupée par les Allemands. Désormais, il fallait franchir une « ligne de démarcation » avant de rejoindre la zone Sud.

Les deux garçons étaient déconcertés. Que leur réservait l'avenir ? Ils redoutaient de regagner Paris, se doutant que les Allemands considéraient d'un mauvais œil les prisonniers de guerre évadés. Augustin avait donc choisi de se réfugier chez ses grands-parents, à Montpellier, dans l'attente de jours meilleurs. Cyrille avait l'impression de partir à l'aventure. On lui avait parlé de la reconstitution d'une armée française dans le Sud, mais il n'était pas militaire de carrière. À moins qu'il ne s'engage comme beaucoup de Russes dans la Légion étrangère afin de défendre son pays d'adoption. Mais puisque la France avait rendu les armes, à quoi bon rester dans l'armée ? Pourrait-il reprendre ses études de droit lorsque les choses se seraient calmées ? Épuisé par la faim et la fatigue, encore sous le choc de la défaite, le jeune étudiant agissait par instinct. Pour l'instant, il avait choisi de se réfugier dans le Sud pour réfléchir, hors de portée des Allemands. Dès que possible, il contacterait Xénia et lui demanderait son avis.

Augustin se réveilla à son tour. Il s'étira, faisant craquer ses articulations, puis se leva pour se soulager.

— Alors, mon vieux, bien dormi ? ironisa Cyrille.

— Je préfère dormir en plein air sur la bonne terre de France, plutôt que de me retrouver sur une paillasse quelque part chez les Boches, grommela-t-il en reboutonnant son pantalon. Mais je ne dirais pas non à un bon café et quelques tartines.

Apprenti boulanger, Augustin était petit, noiraud, avec un regard malin et un nez cassé qui lui donnait du caractère. Cyrille lui tendit un morceau de pain rassis.

— C'est tout ce qui me reste, dit-il. Pour le café, il faudra tenter notre chance chez nos voisins.

Les deux compagnons d'infortune se mirent à mastiquer sans grand enthousiasme, tout en observant la ferme qui se dressait en contrebas et qu'ils surveillaient depuis la veille au soir. Pour l'instant, ils n'avaient remarqué aucun mouvement suspect. Ils avaient désespérément besoin de manger et de se laver, mais aussi de revêtir des vêtements décents. Ils rêvaient d'un lit où dormir quelques heures d'affilée sans craindre d'être surpris. Ils avaient décidé qu'Augustin irait demander de l'aide au fermier. Avec un peu de chance, ils tomberaient sur un homme bien qui aurait peut-être même une idée pour leur faire franchir cette maudite ligne de démarcation qui, d'après leurs estimations, ne se trouvait plus qu'à un kilomètre.

— On la respire déjà, la liberté, hein ? fit Augustin avec un clin d'œil.

Cyrille regarda autour de lui. Le paysage était vallonné, verdoyant. Paisible. Trompeur. Un frisson lui parcourut l'échine. D'un seul coup, il se sentit très jeune et perdu. Il voulait entendre la voix de sa sœur aînée le houspiller et l'encourager. Il voulait lui dire qu'il l'aimait, qu'il la respectait aussi pour tout ce qu'elle lui avait appris. Pour sa force. Son courage. Désormais, lui aussi devait prendre seul des décisions essentielles. Il tenait tant à ce que Xénia soit fière de lui ! Même en exil, elle lui avait inculqué les valeurs qui constituaient l'armature de leur famille. C'était la première fois que Cyrille mesurait combien Xénia l'avait armé pour affronter la vie. Il pensa à son père qu'il n'avait pas connu. À son oncle Sacha qui était mort pour une cause juste. À la Garde impériale russe dont il incarnait l'esprit par-delà les ruptures et les révolutions. Et c'est en contemplant ce doux paysage de France que le jeune homme de vingt-deux ans, né à Petrograd, comprit en son âme et conscience qu'il allait continuer à se battre, pour la liberté et pour l'honneur, celui des Ossoline, encore et toujours, mais aussi celui de la France, qui était devenue son pays et pour laquelle il avait déjà versé son sang.

Paris, novembre 1940

L'été de l'exode céda la place à l'hiver le plus rigoureux que le pays ait connu depuis longtemps. Xénia était arrivée saine et sauve avec sa petite troupe chez les beaux-parents de Macha. Un mois plus tard, elle avait choisi de remonter seule à Paris pour essayer d'obtenir des renseignements concernant Cyrille. Désormais, il faisait froid. Un froid à pierre fendre. Sous son voile de givre, Paris restait prostré dans un silence mortuaire. De temps à autre, dans le jardin du Luxembourg, une branche éclatait sous la morsure du gel et résonnait comme un improbable coup de fusil dans la ville occupée. Dès les premières heures de la matinée, les queues s'allongeaient devant les magasins d'alimentation. Le charbon manquait. On grelottait dans les appartements. Les plus âgés, comme le conseillait l'écrivain Colette, ne quittaient pas leur lit, protégés par des feuilles de papier journal glissées entre les diverses couches de vêtements. Ceux qui devaient sortir travailler de bon matin se pliaient de mauvaise grâce à l'heure allemande qui les jetait dans la pénombre des rues glacées et leur infligeait une obscurité pénible dès le milieu de l'après-midi.

En cette fin de matinée, Xénia marchait en direction du métro. Si elle souffrait comme tout le monde du froid chez elle, la jeune femme ne pouvait pas s'empêcher d'apprécier l'air vivifiant qui la frappait de plein fouet chaque fois qu'elle sortait de la maison. En passant devant l'hôtel Lutétia, elle tourna la tête pour éviter de regarder le drapeau à croix gammée qui claquait au vent. De même, son regard glissait sans les voir sur les uniformes vert-de-gris, l'éclat jaune des panneaux indicateurs en allemand ou les affiches de l'occupant. En quelques mois, le Parisien avait adopté l'air vague, presque abruti, de celui qui regarde en transparence.

Elle arriva à l'heure pour son rendez-vous au 102, rue du Faubourg-Saint-Honoré, et franchit d'un pas assuré le seuil de la Chambre syndicale de la couture. Une nervosité palpable régnait dans les couloirs. Les secrétaires, affublées de châles et de mitaines, cavalaient dans les escaliers sans lui adresser la parole. Par une porte ouverte, elle reconnut la voix de Daniel Gorin, le secrétaire général, qui tempêtait au téléphone. Xénia était curieuse de savoir ce que pouvait lui vouloir le président, Lucien Lelong, qui lui avait envoyé une lettre sibylline en lui demandant de passer le voir. Elle connaissait le célèbre couturier depuis plus de dix ans. Ils s'étaient rencontrés alors qu'elle était la toute jeune égérie de Jacques Rivière et que ses photos ornaient les pages des magazines de mode les plus luxueux. Il avait été séduit par sa personnalité, regrettant avec un sourire que Rivière lui ait soufflé une « muse d'exception », comme il le lui avait murmuré à l'oreille. Quelques années plus tard, il avait engagé Macha comme mannequin et celle-ci travaillait encore pour lui lorsque la guerre avait éclaté.

— Ma chère Xénia, comme je suis heureux de vous voir ! s'exclama-t-il lorsqu'elle fut introduite dans son bureau. Entrez, je vous en prie… Veuillez excuser le désordre mais je ne sais plus où donner de la tête.

Il lui baisa la main, l'aida à retirer sa fourrure qu'elle garda sur les épaules. Le malheureux petit radiateur électrique ne distillait qu'une chaleur illusoire. Xénia lissa d'une main la jupe de son tailleur de velours bordeaux et s'assit sur une chaise. Elle lui trouva mauvaise mine, les traits tirés, le regard sombre. Cet homme raffiné et inspiré semblait accablé.

— Quelque chose ne va pas, Lucien ? demanda-t-elle, un peu effrayée par son silence.

Il poussa un soupir, ouvrit les mains en un geste d'impuissance.

— Les Allemands sont venus me voir en août, expliqua-t-il. Ils veulent intégrer la haute couture parisienne dans un organisme à Berlin et à Vienne. Les ateliers, les petites mains, les créateurs… On serait tous amenés à déménager.

— Comment cela ? s'exclama Xénia, abasourdie. Mais c'est parfaitement grotesque ! Que leur avez-vous répondu ?

Il leva les yeux au plafond d'un air amusé, comme pour se rappeler précisément ses propres paroles.

— Vous pouvez tout nous imposer par la force, mais la haute couture parisienne ne se transfère ni en bloc ni dans ses éléments. Elle est à Paris ou elle n'est pas.

— Vous n'avez pas dû vous faire des amis, fit Xénia avec un sourire.

Âgé d'une petite cinquantaine d'années, mince et vif, d'apparence plutôt fragile, Lucien Lelong avait été un combattant glorieux du premier conflit. Décoré de la croix de guerre, chevalier de la Légion d'honneur, il ne se laisserait sûrement pas impressionner par les Boches, mais il était assez intelligent pour les redouter.

— Nous devons absolument sauver la couture parisienne, déclara-t-il d'un air grave. Elle fait vivre près de vingt mille ouvrières et cinq cents employés. Sans compter les industries de la soierie, de la dentelle ou de la fourrure. Vous savez bien que notre univers comporte des talents inégalés. Les brodeurs, les plumassiers… La liste est longue. Ils veulent nous prendre nos secrets et notre savoir-faire, qui est unique au monde. Notre devoir est de maintenir nos traditions, non seulement pour garantir un salaire à ces milliers de personnes, mais pour vendre à notre clientèle étrangère et continuer à faire rentrer les devises dans le pays. Les Allemands m'ont demandé de venir m'expliquer chez eux, conclut-il. J'ai besoin de votre aide, Xénia. Vous devez m'accompagner à Berlin.

Un frisson traversa la jeune femme. Retrouver Berlin, c'était s'aventurer au cœur du repaire de l'ennemi, avec tout ce que cela comportait d'odieux et d'angoissant, mais c'était aussi la certitude de revoir Max. Que devenait-il ? Que pensait-il de cette guerre qui avait mis l'Europe à feu et à sang ? Était-il à l'abri ou en danger ? Depuis le début du conflit, elle était restée sans nouvelles. Brusquement, Max lui manqua de manière si féroce qu'elle dut faire un effort pour se ressaisir.

— Je comprends votre point de vue, Lucien. Vous êtes lucide et courageux, ce qui ne m'étonne pas de vous, mais je ne vois pas comment je peux vous être utile.

— Le ministère m'a chargé d'une mission d'étude en Allemagne. Je dois trouver un accord qui permette la reprise de l'activité de la couture. Il s'agit de défendre les intérêts français contre un pillage systématique.

L'air agité, il se mit à arpenter la pièce.

— Vous vous rendez compte qu'ils ont osé pénétrer ici par effraction pour dérober les dossiers des écoles professionnelles et le fichier des acheteurs étrangers ?

— Cela ne m'étonne pas, ironisa Xénia. Ils sont capables de tout. À la dernière collection de Schiaparelli, la célèbre styliste Hilda Romatzki a volé une paire de boutons marqués d'un « S ». De retour à Berlin, elle les a cousus sur l'une des vestes noires qu'elle avait dessinées, mais elle s'est fait sévèrement tancer par un officier SS qui a pensé qu'elle se moquait du prestige de son uniforme.

Lucien Lelong esquissa un sourire.

— Ce serait drôle si la situation n'était pas aussi dramatique.

— Mais je ne vois toujours pas en quoi je peux vous aider, reprit la jeune femme, un peu perplexe.

— Vous connaissez les Allemands. Vous parlez leur langue couramment. On vous a célébrée à Berlin comme étant l'un des visages mythiques des années 1920, et ils vous considèrent comme une figure incontournable de l'élégance parisienne. J'ai besoin de vous pour appuyer mes propositions. J'aimerais aussi avoir vos impressions et comprendre un peu mieux comment ils fonctionnent là-haut, ajouta-t-il en tapotant d'un doigt sur sa tempe.

Xénia demeura interloquée. Il y avait dans le visage de Lucien Lelong quelque chose d'ardent qui lui alla droit au cœur. La couture constituait une partie intégrante de l'âme française, et elle était flattée qu'il s'adresse à une Russe d'origine pour l'aider. Mais l'influence slave n'était pas étrangère à Lelong. La notoriété de sa maison de couture devait beaucoup à la beauté et au charme mystérieux de son épouse russe, la magnifique princesse Natalie Paley, qui était mannequin et actrice. Au fil de leur mariage, l'un et l'autre avaient connu d'autres amours, d'autres passions, mais le couple avait marqué les esprits par son élégance et son talent. Ils avaient néanmoins fini par divorcer quelques années auparavant et la princesse était partie pour New York. Comme tant d'autres. Xénia éprouva une pointe de nostalgie pour une ville dont elle ne savait rien, mais qui incarnait à ses yeux cette liberté dont la France était privée.

— Je suis très honorée de votre proposition, Lucien, dit-elle sans plus réfléchir. Je viendrai avec vous et je vous aiderai de mon mieux.

La jeune femme fut heureuse, flattée même, de voir le sourire qui éclaira son visage intelligent, mais déjà elle était loin, tout entière emportée vers le seul homme qu'elle eût jamais aimé, et qui était désormais son ennemi aux yeux du monde.

Quelques jours plus tard, Gabriel Vaudoyer regardait sa femme faire ses valises. Il cachait tant bien que mal son exaspération, et l'une de ses jambes tressautait nerveusement. Les placards étaient ouverts, les robes et les tailleurs éparpillés sur le lit et les fauteuils. Une pyramide hasardeuse de cartons à chapeaux menaçait de s'effondrer. Voilà des années que Xénia et lui faisaient chambre à part. Lorsqu'il avait proposé d'un air rieur qu'ils se retrouvent afin de se préserver du froid, il avait été heurté par l'expression fugitive de déplaisir qui avait voilé le beau visage de sa femme. Alors qu'elle allait accepter, il avait eu un geste de la main en prétendant que ce n'était qu'une plaisanterie. Mais ce genre d'infimes déchirures se multipliait depuis des années.

Gabriel aurait pu dater le moment précis où sa relation avec Xénia s'était transformée. Sa femme était devenue plus secrète. Plus distante. Si elle demeurait une maîtresse de maison exemplaire et une compagne attentive, il avait saisi à son regard qu'elle était ailleurs, et il la connaissait trop intimement pour ne pas comprendre que le tressaillement de son corps n'était qu'un mouvement de recul. Il avait été peiné, mais une pudeur mâtinée d'orgueil l'avait empêché de l'interroger. Il y avait eu des éclats de colère. Des impatiences. L'idée d'un autre homme lui avait effleuré l'esprit. À quoi devine-t-on que l'autre vous est infidèle ? Un trouble, une fébrilité, un rire trop violent, une joie inexpliquée, une mélancolie passagère ? Il faut aimer vraiment pour saisir l'instant où l'autre vous échappe. Il faut aimer encore davantage pour garder le silence. À sa grande honte, comme pris d'un coup de folie, il l'avait même suivie le temps d'un après-midi, mais le périple de Xénia dans les magasins, puis chez sa sœur pour prendre le thé, avait été d'une banalité affligeante. Gabriel était rentré à la maison, se sentant méprisable. Il avait vingt ans de plus que Xénia et se comportait comme un gamin.

— Je trouve ce voyage parfaitement inutile, bougonna-t-il alors qu'elle pliait avec soin une paire de bas en soie, denrée devenue aussi rare que précieuse.

Avec un soupir, Xénia s'assit sur le bord du lit. Son épaisse robe d'intérieur lui tenait chaud mais dissimulait une silhouette qu'il savait toujours aussi parfaite. Elle le regarda comme s'il était un enfant récalcitrant.

— Je n'ai pas pu refuser, dit-elle. C'est un honneur qu'on me fait. Et puis c'est l'occasion d'aller à Berlin et de prendre des nouvelles de Sara. Je suis très inquiète. Je veux savoir si son mari est toujours en camp de concentration et si je ne peux pas la convaincre de partir sans lui. Je me demande même s'ils la laisseront encore quitter l'Allemagne, ajouta-t-elle, soucieuse.

— Êtes-vous sûre que c'est la seule personne que vous voulez retrouver là-bas ? lâcha-t-il d'un ton sec.

Le visage de Xénia se durcit.

— Que voulez-vous dire ?

— Rien. Vous avez toujours eu une relation étrange avec cette ville, mais je ne sais pas pourquoi.

Xénia se leva et recommença à s'affairer.

— J'ai beaucoup aimé Berlin jeune fille. Voilà tout. J'y compte des amis.

— Nous sommes en guerre.

— Je ne suis pas aveugle, Gabriel. Je connais la guerre comme vous, répliqua-t-elle avec un regard si intraitable qu'il resta interdit.

Elle termina de choisir ses tenues pour le voyage. En décrochant l'une des robes du soir, elle la tint contre elle quelques instants et s'observa dans le miroir en pied. C'était l'une des plus belles créations de Sara Lindner, une robe en velours rouge foncé semé de minuscules boutons dorés, au corsage cintré, avec une encolure droite et des longues manches gigot en velours imprimé.

— C'est une question de devoir, reprit-elle. La vie vous impose parfois des défis qu'il ne faut pas avoir peur de relever.

— Comme celui d'aimer, soupira Gabriel. Je vous laisse, Xénia. Je vois que vous êtes occupée. Mais vous allez me manquer. Sans Natacha, Cyrille et vous, la maison me semblera bien triste.

Elle ne se retourna pas alors qu'il quittait la chambre. Une nouvelle fois, la guerre bouleversait l'armature de sa vie. Elle avait envisagé de ramener Natacha à Paris, puis décidé de laisser l'enfant avec Macha en zone libre, où les dangers lui semblaient moins grands. De Cyrille, elle restait encore sans nouvelles. Elle avait consulté en vain les listes de milliers de noms du Centre national des prisonniers de guerre, écrit une lettre à la Croix-Rouge qui ne l'avait recensé nulle part. Son petit frère s'était volatilisé lors de la confusion qui avait suivi la défaite. Si Gabriel n'osait pas le lui dire ouvertement, elle voyait bien qu'il redoutait que le garçon ne fût mort. Mais Xénia refusait de s'y résoudre. Depuis qu'un militaire français inconnu, un certain général de Gaulle, avait appelé le 18 juin à la radio de Londres à poursuivre le combat, l'espoir avait pris racine dans certains cœurs et il était différent pour chacun. Chez Xénia, c'était sans aucun doute celui de revoir son frère vivant.

Elle comprenait la réaction de Gabriel. Elle savait qu'il avait besoin d'être rassuré, mais elle ne pouvait plus demeurer immobile à ses côtés. Une force vitale la poussait à réagir et le destin l'entraînait à nouveau ailleurs. Tant que Max avait été à portée de main et de cœur, elle avait pu laisser ses craintes la dominer. Secrètement, elle avait toujours su qu'elle reviendrait vers lui et elle avait eu la faiblesse de croire qu'il suffisait de laisser faire le temps. De tous les courages, celui d'aimer avait été le seul qui lui avait fait défaut. Max ne menaçait pas seulement son cœur. Il touchait à son essence même. Or maintenant que leurs deux pays étaient en guerre et qu'elle risquait de le perdre pour toujours, il lui semblait impensable de ne pas saisir la moindre occasion pour le revoir.

Berlin, novembre 1940

La faim était devenue une obsession, un poing qui serrait les entrailles. Non pas celle d'un être privé de nourriture mais celle, infiniment plus pernicieuse, qui naît de l'aspiration à la liberté et la justice. Et avec cette faim, la peur. Diffuse, intraitable, qui saisit le corps au réveil, s'atténue parfois comme pour se faire oublier, mais renaît sans crier gare lorsqu'il faut dissimuler, feindre, mentir. Et l'on mentait beaucoup à Berlin en ce début des années 1940, dans une ville verrouillée que ses maîtres envisageaient de remodeler à l'aune de leurs délires.

Max von Passau avait appris à apprivoiser ces deux fidèles compagnes qui ne le quittaient plus. La nuit, alors qu'il écoutait le hurlement des sirènes qui annonçaient le survol des bombardiers anglais et qu'il s'apprêtait à descendre aux abris, il mesurait le chemin qu'il avait parcouru en quelques années. Son insouciance et sa générosité, cette foi en l'homme qui l'avait guidé dans son travail en quête d'une vérité qui se reflétait dans ses portraits, s'étaient peu à peu transformées.

Max était devenu plus grave, plus mesuré. Il portait en lui, tel un silence, toutes ces émotions qui, autrefois, avaient fait de lui un homme heureux. Il faut du temps pour réaliser qu'on côtoie le mal absolu, admettre que l'homme puisse montrer un visage aussi vil, et que sous chaque masque d'horreur s'en dissimule un autre, plus terrifiant encore. Quelques années auparavant, lors des premières révélations des exactions nazies, Max avait essayé de comprendre. Désormais, il savait que le mal ne s'explique pas. Il se combat. Pire encore que la folie meurtrière d'individus comme Heinrich Himmler, Adolf Hitler ou Joseph Goebbels, il observait avec effroi le mutisme complaisant de la grande majorité de ses concitoyens. Leur exaltation, nourrie par les victoires sur les champs de bataille, et leur ferveur mystique lors des parades militaires sous la porte de Brandebourg lui glaçaient le sang. Dans une ville peuplée de mouchards, où l'ennemi se tapissait derrière des visages débonnaires, où l'on encourageait les enfants à dénoncer leurs parents alors qu'une dictature impitoyable étranglait le pays et asservissait l'Europe, Max von Passau, Milo von Aschänger, Ferdinand Havel, Walter von Briskow et leurs semblables ne possédaient que des moyens dérisoires pour résister, mais dans l'humilité de leurs actes se reflétait celle de leur âme.

Le feutre enfoncé jusqu'aux sourcils, une épaisse écharpe autour du cou, Max serrait son sac à provisions sous le bras. En cette fin de journée glaciale, le crépuscule commençait à tomber et les vitres noircies donnaient aux immeubles des allures d'aveugles. Il marchait d'un pas rapide en rasant les murs. Une tension nerveuse nouait ses épaules. Quand deux hommes en uniforme brun se dressèrent devant lui, leurs timbales à la main, il fouilla dans sa poche dont il sortit quelques pièces de monnaie qu'il gardait toujours en réserve. Désormais, il ne se permettait plus d'attirer l'attention en refusant de participer au « Secours d'hiver du peuple allemand ». Le tribut soi-disant volontaire de la population aux différents dons et quêtes imposés par le gouvernement ne tolérait aucune exception. Chacun savait que cet argent contribuait à financer le programme d'armement et non à venir en aide aux nécessiteux, mais tout individu réfractaire était considéré comme asocial, et il était vivement déconseillé d'être un marginal dans ce Troisième Reich appelé à durer mille ans.

Quelques rues plus loin, il s'engouffra sous un vaste porche. Les cours d'immeubles s'emboîtaient les unes dans les autres, ce qui lui permit de vérifier qu'il n'avait pas été suivi. Ses pas solitaires résonnèrent sur les pavés gelés. Plusieurs personnes qui habitaient le pâté d'immeubles étaient juives et elles étaient déjà rentrées à la maison, les autorités ne leur accordant qu'une heure dans la journée pour faire leurs courses. Il gravit l'escalier jusqu'au deuxième étage, s'adossa au mur et tendit l'oreille. Son haleine resta suspendue dans l'air froid. Aucun bruit suspect. Il frappa trois coups discrets à une porte. Aussitôt, il entendit qu'on tirait le verrou.

— Bonsoir, Max, murmura Ferdinand. Dépêche-toi d'entrer. C'est l'heure.

Son ami portait un vieux pull-over de ski informe sur son pantalon en velours. Ses cheveux poivre et sel se dressaient sur sa tête comme s'il venait de sortir du lit. Il avait l'air fatigué. Max retira son manteau, ses gants et son écharpe, puis le rejoignit dans le salon aux rideaux soigneusement tirés. Ferdinand s'accroupit devant sa radio dissimulée sous une couverture et se mit à tourner les boutons. Depuis le début de la guerre, il était interdit d'écouter les émissions étrangères sous peine de punitions exemplaires et il fallait se méfier d'une dénonciation d'un voisin ou d'un passant. Max s'installa à côté de lui, essayant de déceler la voix nasillarde du journaliste de la BBC parmi les sifflements qui résonnaient sur les ondes.

Après avoir infligé une défaite cinglante à la France, Hitler avait pensé ne faire qu'une bouchée de l'Angleterre. Entre juillet et octobre, la bataille aérienne avait fait rage entre la Luftwaffe d'Hermann Göring et la Royal Air Force britannique. Le courage et l'abnégation des pilotes anglais avaient contraint les Allemands à renoncer à leur plan d'invasion. C'était la première fois que les nazis subissaient un revers militaire. Pour saper le moral de leurs adversaires, ceux-ci avaient alors décidé de bombarder Londres et les villes du sud de l'Angleterre. Max et Ferdinand échangèrent un regard inquiet en apprenant que Coventry avait subi les plus graves assauts jamais perpétrés contre une population civile britannique. Plus de six cents tonnes d'explosifs, une ville anéantie, des centaines de morts. Mais la voix du journaliste anglais demeurait stoïque. L'Angleterre tenait bon. À la fin de l'émission, Ferdinand poussa un soupir, tourna le bouton pour capter une chaîne allemande, puis éteignit le poste.

— Les Anglais résistent, dit-il. C'est formidable, non ? Un courage admirable. Si seulement ils avaient fait preuve d'une sagacité comparable en 1938 au lieu de laisser Chamberlain ramper avec Daladier devant

Hitler, ajouta-t-il non sans dédain. C'était la seule véritable occasion d'empêcher ce désastre. Mais ils n'ont pas écouté le message que leur avaient fait parvenir des hommes comme Goerdeler ou le général Beck.

L'ancien maire de Leipzig, Carl Friedrich Goerdeler, était doué d'un tempérament énergique et courageux. Il avait refusé de hisser le drapeau nazi sur l'hôtel de ville, avant de démissionner quand on avait retiré le monument dédié au compositeur juif Mendelssohn-Bartholdy. Il s'était ensuite engagé dans une opposition sans détour à Hitler dès l'annonce du plan de démantèlement de la Tchécoslovaquie. Il formait l'aile conservatrice de la résistance avec le diplomate Ulrich von Hassel et le général Ludwig Beck, l'ancien chef d'état-major qui avait démissionné parce qu'il était en désaccord avec la politique de la guerre à outrance.

— Les Anglais n'ont pas cru qu'une partie de l'armée allemande était prête à se soulever contre le chancelier, dit Max. À leurs yeux, c'était de la haute trahison et ce n'était donc pas une éventualité recevable.

— Il faudra pourtant leur faire admettre tôt ou tard qu'il existe une autre Allemagne et qu'elle se bat comme elle peut contre ce régime illicite et meurtrier. J'ai recensé tous les faits illégaux qui ont déjà été commis, au cas où l'on serait amené à traduire Hitler et les siens devant un tribunal.

— Tu es fou ! s'exclama Max. C'est beaucoup trop risqué. Tu as une manie grotesque de tout noter par écrit. Fais-moi le plaisir de brûler ça au plus vite !

Il y eut quelques coups discrets à la porte. Ferdinand alla ouvrir et Max tira de sa poche son paquet de cigarettes. En allumant son briquet, il s'aperçut que ses mains tremblaient. D'un seul coup, il se sentait épuisé. Depuis le début de la guerre, il lui arrivait d'éprouver ces moments de profond abattement, des trous noirs à donner le vertige. La tâche semblait si démesurée. Combien étaient-ils à se révolter contre Adolf Hitler ? Parmi tous ceux qui s'étaient opposés à lui depuis 1933, beaucoup avaient été assassinés, des milliers enfermés dans des camps de concentration où ils subissaient tortures et humiliations. D'aucuns avaient littéralement disparu. En prenant le pouvoir, les nazis avaient anéanti sans vergogne toute opposition. Ceux qui continuaient à résister formaient une poignée d'âmes courageuses, portées par leur foi religieuse, comme le théologien Dietrich Bonhoeffer, leur refus de sacrifier l'Allemagne à une horde d'assassins, ou encore un respect inébranlable des droits fondamentaux de la personne humaine.

Dans son uniforme gris d'officier de la Wehrmacht, Milo entra dans la pièce. Le froid avait rougi ses pommettes et le bout de son nez. Il se frottait les mains pour les réchauffer.

— Quelle bonne surprise, dit Max avec un sourire. Je ne m'attendais pas à te voir.

— Une permission de quelques jours qui tombe à pic, fit Milo en le serrant dans ses bras. Je n'en pouvais plus. C'est un bonheur de retrouver Sophia et les enfants et une joie de vous revoir, les amis. Vous m'avez manqué… Tiens, mon cher Ferdinand, un cadeau pour toi, lui dit-il en lui tendant une bouteille de cognac.

— Commencerais-tu à te lasser de la France ? demanda Max, amusé. Je croyais pourtant que la vie y était plutôt agréable.

— De toute façon, c'est terminé pour moi. Mon régiment part pour la Pologne. Mais je t'avoue que j'ai eu du mal à m'y habituer. J'ai fait autrefois une année d'études à la Sorbonne, et je trouvais pénible qu'on me regarde de travers. Il y a quelque chose d'assez déplaisant à être considéré comme un barbare.

Milo von Aschänger appartenait au neuvième régiment d'infanterie de Potsdam dans lequel nombre des officiers partageaient les opinions de Max et de leurs amis. Il accepta le verre que lui avait servi Ferdinand et s'assit dans un fauteuil. Un voile de chagrin ternit son regard bleu et les traits de son visage s'aiguisèrent. Il se pencha en avant d'un air accablé.

— Mais le pire, ce n'est pas ça, ajouta-t-il. Le pire, c'est de combattre au nom d'Adolf Hitler tout en espérant la défaite. Comme vous savez, j'avais hésité à quitter l'armée, puis choisi de rester parce que nous n'avions aucun espoir de le renverser sans le soutien des forces armées. Mais si j'avais su que ce serait aussi difficile... Pendant toute la campagne de Pologne, puis celle de France, j'ai mené mes hommes au combat pour une cause à laquelle je ne croyais pas. J'espère et j'attends la première occasion pour neutraliser le monstre. Je noue des contacts avec ceux qui pensent comme nous, et j'essaye de transmettre nos idées. Je suis devenu un traître à ma patrie, conclut-il d'une voix blanche, et il m'arrive d'avoir honte en me regardant dans la glace.

Pendant quelques instants, les trois hommes restèrent silencieux. Ils n'avaient pas besoin de parler pour se comprendre, et ils n'hésitaient pas à dévoiler leur fragilité. Tous pratiquaient la haute trahison. Dans l'Allemagne nazie, c'était un crime puni par la décapitation à la hache, mais avant la délivrance de la mort venaient les tortures dans les caves de la Prinz-Albrecht-Strasse, au quartier général de la Gestapo. Chacun en était conscient, même s'ils évitaient de l'évoquer.

— Tu ne trahis rien ni personne, murmura Max. Cet homme est un tyran. Il n'a aucune légitimité. C'est un cas de conscience encore plus difficile pour vous, les militaires, parce qu'il vous a contraints à lui prêter personnellement serment, mais c'est un serment inconstitutionnel vidé de son esprit. Nous ne pouvons pas nous rendre complices d'une législation criminelle, ni d'actes sanguinaires. Nous devons rester fidèles à notre conception de la dignité humaine. La seule qui soit authentique. C'est une question d'honneur qui transcende le nationalisme.

— C'est Hitler le traître à la patrie, renchérit Ferdinand d'un air intense. Il a violé son serment de servir le bien du peuple allemand et il a transformé une démocratie en dictature. La seule fidélité qui doit nous inspirer est celle que nous devons à notre conscience.

Milo leva son verre comme pour saluer leurs paroles. Son visage semblait plus serein, mais son regard demeurait troublé. Ils connaissaient tous ce déchirement intime. Chez le résistant allemand au Troisième Reich, il y avait une profonde solitude qui ressemblait parfois à un abîme. Le pays était en guerre, qu'on le veuille ou non, et les soldats mouraient chaque jour sous l'uniforme allemand. Pour ces hommes élevés dans une tradition de loyauté et d'honneur, il était impossible de ne pas éprouver un sentiment de culpabilité à ne pas mettre toutes leurs forces au service de leur pays. Ils affrontaient le choix le plus tragique de leur existence. Leur combat n'allait pas de soi comme pour ceux qui se révoltaient contre l'occupant allemand dans les pays conquis, car il est toujours facile de se dresser contre l'étranger qui a envahi votre patrie. Et parce qu'elle était infiniment plus douloureuse et dramatique, leur résistance s'élevait avec la pureté d'une flamme du chaos et des ténèbres.

Les opposants à la dictature avaient un besoin vital les uns des autres pour se ressourcer. Ils tissaient leur délicate toile d'araignée à partir de relations familiales ou amicales. Max avait connaissance d'autres groupes de résistants à Berlin, comme celui qui se réunissait dans le salon d'Hanna Solf, et dont beaucoup de membres appartenaient au monde de la diplomatie. Tous avaient des contacts auprès de l'amiral Canaris, qui dirigeait le service de renseignement militaire de la Wehrmacht. Il offrait des couvertures aux résistants avec la complicité de son chef de cabinet, le colonel Hans Oster, qui avait dernièrement recruté Ferdinand pour travailler avec eux.

Ferdinand sortit de sa sacoche une grande enveloppe et disposa des papiers sur la table. Max et Milo se levèrent pour les examiner. Des passeports, des cartes de ravitaillement, des pièces d'identité. Des faux papiers flambant neufs tamponnés avec les sigles de la croix gammée.

— Je vois que les services de l'Abwehr ont encore fonctionné à merveille. Mes compliments, Ferdinand, dit Milo avec un sourire.

Ferdinand se contenta de hocher la tête, avant de se tourner vers Max.

— Désormais, c'est à toi de jouer, mon vieux. Toujours le même rendez-vous, à la gare du Zoo. Pour le train de dix heures. Tu les reconnaîtras facilement. Ce sont leurs vraies photos.

Max examina les visages des hommes et des femmes sur les documents. Comme chaque fois, il les rejoindrait sous la grande horloge de la gare. Les trains lâcheraient leurs nuages de vapeur. Les voyageurs se presseraient sur les quais. Il feindrait d'être distrait, bousculerait le père de famille et lui glisserait l'enveloppe dans la main. Il mettrait un point d'honneur à le regarder dans les yeux, à prendre le temps de lui serrer le bras pour l'encourager, puis s'éloignerait à grands pas. Comme toujours, de retour chez lui, sa fébrilité mettrait des heures à s'apaiser.

— J'ai été convié par Moltke à me rendre chez lui à Kreisau, dit Max d'une voix sourde, en cachant les faux papiers dans une conserve vide au fond de son sac à provisions. Ses amis aimeraient me connaître. C'est Walter qui leur a parlé de moi.

— Ah, tu vas découvrir le domaine du « comte rouge », s'amusa Ferdinand. Un grand honneur, crois-moi. C'est quelqu'un que je respecte beaucoup. Un visionnaire. Helmuth von Moltke a refusé d'entrer dans la magistrature après 1933 pour ne pas être complice de ce régime. À l'époque, il m'avait déjà confié que c'était une terrible catastrophe. C'est un excellent avocat international, mais surtout un homme profondément libre qui veut restaurer l'État de droit dans notre malheureux pays. Je le croise parfois dans les couloirs de l'Abwehr. Il voyage beaucoup. Il cherche notamment des soutiens en Scandinavie.

Ils discutèrent encore pendant une heure de leurs projets d'avenir pour une Allemagne libérée de la tyrannie, évitant avec pudeur d'évoquer leurs craintes les plus profondes. Puis vint l'heure de se quitter. Ils se séparaient toujours sans effusion, mais leurs regards graves trahissaient leur émotion. Au fil des épreuves, ce qui liait ces hommes était devenu bien plus que de l'amitié. Une ferveur, une communion de l'esprit. Dans la rue silencieuse, le cœur serré, Max regarda s'éloigner la haute silhouette de Milo jusqu'à ce que l'uniforme gris se confonde avec les ombres.

Quelques jours plus tard, Xénia descendait à pied la Wilhelmstrasse sous un ciel gris acier. Il faisait un froid polaire qui sentait le soufre et la neige. D'imposantes Mercedes noires glissaient le long de la chaussée. Au fronton des bâtiments du pouvoir, les oriflammes rouges affichaient comme à Paris leur morgue angoissante. Des hommes en uniforme pressaient le pas. Lorsqu'elle avait été contrôlée en tournant au coin de la rue, non loin de l'hôtel Adlon, elle avait dû montrer le papier qui la convoquait au ministère de la Propagande. Le regard du policier n'exprimait rien. Soumise à ces yeux ternes, elle avait senti le sang se figer dans ses veines.

Elle n'avait pas été préparée à ce qu'elle ressentait depuis son retour à Berlin. D'une sensibilité à fleur de peau, son corps tout entier réagissait à la tension nerveuse qui régnait dans ce quartier gouvernemental livré aux militaires et aux jeunes gens, hommes ou femmes, qui travaillaient dans les bureaux de l'administration et servaient dans les forces armées. On y percevait une ardeur volontaire, un élan qui se traduisait dans l'assurance des démarches ou les éclats de voix qui s'interpellaient devant les ministères. Autour de la porte de Brandebourg et de la belle avenue Unter den Linden, les enfants avaient déserté les rues et peu de personnes âgées s'y aventuraient. Le cœur névralgique de l'Allemagne nazie se voulait jeune et conquérant. Aussi esthétiquement séduisant qu'il était glaçant.

Xénia leva la tête devant le ministère, agacée de se sentir écrasée par la masse monolithique du bâtiment, puis gravit les marches d'un pas déterminé. Quand Xénia eut expliqué le but de sa visite, une jeune femme cintrée dans un tailleur gris sévère, sa natte blonde épinglée dans la nuque, la guida le long de couloirs de marbre où s'alignaient les bustes en bronze d'Adolf Hitler et de Joseph Goebbels. Tout était démesuré. La hauteur des plafonds, la profondeur caverneuse des pièces ornées de tapisseries dans lesquelles résonnait le claquement des bottes et des talons. La mégalomanie des dirigeants nazis se mesurait, comme dans la Rome antique, à la dimension et aux matériaux précieux de leurs édifices. Inconsciemment, Xénia redressa les épaules.

Elles marchèrent si longtemps que la jeune femme étouffa un moment de panique. Sortirait-elle jamais de ce dédale ? Enfin, à l'un des étages, la secrétaire frappa à une porte, puis introduisit la visiteuse. Trônant sous un portrait du Führer derrière un vaste bureau de cuir et de bronze, Kurt Eisenschacht paraphait des documents. En la voyant, il se leva. Son visage respirait la santé, et la carrure imposante de son costume croisé ne dissimulait pas qu'il avait pris de l'embonpoint depuis leur dernière rencontre.

— Chère madame, comme je suis heureux que vous ayez retrouvé le chemin de Berlin.

— Je suis enchantée d'être revenue, dit Xénia, alors qu'elle abandonnait son manteau à la secrétaire.

Il lui baisa la main, la gardant dans la sienne plus longtemps que nécessaire, mais Xénia ne broncha pas. Bien qu'il fît chaud dans le bureau, elle se sentait aussi glacée que dans les rues de la ville. Un sourire aux lèvres, Kurt Eisenschacht lui indiqua un fauteuil sans la quitter des yeux. Elle resta muette, le visage impassible. Ce fut lui qui rompit le silence en premier :

— Je vous avoue que j'ai été surpris d'apprendre que vous étiez dans la délégation de M. Lelong, dit-il enfin. Et je n'ai pas résisté au plaisir de vous recevoir, même s'il s'agit d'un cadre un peu formel, et que je ne dispose que de peu de temps.

— C'est me faire trop d'honneur. On m'a seulement demandé d'apporter ma voix pour aider à faire comprendre la spécificité de la haute couture parisienne. C'est un domaine que je connais bien, comme vous le savez.

— Mais vous savez aussi que l'avenir de la couture est désormais lié au renouveau de la Grande Allemagne. Maintenant que nous avons enfin éradiqué la néfaste influence juive, nous allons prouver la supériorité de notre talent et de notre élégance aux yeux du monde entier.

— Dans ce cas, vous n'avez pas besoin de nous, n'est-ce pas ? Pourquoi ne pas laisser Paris en paix ?

— Ah, mais il y a chez vous un certain savoir-faire qu'on ne peut nier, chère madame. Le chic français, la vision allemande… Il faut unir nos forces.

— Ou chercher à éliminer un concurrent par tous les moyens ? lança-t-elle, irritée. Je croyais pourtant que l'Allemagne n'avait peur de rien ni de personne.

Le visage d'Eisenschacht se durcit et son regard se fit plus perçant. Le cœur de Xénia se mit à battre plus fort. Avait-elle été trop loin ? Percevait-il l'ironie sous-jacente dans ses propos ? Elle n'était pas faite pour les joutes oratoires avec ce genre de requin. Elle n'était ni assez perfide ni assez habile pour cacher ses émotions.

— M. Lelong a parfaitement exposé le problème, reprit-elle d'un ton plus conciliant. Voyons, comment pouvez-vous espérer transporter un nombre aussi important de modélistes et d'ouvrières spécialisées à Berlin ou à Vienne ? Ces femmes dépériraient loin de chez elles. Sans oublier les centaines de fournisseurs qui créent les accessoires indispensables. Il faut écouter Lucien Lelong. Tuez l'inspiration des créateurs, dispersez le savoir-faire ancestral, et vous vous retrouverez avec une industrie en lambeaux. La haute couture est indissociable de Paris. Il faudrait être aveugle pour ne pas le comprendre, et je ne peux pas croire à une quelconque inconscience de la part d'une administration aussi efficace que la vôtre.

— Nous n'avons pas attendu Paris pour exister, madame. C'en est fini de ce complexe d'infériorité qui a longtemps paralysé nos créateurs. Désormais, nous transformons le monde. Voyez nos architectes, nos sculpteurs, notre quête artistique…

— Justement. Je ne doute pas que vos stylistes sauront montrer le chemin, répliqua Xénia d'une voix plus douce. Les Allemands n'ont pas besoin de nous pour prouver leur talent. Laissez la haute couture parisienne entre ses murs. Comme le suggère M. Lelong, chaque pays doit créer sa propre mode. Ce serait insultant de penser que Berlin ait besoin de Paris pour rayonner de par le monde, non ?

Elle lui sourit d'un air innocent et Eisenschacht sembla se détendre. On frappa à la porte et la secrétaire entra, un dossier sous le bras.

— Herr Lelong et la délégation française sont arrivés, annonça-t-elle.

— Parfait, dit Eisenschacht d'un air réjoui. Il me semble que vous n'assistez pas à la réunion, n'est-ce pas, madame ?

— Pas à celle-ci, dit Xénia en jouant les écervelées. Je préfère m'en tenir à des rencontres plus informelles. Les discussions détaillées sont beaucoup trop sérieuses pour moi. Tous ces chiffres m'ennuient à périr.

Elle était certaine qu'Eisenschacht serait rassuré par sa naïveté. Un homme comme lui devait trouver inconcevable qu'une femme franchisse un certain seuil d'intelligence. Alors qu'il l'aidait à enfiler son manteau, il lui murmura à l'oreille :

— À bientôt, chère Xénia. Vous permettez que je vous appelle par votre prénom ? Je sais que j'aurai la joie de vous revoir à la réception de ce soir. Nous parlerons de sujets plus légers. Il ne faudrait pas que ces contingences ennuyeuses se mettent à nous gâcher la vie.

Xénia inclina la tête. Elle ne reprit vraiment son souffle que lorsqu'elle se retrouva en plein air. Depuis son arrivée la veille, elle avait tenté en vain de joindre Max plusieurs fois au téléphone. Personne n'avait répondu, ni chez lui ni à son studio. Elle ne pouvait pas attendre ; elle devait voir Sara au plus vite. Levant la main, elle héla un taxi et lui indiqua la dernière adresse que Sara avait pu lui communiquer par lettre, priant le ciel que la jeune femme y résidât encore.

La rue étroite bordée d'immeubles aux façades lézardées se trouvait dans un quartier de Berlin que Xénia ne connaissait pas. Des passants en vêtements ternes rasaient les murs. Elle eut un instant d'hésitation et vérifia l'adresse. Une pancarte en lettres gothiques précisait que l'immeuble était réservé aux juifs. L'entrée était sombre et elle chercha à tâtons un interrupteur. Aucune boîte aux lettres n'indiquait le nom des habitants. La loge du gardien était verrouillée. Se sentant un peu perdue, Xénia monta au premier étage et frappa à une porte. Pas de réponse. Devait-elle attendre que quelqu'un se manifeste ? Un frisson la parcourut. Une humidité glacée régnait dans les corridors. Elle monta au deuxième, avança dans un couloir, sonna à une autre porte. Après de longues minutes, quelqu'un l'entrebâilla. Elle discerna une vague silhouette emmitouflée dans un manteau, un bonnet sur la tête, qui l'observait d'un air apeuré.

— Pardonnez-moi de vous déranger, *gnädiger Herr*, mais je cherche Frau Sara Lindner. Savez-vous à quel étage elle habite ?

— Il n'y a pas de Lindner ici, grommela le vieil homme.

— C'est la femme de Victor Seligsohn qu'elle veut, dit une voix fluette, et une femme âgée le poussa de côté et leva la tête. Pourquoi la cherchez-vous ? ajouta-t-elle avec un regard soupçonneux.

— Je suis une amie. J'ai besoin de la voir pour lui parler de ses enfants. Savez-vous si elle habite encore ici ? C'est la dernière adresse qu'elle m'ait donnée.

La vieille femme réfléchit un instant en détaillant Xénia de pied en cap, puis se décida à répondre.

— L'étage au-dessus, la dernière porte sur la droite.

— Merci, madame.

En dépit de la vétusté de l'immeuble, Xénia nota que la cage d'escalier et les étages étaient propres, les boutons de cuivre sur les portes astiqués. Cette fois-ci, ce fut Sara qui lui ouvrit. Un mètre de couturière autour du cou, elle portait un épais chandail à col roulé et une vieille jupe de laine. Ses cheveux bruns étaient tirés en une sévère queue-de-cheval, dévoilant un visage sans maquillage, des lèvres blafardes. L'Allemande blêmit en la voyant.

— Xénia, souffla-t-elle, abasourdie. Comment est-ce possible ? Entrez, je vous en prie.

Quelques minutes plus tard, Xénia se trouvait assise dans un petit salon que réchauffait à grand-peine un minuscule poêle à charbon. Les murs étaient recouverts d'un papier peint terne et des livres reposaient en désordre sur une table. Dans un coin, de vieux vêtements s'empilaient sur un lit de camp. Sara esquissa un sourire en retirant son dé à coudre et son mètre.

— Je couds toute la journée. Ce n'est plus une question d'élégance, mais de survie. Les juifs n'ont plus le droit d'acheter de vêtements pour femmes ou pour enfants. On nous interdit même des coupons de tissu, alors je suis devenue experte en retouches, conclut-elle avec une moue ironique. Mais parlez-moi de Félix et de Lilli, lança-t-elle d'un air avide, ses yeux immenses dans son visage livide. Est-ce qu'ils vont bien ?

— Ils vont très bien, s'empressa de la rassurer Xénia avec un sourire. Tenez, je vous ai apporté quelques photos, dit-elle en ouvrant son sac à main. Ils habitent dans le sud de la France avec ma fille Natacha. Ma sœur Macha veille sur eux. Ils sont en sécurité là-bas. Rien ne peut leur arriver. J'ai préféré les envoyer en lieu sûr lorsque les Allemands ont envahi la France.

D'un seul coup, les yeux de Sara se remplirent de larmes, elle porta une main tremblante à ses lèvres. Bouleversée, Xénia s'assit à côté d'elle et la serra dans ses bras. À travers l'épaisseur du chandail, elle sentait le corps frêle de la jeune femme qui sanglotait sur son épaule.

— Ils sont très courageux et ils s'entendent bien avec ma fille, poursuivit-elle. Désormais, ils parlent couramment le français. J'ai veillé à ce qu'ils prennent des cours particuliers dès leur arrivée. Félix est un très bon élève et Lilli continue à jouer du piano, comme vous l'aviez souhaité. Regardez comme elle a grandi ! Elle est ravissante. Ils se sont fait des camarades à l'école. Macha a une petite fille de deux ans. C'est une excellente maman. Une personne sérieuse. Vous pouvez avoir autant confiance en elle qu'en moi.

Xénia s'aperçut qu'elle parlait à tort et à travers, mais elle avait désespérément besoin d'apaiser Sara qui dévorait des yeux les petites photos en noir et blanc. Elle devinait la détresse qui devait déchirer cette femme séparée de ses enfants depuis deux ans.

— Pourquoi n'êtes-vous pas venue les rejoindre, Sara ? murmura-t-elle. Vous aviez pourtant tous les papiers nécessaires.

Sara mit quelques instants à se ressaisir.

— Je ne pouvais pas laisser ma vieille mère toute seule, et puis je voulais attendre que Victor revienne de Sachsenhausen. Nous devions partir tous ensemble. Ils l'ont enfin relâché en mars de l'année dernière. Mais il était… Mon Dieu…

Un frémissement la parcourut. Le regard fixe, elle se mit à chuchoter, butant sur les mots :

— Il avait les mains et les pieds gelés. On oblige les prisonniers à rester debout dans le froid pendant des heures. Le crâne rasé. Par moins vingt degrés. Et puis les tortures. Les humiliations… Vous ne pouvez pas imaginer. Dans les baraquements, ils sont entassés par dizaines. La vermine… Les maladies… Il avait des plaies sur tout le corps. J'ai dû le soigner. Il n'arrivait même plus à parler. Il va mieux maintenant, mais je ne sais pas s'il redeviendra un jour lui-même, ajouta-t-elle d'une voix brisée en baissant la tête.

Xénia s'agenouilla devant elle et saisit les mains glacées entre les siennes. Comment la consoler ? Elle n'avait pas de mots à lui offrir. Rien ne pouvait atténuer le tourment de cette femme qui était venue à Paris recevoir une médaille d'excellence en récompense de son travail, une femme intelligente et talentueuse, qui était si belle ce jour-là dans sa robe élégante, et que persécutait aujourd'hui un régime sans foi ni loi. Désemparée, Xénia posa le front sur les mains de Sara, comme si elle s'inclinait devant sa souffrance.

— Ma mère est morte il y a un mois, poursuivit Sara. Ce fut une délivrance pour tous. Nous n'arrivions pas à obtenir de visa pour elle. Max et Ferdinand font de leur mieux pour essayer de nous faire passer en Suisse, mais c'est devenu beaucoup plus difficile depuis le début de la guerre.

— Victor est-il capable de faire le voyage ?

— Il le faut, murmura Sara. Il ne peut pas rester ici. Personne ne peut rester ici. Et encore, j'ai de la chance qu'on ait pu emménager dans cet appartement grâce à Max. Nous ne pouvions plus habiter chez lui. C'était trop dangereux. Son concierge est un fervent nazi et il voyait d'un mauvais œil la présence de juifs dans l'immeuble. Max m'apporte de la nourriture et du charbon pour nous chauffer. Chez les autres, il gèle dans les appartements, et le rationnement pour nous est tellement sévère qu'on va finir par mourir de faim.

Xénia se releva. Elle était tendue, le ventre noué.

— J'ai essayé de le joindre, mais il ne répond pas. Est-ce qu'il va bien ?

Sara lui jeta un regard vif, hésita un instant avant de répondre.

— Il s'est absenté quelques jours en Silésie, mais il ne va pas tarder à revenir. Je m'inquiète pour lui.

— Pourquoi ?

— Il n'est pas assez prudent. Tous les journalistes et photographes sont soumis aux ordres de Goebbels, mais depuis le début de la guerre Max essaye de jouer au plus fin. Pendant un temps, il a travaillé pour l'agence d'Heinrich Hoffmann que Goebbels déteste, mais Max ne supporte pas non plus l'amitié intime qui lie Hitler à son photographe attitré. Il avait le sentiment de mettre son talent au service de leur propagande. Alors il se contente de photos anodines en studio. Des soldats qui partent au front et qui veulent un souvenir d'eux et de leur fiancée, des baptêmes, des mariages… Et des photos de mode, bien sûr. Le régime y attache de l'importance pour le moral de la population. Il a abandonné toute recherche artistique. C'est comme si quelque chose s'était brisé en lui. Mais comment lui en vouloir ? Le monde est devenu fou. On vit des choses tellement terribles en Allemagne.

— Vous n'êtes pas les seuls, lança Xénia que l'angoisse rendait irritable. Enfin, pour vous, les juifs, c'est abominable, mais pour les autres, les vrais Allemands…

— Ne dites pas ça, rétorqua sèchement Sara. Ne tombez pas dans le piège de ces monstres. Je me considère aussi allemande que Max. Les hommes et les femmes qui luttent avec Ferdinand ou Max ne font pas cette distinction. Nous autres allemands souffrons d'une tyrannie comme personne n'en a jamais connu.

— Mais la grande majorité de la population est consentante ! s'enflamma Xénia. Il suffit de les regarder agiter leurs petits drapeaux nazis à la première occasion. Ils cautionnent la persécution des juifs. Ils vous ont volé vos maisons et vos entreprises, et ils commencent à faire la même chose ailleurs. Ils permettent qu'on pille sans vergogne les pays occupés. Ils applaudissent quand la Luftwaffe détruit des villes comme Rotterdam ou Coventry. Quand on est partis vers le sud avec les enfants, on a été mitraillés sur la route. Vous vous rendez compte ? Des femmes et des enfants innocents. C'est un miracle qu'on n'ait pas été tués. Mon père et mes oncles étaient officiers de la Garde impériale. Je connais le code de l'honneur d'un militaire digne de ce nom. Les nazis sont des barbares impies, et les Allemands les encouragent et les soutiennent. Le pays est complice d'Adolf Hitler et vous le savez comme moi. Il faut abattre ce chacal et se révolter !

Xénia s'arrêta, à bout de souffle.

— Tout le monde n'a pas votre courage, fit Sara avec un pauvre sourire. Les gens ont peur. Pour eux et pour leur famille. On leur a lavé le cerveau depuis tant d'années.

— Mais regardez à quoi ils vous ont réduite, fit Xénia avec un geste du bras. C'est une honte ! Comment pouvez-vous les excuser ? Moi, je les hais de toute mon âme.

— Ma femme ne les excuse pas, déclara une voix grave qui fit sursauter Xénia. Elle n'a pas le temps de haïr. Elle est trop occupée à survivre.

Un homme grand, d'une effrayante maigreur, se dressait dans l'embrasure de la porte. Il avait des cheveux noirs, des pommettes aiguisées, et tenait dans les bras une petite fille qui suçait son pouce.

— Victor, nous t'avons réveillé ? s'inquiéta Sara en se levant pour lui prendre leur fille.

— Aucune importance, dit-il en souriant. C'est une joie de connaître enfin celle qui veille sur Félix et Lilli depuis deux ans déjà. En vous entendant, je ne doute pas que nos enfants se trouvent entre de bonnes mains. Sara m'avait dit que vous étiez une femme de caractère, Xénia Féodorovna. Elle ne m'avait pas dit que vous étiez aussi une femme de lumière.

Il s'approcha en boitillant, s'inclina devant Xénia et lui baisa la main, puis ajouta d'un air grave :

— Et maintenant, j'aimerais que vous me parliez de mes enfants.

Sous les lustres étincelants d'une des salles de réception du ministère de la Propagande, Xénia se tenait droite et tranquille dans sa robe du soir en velours rouge, des pendants en rubis à ses oreilles, ses cheveux blonds coiffés en un chignon souple. Elle examinait d'un œil froid l'éclat des plastrons des hommes en habit et leurs épouses en tenue de soie artificielle qui tenaient à la main des verres de sekt. Si le rationnement dû à la guerre s'imposait à tout le pays aussi bien pour la nourriture que pour l'habillement, on n'en voyait pas de trace ce soir-là. Le repas présenté dans le service en porcelaine blanche à filet d'or avait été copieux. Les vins triomphants. Les décors de fleurs et de bougies tirées au cordeau sur les nappes damassées. Quelques discours avaient émaillé le banquet, mais il s'agissait certainement de faire bonne figure devant les hôtes étrangers. Désormais, sous l'égide de l'immense croix gammée, les voix des convives repus se répondaient entre les miroirs. Xénia entendait parler italien et français. Les croix de fer et les décorations militaires au revers des uniformes accrochaient la lumière. Les sourires griffaient comme autant de morsures.

Du coin de l'œil, elle aperçut Lucien Lelong. Bien qu'il eût les traits tirés, il semblait soulagé. Quand il était venu la chercher pour l'accompagner au dîner, il lui avait confié que les négociations étaient en bonne voie. Rien n'était encore gagné, mais la haute couture devrait pouvoir conserver son assise parisienne, tout en restant sous surveillance. Dans les mois à venir, il espérait établir une carte couture-création, obtenir des dérogations pour que les couturiers puissent se procurer des matières premières afin de permettre à certaines maisons triées sur le volet de continuer à présenter des collections. Il afficha un air affable quand Magda Goebbels s'approcha pour lui parler. Ayant grandi à Bruxelles, elle maîtrisait parfaitement le français. Xénia lui trouvait le visage empâté et le regard distrait, mais son voisin de table lui avait appris que Frau Goebbels venait de mettre au monde sa dernière petite fille. Le ministre pouvait désormais s'enorgueillir d'être le père de six enfants. Non loin de là, Joseph Goebbels gesticulait en riant aux éclats, afin de charmer quelques femmes qui l'écoutaient d'un air avide. Quand Xénia lui avait serré la main à son arrivée, elle s'était retenue pour ne pas le toiser. Avec sa tête trop volumineuse pour son corps malingre, il était petit et contrefait, mais son regard sombre brillait avec ardeur dans son visage blafard. Un sourire crispé aux lèvres, Xénia avait songé que pour qu'un homme aussi disgracieux puisse collectionner autant de conquêtes, le pouvoir rendait décidément les femmes aveugles. Alors que les dirigeants nazis ne parlaient que de la supériorité de la race aryenne et exaltaient une beauté physique aux canons esthétiques très étudiés, leur propre laideur n'en paraissait que plus flagrante.

C'est alors que Xénia entendit parler russe. Un frisson lui parcourut l'échine. Deux diplomates conversaient à voix basse. Ils se tenaient aux aguets, leurs yeux effilés surveillant la salle, vêtus de complets sobres. C'était la première fois qu'elle côtoyait des Soviétiques depuis qu'elle avait été chassée de son pays, et elle eut comme un étourdissement. Brusquement, elle se revit dans sa maison natale, et respira le parfum de tabac et de cire d'abeille qui flottait autrefois dans le vestibule. Mais les lustres éclataient sous les rafales des mitrailleuses, et le sang de son père giclait sur le fauteuil et les pages blanches disséminées devant lui. Xénia vacilla, enfonça ses ongles dans la paume de sa main pour se ressaisir. Combien d'innocents avait-on massacrés depuis toutes ces années ? Staline avait réduit la Russie en esclavage. Les victimes se comptaient par centaines de milliers. La famine, les déportations, les exécutions sommaires… Qui allait mettre un terme à ces crimes vertigineux ? Elle réprima un haut-le-cœur et tourna les talons.

— Vous partez déjà ?

Marietta Eisenschacht portait une robe en crêpe noire, une résille autour des cheveux, des diamants aux oreilles. Elle semblait nerveuse, presque friable.

— J'en ai vu assez, répliqua Xénia.

— Quelle chance vous avez, ironisa Marietta. Nous, nous sommes obligés de rester.

— Mais vous n'en avez que les avantages, n'est-ce pas ? Surtout vous. En me promenant en ville cet après-midi, j'ai cru comprendre que votre mari était le nouveau propriétaire des magasins Lindner. Entre autres.

— À quoi bon quand les étalages sont vides ?

— À quoi bon quand on est sourd aux cris des victimes ?

Marietta esquissa un sourire froid, haussa délicatement les épaules.

— Je ne vois pas de quoi vous voulez parler.

— Dans ce cas, je ne peux rien pour vous, et la fin n'en sera que plus terrible. Veuillez m'excuser, mais je dois partir. Je n'arrive plus à respirer ici.

Xénia fit un pas de côté et retourna vers le vestiaire. Ses talons martelaient le sol, mais elle n'entendait que les battements effrénés de son cœur. Les mains tremblantes, elle fouilla dans son sac pour en retirer le numéro de son manteau, et demanda qu'on lui appelle un taxi. Dehors, l'air glacial la saisit dans un étau. Par la vitre de la voiture, elle contempla les immeubles verrouillés, les rues désertes où seuls s'aventuraient des militaires. Dans la nuit noire, quelques rares lumières surgissaient çà et là, tels des feux de détresse. Et Xénia partait rejoindre Max, les nerfs à fleur de peau, le cœur mis à nu. Au creux des ténèbres, elle s'en allait enfin vers l'homme qu'elle aimait, comme l'on se rend à l'évidence.

Un hurlement déchira le silence de Berlin. Une longue plainte s'éleva dans le ciel que balayèrent soudain des phares puissants en quête des avions ennemis. Aussitôt, la voiture se rangea le long du trottoir.

— Continuez ! ordonna Xénia.

— C'est interdit. Il faut se réfugier dans le premier abri, dit le chauffeur.

— Continuez ! cria-t-elle. Nous ne sommes plus très loin. Dépêchez-vous !

Un peu interloqué, l'homme obéit et traversa le carrefour à toute allure avant de se garer devant l'immeuble de Max. La jeune femme le régla et se précipita dans la maison. Le concierge éclairait le hall d'entrée avec une lampe-tempête. Xénia lui saisit le bras et lui demanda à quel étage habitait Max. Il la regarda d'un air surpris.

— Au cinquième. Mais vous devez descendre à la cave avec nous.

Pour avoir la paix, Xénia lui promit qu'elle ne tarderait pas à les rejoindre, puis se fraya un passage parmi les habitants qui se pressaient pour se mettre à l'abri. On la bouscula dans l'escalier. Elle heurta le mur de l'épaule, mais continua à grimper. Il lui semblait inconcevable que Max ne soit pas rentré de Silésie, car elle était venue lui dire qu'elle l'aimait, qu'elle n'avait jamais aimé que lui. Elle prit son briquet pour éclairer l'escalier plongé dans l'obscurité. Arrivée devant la porte, elle appuya sur la sonnette. Sans lâcher prise. Dehors, le mugissement des sirènes poursuivait sa sinistre mélopée.

— Mon Dieu, faites qu'il soit là, pria-t-elle avec ferveur. Je vous en supplie, faites qu'il soit là !

De toute façon, quoi qu'il arrive, elle ne partirait pas. Elle resterait là, dans ce couloir solitaire et glacé, le temps nécessaire, des heures, des jours, toute une vie, jusqu'à ce qu'il revienne. La porte s'ouvrit. Une faible lumière éclairait l'entrée. Max se tenait devant elle, le visage grave, les cheveux ébouriffés. Surpris, il tressaillit en la voyant. Xénia resta pétrifiée, incapable de dire un mot. Sa vie avait basculé parce qu'elle osait regarder la vérité en face. Elle aimait cet homme. Pour sa droiture, son courage, son talent. Elle l'aimait parce qu'il l'inspirait, la révélait à elle-même, la faisait rire et qu'elle ne pouvait pas vivre sans le parfum de son corps. Elle l'aimait depuis ce jour où elle avait croisé son regard à Montparnasse, et elle l'aimerait jusqu'à son dernier souffle. Et pourtant, jamais Xénia Féodorovna Ossoline ne s'était sentie plus démunie. Toute sa vie se résumait à cette poignée de secondes. Dépossédée de son armure et de ses peurs, jamais elle n'avait été plus sincère, ni plus vulnérable.

Lentement, Max leva une main et lui caressa la joue. Son visage s'adoucit, mais son regard resta éteint.

— Je n'allais pas descendre à la cave avec les autres, dit-il, mais maintenant que tu es là, je suppose qu'il le faut.

— Non. C'est inutile. Je veux rester chez toi.

— C'est dangereux.

— Non. Il ne nous arrivera rien. Pas ce soir.

— Parce que vous l'avez décidé, Xénia Féodorovna ? s'amusa-t-il.

Elle ouvrit les mains, esquissa un sourire.

— Quand une femme vient dire à un homme qu'elle l'aime, les anges veillent.

Une émotion douloureuse traversa le beau visage de Max.

— C'est un proverbe russe ?

— Une vérité universelle. Et maintenant, vas-tu me laisser entrer ou dois-je prendre racine sur ce palier ?

Le temps de l'attaque aérienne, ils restèrent blottis l'un contre l'autre, assis par terre et adossés au mur du salon au cas où le souffle d'une explosion ferait imploser les fenêtres. Les éclairs rouge et vert illuminaient la pièce. Les avions volaient si bas que les murs tremblaient, et les vrombissements étaient si puissants qu'ils se répercutaient dans leurs corps. Au loin, ils entendaient les détonations et le crépitement de la DCA qui essayait d'abattre les bombardiers. Les bras de Max enlaçaient Xénia qui s'appuyait contre son torse. Elle sentait son souffle dans ses cheveux, ses lèvres sur sa joue, et elle n'avait pas peur. Elle était en paix. Elle songea qu'elle ne voulait plus bouger. Plus jamais.

Combien de temps demeurèrent-ils ainsi ? Une heure, deux heures ? Quelle importance ? Dans les caves et les abris, les Berlinois jouaient aux cartes, tricotaient, lisaient à la lueur des bougies, récitaient des prières. Il y aurait sûrement des blessés et des morts, et Max ne pouvait s'empêcher de s'inquiéter pour Xénia. Un mois auparavant, lors des premiers bombardements, plusieurs hôpitaux avaient été endommagés. Presque tous les quartiers avaient été touchés, mais il n'avait pas l'énergie d'exiger de la jeune femme qu'elle se mette à l'abri. Le corps de Max pesait une tonne, chargé de tous les tourments et de toutes les angoisses. Le sommeil le fuyait, non seulement à cause des alertes nocturnes qui empêchaient les Berlinois de dormir, mais parce qu'il avait oublié comment s'abandonner. Alors ce soir-là, il respirait le parfum de Xénia, caressait son visage et s'émerveillait de puiser en elle un réconfort inespéré. Quand les derniers avions s'éloignèrent, leurs oreilles continuèrent à tinter, puis s'éleva la sirène qui annonçait la fin de l'alerte. Max aida Xénia à se relever et alluma quelques lampes.

Pour la première fois, la jeune femme put vraiment le contempler. Il avait maigri et les traits de son visage s'étaient durcis, effaçant de ses joues les derniers vestiges de l'enfance. Mais ce qu'il y avait de plus impressionnant chez l'homme qui lui faisait face était sans aucun doute la vacuité de son regard.

— Tu ne me demandes pas ce que je fais à Berlin ? remarqua-t-elle, un peu nerveuse.

— Je suis superstitieux. Tu m'as dit quelque chose avant tout ce vacarme, mais je me demande si je n'ai pas rêvé.

Aussitôt, Xénia retrouva le goût acide de la peur. Le moment était venu de lui avouer la vérité. Elle ignorait quelle serait sa réaction. À Paris, par une belle soirée d'été, Sara Lindner lui avait dit qu'elle devait faire preuve de courage. Elle lui avait aussi dit qu'un jour elle serait appelée à aider Max. Xénia comprenait désormais pourquoi. Si Max continuait ainsi à se donner jusqu'à se perdre, il ne survivrait pas à la guerre.

— Je t'aime, Max. Et je suis venue te demander pardon.

— De m'aimer ou d'avoir attendu tant d'années pour me l'annoncer ? lâcha-t-il d'un ton amer.

— De ne pas avoir su te le dire quand j'étais enceinte de ton enfant.

Max blêmit. Une lueur de colère, presque de haine, passa dans son regard. Il vacilla, puis s'assit dans le canapé avec les gestes prudents d'un grand blessé. Intraitable, il ne la quittait pas des yeux. Sans rien dire. Visiblement, il ne ferait rien pour lui faciliter la tâche. Elle était seule. Comme d'habitude. D'une main nerveuse, Xénia effleura la robe qu'avait dessinée Sara autrefois, comme si elle pouvait y puiser de la force.

— J'ai été lâche. J'ai eu peur. À l'époque, je ne savais pas comment te l'annoncer. Je craignais que tu n'exiges de moi ce que je ne pouvais pas te donner. Un amour aussi inconditionnel que celui que tu m'offrais. Je ne pouvais pas courir ce risque. J'avais l'intention de mettre cet enfant au monde et de l'élever seule, mais là encore j'ai manqué de courage. Gabriel Vaudoyer m'a proposé un toit pour ma famille. Il m'a offert la sécurité et l'amitié. À ce moment-là de ma vie, j'ai eu besoin de lui.

Furieux, Max serrait les poings.

— Et tu as toléré qu'il donne son nom à mon enfant. Tu ne m'as rien dit, même quand nous sommes redevenus amants quelques années plus tard !

— J'ai eu tort. Je ne peux que te demander pardon.

— À Paris, tu m'avais parlé d'une fille, n'est-ce pas ? Quel âge a-t-elle maintenant ? fit-il d'une voix blanche.

— Natacha vient d'avoir treize ans.

— Treize ans déjà… Autant dire une éternité.

Il se leva, s'approcha des flacons en cristal qui reposaient sur une table à roulettes, se servit un verre qu'il avala d'un trait. Xénia observait chacun de ses gestes comme si elle le voyait pour la dernière fois. Un poignard lui traversait le cœur. Elle n'avait pas imaginé que la souffrance de Max lui ferait mal à ce point. Ainsi, c'était donc cela, aimer. Souffrir pour l'autre, et non plus pour soi.

— Et elle croit que Vaudoyer est son père, bien sûr ? demanda-t-il.

— Oui.

— Et lui, est-il au courant pour nous ?

— Non, mais je crois qu'il devine que le père de mon enfant habite Berlin.

— Mon Dieu, quel gâchis, murmura-t-il en passant une main fébrile dans ses cheveux. Pourquoi viens-tu me le dire maintenant, comme ça ? Alors que tout est déjà tellement difficile…

— J'avais deux vérités essentielles à te dire et l'une n'existe pas sans l'autre. Je sais que je prends le risque de te perdre, mais je n'avais jamais prononcé ces mots auparavant. C'est absurde, non ? Il faut croire que je manque d'expérience, murmura-t-elle avec un sourire amer. Il y a un temps pour tout, Max. Le moment est peut-être mal choisi, mais je devais te le dire en face. Je ne vais pas chercher d'excuses, ni te supplier de me pardonner. Je t'aime, voilà tout.

Et Xénia se tut. Elle resta immobile dans le grand salon de Max, alors que montait des rues berlinoises le carillon des pompiers et que les habitants regagnaient leurs appartements calfeutrés. Elle frissonna parce qu'il faisait froid et qu'elle avait peur. Engager le cœur, c'était toujours prendre un risque, mais elle vivait sans ciller ces instants décisifs. Puis, curieusement, sa tension nerveuse se dissipa. Étonnée par ce calme inattendu, elle ferma les yeux. Il lui fallut quelques instants pour comprendre. Elle aimait cet homme. Elle avait trouvé le courage de se l'avouer puis de le lui révéler. Elle avait rendu les armes, et quoi qu'il advienne à l'avenir, que Max la rejette ou lui pardonne, pour la première fois de sa vie, Xénia se découvrait intensément libre et souveraine.

Ce furent les bras de Max qu'elle sentit en premier, et un long frémissement la traversa. Ainsi, il lui offrait une autre chance. Il avait trouvé en lui l'élégance de cœur pour venir vers elle en dépit de son chagrin. Et Xénia rendit grâce. Pour cet homme exceptionnel. Sa grandeur d'âme. Quand il l'enlaça, elle s'appuya contre lui, renversa la tête en arrière et se perdit dans ce regard intense qui était celui de leur fille, et où brillait à nouveau l'émotion de la vie, ce mélange singulier de colère et de souffrance, de curiosité et de désir.

Paris, mai 1942

Gabriel Vaudoyer étudiait la salle bondée de l'Orangerie des Tuileries d'un œil amusé. C'était une apothéose. Personne n'avait refusé l'invitation à la rétrospective consacrée au sculpteur Arno Breker, le protégé du Führer, l'apôtre infatigable de la collaboration franco-allemande. On y côtoyait des politiques comme Pierre Laval ; des artistes, Van Dongen et Dunoyer de Segonzac ; des écrivains, Drieu La Rochelle et Jean Cocteau. Les uniformes allemands se mêlaient aux costumes sombres croisés. Les coiffures extravagantes des élégantes piquetaient la salle de leurs voilettes ou de leurs plumetis, ces dames essayant de faire oublier leurs tailleurs trop modestes à leur goût. Parmi les œuvres colossales de l'artiste, les conversations allaient bon train. Le Tout-Paris de la collaboration honorait ce talent qui reflétait si bien le surhomme national-socialiste, tandis que les invités plus circonspects se donnaient bonne conscience. L'Art ne transcende-t-il pas tous les différends ? Breker n'avait-il pas commencé son discours en rappelant qu'il était un « vieux Parisien » et qu'il fallait concevoir cette exposition comme si elle se tenait « en temps de paix » ? Une absurdité, songea Gabriel, esquissant une moue ironique. Comment faire abstraction de l'occupation allemande ? Comment oublier le rationnement, le pillage économique, l'impossibilité de se nourrir correctement ou de se chauffer en hiver, d'aller et venir librement ? Comment oublier les arrestations sauvages, les otages fusillés, les milliers de prisonniers ? Et pourtant, il ne pouvait s'empêcher d'éprouver une forme d'admiration pour l'élan allemand.

Lorsque le Führer avait ordonné l'assaut de l'Union soviétique le 22 juin 1941, près d'un an auparavant, Gabriel était resté abasourdi par tant d'audace. Les premiers succès fulgurants de la Wehrmacht avaient semblé confirmer la supériorité quasi divine d'Adolf Hitler. Lors des réceptions à l'ambassade d'Allemagne, Gabriel n'avait pas manqué de féliciter Otto Abetz. Mais la Russie était immense. Vertigineuse. Et la machine de guerre nazie s'était enrayée. Devant Moscou. Devant Leningrad. Il repensa au visage verrouillé de Xénia quand elle avait appris dans les journaux le siège de sa ville natale. Par crainte que les tireurs d'élite, les mines et les corps à corps dans les rues de l'ancienne Saint-Pétersbourg n'occasionnent des pertes trop importantes, Hitler avait ordonné l'encerclement de la deuxième plus grande ville du pays. « Ils tiendront, je le sais, avait déclaré Xénia, les poings serrés. Ils tiendront jusqu'à ce que les rues ne soient plus jonchées que de cadavres. » Et il y avait eu une telle intensité dans son propos qu'un frisson avait parcouru l'échine de Gabriel. En observant le regard clair de son épouse, il avait eu un étrange pressentiment. En dépit des centaines de milliers de prisonniers soviétiques, de la percée inouïe de ses panzers et de ses fantassins, la Wehrmacht allait s'égarer en Russie, dans ce pays aux allures d'infini, où la vie et la mort prenaient une dimension presque surnaturelle.

C'est pourquoi, lors du démantèlement du premier réseau de résistants parisiens, Gabriel n'avait pas été étonné d'apprendre que ses initiateurs étaient d'origine russe. Né à Petrograd, ayant fui la révolution bolchevique avant de prendre la nationalité française, Boris Vildé était entré au musée de l'Homme comme linguiste. Avec son collègue Anatole Lewitsky, il avait commencé par imprimer des tracts, puis le périodique clandestin *Résistance* qui allait donner son nom à tous les autres mouvements nés de l'esprit de révolte des Français. C'était par leur intermédiaire que Xénia avait appris que Cyrille était arrivé sain et sauf à Londres et qu'il avait rejoint le général de Gaulle. Le réseau avait été infiltré par un espion alors que ses membres organisaient le passage de la ligne de démarcation pour des évadés français et des soldats britanniques. Lors du procès des inculpés de l'« affaire du musée de l'Homme », Lewitsky et Vildé avaient été condamnés à mort, puis fusillés au mont Valérien. Ce jour-là, Xénia était partie prier à l'église. À son retour, murée dans son chagrin, elle s'était blottie dans les bras de Gabriel. Il l'avait tenue contre lui, troublé par son parfum, ému qu'elle ait eu ce geste de venir vers lui en plein désarroi.

Brusquement, Gabriel se demanda où était passée son épouse. Avec le temps, elle avait fini par exercer sur lui une sorte de fascination. Maintenant qu'ils se retrouvaient seuls dans l'appartement, puisque Natacha était restée avec sa tante en zone libre, Gabriel pouvait se concentrer sur celle qui était devenue une obsession. Au début de leur mariage, la retenue de Xénia lui avait convenu parce que sa pudeur lui faisait redouter l'effusion des sentiments, mais au fil des années, il avait commencé à en souffrir. Si la distance suscite le désir, elle ressemble parfois à une gangrène du cœur. Il songea que lui, l'esthète mesuré qui se targuait de tout maîtriser de sa vie, avait trouvé son maître chez Xénia Ossoline. Gabriel sortit son mouchoir et se tamponna le front. D'où lui venait ce sentiment de malaise ? Il bouscula ses voisins, s'écarta de quelques pas, la cherchant des yeux.

Elle portait un tailleur havane, au col et aux poignets en broderies de fil d'or. Sous le turban orné d'une broche, elle levait son visage ardent vers un inconnu. D'emblée, Gabriel comprit. Ainsi c'est donc lui, pensa-t-il, tandis qu'un poing lui serrait le cœur. L'homme élancé avait des cheveux bruns, une mâchoire déterminée, des traits harmonieux. Une élégance discrète mais sans appel. Il était l'un de ces hommes incontournables. Solaires. À cet instant déferlèrent en Gabriel toute la force de son amour pour Xénia, un élan ravageur de jalousie et de ressentiment envers cet inconnu, envers son épouse, mais surtout envers lui-même pour avoir cru qu'il pouvait conquérir le cœur de cette femme qui appartenait si naturellement à cet étranger. Aux yeux du monde, ils n'étaient qu'un couple séduisant parmi d'autres, mais

Gabriel était trop lucide pour ne pas déceler, au mouvement de l'homme penché vers elle comme à la pureté du profil de Xénia, cette quintessence qu'on observe chez ceux qui, par-delà le fait d'être amoureux ou amants, ne font qu'un. Son trouble le bouleversa. Le sang battait fort à ses tempes. Il ne s'était pas imaginé aussi vulnérable, ni capable d'éprouver une telle violence. Et c'est alors que Gabriel Vaudoyer réalisa qu'en épousant Xénia Ossoline il avait remporté la plus éclatante de ses victoires, mais que celle-ci portait déjà en elle une défaite au goût de cendres. Sans plus attendre, il quitta la salle.

Quand Xénia avait appris que Max faisait partie du voyage des artistes allemands qui accompagnaient Arno Breker à Paris, elle avait été transportée de joie. Il lui avait envoyé un mot dès son arrivée dans la capitale, mais en lui interdisant de venir le voir à l'hôtel. Elle était française, lui allemand, et il se méfiait des situations équivoques. Xénia avait dû patienter avant de le retrouver parmi cette foule. Il y avait eu quelque chose d'infiniment poignant à ne pas pouvoir se jeter dans ses bras. À la demande d'une galerie parisienne, Max avait accepté d'exposer certaines de ses œuvres, profitant de l'occasion pour sortir d'Allemagne des épreuves numérotées et les mettre en lieu sûr. Mais il avait un air si désemparé qu'elle prit peur.

— Qu'est-ce qui ne va pas ? demanda-t-elle.

— C'est Sara. Elle n'est jamais arrivée en Suisse.

Max parlait si bas que la jeune femme dut se pencher vers lui pour l'entendre.

— Mon Dieu, s'affola-t-elle en retenant son souffle. Que s'est-il passé ?

— Nous avions tout préparé comme d'habitude. Les papiers, les visas pour Victor et elle. Le passeur était un homme de confiance, mais il a été dénoncé. Tout le groupe s'est fait arrêter. Le passeur a été fusillé par la Gestapo. Depuis, je n'arrive pas à retrouver leur trace. Ça me rend fou.

Percevant son désarroi, Xénia ne put s'empêcher de poser discrètement une main sur son bras.

— Mais ils n'ont pas été tués, n'est-ce pas ? On n'a pas découvert leurs corps ?

— Non. Ils ont dû être déportés dans un camp de concentration. Ferdinand cherche désespérément à obtenir des informations, mais c'est dangereux. Presque impossible.

— Je suis désolée, Max. Je pensais que tout irait bien. C'est affreux, mais tu n'y es pour rien.

Il se ressaisit, jeta un coup d'œil autour de lui, puis afficha un sourire comme s'ils parlaient de choses futiles.

— Qu'en est-il pour Félix et Lilli ?

— Ils sont à l'abri avec Macha. Ils ne risquent rien en zone libre.

— Je n'en suis pas si sûr. L'Angleterre ne se contente plus de résister. Elle attaque de plus en plus violemment au cœur de notre territoire. Ses bombardiers ont dévasté les villes de Lübeck et de Rostock. La situation en Union soviétique se corse. Et maintenant que les États-Unis sont entrés en guerre, le conflit va complètement changer de tournure. Hitler a fait un discours en janvier dans lequel il a parlé ouvertement de l'extermination des juifs. La folie meurtrière des nazis ne connaît plus de bornes.

Xénia prit peur.

— Tais-toi ! lança-t-elle, les dents serrées. Tu es fou de parler comme ça ici. N'importe qui peut nous entendre.

— Justement pas, dit-il avec une moue ironique. Tout le monde est convaincu que nous chantons les louanges de Breker. Je redoute beaucoup plus les lieux publics comme les restaurants ou le métro, où traînent toujours des oreilles indiscrètes.

— Mais parle-moi de toi, demanda-t-elle d'un air pressant. Il n'y a pas de risque que tu sois enrôlé dans l'armée et envoyé au front ?

— Je suis détaché au service photographique de la Wehrmacht. Pour l'instant, il n'est pas question qu'on m'envoie en première ligne. Je crois qu'ils se méfient de mes compétences de reporter de guerre et je ne cherche pas à les détromper, se moqua-t-il, mais Xénia voyait bien qu'il dissimulait son anxiété par une boutade.

— Comment te sens-tu ? murmura-t-elle.

Il haussa les épaules.

— Anxieux. Incapable. Honteux de ne pas agir avec plus d'efficacité. Et toi ?

— Furieuse parce que j'ai envie d'être dans tes bras. Tout de suite. Et que je me demande ce qui me retient de t'embrasser.

Max éclata de rire. Le regard espiègle de Xénia lui rappelait celui qu'elle avait eu autrefois lorsqu'ils faisaient la fête jusqu'au petit matin. Quand elle lui avait annoncé que Natacha était sa fille, il avait éprouvé une colère intense pour toutes ces années gâchées, mais la simplicité avec laquelle Xénia lui avait demandé pardon l'avait décontenancé. La vie était devenue aussi précieuse que fragile. Elle ne tolérait plus ni rancœurs ni ressentiments, mais imposait d'aller à l'essentiel. Xénia était la seule femme avec laquelle il pouvait envisager de partager son existence. S'il avait été tenté de s'engager une ou deux fois après leur séparation, il avait préféré une solitude traversée d'aventures plaisantes mais éphémères plutôt que d'induire une autre femme en erreur. Max n'était pas fait pour la duplicité. Il n'aimerait jamais une autre que Xénia Ossoline. C'était une évidence. À Berlin, en la contemplant dans sa longue robe rouge, vulnérable et authentique, il avait réalisé que tout était enfin devenu simple entre eux, mais peut-être avait-il fallu les terreurs de cette guerre impitoyable pour qu'ils puissent le reconnaître, et cette nuit-là, dans une ville qui taisait sa peur des bombardements le temps de quelques heures, ils s'étaient aimés avec ferveur.

Max lui prit la main et la porta à ses lèvres.

— Je dois te laisser, murmura-t-il. J'ai un rendez-vous. Retrouve-moi demain après-midi à ma galerie, tu veux bien ?

— À demain, Max, dit-elle de sa voix grave. Prends soin de toi.

Quand Max quitta l'Orangerie et descendit la rue de Rivoli, il croisa un peloton de soldats qui martelait la chaussée. Au fronton de l'hôtel Meurice flottait le drapeau à croix gammée. Il savait que le commandant du Grand Paris s'y était installé. Aucun hôtel parisien n'avait échappé à la réquisition. Lorsque son cousin Walter venait dans la capitale française, il prenait ses quartiers rive gauche au Lutétia, où se trouvaient les bureaux de l'Abwehr.

Arrivé devant la librairie, il jeta un coup d'œil à l'intérieur. Rien de suspect. Il poussa la porte, fit mine de feuilleter les livres présentés sur les tables, puis choisit un roman au hasard sans même se donner la peine d'en lire le titre. Assis derrière la caisse, M. Brun n'avait pas changé. Il ressemblait toujours à un vieil ours. En emballant l'ouvrage, le libraire murmura :

— Le pont des Arts, dans une demi-heure.

Max paya sans sourciller. Dehors, il traversa lentement le jardin des Tuileries, se rappelant avec nostalgie les détonations et l'exaltation des émeutes d'un certain soir de février. On avait transformé des pelouses en potagers, mais les parterres de fleurs étaient entretenus avec soin. Dans le Paris bâillonné de l'occupant nazi, privé de voitures et d'autobus, où glissaient des bicyclettes et où les magasins d'alimentation placardaient sèchement : « PLUS DE PAIN », « PLUS DE LAIT », « PLUS DE VIANDE », cette ferveur des années 1930 ressemblait à un rêve.

Il avait été frappé par l'attitude distante des Parisiens, qu'il avait connus tellement plus exubérants. Pourtant, il ne portait pas l'uniforme ennemi. À quoi semblaient-ils deviner qu'il n'était pas français ? Il repensa à ce que lui avait dit Milo de son séjour en France, à son regret d'être considéré comme un barbare. Or, depuis le début de la guerre, les nazis n'avaient fait que confirmer cette première impression. La dernière fois qu'il avait vu Milo, il l'avait trouvé profondément troublé. Son ami revenait d'Ukraine. Le visage blême,

Milo lui avait parlé de la sauvagerie des *Einsatzgruppen* SS sur le front russe, de l'extermination systématique des juifs, de l'exécution des prisonniers et des commissaires soviétiques. « Il faut tuer Hitler avant qu'il ne nous entraîne tous en enfer », avait-il murmuré d'une voix atone.

Soucieux, Max s'accouda au parapet du pont et regarda les reflets du soleil jouer sur les eaux de la Seine. Il fit un effort pour chasser ses pensées noires, inspira l'air poudré de cette ville qui resterait à jamais celle de sa rencontre avec Xénia.

— Bonjour. J'espère que je ne vous ai pas fait attendre.

Max sursauta. Confus, il se dit qu'il avait bien vite oublié ses réflexes, car il n'avait pas entendu approcher le libraire. L'homme faisait semblant d'allumer une cigarette avec un briquet récalcitrant. D'un geste nonchalant, Max lui offrit du feu.

— J'ai les tampons officiels qui viennent directement de Berlin. Ceux que vous avez demandés.

— Parfait. Posez l'enveloppe devant vous avant de partir. Merci, monsieur, ajouta M. Brun d'une voix forte en soulevant son feutre alors que deux inconnus en civil passaient sur le pont.

Max inclina poliment la tête et s'éloigna en direction de la rive gauche. Lorsqu'il jeta un coup d'œil derrière lui, l'enveloppe et M. Brun avaient disparu. Aussitôt, il se sentit plus léger. Il songea qu'il allait revoir Xénia le lendemain. Ils passeraient l'après-midi ensemble et elle lui parlerait de Natacha. Il l'écouterait avec attention, gravant chacune de ses expressions et chacun de ses gestes dans sa mémoire. Il effleurerait sa main, sa joue, et ce serait comme s'il lui faisait l'amour. À la seule idée de la savoir si proche, et que la vie lui accordait une nouvelle fois ce miracle de la retrouver pour quelques heures dérobées à l'angoisse, Max ressentit une bouffée d'allégresse qui lui monta à la tête comme un puissant alcool.

Deux mois plus tard, ce fut l'étrange procession de gros autobus parisiens, ces hannetons paresseux qu'on avait perdu l'habitude de voir arpenter les rues de la capitale, qui intrigua Xénia par cet après-midi radieux du mois de juillet. Debout sur la plate-forme arrière, des agents de police observaient les passants. Des visages de femmes et d'enfants apeurés se pressaient contre les vitres. Xénia s'arrêta au bord du trottoir pour les regarder passer.

— Mon Dieu, mais ils portent tous l'étoile jaune, murmura la jeune femme, abasourdie.

Un mois plus tôt, les Allemands avaient imposé aux juifs de plus de six ans de coudre sur leur vêtement une étoile à six pointes en tissu jaune et contours noirs, aux dimensions d'une paume de main, avec l'inscription « JUIF », et qu'il fallait porter du côté gauche. Du côté du cœur, avait pensé Xénia, indignée. Elle s'était aussitôt inquiétée pour Félix et Lilli, mais en zone libre l'étoile n'était pas obligatoire. On demandait seulement de faire figurer la mention « juif » sur les papiers d'identité. Contrariée de ne pas pouvoir écrire librement à Macha pour exiger qu'elle ne fasse rien concernant les papiers des petits, Xénia en avait été réduite à supplier le ciel que sa sœur eût la présence d'esprit de désobéir. Heureusement, le caractère de Macha n'avait pas changé. Elle rechignait toujours autant à se plier à l'autorité. Avec un peu de chance, les enfants Seligsohn ne seraient pas fichés, mais Max avait raison, l'étau se resserrait.

Xénia contempla quelques instants le défilé des autobus, puis, saisie par une étrange impulsion, elle descendit de sa bicyclette, la fit pivoter et l'enfourcha pour les suivre tant bien que mal. Ses maudites semelles de bois dérapaient sur les pédales et sa besace en tissu lui battait la hanche. Elle se pencha en avant d'un air déterminé. Un agent de police debout sur une plate-forme l'interpella d'une voix furieuse en agitant le bras :

— Allez-vous-en, madame !

Elle lui jeta un regard noir et obliqua sur la droite. Par chance, elle connaissait tous les tours et détours du XVe arrondissement. Sa chemise à pois s'échappa de sa jupe-culotte. Elle éclata d'un rire nerveux en voyant l'air ahuri des piétons qui se retournaient sur son passage. Elle devait ressembler à une folle, à descendre ainsi le boulevard à vive allure. Comme elle l'avait prévu, elle retrouva la file des autobus mais se montra plus discrète. Quand les véhicules s'alignèrent rue Nélaton devant l'entrée du vélodrome d'Hiver, Xénia mit pied à terre et se rangea, le cœur battant, sous l'auvent d'un café.

Elle observa les femmes qui cherchaient à calmer leurs enfants turbulents tout en veillant sur leurs bagages. L'une d'elles poussait un landau où s'empilaient des cartons et des casseroles. Des bébés hurlaient dans les bras de leurs mères, affolés par la tension ambiante. Certains agents de police parlaient fort en houspillant les personnes qu'ils avaient arrêtées, les forçant à avancer dans les longs couloirs sombres qui menaient à l'enceinte du vélodrome. Des vieillards marchaient à grand-peine, traînant une valise ou un carton dont les ficelles se rompaient et qui répandait sur le trottoir quelques effets personnels. Xénia était tellement choquée qu'elle s'adossa au mur pour ne pas vaciller. Que se passait-il ? Encore une rafle ? Mais cette fois il s'agissait de femmes et d'enfants. Combien étaient-ils, des centaines, des milliers ? Elle retint un haut-le-cœur. Il se préparait quelque chose d'affreux. D'insoutenable. Elle en était persuadée, et pour l'une des rares fois de sa vie, la Russe se sentit complètement perdue. Elle regarda autour d'elle d'un air égaré. Certains passants s'étaient arrêtés, mais leurs visages hautains n'exprimaient qu'un assentiment réjoui. Ils ne feraient rien. Personne ne ferait rien. Un voile noir passa devant ses yeux. C'est alors que se dressa dans son esprit l'image de la moniale mère Marie Skobtsoff qui tenait non loin de là, rue de Lourmel, un foyer pour indigents. Sans plus attendre, Xénia enfourcha sa bicyclette et partit en direction de celle qui offrait depuis des années son réconfort aux plus démunis.

Arrivée dans la grande cour, elle lâcha sa bicyclette qui tomba sur les pavés, et se précipita dans la chapelle. Il y flottait cet air d'encens et de recueillement qu'on trouvait dans toutes ces petites églises orthodoxes, nées d'une écurie ou d'un garage abandonnés, et que les Russes de l'exil s'étaient appropriées avec ferveur. Les cierges se consumaient devant les icônes. Un court instant, Xénia se laissa envahir par un sentiment de paix. Elle songea à Leningrad et à la résistance héroïque qu'élevait son peuple assiégé contre les nazis à des milliers de kilomètres de Paris. Je suis en vie, songea-t-elle, et tant que je suis en vie, je peux lutter. Et la jeune femme bouleversée puisa une force nouvelle parmi les siens, dans cette modeste chapelle si éloignée des triomphantes cathédrales d'or et de marbre de Saint-Pétersbourg et cependant si proche.

Une porte grinça. Xénia pivota sur ses talons. Robuste et déterminée, vêtue de son habit et de son voile noir, la moniale s'avança d'un pas énergique.

— Mère Marie ! s'écria Xénia en se précipitant vers elle. Savez-vous ce qui se passe ? C'est monstrueux. Il y a encore eu une rafle. Ils entassent les juifs au vélodrome. Je les ai vus. Il faut faire quelque chose.

— Je sais, Xénia. J'étais sur le point de m'y rendre. Tu peux venir avec moi si tu veux. Nous pourrons essayer de nous joindre aux bénévoles de la Croix-Rouge. Mais d'abord, il faut prier.

Obéissante, Xénia inclina la tête, ferma les yeux et écouta la voix sereine de la religieuse réciter une prière à la Vierge.

Ce ne fut que trois jours plus tard que Xénia revint à la maison. Elle pénétra dans le hall de son immeuble, passa sans la saluer devant la concierge qui la regarda d'un air interloqué. Ses cheveux défaits sur les épaules, la manche de sa blouse déchirée, elle bougeait comme un automate. Il n'y avait pas un endroit de son corps qui ne fût pas douloureux. Elle avait à peine fermé l'œil depuis qu'elle était partie, s'accordant seulement quelques heures de sommeil sur l'un des lits du foyer de mère Marie.

Le service d'ordre du vélodrome n'avait admis que quelques bénévoles dans l'enceinte où étaient parqués plus de dix mille juifs, dont plusieurs milliers d'enfants. Parmi les gradins de béton, on ne trouvait que de rares points d'eau, et aucune installation sanitaire. La verrière badigeonnée de peinture bleue distillait une obscurité crépusculaire sur ce spectacle de fin du monde où régnaient la saleté et la puanteur dans une chaleur épouvantable.

Les deux femmes s'étaient démenées avec les deux médecins, les auxiliaires et la dizaine d'infirmières de la Croix-Rouge pour apporter un réconfort dérisoire aux malheureux qui manquaient de tout. Xénia avait transporté des baquets d'eau sur lesquels se jetaient les assoiffés, buvant à même leurs mains. Elle avait essayé d'apaiser les malades, s'inquiétant des toux des tuberculeux, des maladies contagieuses. Des enfants agonisaient, déshydratés, avec plus de quarante degrés de fièvre. Quelques femmes étaient devenues folles, arrachant leurs vêtements, se griffant le visage et les bras jusqu'au sang. D'aucunes voulaient se suicider avec leurs petits. Il fallait se soulager dans les travées, puisqu'on ne pouvait pas se frayer un passage parmi les personnes entassées. Quant aux morts, ils avaient été abandonnés à leur triste sort pendant des heures. L'odeur des cadavres avait empuanti une atmosphère déjà irrespirable. Mère Marie avait réussi à cacher plusieurs enfants dans des poubelles qu'elle avait fait sortir du vélodrome. À bout de forces, Xénia avait fini par se sentir mal et mère Marie l'avait renvoyée chez elle pour qu'elle se repose.

Lorsqu'elle entra dans son appartement, la jeune femme inspira profondément. Le soleil jouait sur les lattes du parquet, effleurait les bois clairs et les meubles aux lignes épurées. Elle s'adossa au chambranle de la porte, s'imprégnant de la beauté tranquille du salon dont les fenêtres donnaient sur les arbres du Luxembourg. Elle avait l'impression d'être revenue de l'enfer. Un long frémissement la parcourut. Les cris et les pleurs résonnaient encore à ses oreilles. Elle était sale, poisseuse, et la peur de toutes ces victimes innocentes qui allaient être transportées à Drancy ou dans des camps du Loiret lui collait à l'âme.

— Vous êtes enfin revenue ? fit Gabriel d'un air pincé en la détaillant avec répulsion.

D'une main lasse, Xénia se frotta la nuque. Elle savait qu'elle avait l'air décomposé. Sans nul doute, elle sentait aussi mauvais.

— Je vous avais prévenu que je ne savais pas quand je pourrais rentrer.

— On dirait que vous avez vécu des moments éprouvants. Je ne vous avais jamais vue dans un état pareil.

Une lueur irritée glissa dans le regard de Xénia qui contempla son mari, sanglé dans son costume de lin beige, ses cheveux blancs soigneusement peignés. Comme tous les Français, il avait maigri depuis le début de l'Occupation, et la peau de son cou présentait des plis disgracieux. Elle n'était pas d'humeur à supporter ses reproches. Depuis que la France avait été vaincue, Gabriel adoptait une attitude résignée que Xénia avait du mal à tolérer. Il n'avait pas hésité à utiliser ses relations d'avant-guerre avec l'Allemagne, continuait à traiter certaines affaires, et côtoyait les nazis avec une complaisance que la jeune femme avait fini par prendre en horreur.

— Je vous rappelle que nous avons une réception à l'ambassade d'Allemagne ce soir. Il vous faudra certainement plusieurs heures pour vous rendre présentable.

Elle secoua la tête.

— Je n'irai pas, Gabriel.

— Pourquoi cela ?

— Parce que je refuse désormais de me prêter à ce petit jeu pervers. À partir de maintenant, mes relations avec les Allemands se résumeront au strict minimum. Je serai bien obligée de les croiser dans la rue, mais je n'irai pas chez eux, et je ne les recevrai plus sous mon toit.

Gabriel eut un sourire mauvais.

— Votre amant en sera certainement désolé lorsqu'il reviendra à Paris. À moins que vous n'alliez à nouveau le rejoindre à Berlin sous un prétexte fallacieux.

Le cœur de Xénia fit un bond dans sa poitrine. Il y avait chez Gabriel quelque chose d'inquiétant, de presque cruel, qu'elle ne lui connaissait pas. La menace étant l'arme des faibles, elle éprouva pour lui un élan de mépris, mais ne put dominer sa crainte. Que savait-il au juste ? Il avait dû apercevoir Max à l'Orangerie. N'importe qui aurait pu lui indiquer qu'il s'agissait du photographe Max von Passau, et Gabriel n'ignorait pas qu'ils s'étaient connus avant la guerre. Elle songea aux activités de résistance de Max. Aux dangers quotidiens qu'il affrontait. Il suffirait d'une parole murmurée à une oreille attentive pour qu'il se retrouve dans les caves de la Gestapo de la Prinz-Albrecht-Strasse. Glacée, elle fit un effort pour garder un visage impassible.

— Je ne comprends pas ce que vous voulez dire, Gabriel. Je suis épuisée et je me sens mal. Veuillez m'excuser si je vous laisse.

Elle s'apprêta à se détourner.

— Vous serez prête à huit heures ce soir, Xénia, et vous m'accompagnerez à l'ambassade. Vous serez belle et aimable. Comme d'habitude. Si je vous ai épousée, ce n'est pas pour que vous vous occupiez de quelques misérables juifs qui n'ont que ce qu'ils méritent. Mettez cette robe verte de chez Rochas. Celle que vous aviez l'autre jour. Elle vous va bien.

Berlin, février 1943

En cette fin d'après-midi, le Sportpalast de Berlin faisait salle comble. Pas un siège de libre sur les quatorze mille places. Aux premiers rangs, des infirmières accompagnaient des soldats blessés. Des acteurs célèbres côtoyaient des ouvriers en casquette, des militaires décorés de la croix de fer et des femmes emmitouflées dans des manteaux élimés au vieux col de fourrure. À la tribune s'alignaient les membres du gouvernement et un certain nombre de gauleiters. Des techniciens de la radio s'affairaient autour des micros, tandis que des journalistes photographiaient la salle. Mais qui oserait refuser une invitation aux allures de convocation du ministre de la Propagande ? songea Marietta Eisenschacht. Elle avait bien essayé de trouver une excuse pour éviter cette corvée, mais Kurt n'avait même pas daigné l'écouter. Il avait aussi insisté pour que leur fils les accompagne. Assis à côté d'elle, vêtu de son uniforme d'hiver bleu foncé des Jeunesses hitlériennes, avec ses épaulettes, ses écussons et son brassard à croix gammée, Axel regardait autour de lui d'un air blasé. Ce rassemblement destiné à frapper les esprits ne l'impressionnait pas. À treize ans, les parades spectaculaires des nationaux-socialistes n'avaient plus de secret pour lui. Il avait brandi des fanions à Nuremberg, salué le Führer dans des réceptions intimes et défilé un nombre incalculable de fois dans les rues de Berlin avec ses camarades. Il étouffa un bâillement. Marietta éprouva une vague de tendresse pour son fils et lui tapota le genou. Un peu agacé, il fronça les sourcils sous son calot, mais elle se contenta de lui sourire. Les mouvements d'humeur de l'adolescent qui cherchait à affirmer son autorité ne l'intimidaient pas. Que cela lui déplaise ou non, Axel demeurait son fils et il était encore un enfant.

Marietta étudia Joseph Goebbels qui parlait à la tribune. Elle ne pouvait pas nier qu'il avait un redoutable talent d'orateur. D'une voix dont il maîtrisait la moindre inflexion, tour à tour vibrante, chaleureuse ou martiale, il décochait de courtes sentences pertinentes qui frappaient son auditoire telles des flèches. Avec une énergie sans faille, il martelait son discours, brassant l'air de ses longues mains nerveuses, et la salle se laissait enflammer par ce morceau de bravoure. Elle se pencha pour observer Magda Goebbels qu'accompagnaient deux de ses filles. Blondes et sages, les petites Helga et Hilde ne quittaient pas des yeux leur père. Magda affichait l'un de ses sourires énigmatiques qui pouvaient passer pour admiratifs auprès de ceux qui ne la connaissaient pas. Marietta, elle, savait que l'épouse du ministre s'ennuyait à périr. Les infidélités de son mari avaient fini par saper l'enthousiasme que Frau Goebbels éprouvait encore pour ses prestations grandiloquentes. De toute façon, on ne connaît plus que deux émotions à Berlin, s'irrita Marietta en s'agitant sur sa petite chaise inconfortable : la peur des bombardements et l'ennui. L'intensification de la guerre avait conduit à la fermeture des magasins de luxe, des bijouteries, des confiseries ou des bars huppés. Il était interdit de danser depuis longtemps. Les chansonniers irrévérencieux et les cabarets n'étaient plus qu'un vieux souvenir. Seul l'Adlon réussissait tant bien que mal à proposer des cocktails dignes de ce nom.

Un frémissement parcourut la salle qui retint son souffle. Stalingrad… Goebbels venait de prononcer le nom de la ville russe sur la Volga qui avait traumatisé le peuple allemand. Marietta sentit Kurt se raidir à son côté. Au début du mois, au son de la *Cinquième Symphonie* de Beethoven, on avait annoncé à la radio la capitulation de l'armée germanique à Stalingrad après plusieurs mois d'un siège effroyable. Le Führer avait décrété un deuil national en l'honneur des valeureux combattants dont le sacrifice n'aurait pas été vain. On évoquait avec stupeur les pertes de la Wehrmacht, qui s'élevaient à environ deux cent cinquante mille morts. Près de cent mille soldats venaient de se rendre à l'Armée rouge qui allait les emmener en captivité en Sibérie. Or la population ne doutait pas une seconde qu'il valait mieux être mort qu'aux mains des bolcheviks. À mots couverts, on parlait d'un tournant dans la guerre et beaucoup avaient le sentiment qu'on avait sacrifié des hommes inutilement, ce qui créait un malaise. Mais pas ce soir, se dit Marietta, persuadée que les personnes présentes avaient été triées sur le volet pour montrer un tel enthousiasme. Alors que Goebbels déroulait son discours, elle ne put s'empêcher de commencer à lui prêter attention, tant montait l'intensité du propos.

— La nation allemande se trouve confrontée à une question cruciale, lança-t-il. L'heure est venue de la guerre totale. Voulez-vous la guerre totale ?

Aussitôt, Axel se redressa sur son siège et Marietta jeta un coup d'œil inquiet à son fils. Imprégné de la culture nationale-socialiste, fervent admirateur de son père et excellent élève, il n'aspirait qu'à une seule chose : se battre pour sa patrie.

— Croyez-vous avec le Führer à la victoire absolue et totale du peuple allemand ? éructa Goebbels, et la foule hurla son assentiment.

Effrayée, Marietta sentit son pouls s'accélérer. Avaient-ils tous perdu la tête ? Voulaient-ils l'anéantissement du peuple entier ? Que signifiait une « guerre totale » ? La guerre, c'était la mort. Depuis quand existait-il une mort partielle et une mort totale ? Comment pouvait-on encore croire à une victoire, alors que les États-Unis étaient entrés dans le conflit, que les villes allemandes subissaient de terribles bombardements et que l'Union soviétique venait d'infliger à la Wehrmacht une défaite historique ? Mais Goebbels poursuivait, impitoyable :

— Et maintenant je m'adresse à vous, les femmes. Voulez-vous que le gouvernement s'assure que la femme allemande puisse, elle aussi, se consacrer à la poursuite de la guerre, en remplaçant les hommes à leurs postes afin que ceux-ci soient libres de combattre au front ?

Une vague d'applaudissements souleva la foule. Mon Dieu, se dit Marietta, glacée par la vision aussi terrifiante qu'absurde d'un pays où des dirigeants hallucinés envoyaient à une mort certaine les hommes, les femmes, puis les enfants. Le visage de son mari était grave, fervent ; celui d'Axel, transporté. Pour la première fois, elle se demanda si elle n'avait pas failli à sa tâche de mère en laissant son fils croire à ces insanités. Goebbels continuait à poser des questions à la foule qui répondait par des « oui » enthousiastes. On se croirait à une cérémonie de mariage obscène, songea Marietta, retenant un rire nerveux. Unis pour le meilleur et pour le pire, jusqu'à ce que la mort nous sépare.

— Acceptez-vous que nous prenions des mesures radicales pour éradiquer un petit groupe d'embusqués et de traîtres qui veulent la paix en pleine guerre, et détourner les malheurs du peuple pour leur propre bien ? Êtes-vous d'accord pour que celui qui s'oppose à la guerre soit décapité ?

Les clameurs furent assourdissantes. À la haine et à la fureur des propos répondait une foule frénétique. Marietta se leva à contrecœur pour applaudir. Les spectateurs trépignaient et sifflaient, couvrant les sirènes et le crépitement de la DCA qui avaient commencé à retentir dans la ville. Elle sentait le corps d'Axel pressé contre le sien, et elle se rappela quand le petit garçon mettait la même fougue à venir se jeter dans ses bras. Avec l'impression odieuse qu'on lui avait volé son fils, Marietta von Passau fut traversée par un élan de chagrin et de honte, parce qu'elle devinait confusément qu'elle était coupable.

Une lumière froide. Sans âme ni relief. Celle du ciel de Pologne, un matin d'hiver de 1943, au-dessus du camp d'Auschwitz.

Elles étaient vingt-quatre jeunes femmes dans l'atelier de couture. C'était Frau Höss, l'épouse du commandant du camp de concentration, qui avait demandé qu'on exploite le talent des couturières. Pour commencer, elle avait installé deux prisonnières dans sa maison, où celles-ci avaient dû coudre les vêtements de la famille du commandant. Des complets pour Rudolf Höss, l'ancien adjudant au camp de Sachsenhausen, mais aussi des tenues élégantes pour Madame et leurs enfants. Quand les autres SS en avaient pris ombrage, on avait ouvert un atelier au sein du camp, dans l'un des baraquements où logeaient certaines surveillantes. Les matières premières ? Les vêtements dont on dépouillait les victimes avant de les envoyer à la mort dans les chambres à gaz. Et parfois, de manière inattendue, des rouleaux de tissu neuf, satins, velours ou soieries qui provenaient du pillage des pays occupés. De l'atelier sortaient des lingeries délicates, des tailleurs, des robes gracieuses.

Sara gardait les yeux baissés sur son travail. Elle avait froid. Elle avait toujours froid dans ses guenilles, pieds nus dans des socques de bois trop larges. Sous le chiffon qui lui enserrait la tête, son crâne était rasé. Mais quand elle parvenait à se concentrer, c'était peut-être l'un des seuls instants de la journée où ses mains abîmées ne tremblaient pas.

Victor était mort. Les SS l'avaient emmené dès l'arrivée au camp. Sur le quai de la gare, au son des hurlements des gardes et des aboiements frénétiques des chiens, l'officier médecin l'avait condamné d'un mouvement de pouce à la file des inaptes au travail. L'épuisement de Sara lui faisait parfois oublier le visage de son mari, comme si ses traits avaient été oblitérés par la lumière blanche qui balayait cette plaine sans fin.

Dalia était morte. On la lui avait arrachée quand elles étaient descendues du wagon à bestiaux, un soir où les réflecteurs éclairaient les barbelés, les miradors et les pèlerines noires des anges de la mort. De Dalia, il ne restait que des cendres. De Dalia, Sara se souvenait de tout – du parfum de sa nuque, de sa tache de naissance sur le haut de l'épaule, de son regard confiant parce qu'une petite fille de sept ans n'imagine pas qu'il puisse lui arriver malheur dans les bras de sa mère.

Les ciseaux glissèrent entre ses doigts et lui entaillèrent le bras. Sara regarda d'un air fixe le sang perler sur sa peau à hauteur du matricule tatoué à l'encre bleue. Elle ne sentait rien.

— Fais attention ! souffla sa voisine en lui essuyant le bras avec la manche de sa veste rayée. Tu vas abîmer le tissu. Dépêche-toi, il faut qu'on ait fini à temps.

À midi précis, tous les samedis, on venait chercher les vêtements destinés aux surveillantes, ainsi qu'aux épouses et aux maîtresses des officiers SS. Les couturières devaient présenter deux robes sur mesure par semaine. Si le travail était satisfaisant, elles recevaient parfois un morceau de pain supplémentaire avec leurs rations. Il arrivait aussi que ces dames passent des commandes spéciales pour de grandes occasions, mariages ou baptêmes. On racontait que certaines des tenues les plus réussies partaient pour Berlin.

Sara ignora sa voisine, se leva et s'approcha de la fenêtre à petits carreaux. Dehors, le ciel était aveugle. Le vent tranchant telles des lames de rasoir. Il neigerait encore cette nuit sur les marais et les plaines de haute Silésie. Elle pensa à Félix. À Lilli. Sous un ciel plus clément, à des milliers de kilomètres, ses enfants vivaient loin de l'odeur de la mort. À l'abri de l'inconcevable. Parce qu'il ne pouvait en être autrement. Elle les avait confiés à une femme qui les protégerait, et ils étaient son unique raison pour tenter de survivre. Sara serra les poings. Maintenant qu'on lui avait pris son nom comme sa dignité, elle voulait y croire. Elle devait y croire avec la seule force qui lui restait, et qui était celle de son âme.

Berlin, novembre 1943

La maison Lindner dressait les moignons de ses murs vers le ciel bleu d'hiver. Sur les portes verrouillées, des affiches de propagande déchirées rappelaient qu'il fallait se méfier des espions. Il ne restait des auvents qu'une armature métallique qui oscillait en grinçant dans le vent froid. Les métrages de toile avaient disparu depuis longtemps. Sous l'impact des bombes qui avaient frappé l'immeuble de plein fouet, la verrière s'était effondrée. Désormais, les pans de la façade s'élevaient en dentelures noircies et les fenêtres aux vitres soufflées ouvraient des yeux béants sur le vide. Que devient Sara ? songea Max, traversé par une douleur intense. Il n'avait pas réussi à retrouver sa trace. Était-elle encore en vie ? Et puisqu'il l'aimait, ne devait-il pas souhaiter qu'elle fût morte ? Avec de longs craquements, une façade se fissura et s'écroula en soulevant un nuage de poussière. Max fouilla sa poche à la recherche d'un mouchoir qu'il plaqua sur son nez. Il flottait une odeur pestilentielle qui était devenue celle de sa ville, mélange de soufre, de fumée âcre et de puanteur de cadavres. Il fallait plusieurs jours pour évacuer les corps des caves ou des abris. En marchant dans les rues, on pouvait buter sur un morceau de chair. Depuis quelques mois, l'aviation américaine attaquait de jour, tandis que les bombardiers du *marshall* Arthur Travers Harris de la Royal Air Force continuaient à hanter les cauchemars nocturnes des citadins. « Nous pouvons transformer Berlin en un amas de ruines », avait-il déclaré.

Max toussa et ses poumons crachèrent une poussière noire. Il contourna des gravats que des garçons des Jeunesses hitlériennes essayaient de déblayer avec des pelles et des brouettes de jardinier. Les femmes et les enfants avaient été évacués depuis le mois d'août. Il était rassuré de savoir Marietta chez des cousins en Bavière et Axel à l'abri dans son pensionnat. Avant son départ, sa sœur était venue le trouver pour le supplier de l'accompagner. « Kurt va rester ici jusqu'à la fin. C'est son problème. Mais toi, Max, tu dois venir avec moi. Tu n'as rien à faire là. » Elle portait un tailleur noir élimé, et un turban encadrait son visage amaigri où brillait un regard fiévreux. Il s'était contenté de sourire. Comment pouvait-il lui expliquer ? Il était conscient que ses actes étaient insignifiants, mais des personnes comptaient sur lui. Des étrangers victimes du travail forcé auxquels il apportait des papiers falsifiés, des réfractaires aux différents services de l'armée qui avaient besoin de fausses attestations médicales. Ceux qui recherchaient une cachette. Il fallait aussi imprimer et distribuer les tracts tant bien que mal, comme ceux rédigés par Hans et Sophie Scholl, ces jeunes étudiants munichois résistants qui avaient été arrêtés et exécutés quelque temps auparavant. Marietta ne savait rien de tout cela. Verrouillée dans son aveuglement, qu'y aurait-elle compris ? Après son départ, Max s'était senti soulagé. Il recevait de temps à autre une lettre dans laquelle son neveu protestait parce qu'on l'estimait trop jeune pour venir aider à la défense de Berlin.

— *Guten Morgen*, le salua un parfait inconnu d'une voix ironique.

Max hocha la tête sans répondre. Depuis que les villes, les unes après les autres, étaient rayées de la carte, les habitants avaient cessé de lancer leur « *Heil Hitler !* ». Désormais, ils protestaient contre le régime en se saluant de manière plus conventionnelle. Mais il est trop tard, songea Max en pressant le pas. C'était trop facile de se rebeller maintenant. La colère l'aveugla. Qu'avaient-ils fait pour empêcher ce désastre ? Quand s'étaient-ils soulevés avec indignation contre ce régime criminel ? La seule manifestation populaire spontanée avait été celle des femmes de la Rosenstrasse.

Au début de l'année, quand le gouvernement avait décrété que Berlin devait être nettoyé de ses juifs en six semaines, la férocité des rafles s'était encore accentuée. Les victimes avaient été arrêtées sur leur lieu de travail, arrachées de leurs lits, abattues en pleine rue quand elles essayaient de s'enfuir. Une sauvagerie à laquelle Max avait assisté, impuissant. Puis on avait appris que des épouses aryennes s'étaient réunies pour exiger la libération de leurs maris juifs. Pendant des jours et des nuits, elles avaient fait le siège du bâtiment où l'on retenait leurs conjoints. La Gestapo et la SS les avaient menacées, mais elles avaient tenu bon. Comme la défaite de Stalingrad avait fragilisé un régime soucieux du moral de ses citoyens aryens, mille cinq cents personnes destinées à la déportation avaient été libérées. « C'est à la fois merveilleux et une gifle en pleine figure, avait déclaré Ferdinand. Si on s'était tous révoltés à temps, on aurait pu empêcher ces crimes. Cette culpabilité, nous la porterons à tout jamais. »

Max eut du mal à traverser la ville transformée en labyrinthe. Des pâtés de maisons avaient disparu. Des éboulements obstruaient les rues. Lorsqu'on quittait les abris après une attaque aérienne, on découvrait un paysage lunaire, gorgé de débris et de poussière, où les flammes dévoraient les immeubles. Les coulées de phosphore abandonnaient des traînées de lave verdâtre sur le sol. Aucune église, aucun bâtiment n'était épargné. La destruction était méthodique. Implacable. Voilà des mois qu'on avait conseillé aux habitants de faire évacuer leurs biens de valeur dans des lieux moins menacés. Griffonnées à la craie sur des tableaux noirs d'école plantés parmi les ruines, on pouvait lire les adresses des personnes déplacées. Les Berlinois vivaient comme des étrangers de passage dans leur propre ville, armés d'une petite valise contenant une trousse de secours, une chemise de rechange. Pour descendre aux abris, il fallait éviter de porter des vêtements inflammables, telles la soie artificielle ou la toile de coton. Combien étaient morts brûlés vifs dans les caves ou noyés sous l'éclatement des canalisations d'eau ? On ne comptait plus le nombre de personnes sans logement qui erraient chez les uns ou les autres, ou tentaient de se réfugier à la campagne.

Quand il arriva enfin chez Ferdinand, Max boitillait. Sa dernière paire de chaussures était en train de rendre l'âme, et cela faisait bientôt deux ans qu'on ne pouvait plus se chausser car le cuir était une denrée rare. Il s'engouffra sous le porche en se demandant si son ami aurait une vieille semelle dont il n'aurait pas besoin.

La voiture noire était garée dans la cour. Appuyé contre le capot luisant, un homme en civil fumait une cigarette. Aussitôt, Max ressentit un effroi qui lui glaça l'échine. Sans changer de rythme, il obliqua vers la droite et se dirigea vers l'un des autres immeubles. Son cœur battait si fort qu'il avait l'impression d'être sourd à tout autre bruit. Il poussa la porte, gravit l'escalier en prenant les marches deux par deux. Sur le palier, il se plaqua contre le mur et regarda par la fenêtre. Ferdinand apparut, son vieux chapeau informe sur la tête, le manteau jeté sur les épaules. Deux hommes l'encadraient. Sans ménagement, ils le firent monter dans la voiture. Le chauffeur tira une dernière bouffée de sa cigarette, jeta le mégot par terre, puis prit le volant. Les roues crissèrent sur les pavés.

Lentement, si lentement, Max se laissa glisser le long du mur et se retrouva assis par terre. Ses jambes ne le portaient plus. Quelqu'un avait dû dénoncer Ferdinand. Un espion de la Gestapo infiltré dans leur cercle ? Même si chacun se méfiait des inconnus, il était devenu difficile de faire le tri parmi ceux qui pouvaient aider, efficacement ou non. Il fallait bien se procurer les faux documents, trouver des personnes susceptibles d'héberger tel ou tel clandestin. Le principe voulait qu'on cherche à communiquer la flamme de la résistance aussi bien à l'intérieur qu'à l'extérieur du pays. D'autres cercles d'opposants avaient été trahis, comme celui d'Hanna Solf et d'Élisabeth von Thadden, accusées par un agent de la Gestapo qui s'était fait passer pour un médecin suisse prétendant chercher à établir des liens avec les cercles antinazis.

« C'est une année pourrie », avait bougonné Ferdinand un jour de mauvaise humeur. En mars, deux attentats d'officiers contre Hitler avaient échoué. Le colonel Henning von Tresckow avait embarqué deux bombes à retardement dans des bouteilles de Cointreau à bord de l'avion qui ramenait le Führer de son quartier général de Smolensk, mais elles n'avaient pas explosé et l'avion s'était posé sans encombre. Une semaine plus tard, le colonel Rudolf-Christoph Freiherr von Gersdorff avait décidé de se faire sauter avec une bombe en présence d'Hitler, lors de la visite d'une exposition de matériels de guerre pris à l'ennemi. Il n'avait pas pu prévoir que le Führer ne passerait que deux minutes dans l'enceinte du Zeughaus, alors que son détonateur en exigeait dix pour fonctionner.

Comme dans un sinistre jeu de quilles, les opposants avaient ensuite appris l'arrestation du pasteur Bonhoeffer, ainsi que celle d'Hans von Dohnanyi, qui travaillait avec Ferdinand à l'Abwehr. Toute l'organisation des résistants de l'administration en avait été bouleversée. En septembre, à la prison de Plötzensee, près de trois cents condamnations à mort et exécutions s'étaient enchaînées en cinq jours. Le sang s'arrêterait-il jamais de couler ? Les yeux clos, Max appuya sa nuque contre le mur. Il se sentait si infiniment las. La peur l'enserrait dans un étau. On l'attendait peut-être lui aussi au coin de la rue. Il devait se débarrasser des papiers compromettants qu'il avait dans sa sacoche. Ensuite, il fallait prévenir Walter et Milo. Il fit un effort surhumain pour se relever, gravit les étages et se réfugia au fond d'un couloir. Il brûla les papiers avec ses dernières allumettes. Ses mains tremblaient. Comme il n'osait pas rentrer chez lui, il décida de se rendre à la Wilhelmstrasse. Son cousin se trouvait certainement à son bureau.

Dans la rue, aucune voiture suspecte. Il prit le métro sur le trajet encore praticable, puis continua à pied parmi les ruines. Le froid humide le fit frissonner. Le crépuscule de novembre drapait la ville d'un voile de ténèbres. Aucune lumière ne devait plus filtrer de nulle part. Chaque nuit, les Berlinois attendaient les bombardements dans une obscurité de fin du monde. Max était obsédé par Ferdinand et l'idée des tortures que la Gestapo allait lui infliger. Brusquement, il eut un haut-le-cœur et se plia en deux. Secoué de spasmes, il vomit toute sa peur et son horreur, son sentiment d'impuissance et de rage, son désespoir de savoir qu'ils étaient tous condamnés à mourir dans ce charnier obscène, parmi les décombres des fantasmes d'Adolf Hitler.

Le hurlement des sirènes s'éleva une nouvelle fois. Aussitôt, des passants aux visages crispés d'angoisse se hâtèrent vers l'abri le plus proche. Max essuya sa bouche du revers de la main. La porte de Brandebourg se dressait devant lui avec ses pitoyables colonnes et les silhouettes des chevaux lancés dans un galop improbable. Les vrombissements des avions approchaient. Cloué sur place, il était incapable de bouger. Le sol vibrait sous ses pieds, les élancements remontaient le long de ses jambes, emplissaient son corps. Il regarda le ciel sombre où déferlaient les ombres des forteresses volantes. Il voulait les voir passer au-dessus de lui, leurs gros ventres gavés de bombes incendiaires, et sentir le souffle des explosions. Il voulait rester là parce qu'il n'y avait plus d'issue, que les résistants seraient tous arrêtés les uns après les autres, que ces femmes et ces hommes seraient torturés, puis traduits devant une justice indigne qui les condamnerait à être enfermés dans les camps, pendus ou décapités à la hache. Or ce soir-là, au cœur de sa ville ravagée, Maximilian von Passau voulait témoigner qu'une Allemagne s'était révoltée, des personnes au nombre peut-être dérisoire eu égard aux millions de complices de ce régime barbare, mais une Allemagne qui avait versé son sang pour le respect de la conscience et de la dignité humaines, celle des ouvriers communistes et des députés sociaux-démocrates, celle des étudiants et des intellectuels qui avaient rédigé des tracts et des livres, celle des hommes d'Église, catholiques et protestants, des militaires et des diplomates, des femmes aussi, et enfin celle de cette aristocratie qui sauvait l'honneur de sa patrie, et dont la noblesse n'était plus seulement attachée au sang mais à l'esprit.

— Monsieur le baron ! cria une voix qui peinait à se faire entendre à cause des déflagrations. Monsieur le baron ! Qu'est-ce que vous faites là ? Il faut venir vous mettre à l'abri.

Le chasseur de l'hôtel Adlon empoigna Max par le bras et le secoua comme un prunier. Hébété, à moitié sourd, Max mit quelques instants à le reconnaître et à se souvenir qu'il se trouvait dans l'avenue Unter den Linden.

— Vous ne vous sentez pas bien ? Venez vite ! Ça va encore canarder cette nuit, mais vous serez à l'abri chez nous. Y a tout ce qu'il faut. Comme toujours. Allons, monsieur le baron, il ne faut pas rester planté là. C'est dangereux, vous savez.

Et, dans sa livrée aux brandebourgs à moitié déchiquetés, le vieil homme entraîna Max vers l'abri de l'Adlon.

Paris, août 1944

Xénia revenait chez elle, gorgée d'excitation et de liesse, grisée par la frénésie de cette foule chavirée de bonheur qui brandissait ses drapeaux tricolores, pleurait et s'embrassait en chantant. C'étaient les cloches de Paris qui avaient annoncé à la capitale la fin des quatre années de silence. Le bourdon de Notre-Dame et les carillons de toutes les églises avaient résonné à onze heures du soir, le 24 août, incitant les Parisiens à descendre dans la rue par une chaude nuit d'été. Depuis, ils ne cessaient de parcourir la ville encore hérissée de barricades. Des croix de Lorraine badigeonnées sur les murs occultaient les affiches de la Résistance qui indiquaient comment fabriquer des bouteilles incendiaires et attaquer les chars allemands.

Les derniers jours avaient été éprouvants pour les nerfs. Chacun avait pris peur en voyant s'élever l'épaisse fumée d'un incendie au-dessus du Grand Palais. On racontait que la capitale était minée. Les Boches allaient-ils tout faire sauter avant de s'enfuir ? Bien que la plupart de leurs troupes aient été évacuées, les Allemands s'étaient retranchés dans quelques réduits. À l'abri de ses persiennes closes, Xénia avait écouté les canonnades et le staccato des mitrailleuses crépiter autour du Luxembourg et de la place du Panthéon. Dans les jardins, quelques centaines de soldats de la Wehrmacht avaient attendu les chars américains armés de bazookas. Et puis la délivrance. Venant du pont de Sèvres, de la porte de Gentilly et de celle d'Italie, les chars de la deuxième division blindée française avaient commencé à labourer les pavés. Les jeunes filles dans leurs robes légères, à la taille bien prise et à la jupe évasée, s'étaient hissées sur les tanks pour embrasser les soldats. Debout dans des voitures décapotables, les jeunes hommes des FFI en maillot de corps ou bras de chemise, le béret incliné sur l'œil, paradaient avec des mines à la fois réjouies et pénétrées d'importance. Des coups de feu sporadiques procuraient aux passants, qui refusaient de se mettre à l'abri en dépit des recommandations des militaires, ce délicieux frisson du courage. Durant ces quelques jours enfiévrés, chacun se rêvait en héros et voulait sa part de gloire. Mais les véritables héros n'étaient que trop rares, songea Xénia avec une pointe d'angoisse.

Devant chez elle, un passant la bouscula, la saisit aux épaules et l'embrassa sur la bouche. Elle lui sourit. Une plénitude de bonheur se répandit dans son corps, dénouant les tensions. Elle allait enfin retrouver Natachenka. Le désir de serrer sa fille dans ses bras la traversa telle une brûlure. Elle repensa aux regards angoissés de Félix et de Lilli quand elle leur avait apporté les faux papiers et les faux certificats de baptême fournis par un prêtre orthodoxe. La détermination de Macha et de ses beaux-parents avait permis aux enfants de Sara d'éviter le pire.

Trop fébrile pour attendre l'ascenseur, Xénia s'élança dans l'escalier et surgit dans l'appartement un peu essoufflée.

— Gabriel, vous êtes là ? appela-t-elle en retirant son béret rouge et en le lançant en direction du portemanteau. C'est formidable ce qui se passe en ville ! Vous devriez sortir au lieu de rester enfermé à la maison.

Elle entra dans le salon, un sourire aux lèvres, et s'arrêta net. Un frisson lui glaça l'échine. Gabriel était assis dans un fauteuil, courbé en avant, les coudes sur les genoux. À la main, il tenait un revolver. D'un seul coup, elle eut l'impression que son sang se figeait dans ses veines et elle resta pétrifiée au milieu de la pièce ensoleillée, tandis que tous les drames qu'elle avait vécus depuis sa jeunesse renaissaient en elle avec une force impitoyable.

Gabriel avait les yeux rougis, les joues creuses. Il ne s'était pas rasé depuis deux jours, et c'était curieusement cet air négligé qui la choquait le plus.

— Alors racontez-moi, ma belle épouse, puisque vous semblez si heureuse, fit-il avec un rictus méprisant. Quelle fête, n'est-ce pas ? Le Français est libre et glorieux puisqu'il est gaulliste. C'est incroyable, non, cette étonnante apparition de millions de gaullistes d'un coup de baguette magique ? Mais vous, vous en êtes une authentique, n'est-ce pas ? Vous ne m'en avez jamais parlé, mais j'avais remarqué vos petites manigances pendant toutes ces années. Admirable, ma chère. Quel courage ! Vous aurez peut-être même droit à une décoration.

Elle restait silencieuse, l'œil rivé sur le revolver. D'où Gabriel le sortait-il ? Comme Xénia avait passé plusieurs années de sa vie avec une arme à portée de main, elle voyait que son mari savait s'en servir.

— Moi, j'ai collaboré, comme vous le savez, poursuivit Gabriel, le regard fiévreux. Oh, je n'ai rien fait de très répréhensible. Contrairement à d'autres, je n'ai envoyé personne à la mort. Mais désormais, nous aurons droit au spectacle affligeant des règlements de comptes, des procès plus ou moins équitables, des épurations méprisables. Ce ne sera pas joli joli, vous verrez. Pour ma part, si j'étais prêt à l'assumer, on me taperait sur les doigts, puis la vie reprendrait comme avant, dit-il d'un air rêveur en caressant le canon. Il suffirait juste d'être discret quelque temps. Mais vous, ça ne vous conviendrait pas, n'est-ce pas, Xénia ? Vous n'êtes pas faite pour une petite vie sage et tranquille. Du moins pas avec moi. Quand vous m'avez épousé, vous l'aviez pourtant espéré, n'est-ce pas ? Mais on ne peut pas contrarier la nature, ma chère. Une femme comme vous est destinée aux tempêtes.

Il marqua une pause et son visage se détendit. Un bref instant, il retrouva cet air tendre et attentionné que Xénia lui avait connu au début de leur mariage.

— Je vous ai tellement aimée, murmura-t-il.

Par les fenêtres ouvertes, elle entendait les rumeurs joyeuses de la foule. Sa peau était glacée mais des gouttes de sueur lui glissaient dans le dos. Que voulait-il ? Qu'attendait-il ? Des pensées folles couraient dans sa tête. Avait-elle le temps d'atteindre la porte d'entrée ? Lui tirerait-il une balle dans le dos ? Pouvait-elle se jeter sur lui et lui arracher ce revolver ?

Gabriel se leva avec une rapidité qui la surprit et s'approcha d'elle.

— Alors, avez-vous eu des nouvelles de lui ? Qu'est devenu votre admirable amant, le magnifique baron Maximilian von Passau ? ironisa-t-il. C'est bien lui, n'est-ce pas ? J'ai mené ma petite enquête. Je suppose qu'il est le père de Natacha. Mais pourquoi tout ce mystère ? Ces silences ? J'aurais pourtant compris, ajouta-t-il en lui effleurant la joue avec le canon.

Xénia demeura immobile. Sans trembler. Un calme étrange s'était emparé d'elle. Ainsi, le moment était venu. L'accomplissement. Elle ne s'était pas attendue à cela. Pas de cette manière. Des mains d'un homme que la jalousie avait rendu fou. C'était à la fois désolant et pathétique. Elle réalisa qu'elle n'avait jamais vraiment envisagé de mourir. Ni sur le quai dévasté d'Odessa quand les bolcheviks pilonnaient les réfugiés, ni lorsqu'elle transportait des faux papiers sous l'œil des Allemands. Pourtant, la mort avait été une compagne attentive tout au long de sa vie. Et Xénia eut une pensée pour son père qu'elle avait tant aimé. Pour mère Marie qui avait été arrêtée par la Gestapo et déportée dans les camps. Et pour les autres. Tous les autres. Il lui sembla que l'ombre de la mort et de la destruction avait dessiné toutes les déchirures de sa vie d'exilée. Un rien amère, elle songea que c'était injuste. Puis elle eut honte de cet instant de faiblesse. N'y avait-il pas eu aussi son amour pour Max ? Et le regard de leur fille ?

— Vous ne resterez pas avec moi, Xénia, lui chuchota Gabriel à l'oreille. J'en suis convaincu. En mon âme et conscience. S'il est encore en vie, vous n'hésiterez pas à aller le rejoindre. Personne ne peut rivaliser avec un amour comme le vôtre. Et s'il est mort, ce sera une partie de vous qui s'éteindra à jamais. Comment peut-on en douter quand on vous a vus ensemble ? Mais vous ne dites rien, s'étonna-t-il, et elle perçut le souffle de son haleine sur sa joue. Je ne vous connaissais pas ce silence. Pourtant, j'ai le droit de savoir. Vous me devez au moins cela. Dites-moi la vérité, madame : est-ce que vous aimez Max von Passau ?

Xénia le regarda dans les yeux. Son mari avait raison. Si Max survivait à cette tragique guerre des âmes qui avait ravagé toute l'Europe, rien ni personne ne l'empêcherait d'aller vers lui.

— Oui, je l'aime, dit-elle.

La douleur dévora le visage de Gabriel qui chancela. Xénia essaya de s'emparer de l'arme, mais il lui tordit violemment le bras.

— Vous devriez avoir honte ! hurla-t-il. Comment osez-vous me regarder comme cela ? Sans aucun remords. Mais l'un de nous sera libre ce soir, ajouta-t-il d'une voix atone en appuyant le canon contre la tempe de Xénia. Jouons, mon amour. Une dernière fois.

La sueur coulait sur leurs visages. Leurs corps étaient raides. Tendus à l'extrême. Leurs souffles courts.

— Il n'y a qu'une balle, murmura Gabriel. Une seule. Mais je vous donne une chance. J'aimerais vous entendre me supplier de vous laisser la vie sauve, puisque vous, vous avez la force de vivre sans moi.

Xénia ne se débattait plus. C'eût été lâche. Indigne d'elle. Elle sentait le métal sur sa peau mais demeurait imperturbable. Son regard clair transperça son mari.

— Je n'implore jamais, Gabriel. Vous devriez pourtant le savoir. Et maintenant, puisque c'est devenu une question d'honneur entre nous, allez-y, tirez donc !

Qu'attendez-vous ? Je vous mets au défi de le faire. La mort n'effraye pas les Russes. Pour nous, elle fait partie de la vie.

Gabriel Vaudoyer hésita. Le visage défait, il avait perdu ses repères. Il savait seulement que son amour insatisfait pour cette femme l'avait rendu fou. Et voilà qu'elle lui échappait encore.

Soudain quelqu'un tambourina à la porte. Gabriel sursauta et appuya sur la détente. Mais il n'y eut qu'un déclic. Rien de plus. Xénia vacilla. Des points noirs dansaient devant ses yeux. Gabriel la repoussa brutalement.

— Sortez ! hurla-t-il. Sortez d'ici !

Sans réfléchir, Xénia se rua vers la porte d'entrée et batailla avec la poignée. On continuait à frapper. Elle entendit le coup de feu et le corps de Gabriel qui tombait lourdement sur le sol.

— Xénia ! appela en russe une voix forte. Qu'est-ce qui se passe ? Ouvre tout de suite, c'est moi, Cyrille !

Quand elle réussit enfin à ouvrir le battant, Xénia dut lever la tête. Son frère se tenait devant elle dans son uniforme kaki, les cheveux blonds dressés sur la tête, le visage rayonnant. L'enfant de Petrograd. L'enfant du miracle. Elle sourit, tendit la main pour le toucher, puis, pour la première fois de sa vie, Xénia Féodorovna Ossoline s'évanouit.

Auschwitz-Birkenau, janvier 1945

Le général soviétique Igor Kounine avançait au milieu des plaines et des marécages de haute Silésie sans comprendre le spectacle qui s'offrait à ses yeux. Personne ne l'avait prévenu. C'était le hasard qui les avait guidés jusque-là, ses hommes et lui. Et il avait l'impression étrange que son corps et son esprit s'étaient dissociés.

Une neige mouillée tombait du ciel laiteux, fondait sur son bonnet de fourrure militaire frappé de l'étoile rouge, son manteau déboutonné, glissait sur ses joues. Son corps marchait entre des baraquements sombres dans une lumière opalescente d'où surgissaient des êtres au regard vide, en guenilles et vêtements rayés, pieds nus, qui l'observaient sans rien dire. Il voyait ces squelettes debout et il ne comprenait pas. Il voyait des cadavres. Et encore des cadavres. Et il ne comprenait pas.

Pourtant, à cinquante-deux ans, les absurdités de la vie ne lui étaient pas étrangères. Il avait survécu à la haine et aux massacres aveugles de la révolution bolchevique. Aux purges staliniennes. À la lutte sans merci que l'Armée rouge livrait depuis plus de trois ans aux barbares nazis. Sa femme et leur fille de dix-sept ans étaient mortes de faim pendant le siège de Leningrad. Son fils continuait à se battre. Aux dernières nouvelles, le jeune homme était toujours en vie et son régiment avançait vers Berlin. Or, tandis que le corps d'Igor Kounine marchait lentement et en silence par un vent humide qui sentait le dégel, son esprit, lui, hurlait. Confrontée à ce gouffre vertigineux, à cette prescience d'une horreur pour laquelle il n'y aurait jamais de mots, son âme d'homme juste se révoltait.

Il s'arrêta devant un baraquement, poussa une porte. L'odeur pestilentielle le prit à la gorge. Des femmes. Allongées sur des bat-flanc. Il esquissa un mouvement de recul. D'emblée, il eut honte et se ressaisit. L'une de ces femmes se tenait debout près de la porte. Elle portait des haillons, un fichu autour de la tête. Dans son visage émacié, ses traits étaient tranchants comme la lame d'un couteau. Elle avait un regard sombre. Fiévreux. Il ne la connaissait pas. Il arrivait du fin fond de la Russie. Il arrivait de si loin. Mais même s'il voyageait jusqu'au bout du monde, jamais il ne pourrait aller aussi loin que cette femme.

Un peu intimidé, il fit un pas vers elle. Il voulait la rassurer. Par un geste, une parole. Lui dire que tout irait bien désormais. Qu'il ne comprenait pas mais qu'il devait y avoir une explication. Ou peut-être pas. À vrai dire, il n'en savait rien.

Sara regardait l'homme en uniforme. Il était grand et large d'épaules. Il prenait toute la place dans l'embrasure de la porte et apportait avec lui une odeur fraîche de neige et de vent. Elle ne discernait pas les traits de son visage, mais il lui semblait rassurant. Paisible. Et cela faisait si longtemps qu'elle n'avait pas éprouvé une aussi douce sérénité. Elle ne sentit pas ses jambes vaciller, ni son corps s'affaisser.

Sara Lindner Seligsohn mourut en Pologne, le jour de la libération du camp d'Auschwitz-Birkenau, en début d'après-midi, vers trois heures.

Sur une route d'Allemagne, avril 1945

Il marchait depuis des jours. Il marchait depuis des siècles. En direction du nord et de la mer Baltique, sous un ciel de printemps qui lui rappelait ceux de son enfance. Max von Passau marchait vers Lübeck avec le pas instable d'un homme à bout de forces, parce qu'il obéissait aux ordres de la *Kommandantur* SS, que l'Armée rouge déferlait sur Berlin, et que les autorités nazies voulaient effacer les traces de l'infamie.

Combien étaient-ils, ces rescapés du camp de Sachsenhausen, encadrés par leurs gardiens au doigt nerveux sur la détente ? Quelques milliers seulement. Des Russes, des Ukrainiens, des Allemands, des résistants français aussi. Ceux qui avaient survécu aux fusillades et aux pendaisons, aux coups de matraque, au supplice du pieu, à la faim et à la maladie, à la chambre à gaz, aux heures passées debout dans le vent impitoyable qui balayait la place centrale – ce cœur brûlant du camp où s'effectuaient l'appel quotidien, la formation des *Kommandos* qu'on envoyait travailler dans les usines, les punitions et les exécutions –, ceux enfin qui n'avaient pas encore succombé à l'épuisement de cette marche forcée.

Max gardait les yeux rivés sur les pas hésitants de l'homme qui le précédait. De temps à autre, il tendait le bras quand le malheureux s'écartait du rang. Pour une raison insolite, il était devenu essentiel pour Max que cet inconnu ne cède pas. L'homme ne pesait pas lourd, une quarantaine de kilos peut-être. Max se concentrait sur lui à défaut d'autre chose. Pour oublier la faim. La soif obsédante. Pour oublier qu'il risquait à tout moment d'être abattu.

À chaque pas, la douleur traversait son corps mais il ne renonçait pas. C'était une question d'honneur puisque Max von Passau marchait pour ses morts.

Les cercles de résistants n'existaient plus. Leurs membres avaient tous été arrêtés et condamnés. Son cousin Walter von Briskow pendu à un croc de boucher. Ferdinand décapité à la hache pour crime de haute trahison.

Il y avait eu un dernier attentat contre le Führer le 20 juillet 1944, l'aboutissement de tous leurs efforts fournis depuis plus de dix ans. En Prusse-Orientale, au quartier général d'Hitler, la bombe apportée par le colonel Claus Schenk Graf von Stauffenberg avait explosé en présence du chancelier. Les militaires présents avaient été projetés au sol par le souffle de l'explosion. Le plafond s'était effondré. Quatre personnes avaient été tuées et plusieurs autres grièvement blessées. Son uniforme déchiqueté, Adolf Hitler n'avait eu que quelques légères brûlures et un tympan éclaté. De retour à Berlin, le soir même, Claus von Stauffenberg et trois de ses fidèles avaient été fusillés dans la cour de la Bendlerstrasse, leurs corps brûlés le lendemain sur les ordres d'Heinrich Himmler et leurs cendres dispersées dans un champ. Ainsi avait pris fin l'ultime conjuration des officiers et des civils allemands qui aurait dû déclencher un coup d'État soigneusement établi. Comme toutes les tentatives précédentes, elle avait échoué.

La vengeance d'Adolf Hitler avait été impitoyable. Lors d'un procès aussi inéquitable que retentissant, le président du Tribunal du peuple avait craché avec mépris sa hargne et sa colère à la figure des accusés qui avaient fait preuve d'une dignité sans faille. Milo von Aschänger avait été fusillé. Selon la loi dite de la « responsabilité familiale », les proches des traîtres infâmes au Troisième Reich avaient eux aussi été condamnés. Sophia von Aschänger avait été envoyée au camp de concentration de Ravensbrück avec l'épouse de Claus von Stauffenberg, et leurs enfants placés dans une institution aux ordres des SS. L'attentat manqué avait entraîné les arrestations d'environ sept mille personnes. Près de deux cents d'entre elles avaient été exécutées.

En s'éloignant pas à pas de Berlin, Max pensait à sa ville qui subissait l'assaut des troupes russes. Quelque temps avant son arrestation, des bombes incendiaires avaient ravagé son appartement et son studio. En contemplant les décombres, il avait songé à Xénia. Un jour, elle aussi avait tout perdu. À cet instant-là, il avait partagé avec la femme qu'il aimait cette troublante sensation de légèreté et d'effroi qui naît du dénuement. Dans son délire morbide, le Führer avait voulu faire payer aux Allemands une défaite qu'il jugeait méprisable. Puisque le peuple allemand n'avait pas été capable de gagner cette guerre totale, il ne méritait que l'anéantissement. Il n'y aurait aucune reddition. Aucune demande d'armistice. Qu'ils meurent donc tous, ces femmes et ces hommes maudits, jusqu'au dernier.

Max ne savait pas qu'à Berlin il n'y avait plus ni eau courante, ni électricité, ni rien à manger. Des milliers d'officiels nazis cherchaient des vêtements civils avec l'espoir de se fondre dans la population. Coiffées d'un foulard, les femmes erraient en guenilles parmi les ruines en quête d'un abri ou d'un peu de nourriture. Ce jour-là, une estafette traversait la ville. On avait demandé au jeune garçon de se dépêcher, mais comme tous les moyens de transport étaient paralysés, il peinait parmi les gravats. Effrayé par les rugissements des canons soviétiques, il voulait pourtant être à la hauteur de sa mission. Il portait avec précaution une robe haute couture bleu marine brodée de sequins, dessinée par l'une des stylistes les plus renommées de la ville, ainsi qu'une paire de chaussures italiennes en daim noir de chez Ferragamo. Fräulein Braun avait accepté d'épouser le Führer, et elle tenait à être élégante le jour de son mariage.

Max sentit son genou droit flancher. Il trébucha, manqua de tomber. Son voisin le saisit par le bras et l'aida à retrouver son équilibre. Ses côtes cassées le cisaillaient, mais il faisait si beau en ce jour d'avril.

À quelques dizaines de kilomètres, les véhicules de l'armée britannique progressaient avec détermination. Les Anglais étaient pressés d'arriver à Berlin en même temps que les Russes. Ainsi, ils venaient à sa rencontre, mais Max ignorait encore qu'il allait être sauvé, retrouver non seulement sa liberté mais aussi le chemin de Paris. Pour l'instant, son devoir lui imposait d'avancer. Pas après pas. Comme un enfant qui apprend à marcher. Sans faiblir. Sur ce chemin de souffrance de son pays ravagé, avec l'âme chevillée au corps, porté par le souvenir de ses compagnons qui avaient donné leur vie pour l'honneur de leur patrie, porté par sa foi, et l'amour inaltérable qu'il éprouvait pour une femme croisée par hasard une nuit de printemps dans un café parisien, il y avait de cela quelques années, il y avait des siècles.

REMERCIEMENTS

Un immense merci à Mme Lisa Roussel pour son regard attentif et le temps qu'elle m'a consacré.

À M. Ludwig Norz pour son aide si précieuse à Berlin.

À Mme Natacha Derevitsky pour la pertinence de ses réflexions littéraires.

Merci pour leur accueil et leurs suggestions à M. Alexandre Bobrikoff, conservateur et directeur du musée du Régiment des Cosaques de la Garde impériale, M. Peter Knapp, Mme Cristina Mugnaini, M. François Lesage et Mme Corinne Mahé, première d'atelier de la maison Lesage, à Mme Sylvie Glaser-Chuard et Mme Dominique Revellino du musée de la Mode de la Ville de Paris.

Mes remerciements aux historiens et écrivains dont les lectures ont nourri ce roman et, entre autres, merci à Fabrice d'Almeida, Henri Amouroux, Ruth Andreas-Friedrich, Jean-Paul Cointet, Bella Fromm, Patrick de Gmeline et Gérard Gorokhoff, Marina Gorboff, Marina Grey, Irene Guenther, Sebastian Haffner, Birgit Haustedt, Marion Kaplan, Ursula von Kardoff, Anja Klabunde,

Guido Knopp, Andreï Korliakov, Gilbert Merlio, Lionel Richard, William L. Shirer, Anna Maria Sigmund, Laurence Varaut, Alexandre Vassiliev, Dominique Veillon, Dominique Venner, « Missie » Wassiltchikoff, Günther Weisenborn. J'espère avoir fait bon usage de leurs précieuses informations.

Pour leur temps et leurs livres, merci à Axelle Givaudan, Éric Ollivier et Paul Révay.

De tout cœur, merci à Geneviève Perrin.

Et, enfin, merci à ceux dont les confidences, secrètes et blessées, ont inspiré certains passages de ce roman.

L'impossible idylle

Avril à Paris
Michael Wallner

Paris, 1943. Michel Roth, un jeune Allemand, travaille de nuit comme interprète pour la Gestapo. Le jour, il se promène dans les rues de Paris et se fait passer pour Français. Sa double identité ne lui pose aucun problème de conscience jusqu'au jour où il tombe amoureux de Chantal, Française engagée dans la Résistance. Il lui faut désormais choisir son camp...

(Pocket n° 13675)

Composé par Nord Compo Multimédia
7, rue de Fives, 59650 Villeneuve-d'Ascq

Imprimé en Espagne par
Liberduplex
à Sant Llorenç d'Hortons (Barcelone)
en février 2012

Dépôt légal : mai 2009
Suite du premier tirage : février 2012
S18956/03